LA DAME EN BLANC

W. WILKIE COLLINS

LA DAME
EN BLANC

roman

Traduit de l'anglais par
L. LENOB

FRANCE LOISIRS
123, boulevard de Grenelle, Paris

OUVRAGE PUBLIÉ SUR LES CONSEILS
DE MICHEL LE BRIS

Une édition du Club France Loisirs, Paris, réalisée avec l'autorisation des Éditions Phébus

Titre original de l'ouvrage en anglais :
The Woman in White

ISBN : 2-7242-9227-8

NOTE DE L'ÉDITEUR

La récente réédition de Pierre de Lune, *accueillie comme un événement par la presse et par les libraires, vient de remettre son nom dans les mémoires. Que les Français aient pu oublier cet écrivain, si populaire il y a cent ans à peine (et toujours fêté à l'heure qu'il est d'un bout à l'autre du monde anglo-saxon), reste un mystère. Car enfin Wilkie Collins (1824-1889) avait pour lui tous les atouts : d'abord un art de conter incroyablement retors – celui d'une sorte de Hitchcock du roman –, qui sait jouer comme aucun autre sur les nerfs du lecteur (inventeur du « suspense », il reste en ce domaine un maître qui ne sera jamais dépassé); enfin et surtout il demeure en notre siècle, aux yeux de certains critiques (au premier rang desquels Borges), le véritable initiateur du roman moderne – celui en tout cas qui a ouvert grand, tout au fond des plus sombres corridors de la fiction, les vannes de ce qu'on n'appelait pas encore à l'époque l'« inconscient ».*

Charles Palliser, dans sa préface à Pierre de Lune, *le rappelle et y insiste : en son temps, qui se piqua d'être celui du réalisme, il est le premier et l'un des rares à s'être donné la peine de creuser sous la trop belle architecture du réel. Le premier, surtout, à avoir suggéré que les choses les plus intéressantes se passaient dans les lieux d'ordinaire cachés au regard : caves, souterrains, alcôves. Du coup, le principe ambigu qui gouverne tout déchiffrement du réel, orchestrant la trouble symphonie des contraires – vérité-mensonge, révélation-dissimulation, aveu-refoulement –, impose sa grille à la forme même de l'œuvre, vaste miroir éclaté où chaque personnage projette sa vision forcément limitée des choses, et où la réalité n'est jamais envisagée que comme la somme d'un nombre indéfini d'erreurs ou d'approximations. De silences aussi : car la société victorienne de façon exemplaire – et toute société finalement – fonde son identité sur ce qu'elle a à cacher. Mais la littérature elle-même, cette grande fille faussement émancipée, joue-t-elle un autre jeu ? C'est en tout cas ce que ne cesse de suggérer l'auteur, pour qui l'écriture n'est qu'un long processus de dévoilement – de déshabillage, voudrait-on presque dire. Et l'on s'explique dès lors que Borges situe chez Collins – et dans ce livre singulièrement – la source de toute fiction « moderne » : cette loi d'incertitude, ou de relativité, qui régit un monde où la vérité, traquée pourtant dans sa nudité la plus crue, finit toujours par échapper au regard fasciné du lecteur-voyeur. Ce dont le public de l'époque ne sera pas dupe, qui ne cessa de s'enchanter de ce perpétuel jeu de chat et de souris.*

Que Dickens, pourtant l'ami sincère de Collins (ils ont écrit plusieurs livres « à quatre mains »), ait fini par prendre ombrage de son succès est dans la logique des choses. L'auteur d'Oliver Twist *avait largement pourfendu la société hypocrite de son temps, mais le sexe était pour lui un domaine tabou… un domaine qu'il regrettait peut-être de n'avoir pas exploré avec la franchise qu'il aurait fallu. Certes Wilkie Collins n'a rien d'un auteur indécent : les dames de la bonne société victorienne ont fait leur régal des horreurs qu'il se faisait un noir plaisir de déterrer pour elles. Mais s'il reste dans ses fictions cravaté jusqu'au col (comme Hitchcock encore), on le sent perpétuellement à l'affût d'une vérité qui plonge ses racines dans l'inavouable, qui ne se fait jour qu'au prix de la transgression la plus violente – et qui invite subrepticement le lecteur à ouvrir la porte des derniers interdits. L'usage immodéré de l'opium l'aida peut-être, comme De Quincey son maître et comme Baudelaire (son aîné de trois ans), à cette secrète audace. Toujours est-il qu'avec lui les noirceurs enfouies du roman gothique remontent brutalement du fond des eaux troubles où la bienséance bourgeoise croyait les avoir noyées pour jamais. Et ce sont elles qui vont colorer jusqu'à nous tout un courant, le plus riche peut-être, le plus dérangeant en tout cas, de la production littéraire de ce siècle : cette veine « noire » qui trouvera sa terre d'élection en Amérique et qui est sans doute, à notre époque, le seul lieu de réconciliation de l'élite intellectuelle et du lectorat populaire.*

L'incroyable succès des romans de Wilkie Collins en son temps était déjà fondé sur cette ambiguïté : il plaisait à la critique la plus exi-

geante (Dickens) et les amateurs de feuilleton (qui jouait à l'époque le rôle du cinéma populaire chez nous) s'arrachaient ses livres. La même ambivalence se retrouve dans le ton même de ses récits, partagés entre un réalisme strictement repéré – mais semé de pièges – et un goût impénitent du mystère. Aucun effet « fantastique », cependant, dans ce recours à l'inquiétude, que l'on sent toujours fondé sur une expérience intime – ainsi que le révèle à l'envi la genèse de La Dame en blanc.

Rappelons les faits... Un soir qu'il se promène dans Londres avec son frère et le peintre Millais, le romancier entend derrière le mur d'un parc un cri désespéré : puis une jeune femme très belle, tout de blanc vêtue, apparaît à la grille, s'approche des trois hommes, bredouille une supplique des plus incohérentes, et disparaît. Le lendemain, Collins, intrigué, revient sur les lieux et commence son enquête. Il découvre que la jeune femme, Caroline Graves, était séquestrée avec son enfant par un mari demi-fou. Il la délivre... et vouera désormais à la belle enfant un amour certes compliqué, mais qui durera jusqu'à la mort.

Il est tout à fait fascinant de mesurer l'écart fantasmatique qui sépare cette aventure, on ne peut mieux réelle, de celle qu'imagine le diabolique Collins dans son roman. On se gardera pourtant d'en effeuiller ici le mystère, laissant au lecteur le plaisir de perdre pied sans notre aide; et de découvrir en tournant les pages de ce récit (publié pour la première fois en français dans sa version intégrale [1]*) que la réalité inventée s'impose parfois avec plus de force que celle qui passe pour avoir été vécue. Il reconnaîtra enfin au passage un monde qui doit lui être familier s'il a lu le* Quinconce *de Charles Palliser. Car le* Quinconce, *par-delà ses nombreux masques, pourrait bien être aussi, à sa trouble façon, une géniale variation sur le thème inépuisable de la* Dame en blanc : *deux livres-labyrinthes gouvernés par l'intranquillité, par la peur qui rôde; deux livres qui donnent l'un et l'autre une image terrible du Mal – ce démon si souvent fiancé avec ce que nous croyons être la pure innocence.*

J.P.S.

1. L'honorable traduction de L. Lenob, désormais classique, n'avait qu'un défaut : elle gommait près d'un quart du texte... un texte où la moindre virgule semble pourtant jouer le rôle d'indice central. C'est elle qu'on a reprise ici, soigneusement revue – et surtout intégralement complétée à partir de l'original anglais.

PRÉAMBULE

Cette histoire montre avec quel courage une femme peut supporter les épreuves de la vie et ce dont un homme est capable pour arriver à ses fins.

Si l'on pouvait attendre de la machine judiciaire qu'elle se mette en route, dans chaque affaire, dans chaque procès, avec toute l'indépendance qu'il sied en face de la force persuasive de l'or, nul doute que les événements dont nous allons faire le récit eussent dû faire l'objet de l'attention générale devant une cour d'assises.

Puisque aussi bien la loi est encore soumise, dans bien des cas, à la puissance de l'argent, cette histoire est portée ici pour la première fois à la connaissance du public, exposée au lecteur telle qu'elle eût dû l'être devant le juge. Aucun fait important ne sera relaté simplement par ouï-dire. Quand l'auteur de cette introduction, Walter Hartright pour ne pas le citer, se trouvera avoir été intimement mêlé aux incidents, il en assurera lui-même la narration; mais lorsqu'il ne s'agira plus de sa propre expérience, il passera la plume à d'autres qui raconteront à leur tour ce qu'ils savent, clairement et objectivement eux aussi.

Cette histoire sera donc écrite par des personnes différentes, de même que l'exposé d'une offense à la loi est présenté devant le tribunal par plusieurs témoins, dans une seule et même intention : montrer sans détour où est la vérité; retracer le plus fidèlement possible le cours des événements, grâce au témoignage des personnes qu'ils ont touchées au plus près, à différents moments.

Mais entendez donc Walter Hartright, professeur de dessin, âgé de vingt-huit ans.

PREMIÈRE ÉPOQUE

RÉCIT DE WALTER HARTRIGHT, DE CLEMENT'S INN, PROFESSEUR DE DESSIN

I

Les derniers jours de juillet s'effeuillaient. L'été touchait à sa fin. Pèlerins fatigués d'arpenter le pavé londonien, nous commencions à rêver avec envie aux nuages jetant de larges ombres sur les champs de blé et aux brises d'automne rafraîchissant les rivages.

Pour ma part, l'été déclinant me laissait sans souffle, sans énergie et, s'il me faut tout dire, sans argent. Durant l'année écoulée, je n'avais pas géré mes revenus avec autant de soin que d'habitude et, à cause de ces imprudences assez folles, il ne me restait qu'une seule perspective à envisager : passer tout simplement l'automne en partie chez ma mère, dans sa petite maison de Hampstead, en partie chez moi, dans mon appartement en ville.

La soirée, je m'en souviens, était calme, le ciel nuageux, l'air de Londres suffocant. Lointains, les bruits de la ville s'atténuaient peu à peu ; l'infime pulsation de vie en moi et l'immense cœur de la cité tout autour de moi semblaient s'éteindre à mesure que le soleil déclinait. Je quittai mon appartement pour aller respirer un peu l'air frais des faubourgs. C'était l'une des deux soirées par semaine que je passais d'habitude avec ma mère et ma sœur ; je me dirigeai donc au nord, vers Hampstead.

Les événements que je vais conter m'obligent à préciser que mon père était mort depuis quelques années déjà, et que ma sœur Sarah et moi-même étions les seuls survivants d'une famille de cinq enfants. Mon père, qui avait été lui aussi professeur de dessin, avait un très grand talent, lequel lui avait valu de réussir brillamment dans la profession qu'il avait embrassée. Son désir incessant de pourvoir à l'avenir de ceux qui dépendaient de lui l'avait poussé à économiser sa vie durant une grande partie de ses revenus, chose assez rare, convenez-en. Grâce à cette admirable prévoyance, ma mère et ma sœur, après sa mort, purent rester aussi indépendantes qu'elles l'avaient été de son vivant. Pour moi, je marchais sur ses traces, et j'avais toutes les raisons du monde d'éprouver une véritable gratitude envers la vie qui s'ouvrait à moi.

Doucement, le crépuscule enveloppait la lande. La vue de Londres, à mes pieds, se noyait dans la pénombre de la nuit nuageuse lorsque j'atteignis le cottage de ma mère. J'avais à peine touché la sonnette que la porte s'ouvrit violemment ; au lieu de la servante, ce fut mon excellent ami italien, le professeur Pesca, qui m'accueillit joyeusement, dans un anglais coloré d'un accent étranger tout à fait charmant.

Le professeur mérite, tant pour ce qu'il est que pour ce qu'il a été pour moi, l'honneur que je le présente ici. C'est un accident banal qui le place à l'origine de l'étrange histoire de famille que l'on va lire.

J'avais fait sa connaissance dans une de ces demeures élégantes où il enseignait sa langue maternelle tandis que j'y enseignais le dessin. Tout ce que je savais de lui, c'est qu'après avoir occupé une brillante situation à l'Université de Padoue il avait dû quitter l'Italie, pour des raisons politiques dont il ne parlait jamais à personne, et que, depuis de nombreuses années, il s'était fait à Londres la réputation d'un respectable professeur de langues.

Sans être exactement un nain, car il était parfaitement proportionné, Pesca était, je pense, le plus petit être humain que j'aie jamais rencontré. Étrange par son apparence, il l'était encore plus par l'inoffensive excentricité de son caractère. L'idée maîtresse de sa vie, semblait-il, était de faire l'impossible pour devenir un véritable Anglais, afin de prouver sa gratitude au pays qui lui avait procuré un asile et le moyen de gagner sa vie. Non content d'avoir toujours un parapluie à la main et de porter guêtres et chapeau blanc, le professeur aspirait à se rendre aussi totalement anglais dans ses manières comme dans ses plaisirs. Estimant que notre nation se distinguait par son amour pour les vertus de l'athlétisme, le petit homme, dans l'innocence de son cœur, se lança tête baissée dans la pratique de tous nos sports, fermement persuadé qu'il pourrait s'y adapter par le seul effort de sa volonté, comme il s'était adapté à la guêtre et au chapeau blanc national.

Je l'ai vu risquer de se casser le cou à une chasse au renard et sur un terrain de cricket, comme je l'ai vu, peu après, sans plus de souci du danger, risquer sa vie à Brighton.

Nous nous y étions rencontrés par hasard, et prenions un bain ensemble. S'il se fût agi d'un genre d'exercice propre à mon pays, j'aurais évidemment surveillé Pesca avec soin ; mais comme les étrangers sont en général aussi bons nageurs que nous, l'idée ne me vint pas un instant que la natation se trouvait sur la liste des sports que le professeur croyait devoir apprendre sans tarder. Alors que nous venions de quitter le rivage, je me retournai, étonné de ne pas voir mon ami à mes côtés. A ma grande horreur, je n'aperçus que deux petits bras blancs se débattre à la surface de l'eau, puis disparaître aussitôt. Lorsque je plongeai à sa recherche, le pauvre petit bonhomme se trouvait au fond, dans un creux, parmi les galets, et il paraissait plus petit que jamais. Pendant que je le ramenais vers la terre ferme, il reprit peu à peu ses sens et m'expliqua tant bien que mal sa désillusion étonnée au sujet de la natation. Lorsqu'il eut enfin cessé de claquer des dents, il sourit d'un air absent et il déclara qu'il avait sans doute eu une crampe.

Tout à fait remis, il me rejoignit sur la plage ; son sang méridional reprit ses droits au mépris de toute la retenue anglaise. Il me témoigna l'affection la plus débordante, protestant à l'italienne, avec passion, que désormais sa vie était à ma disposition, et qu'il serait heureux le jour où il m'aurait prouvé sa reconnaissance en me rendant un service dont à mon tour je me souviendrais jusqu'à ma mort.

J'essayai d'arrêter ce torrent de pleurs et de protestations d'amitié en m'ingéniant à traiter toute l'aventure comme une bonne plaisanterie ; j'imaginai y avoir réussi enfin, pensant avoir finalement convaincu Pesca qu'il exagérait beaucoup le rôle que je venais de jouer. Je me doutais bien peu alors – guère plus que quelque temps après, lorsque nos délicieuses vacances eurent pris fin – que l'occasion tant désirée par mon ami allait bientôt se présenter et changer le cours de mon existence, au point que je ne devais pour ainsi dire plus me reconnaître.

Si je n'avais pas plongé pour repêcher le professeur Pesca, je n'aurais sans doute jamais été mêlé à l'histoire qui va suivre, et je n'aurais peut-être jamais entendu le nom de la femme qui devait occuper toutes mes pensées, capter pour elle seule tout mon courage et toutes mes forces, et influencer mon existence tout entière.

II

Ce soir-là, la façon d'être de Pesca et son visage illuminé suffirent à me faire comprendre, dès que je me trouvai face à lui sur le perron de la demeure de ma mère, qu'une chose extraordinaire était arrivée. Il était tout à fait inutile, cependant, d'attendre qu'il s'expliquât sur l'instant. Je ne pus que supposer, tandis qu'il me tirait par les deux mains, que, connaissant mes habitudes, il s'était rendu chez ma mère avec la certitude de m'y trouver, et qu'il avait sans doute à m'apprendre quelque nouvelle anormalement agréable.

Nous entrâmes en trombe dans le salon où ma mère, assise près de la fenêtre, riait en s'éventant. Pesca était un de ses favoris, et ses pires excentricités trouvaient grâce à ses yeux. Pauvre chère maman ! Dès qu'elle eut découvert que le petit professeur était profondément attaché à son fils, elle lui ouvrit son cœur sans réserve et prit au sérieux toutes ses bizarreries, sans même essayer de les comprendre.

Ma sœur Sarah, malgré sa jeunesse, était curieusement moins indulgente. Tout en rendant justice aux grandes qualités de Pesca, au fond d'elle-même elle ne parvenait pas à l'approuver. L'idée qu'elle se faisait des convenances était toujours heurtée par la désinvolture du petit Italien, et elle ne laissait pas de s'étonner plus ou moins ouvertement de la familiarité de notre mère avec l'excentrique étranger. J'ai observé, non seulement chez ma sœur mais aussi chez d'autres jeunes gens, que notre génération est beaucoup moins spontanée que celle de nos parents. Je vois continuellement des personnes âgées joyeuses et pleines d'excitation devant la perspective de quelque plaisir qui laisse de marbre leurs petits-enfants. Les garçons et les filles, de nos jours, seraient-ils moins sincères que leurs aînés ? Est-ce là un progrès trop rapide de l'éducation ? Et sommes-nous, nous autres de la jeune génération, un tant soit peu trop bien élevés ?

Sans essayer de répondre à cette question, je puis en tout cas assurer que je n'ai jamais vu ma mère et ma sœur en compagnie de Pesca sans trouver que ma mère était de beaucoup la plus jeune des deux. En cette circonstance, par exemple, tandis que la vieille dame riait de bon cœur de la manière dont, tels deux collégiens, nous avions fait irruption dans le salon, Sarah, d'un air contrarié, ramassait les débris d'une soucoupe que le professeur avait heurtée en passant.

– Je ne sais ce qui serait arrivé, Walter, si vous aviez encore tardé à rentrer, dit ma mère. Pesca n'était plus à tenir et j'étais moi-même à demi folle de curiosité. Le professeur apporte une nouvelle extraordinaire qui vous concerne et a cruellement refusé de nous en donner la moindre idée avant que son ami Walter fût là.

– C'est agaçant ! murmura Sarah, et cela dépareille le beau service !

Pendant ce temps, Pesca, inconscient de sa maladresse, traînait à l'autre bout du salon un grand fauteuil à haut dossier. Tourné vers nous, à genoux sur le siège, il commença un discours emphatique, comme un orateur s'adressant à un vaste auditoire.

– Maintenant, mes bien chers, commença-t-il (il employait toujours l'expression « bien chers » pour dire « chers amis »), écoutez-moi ! Le moment est venu de vous annoncer enfin ma grande nouvelle.

– On vous écoute, on vous écoute ! s'exclama ma mère avec impatience.

– La prochaine chose qu'il cassera, marmotta Sarah, ce sera le dossier de notre meilleur fauteuil !

– Je fais un pas en arrière dans le passé et je m'adresse à l'être le plus noble qui existe, continua Pesca s'adressant à moi par-dessus son rempart, à celui qui, me trouvant mort au fond de la mer, me ramena à la surface. Et que lui ai-je dit lorsque je me retrouvai en possession de la vie et de mes vêtements ?

– Beaucoup plus qu'il n'en fallait ! répondis-je afin de contenir l'émotion qui allait immanquablement provoquer un flot de larmes chez le professeur.

– J'ai dit, répéta Pesca, que ma vie lui appartenait, et que je ne pourrais être heureux que le jour où j'aurais l'occasion de lui prouver ma gratitude. Aujourd'hui, la joie éclate dans mon cœur et sort par tous les pores de ma peau, car ce jour est enfin arrivé ! Je n'aurai qu'un mot : Bien-très-bien.

Il est sans doute nécessaire d'expliquer ici que Pesca se targuait d'être aussi parfaitement anglais dans la façon dont il parlait notre langue que dans ses manières, ses vêtements et ses loisirs. Ayant glané ici et là quelques-unes de nos expressions les plus courantes, il en saupoudrait sa conversation chaque fois qu'elles lui venaient en tête, les transformant, dans le bonheur que lui inspirait leur sonorité et dans l'ignorance complète où il se trouvait de leur sens, en combinaisons de son cru qu'il prononçait comme s'il se fût agi d'une seule syllabe.

– Parmi les élégantes demeures de Londres où j'enseigne ma langue maternelle, poursuivit le professeur sans s'arrêter, il en existe une merveilleuse qui est située à Portland. Vous savez tous où cela se trouve, naturellement ? Oui, évidemment ! Cette superbe habitation abrite une superbe famille : une maman, avenante et potelée, trois jeunes filles, avenantes et potelées, deux garçons, avenants et potelés, et un papa, le plus avenant et le plus potelé de tous, financier important, autrefois bel homme, qu'un crâne chauve et un double menton ont un peu abîmé. Mais rendez-vous compte ! J'enseigne le sublime Dante aux jeunes demoiselles et, ah ! garde-Dieu-me-garde, il n'y a pas de mot humain pour dire à quel point le sublime Dante perturbe leurs jolies têtes ! Peu importe : plus il faudra de leçons, mieux cela vaudra pour moi. Mais rendez-vous compte ! Figurez-vous qu'aujourd'hui, comme à l'ordinaire, j'étais en train de donner leur leçon aux trois jeunes filles. Nous étions tous les quatre en Enfer ; dans le septième cercle – peu importe d'ailleurs, car tous les cercles de l'Enfer se ressemblent aux yeux des trois jeunes demoiselles, avenantes et potelées – où mes élèves se trouvaient fort engluées. Moi, pour les faire repartir, j'explique, je récite, je me chauffe à blanc avec un enthousiasme bien inutile, quand soudain un bruit de bottes se fait entendre. Et voici qu'apparaît le papa en or, avec sa calvitie et son double menton. Ah ! mes bien chers ! J'approche de la grande nouvelle. Vous reste-t-il de la patience, ou vous êtes-vous dit : « Diable-par-le-diable, Pesca se traîne tant qu'il peut ce soir » ?

Comme nous déclarions que nous étions absolument passionnés, le professeur continua :

– Il tenait une lettre à la main et, après s'être excusé de nous avoir tirés de nos Régions Infernales pour nous ramener à des affaires terrestres, il s'adressa à ses filles et commença, comme vous autres Anglais commencez toutes vos phrases, par un « Oh ! ». « Oh ! mes chères filles, j'ai ici une lettre de mon ami Mr... (le nom m'échappe pour le moment, mais peu importe, nous y reviendrons), me demandant de lui recommander un maître de dessin qui pourrait aller chez lui à la campagne. » Garde-Dieu-me-garde ! A ces paroles, je l'aurais serré sur mon cœur, si j'avais eu la corpulence nécessaire ! Mais je me bornai à sauter de mon siège tant j'avais l'impression d'être assis sur des épines, et je brûlais de parler. Je n'en fis rien pourtant ; j'attendis qu'il eût terminé. « Peut-être, mes chéries, connaissez-vous un bon professeur de dessin que je pourrais lui conseiller ? » continua l'excellent homme en agitant la lettre. Les jeunes filles se regardèrent et répondirent ensemble (avec l'inévitable « Oh ! » : « Oh ! Mon Dieu ! Non, papa ! mais peut-être Mr Pesca... » A ces mots, mon sang ne fit qu'un tour et je m'écriai avec feu (dans mon plus bel anglais) :

» – Cher monsieur ! J'ai votre homme ! Le premier et le meilleur professeur de dessin du monde ! Recommandez-le par le courrier de ce soir et envoyez-le avec armes et bagages (encore mon plus bel anglais !), envoyez-le avec armes et bagages par le premier train du matin !

» – Arrêtez ! Arrêtez ! s'écria le père. Est-ce un étranger ou un Anglais ?

» – Anglais jusqu'à la moelle des os ! répondis-je.

» – Respectable ?

» – Monsieur ! m'écriai-je à cette question qui m'offensait personnellement, la flamme immortelle du génie brûle dans le cœur de cet homme, et son père l'avait déjà avant lui !

» – Peu importe son génie, déclara-t-il d'un ton rude. Dans notre pays nous ne voulons pas d'un génie sans respectabilité, mais si les deux se trouvent réunis, tant mieux ! Tant mieux ! Votre ami peut-il fournir des certificats ou des références ?

» – Des lettres de références ! m'écriai-je en agitant la main. Garde-Dieu-me-garde ! Mais des douzaines, des volumes si vous le désirez !

» – Une ou deux suffiront, répondit cet homme de sang-froid et d'argent. Qu'il me les fasse parvenir avec son nom et son adresse et... attendez ! Attendez, monsieur Pesca. Avant de courir chez votre ami, il vaudrait mieux que je vous remette un billet pour lui.

» – Un billet de banque ! m'écriai-je indigné, s'il vous plaît, monsieur, pas avant que mon estimé ami l'ait gagné...

» – Billet de banque ? reprit le papa, mais qui vous parle de billet de banque ? Je parle d'une note expliquant les conditions, un résumé de ce qu'on attend de lui. Continuez votre leçon, monsieur Pesca, je vous remettrai cette note dans un instant.

» Ce disant, il alla s'installer à une table de travail, et y prit une plume et du papier tandis que je redescendais dans l'Enfer de Dante avec mes trois jeunes demoiselles. Dix minutes après, la note était rédigée et les bottes du père s'éloignaient dans le corridor. De ce qui se passa ensuite, je ne sais plus rien. L'idée que j'avais enfin la merveilleuse occasion de prouver ma gratitude à mon très cher ami Walter me rendait ivre de bonheur. Comment je sortis avec mes trois demoiselles des Régions Infernales, comment je terminai mon cours, comment mon dîner transita par mon gosier, je ne pourrais vous le dire ! L'essentiel est que je sois là, avec ce message, et que je me sente fou de joie et plus heureux qu'un roi ! Ah, ah ! Bien-bien-bien-très-bien !

Ici, le professeur termina son discours en brandissant la lettre au-dessus de sa tête et en exécutant une parodie italienne du vivat anglais.

Ma mère se leva, les joues en feu, les yeux brillants ; elle saisit chaleureusement les mains du petit homme.

– Mon cher excellent Pesca, s'écria-t-elle, je n'ai jamais douté de votre affection pour Walter, mais maintenant, j'en ai la certitude !

– Nous sommes vraiment très obligées de ce que le professeur Pesca fait pour Walter, ajouta Sarah, se levant à demi du siège qu'elle occupait, comme si elle avait l'intention de s'approcher, elle aussi, du fauteuil.

Mais lorsqu'elle vit Pesca couvrir de baisers les mains de sa mère, elle se rembrunit et se rassit. Elle s'était certainement dit – c'est ce qu'exprimait en tout cas son visage – que, si le singulier petit bonhomme traitait sa mère de cette façon, elle n'osait imaginer comment il la traiterait, elle.

Pour ma part, très reconnaissant à mon ami de sa bonté, je n'étais pourtant pas aussi enthousiasmé par cette offre que j'eusse dû l'être. Lorsque le professeur eut enfin abandonné les mains de ma mère, je le remerciai chaleureusement de son intervention et le priai de me passer la note, afin d'apprendre ce que l'on attendait de moi.

Pesca me tendit le papier d'un air triomphant :

– Lisez, fit le petit homme avec emphase. Je vous promets que l'écriture du papa en or est éloquente.

La note était claire, précise et complète. Elle m'informait de ce que :

Premièrement, Frederick Fairlie, Esq., de Limmeridge House, Cumberland, désirait engager un maître de dessin très compétent pour une période assurée de quatre mois ;

Deuxièmement, la tâche que le maître aurait à remplir serait double : parfaire, dans l'art de l'aquarelle, l'instruction de deux jeunes filles et consacrer ses loisirs à la restauration d'une collection d'estampes que l'on avait jusqu'alors totalement négligée ;

Troisièmement, les conditions pour ce travail étaient de quatre guinées par semaine ; la personne devrait vivre à Limmeridge House et serait traitée comme un gentleman ;

Quatrièmement, il était inutile de se présenter sans références exceptionnelles, celles-ci devant être envoyées à l'ami de Mr Fairlie chargé de conclure l'engagement. Suivait l'adresse de l'employeur de Pesca à Portland Place.

La perspective était tentante, la situation facile et agréable ; elle m'était proposée à l'entrée de l'automne, saison morte pour moi ; les conditions étaient extraordinairement avantageuses. J'aurais dû me considérer comme très heureux d'une telle aubaine, et pourtant, à peine venais-je de prendre connaissance de la note que j'éprouvai pour toute l'affaire une réticence inexplicable. Jamais, de toute ma vie, je n'avais éprouvé cette pénible contradiction entre ce que je devais faire et ce dont j'avais envie.

– Oh ! Walter, votre père n'a jamais eu une telle chance ! s'exclama ma mère, après avoir lu à son tour les conditions que l'on me proposait.

– Connaître des personnes si distinguées et dans de telles conditions ! remarqua Sarah en se redressant.

– Oui, les conditions sont certes tentantes, répondis-je avec impatience, mais avant d'accepter, il faut que j'examine…

– Examiner ! s'écria ma mère. Mais, Walter, que vous arrive-t-il ?

– Examiner ! reprit Sarah, quel drôle de mot dans une telle circonstance !

– Examiner ! répéta le professeur comme un écho. Qu'y a-t-il à examiner, pouvez-vous me le dire ? Ne vous êtes-vous pas plaint de votre santé, ces derniers temps, et n'avez-vous pas dit que vous aspiriez à un peu d'air frais ? Eh bien ! Vous tenez en main le papier qui vous offre ce que vous appelez « un coup de fouet » et du bon air de la campagne à volonté pendant quatre mois. Non ? Vous avez besoin d'argent, et quatre guinées par semaine ne sont pas à dédaigner, je crois. Garde-Dieu-me-garde ! Qu'on me les donne seulement à moi, et mes bottines craqueront aussi fort que celles du papa en or, de ce craquement qui signale un homme que sa fortune rend tout-puissant ! Quatre guinées par semaine, deux jeunes filles, un gîte, une nourriture soignée et abondante, et tout cela pour rien ! Vraiment, Walter, mon cher et bon ami, diable-par-le-diable, pour la première fois de ma vie, je ne vous comprends pas !

Ni l'étonnement de ma mère, ni la fiévreuse énumération des avantages qui m'étaient offerts n'arrivaient à dissiper l'aversion que j'éprouvais à me rendre à Limmeridge House. Après avoir épuisé toutes les objections possibles, et après avoir entendu ce que tous trois avaient à me répondre pour me prouver combien j'avais tort, je trouvai une nouvelle et dernière raison qui s'opposait à mon départ : que deviendraient donc mes élèves de Londres pendant que j'enseignerais aux jeunes filles de Mr Fairlie l'art de dessiner et de peindre d'après nature ? La réponse, une nouvelle fois, allait de soi : la plupart de mes élèves voyageaient pendant ces mois d'automne ; ceux qui restaient à Londres, je n'avais qu'à les confier à l'un de mes collègues dont j'avais déjà pris les élèves en charge en de semblables circonstances. Ma sœur ne manqua d'ailleurs pas de me rappeler que ce confrère s'était spontanément offert à me remplacer, cet été ou cet automne, au cas où je souhaiterais m'absenter quelque temps : ma mère me fit sérieusement entendre qu'il ne fallait pas laisser un caprice nuire à mes intérêts et à ma santé, et Pesca me supplia, de la façon la plus attendrissante, de ne pas le blesser jusqu'au cœur en repoussant le premier service qu'il pouvait rendre à l'ami qui lui avait sauvé la vie.

L'affection sincère qui dictait chacune de ces remontrances eût touché quiconque possédait un atome de sensibilité. Encore qu'il me fût impossible de faire taire mon inexplicable obstination, j'étais moi-même assez lucide pour en ressentir de la honte ; aussi mis-je fin à la discussion en donnant raison à mes adversaires et en promettant de faire tout ce que l'on attendait de moi.

Le reste de la soirée se passa en conjectures plaisantes sur ma future existence en compagnie des deux jeunes filles du Cumberland. Pesca, inspiré par notre grog national, auquel il faisait grand honneur, affirma une fois encore ses droits à être considéré comme un Anglais accompli en nous faisant des discours volubiles et sans fin, en buvant à la santé de ma mère, de ma sœur et à la mienne – sans oublier les habitants de Limmeridge House –, en se félicitant enfin lui-même d'avoir rendu à tout le monde un inestimable service.

– Confidentiellement, Walter, me dit-il tandis que nous retournions ensemble vers la ville, je suis émerveillé de mon éloquence ! Mon âme éclate de fierté. Un de ces jours, j'entrerai au Parlement, votre grand Parlement ! Être l'honorable Pesca, M. P., voilà le rêve de ma vie !

Le matin suivant, j'envoyai mes certificats à l'employeur de Pesca à Portland Place. Trois jours s'étaient écoulés sans réponse, et je commençais à espérer secrètement que mes papiers n'avaient pas donné satisfaction, quand, le quatrième jour, je reçus une lettre m'informant que Mr Fairlie acceptait mes services et me priait de me mettre en route. Toutes les instructions pour mon voyage étaient clairement données en post-scriptum.

Je pris, bien à contrecœur, mes dispositions pour quitter Londres le lendemain matin à l'aube. Dans la soirée, Pesca, qui se rendait à un dîner, passa me faire ses adieux.

– La merveilleuse pensée que c'est moi qui ai donné le premier élan à votre essor m'aidera à sécher mes larmes en votre absence, me dit-il. Allez mon ami, et puisque la chance vous sourit profitez-en. Épousez l'une des deux jeunes filles et devenez l'hon. Hartright, M. P. Puis, quand vous serez au sommet de l'échelle, souvenez-vous que c'est grâce au tout petit Pesca.

J'essayai de rire, mais le cœur me manquait et une angoisse affreuse m'oppressait. Il ne me restait plus qu'à aller faire mes adieux à Hampstead.

III

La chaleur avait été suffocante tout le jour et la nuit s'annonçait étouffante.

Ma mère et ma sœur m'avaient tant de fois prié de rester encore cinq minutes auprès d'elles et avaient eu tant de derniers petits mots à me dire qu'il était près de minuit quand je sortis de chez elles. Après avoir fait quelques pas en direction de Londres, je m'arrêtai, hésitant. La lune était pleine et claire dans un ciel sans étoiles, et le sol couvert de bruyère prenait, sous cette mystérieuse lumière, un aspect sauvage, comme si des centaines de lieues le séparaient de la grande ville qui gisait à ses pieds. La pensée de retourner dans l'atmosphère oppressante de Londres, la perspective d'aller dormir dans un appartement surchauffé ne me tentaient guère. Je décidai de rentrer par le chemin le plus long, en faisant un détour par les faubourgs aérés de Finchley Road et par le côté ouest de Regent's Park.

Tout en me frayant lentement un chemin à travers la bruyère, je jouissais du calme divin, admirant les jeux de lumière et d'ombre autour de moi. Pendant cette première partie – la plus délicieuse – de ma promenade, mon esprit paresseux ne s'ouvrit qu'aux impressions qu'il recevait du paysage, et mes pensées s'attardèrent peu sur quelque sujet que ce fût. De fait, je ne pensais à rien du tout.

Mais, dès que j'eus quitté la bruyère pour rejoindre la route, beaucoup moins pittoresque, mes pensées revinrent naturellement au changement d'existence que j'allais connaître et aux personnes avec lesquelles j'allais vivre à Limmeridge House.

Je fus bientôt à l'endroit où les quatre grand-routes se croisent – celle de Hampstead, par laquelle j'étais revenu, celle de Finchley, celle qui conduisait au quartier du West End, et celle qui me ramènerait à Londres. Je venais, tout machinalement, de m'engager sur cette dernière, et je me plaisais à imaginer à quoi ressembleraient mes deux nouvelles élèves quand, soudain, mon sang se glaça dans mes veines : une main s'appuyait légèrement par-derrière sur mon épaule.

Je me retournai vivement, les doigts crispés sur le pommeau de ma canne.

Là, derrière moi, au milieu de la nuit, se tenait une femme, sortie de terre comme par miracle ou bien tombée du ciel. Elle était tout de blanc vêtue et, le visage tendu vers moi d'un air interrogateur et anxieux, elle me montrait de la main la direction de Londres. J'étais bien trop surpris de cette soudaine et étrange apparition pour songer à lui demander ce qu'elle désirait. C'est elle qui parla la première.

– Est-ce la route de Londres ?

Je la regardai avec attention, étonné de sa singulière question. Il était alors près d'une heure. Je distinguai au clair de lune un visage jeune, pâle, maigre, fatigué, de grands yeux au regard grave, des lèvres frémissantes et des cheveux d'un brun doré. Il n'y avait rien de vulgaire ni de grossier dans ses manières ; elle était calme et semblait pleinement maîtresse d'elle-même. Quelque chose en elle évoquait la mélancolie, une certaine méfiance peut-être. Sans avoir l'attitude d'une lady, elle n'avait rien d'une femme de basse extraction. La voix, pour le peu de paroles que j'avais entendues, m'avait paru curieusement éteinte et mécanique, malgré une élocution rapide. Elle tenait à la main un petit sac, et ses vêtements, d'après ce que je pus en juger, n'étaient pas luxueux. Elle était mince, et de taille plutôt supérieure à la moyenne. Sa démarche et ses gestes étaient tout à fait normaux. Ce fut tout ce dont je pus me rendre compte dans la demi-obscurité et dans l'étonnement où me plongeait presque jusqu'à l'étourdissement cette rencontre inattendue, bizarre. Quelle sorte de femme était-ce ? Et comment se trouvait-elle seule, sur la grand-route, en pleine nuit ? J'étais incapable de le deviner. J'étais certain d'une seule chose : l'homme le moins pénétrant ne se serait pas trompé sur le sens de ses paroles, même à cette heure suspecte et en ce lieu désert.

– M'avez-vous entendue ? répéta-t-elle, aussi tranquillement et aussi vite.

Puis, sans attendre ma réponse, elle ajouta :

– Je vous ai demandé si c'était bien la route de Londres.

– Oui, répondis-je, c'est le chemin qui conduit à St John's Wood et Regent's Park. Excusez-moi de ne pas vous avoir répondu tout de suite, mais votre apparition sur la route m'a quelque peu surpris et je ne me l'explique pas encore.

– Vous ne me soupçonnez pas d'avoir fait quelque chose de mal, au moins ? Je n'ai rien fait de mal, j'ai eu un accident et je suis très malheureuse de me trouver seule ici à cette heure de la nuit. Pourquoi croyez-vous que j'aie fait quelque chose de mal ?

Elle parlait maintenant avec gravité et agitation, et recula de quelques pas. Je fis de mon mieux pour la rassurer.

– Je vous en prie, ne croyez pas que je songe à vous soupçonner, repris-je. Je n'ai d'autre désir que de vous aider, si je le puis. Je m'étonnais seulement de vous avoir vue apparaître sur la route, alors que celle-ci m'avait semblé déserte l'instant d'avant.

Elle se retourna et, me montrant une brèche dans la haie près du carrefour, elle reprit :

– Je vous avais entendu venir et m'étais cachée, afin de voir quel genre d'homme vous étiez avant de me risquer à vous parler. J'hésitais à le faire… J'avais peur… Vous étiez déjà passé quand enfin je me suis décidée… Alors, j'ai dû courir pour vous rattraper…

Courir pour me rattraper ? Pourquoi ne pas m'appeler, tout simplement ? Cela était assez étrange, assurément.

– Puis-je avoir confiance en vous ? Vous ne me jugez pas mal parce que j'ai eu un accident ? demanda-t-elle, confuse, en soupirant tristement.

La solitude et l'abandon de la jeune femme me touchèrent.

– Vous pouvez avoir confiance en moi, répondis-je doucement, et si cela vous trouble de m'expliquer votre étrange situation, n'en parlez plus. Je n'ai pas à vous demander des comptes. Dites-moi seulement comment je puis vous aider et je le ferai, si je le puis.

– Vous êtes bon et je suis très heureuse de vous avoir rencontré.

Pour la première fois, une expression d'émotion féminine perçait dans sa voix, mais aucune larme ne brillait dans ses grands yeux pensifs fixés sur moi.

– Je ne suis allée à Londres qu'une fois dans ma vie, continua-t-elle de plus en plus vite, et je ne connais rien de ce côté-ci. Pourrai-je trouver encore une voiture ou bien est-il trop tard ?… Je ne sais… Si vous vouliez me montrer où je pourrais en trouver, et si vous vouliez seulement me promettre de ne pas m'importuner et de me laisser vous quitter quand je le voudrai !… J'ai une amie à Londres qui sera heureuse de me recevoir… Je ne désire rien d'autre… Voulez-vous me le promettre ?

Avec anxiété, elle regardait des deux côtés de la grand-route, en faisant glisser son petit sac d'une main dans l'autre et en répétant : « Voulez-vous me le promettre ? » Elle levait sur moi des yeux si suppliants et affolés que j'en fus troublé.

Que pouvais-je faire ? Une femme inconnue se confiait totalement à moi, s'en remettait à moi, une femme qui paraissait terriblement malheureuse. Aucune maison dans les environs ; personne sur la route à qui demander conseil… Je n'avais pas le droit d'abuser de mon pouvoir sur cette femme, quand bien même je l'aurais voulu. J'écris ces lignes tandis que le souvenir des événements qui se sont passés depuis assombrit jusqu'aux feuilles sur lesquelles je me penche. Et aujourd'hui encore, je me pose la même question : que pouvais-je faire ?

Ce que je fis fut de tâcher de gagner du temps en la questionnant.

– Êtes-vous sûre que votre amie de Londres vous recevra à une heure aussi avancée de la nuit ? demandai-je.

– Certaine. Promettez-moi seulement que vous me laisserez partir quand je le désirerai, et que vous ne m'importunerez pas ?

En répétant ces paroles pour la troisième fois, elle se rapprocha de moi et posa sa petite main sur mon cœur. Quand j'enlevai cette main, je m'aperçus qu'elle était glacée malgré la chaleur étouffante de la nuit. Souvenez-vous que j'étais jeune et que la main qui s'était posée sur moi était une main de femme !

– Voulez-vous me le promettre ?

– Oui.

Un seul mot ! Un petit mot si familier que nos lèvres répètent cent fois par jour, et cependant j'en frémis encore rien qu'à l'écrire.

Nous nous dirigeâmes vers Londres, aux premières heures de cette nouvelle journée, elle et moi, cette femme dont le nom, le rang social, l'histoire, les aspirations et jusqu'à la présence, en ce moment, à mes côtés, étaient pour moi autant de mystères. C'était comme un rêve. Étais-je bien Walter Hartright ? Étions-nous sur cette route si fréquentée, agréable aux promeneurs du dimanche ? Avais-je récemment quitté, il n'y avait guère plus d'une heure, l'atmosphère paisible, l'atmosphère familiale et conventionnelle de notre maison de Hampstead ? Trop étourdi, j'éprouvais comme un remords de poursuivre cette conversation. Ce fut à nouveau sa voix qui rompit le silence.

– Je voudrais vous demander quelque chose, dit-elle soudainement. Connaissez-vous beaucoup de monde à Londres ?

– Oui, beaucoup.

– Beaucoup de personnes occupant une situation élevée ou possédant un titre ? ajouta-t-elle d'un ton soupçonneux.

– Oui, quelques-unes, répondis-je après un temps de silence.

– Beaucoup d'hommes… portant le titre de baronnet ? demanda-t-elle avec anxiété.

Trop étonné pour répondre, je rétorquai :

– Pourquoi me demandez-vous cela ?

– Parce que j'espère, pour mon salut, qu'il existe un baronnet que vous ne connaissez pas.

– Voulez-vous me dire son nom ?

– Je ne puis… je n'ose pas… je me suis oubliée en parlant de tout cela…

Elle parlait d'une voix forte et presque fâchée en agitant violemment une main dans l'air, puis, reprenant son contrôle, elle ajouta dans un murmure :

– Dites-moi les noms de ceux que vous connaissez.

Je pouvais difficilement lui refuser ce plaisir futile et je citai trois noms, ceux des pères de deux de mes élèves, le troisième étant celui d'un célibataire qui m'avait emmené faire une croisière sur son yacht, histoire de me faire faire pour lui quelques esquisses.

– Ah ! vous ne le connaissez pas ! s'écria-t-elle avec un soupir de soulagement. Êtes-vous vous-même un homme qui occupe une haute situation ? Êtes-vous titré ?

– Loin de là ! Je ne suis qu'un simple professeur de dessin.

Tandis que cette réponse passait mes lèvres, avec quelque amertume peut-être, elle saisit mon bras avec cette brusquerie qui caractérisait tous ses gestes.

– Un homme qui n'occupe aucune situation élevée et qui ne possède pas de compagne, répéta-t-elle. Dieu soit loué ! Je puis avoir confiance en lui !

J'avais décidé de dominer ma curiosité, par respect pour elle, mais je ne pus y résister cette fois.

– Je crains que vous n'ayez eu de sérieuses raisons de vous plaindre des hommes titrés ou haut placés ? J'ai bien peur que le baronnet dont vous me cachez le nom ne vous ait causé un grave dommage ? Est-ce à cause de lui que vous vous trouvez dehors à pareille heure ?

– Ne me questionnez pas, ne me faites pas parler de cela, suppliat-elle, je ne suis pas en état de le faire pour le moment. J'ai été cruellement traitée et l'on m'a fait un tort injuste… mais… Vous seriez si bon de marcher un peu plus vite et de ne plus me parler. Je désire tellement marcher en silence. Je veux à tout prix reprendre mon calme, si seulement je le peux.

Nous avançâmes d'un pas rapide, et, durant au moins une demi-heure, pas un mot ne fut échangé entre nous. N'ayant pas la permission de l'interroger, je me risquais de temps à autre à examiner son visage. Il était impassible, les lèvres serrées, les sourcils froncés, les yeux fixés droit devant, parfois attentifs, parfois absents. Nous avions atteint les premières maisons et approchions du nouveau Wesleyan College lorsqu'elle sembla se détendre légèrement et recommença à parler.

– Habitez-vous Londres ?

– Oui.

Tout en répondant, je songeai qu'elle comptait peut-être sur moi pour l'aider ou pour la conseiller et, afin de lui épargner toute déception, j'ajoutai :

– Mais, demain, je quitte Londres pour quelque temps… Je vais à la campagne.

– Où allez-vous ? Dans le Nord ou le Sud ?

– Dans le Nord, dans le Cumberland.

– Dans le Cumberland ! s'exclama-t-elle avec émotion. Ah ! comme j'aimerais y retourner, moi aussi. J'ai été si heureuse dans le Cumberland.

J'essayai de nouveau de soulever le voile mystérieux qui l'enveloppait.

– Peut-être est-ce dans cette merveilleuse région des lacs que vous êtes née ?

– Non, répondit-elle, je suis née dans le Hampshire, mais j'ai été quelque temps en classe dans le Cumberland. Des lacs ? Je ne me souviens d'aucun lac. C'est le village de Limmeridge et Limmeridge House que je voudrais revoir.

Ce fut à mon tour cette fois de m'arrêter brusquement. Dans l'état de curiosité où je me trouvais à ce moment, le nom de l'habitation de Mr Fairlie venant sur les lèvres de mon étrange compagne m'avait frappé de stupeur.

– Avez-vous entendu quelqu'un appeler ? demanda-t-elle en regardant sur la route avec effroi.

– Non, non ! J'ai simplement été frappé par le nom de Limmeridge House dont j'ai entendu précisément parler ces jours derniers par des personnes habitant le Cumberland.

– Oh ! ce ne sont pas « mes personnes » ! Mrs Fairlie est morte, son mari aussi ; et leur petite fille doit être mariée et partie au loin depuis longtemps. Je ne sais qui habite à Limmeridge House actuellement, mais s'il s'agit d'un membre de la famille, je l'aime en souvenir de Mrs Fairlie.

Elle semblait vouloir en dire davantage mais nous arrivions en vue de la barrière de l'octroi au-dessus d'Avenue Road. Sa main s'agrippa à mon bras et elle regarda avec inquiétude la grille.

– L'homme de la barrière nous regarde-t-il ? demanda-t-elle.

Il ne surveillait pas, et personne ne s'occupa de nous tandis que nous passions la barrière. La vue des réverbères et des maisons parut la rendre nerveuse.

– C'est Londres, n'est-ce pas ? Ne voyez-vous aucune voiture ? Je suis fatiguée et j'ai peur. Je voudrais m'enfermer dans une voiture qui m'emmènerait loin…

Je lui expliquai que la station de fiacres se trouvait à quelque distance et qu'il fallait encore marcher un peu, à moins qu'une voiture inoccupée n'arrivât à notre rencontre. Puis j'essayai de reprendre la conversation sur le Cumberland, mais elle était obsédée par l'idée de trouver une voiture et ne m'écoutait plus.

Au tiers de la rue, j'aperçus un fiacre qui s'arrêtait devant une maison et vis un homme en descendre et payer le cocher. Je le hélai aussitôt et me dirigeai vers lui. Comme nous traversions, ma compagne devint impatiente au point qu'elle m'obligea presque à courir.

– Il est si tard, disait-elle… Si je suis pressée, c'est parce qu'il est si tard !

– Je ne puis vous prendre, monsieur, si vous n'allez pas du côté de Tottenham Court Road, déclara le cocher poliment, tandis que j'ouvrais la portière. Mon cheval est fourbu, il n'est plus capable de dépasser son écurie.

– Oui, oui, cela ira pour moi. Je vais de ce côté… Je vais de ce côté…

Elle parlait avec agitation en entrant précipitamment dans le fiacre. Je m'assurai que le brave homme était sobre et convenable, puis, lorsqu'elle fut assise à l'intérieur, je la priai de me permettre de l'accompagner à bon port.

– Non, non, non ! s'écria-t-elle vivement. Je suis tout à fait en sécurité maintenant et parfaitement heureuse. Si vous êtes un gentleman, souvenez-vous de votre promesse. Dites-lui de rouler jusqu'à ce que je l'arrête. Merci ! Oh ! merci, merci !

Elle saisit ma main qui tenait la portière et l'embrassa plusieurs fois, puis la repoussa brusquement.

La voiture se mit en marche, et je restai au milieu de la route avec une vague envie de l'arrêter aussitôt – pourquoi ? je n'aurais su le dire moi-même –, mais la pensée que j'aurais pu effrayer la jeune femme ou lui déplaire me retint. Le bruit des roues s'éloigna, et la voiture se perdit dans la nuit. La Dame en blanc avait disparu.

Dix minutes ou plus s'étaient écoulées. Je me trouvais toujours au même endroit et me prenais à douter de la réalité de ce que je venais de vivre. Un instant plus tard, je ne savais plus si j'avais bien ou mal agi. Sans savoir où j'allais ni ce que j'allais faire, je n'avais conscience que d'une seule chose : la confusion absolue de mes pensées. C'est alors que je fus brutalement ramené à la réalité – réveillé pourrais-je dire – par un bruit de roues qui s'approchaient rapidement derrière moi.

Je me trouvais sur le côté sombre de la route, ombragé par les arbres touffus d'un jardin ; je me retournai. De l'autre côté – celui qui se trouvait éclairé par la lune –, un policeman marchait nonchalamment dans la direction de Regent's Park.

Un cabriolet occupé par deux hommes me dépassa. Soudain, j'entendis une voix crier :

– Arrêtez, voici un agent de police, nous allons lui demander.

Le cheval se cabra et s'arrêta à quelques mètres de moi.

– Policeman ! cria la même voix. N'avez-vous pas vu une femme ?

– Quelle sorte de femme ?

– Une femme vêtue d'une robe couleur lavande.

– Mais non, interrompit l'autre homme, les vêtements que nous lui avions donnés se trouvaient sur son lit, elle a dû remettre ceux qu'elle portait en arrivant chez nous, des vêtements blancs. Une femme tout en blanc, policeman ?

– Je ne l'ai pas vue, monsieur.

– Si vous ou l'un de vos hommes la rencontrez, arrêtez-la et ramenez-la avec ménagement à cette adresse. Je rembourserai les frais et donnerai une bonne récompense.

Le policeman regarda la carte qu'on lui tendait.

– Pourquoi devons-nous l'arrêter ? Qu'a-t-elle fait ?

– Fait ? Mon Dieu ! Elle s'est enfuie de notre asile. Souvenez-vous… une femme en blanc… Au revoir !

IV

« Elle s'est enfuie de notre asile ! »

Je dois avouer que la signification terrible de ces mots ne m'étonnait qu'à demi. Les questions et les réponses bizarres que m'avait faites cette femme, après que je lui eus promis assez inconsidérément de la laisser libre d'agir à sa guise, m'avaient déjà donné à penser ou bien qu'elle était d'un naturel capricieux, instable, ou bien qu'à la suite d'une très forte émotion elle souffrait d'un déséquilibre mental. Mais la pensée qu'elle pouvait être réellement folle ne m'était jamais venue à l'esprit. Rien ni dans ses propos ni dans son comportement ne laissait supposer une chose pareille, et même à présent, à la lumière des dernières paroles que l'inconnu avait adressées au policeman, cela me paraissait absurde.

Qu'avais-je fait ? Aidé dans sa fuite la victime d'un horrible emprisonnement injustifié, ou abandonné aux hasards de la grande ville une pauvre créature qu'il aurait été en mon devoir, dans le devoir de chacun, de prendre en charge ? Je ne pouvais que me sentir malade à l'idée que je me posais cette question bien trop tard.

Rentré chez moi à Clement's Inn, dans l'état d'esprit où je me trouvais, il était inutile de songer à me mettre au lit. Dans quelques heures d'ailleurs, je devais partir pour le Cumberland. J'essayai de dessiner, puis de lire, mais en vain : sans cesse la Dame en blanc venait s'interposer entre moi et ma plume, entre moi et mon livre. Se pouvait-il qu'il fût arrivé malheur à la pauvre créature ? C'est ce qui me vint à l'esprit en premier lieu, pensée que, très égoïstement, je refusai d'affronter. Me vinrent ensuite d'autres questions, moins pénibles à envisager. Où avait-elle fait arrêter la voiture ? Où était-elle à l'heure actuelle ? Avait-elle été rattrapée par les deux hommes qui la poursuivaient ou était-elle toujours maîtresse de son sort ? Et nous, nos chemins étaient-ils amenés à se croiser de nouveau dans un avenir mystérieux ?

Ce fut un réel soulagement pour moi de voir arriver l'heure de dire adieu à Londres et de m'en aller vers une nouvelle vie. Le tintamarre assourdissant de la gare me fit presque du bien. D'après les instructions, je devais changer de train à Carlisle afin de bifurquer vers la côte. La malchance fit que notre locomotive tomba en panne entre Lancaster et Carlisle, ce qui me fit manquer la correspondance. Je dus attendre plusieurs heures le train suivant, qui me déposa à la station la plus rapprochée de Limmeridge House aux environs de dix heures du soir. La nuit était si dense que je distinguai à peine le cabriolet que Mr Fairlie avait envoyé à mon intention.

Le cocher, visiblement contrarié par mon arrivée tardive, avait cet air respectueusement maussade propre aux domestiques anglais. En silence, la voiture se mit en marche avec prudence à travers les ténèbres. Le mauvais état des routes et l'obscurité opaque rendaient le chemin difficile. Il s'écoula une bonne heure et demie avant que se fît entendre au loin le murmure de la mer et le crissement d'un gravier sous les roues. Nous avions franchi une première grille pour nous engager dans l'allée et nous en passâmes encore une seconde avant d'arriver à la maison. Accueilli par un solennel domestique sans livrée, je fus informé que la famille s'était retirée pour la nuit et fus emmené vers une pièce spacieuse où mon souper m'attendait à l'extrémité d'une grande table en acajou.

J'étais trop fatigué et trop préoccupé pour boire ou manger beaucoup, surtout avec la présence, derrière moi, du solennel domestique prévenant tous mes gestes, comme s'il avait eu affaire à un dîner de plusieurs convives au lieu d'un homme solitaire. En un quart d'heure, j'eus terminé. Le domestique, toujours aussi compassé, me conduisit dans une chambre joliment meublée, me dit : « Déjeuner à neuf heures, monsieur », jeta un coup d'œil autour de lui pour voir s'il ne manquait rien et disparut sans bruit.

Qui allais-je voir dans mes rêves ? me demandai-je en éteignant la bougie. La Dame en blanc ? ou les habitants inconnus de cette maison ? C'était une sensation étrange d'y dormir comme un ami de la famille et de n'y connaître personne.

V

Lorsque je m'éveillai le matin et ouvris mes volets, la mer m'apparut dans toute sa splendeur sous le soleil éclatant du mois d'août. La côte d'Écosse bordait de bleu l'horizon lointain.

Ce spectacle était une telle surprise pour moi, un tel changement après le paysage monotone des briques et du mortier de Londres, que j'eus l'impression de commencer réellement une nouvelle vie. Il me donna la troublante sensation d'avoir soudain rompu avec le passé, sans avoir acquis cependant aucune certitude quant au présent ou à l'avenir. Tout ce qui s'était passé dans les derniers jours s'effaçait dans mon souvenir comme si, au contraire, des mois et des mois s'étaient écoulés depuis lors. L'étrange nouvelle de Pesca, m'annonçant qu'il avait trouvé pour moi une situation, la soirée d'adieux chez ma mère et ma sœur, et même mon aventure si mystérieuse sur la route de Hampstead alors que je revenais en ville, tout cela m'apparaissait comme autant d'événements appartenant à une époque déjà lointaine de mon existence. Si je pensais toujours à la Dame en blanc, son image pourtant devenait indistincte, floue.

Un peu avant neuf heures, je descendis au rez-de-chaussée. Le domestique de la nuit précédente, me trouvant déambulant dans les couloirs, me montra charitablement le chemin de la salle à manger.

Tandis qu'il ouvrait la porte, un premier coup d'œil me fit apercevoir au milieu de la pièce éclairée par de nombreuses fenêtres une longue table abondamment garnie. A l'une des fenêtres se tenait une jeune femme qui me tournait le dos. Mes yeux se fixèrent un moment sur elle, et je fus frappé de la rare perfection de son corps comme de la grâce naturelle de son maintien. Grande, mais point trop ; bien faite et épanouie, mais sans être trop forte ; un port de tête noble mais sans rien de guindé ; son tour de taille était de ceux qu'un homme qualifie de parfait ; mieux encore, elle ne portait visiblement pas de corset. Elle ne m'avait pas entendu entrer, aussi pris-je la liberté de l'admirer tout à mon aise pendant quelques instants avant de remuer une chaise afin d'attirer son attention. Elle se retourna aussitôt. L'aisance de tous ses mouvements tandis que, du fond de la pièce, elle s'avançait vers moi me rendait impatient de voir clairement son visage. Elle quitta la fenêtre et je pus constater qu'elle était brune ; elle s'approcha et je pus constater qu'elle était jeune ; bientôt elle fut près de moi, et je pus constater qu'elle était laide !

Jamais le vieil adage selon lequel la nature ne peut pas se tromper ne s'était révélé plus faux ; jamais la promesse de beauté que donne une silhouette charmante n'avait été plus cruellement démentie qu'ici par le visage. Le teint était mat, une moustache teintait d'une ombre foncée la lèvre supérieure. La bouche était grande et masculine, les yeux bruns, proéminents, perçants, résolus. La chevelure épaisse, d'un noir de jais, prenait naissance extraordinairement bas sur le front. Tandis que la jeune femme restait silencieuse, son expression, quoique franche, ouverte et intelligente, semblait manquer des attraits féminins de douceur et de tendresse sans lesquels la beauté de la plus jolie femme est incomplète. Voir ce visage sur des épaules si admirables qu'un sculpteur eût sans doute désiré les avoir pour modèle ; avoir été séduit par les gestes discrets et gracieux que laissait deviner la perfection des bras et des jambes, et sentir une véritable répulsion devant l'air et les traits masculins du visage, cela vous donnait une sensation ressemblant étrangement à celle, extrêmement désagréable, que nous connaissons tous lorsque, pendant notre sommeil, nous ne parvenons pas à nous expliquer les étranges contradictions d'un rêve.

– Monsieur Hartright, je suppose, demanda-t-elle, tandis que son visage s'adoucissait en s'éclairant d'un sourire. Nous désespérions de vous voir arriver hier soir et sommes allés nous coucher comme d'habitude. Acceptez mes excuses pour notre manque d'attention et permettez-moi de me présenter comme l'une de vos futures élèves. Serrons-nous la main, voulez-vous ? Nous devrons en passer par là tôt ou tard, alors autant tout de suite, n'est-ce pas ?

Ces étranges paroles de bienvenue étaient prononcées d'une voix claire, sonore et agréable. La main offerte – plutôt grande mais admirablement faite – était tendue vers moi avec l'aisance d'une femme du monde. Nous nous mîmes à table comme si nous nous connaissions depuis toujours et nous retrouvions à Limmeridge House pour y échanger de vieux souvenirs.

– J'espère que vous êtes venu ici bien déterminé à tirer le meilleur parti possible de votre situation, continua-t-elle. Vous devrez commencer par vous contenter de ma seule présence, ce matin. Ma sœur est dans sa chambre ; elle a un peu de migraine, et sa vieille gouvernante, Mrs Vesey, la soigne avec amour. Mon oncle, Mr Fairlie, ne nous rejoint jamais pour le repas : étant infirme, il se cantonne en célibataire dans ses appartements. Il n'y a personne d'autre que moi dans la maison. Deux jeunes filles ont passé dernièrement quelque temps ici, mais elles sont reparties hier désespérées, ce qui n'a rien d'étonnant. Durant tout leur séjour et à cause de l'état de santé de Mr Fairlie, elles n'ont pu que déplorer l'absence d'individus de sexe mâle avec qui elles eussent pu causer, danser ou flirter. Aussi nous sommes-nous disputées sans arrêt, surtout pendant les repas. Songez donc ! Quatre femmes en tête-à-tête continuel ! Vous voyez que je n'entretiens pas de grandes illusions sur mon propre sexe, monsieur Hartright ; aucune femme n'en a d'ailleurs, mais bien peu l'avouent ! Voulez-vous du thé ou du café ? Mon Dieu, comme vous avez l'air embarrassé ! Êtes-vous en train de vous demander ce que vous allez prendre pour déjeuner ou bien est-ce ma façon désinvolte de parler qui vous surprend ? Dans le premier cas, je vous conseille en amie de ne pas toucher à ce jambon, et d'attendre plutôt l'omelette. Dans le second cas, je vais vous verser un peu de thé pour vous aider à vous remettre, et faire tout ce qu'une femme peut faire (ce qui n'est pas grand-chose, entre nous) pour tâcher de tenir ma langue quelques instants.

Elle me passa une tasse de thé en riant. Son bavardage piquant et familier vis-à-vis d'un étranger s'accompagnait d'une telle aisance et d'une telle assurance que celles-ci pouvaient garantir à elles seules le respect du plus audacieux des hommes. S'il était presque impossible de demeurer guindé en sa compagnie, il était tout aussi impossible de manquer de tenue envers elle, n'eût-ce été qu'en pensée. Je sentais tout cela d'instinct tandis que je me sentais contaminé par sa joie de vivre et que je m'efforçais de lui répondre avec la même franchise et le même enjouement.

– Oui, oui, continua-t-elle lorsque j'eus expliqué tant bien que mal mon air ahuri. Je comprends. Étant complètement étranger ici, vous êtes intrigué par les habitants de cette maison. C'est naturel. J'aurais dû songer déjà à vous en parler. Je commence par moi, si vous le permettez, afin d'en avoir plus vite fini. Mon nom est Marian Halcombe et je suis aussi imprécise que toutes les femmes en appelant Mr Fairlie mon oncle et Miss Fairlie ma sœur. Ma mère s'est mariée deux fois ; la première fois avec Mr Halcombe, mon père, la seconde fois avec Mr Fairlie, le père de Miss Fairlie, qui est donc ma demi-sœur. Mis à part le fait que nous sommes toutes deux orphelines, nous sommes aussi différentes l'une de l'autre que possible. Mon père était pauvre et le sien est très riche. Je n'ai rien et elle possède une grande fortune. Je suis noire et laide, elle est blonde et jolie. Tout le monde me trouve revêche et bizarre (avec raison d'ailleurs) et tout le monde la trouve douce et charmante (avec encore plus de raisons !). En résumé, c'est un ange et je suis… Essayez un peu de cette marmelade, monsieur Hartright, et achevez vous-même ma phrase. Que vous dirai-je de Mr Fairlie ? Ma parole, je ne sais plus. Il vous enverra certainement chercher après le déjeuner et vous pourrez juger par vous-même. Ce que je puis vous dire, c'est qu'il est le plus jeune frère de feu Mr Fairlie, qu'il est célibataire et qu'il est le tuteur de Miss Fairlie. Je ne voudrais pas vivre sans elle, et elle ne peut vivre sans moi ; c'est pourquoi je suis à Limmeridge House. Ma sœur et moi, nous nous adorons, ce qui est, me direz-vous, inexplicable vu les circonstances. Il faudra que vous plaisiez à toutes les deux, monsieur Hartright, ou que vous ne plaisiez à aucune. Bien pis, vous allez être tout le temps en notre compagnie. Mrs Vesey est une excellente personne ayant toutes les vertus cardinales et ne comptant pour rien. Quant à Mr Fairlie, il est trop infirme pour être un compagnon pour qui que ce soit. Personne ne sait réellement de quoi il souffre, pas même les docteurs, et lui-même encore moins. Nous attribuons tous son infirmité aux nerfs mais, au fond, aucun de nous ne sait ce que cela veut vraiment dire. Je vous conseille toutefois de flatter ses petites manies quand vous le verrez. Admirez sa collection de pièces de monnaie et de gravures, et vous gagnerez son cœur. Si vous pouvez vous contenter d'une existence calme, à la campagne, je ne vois pas pourquoi vous ne vous plairiez pas ici. Du petit déjeuner au lunch, les estampes de Mr Fairlie vous absorberont. Après le lunch, Miss Fairlie et moi prendrons nos cahiers de croquis et irons, sous votre direction, étudier les beautés de la nature, et les déformer en ayant l'illusion de les représenter. Le dessin, c'est son caprice favori, pas le mien. Les femmes ne savent pas dessiner. Leur imagination est trop féconde et leurs yeux trop inattentifs. N'importe ! Ma sœur l'aime, et je gaspille couleurs et papier pour lui faire plaisir. Quant aux soirées, je crois que nous pourrons vous les rendre agréables. Miss Fairlie joue délicieusement du piano. Pour ma part, je ne distingue pas une note d'une autre, mais je puis vous défier aux échecs, au trictrac, à l'écarté et, malgré le handicap d'être une femme, même au billard. Que pensez-vous du programme ? Croyez-vous que vous pourrez vous adapter à notre vie tranquille et régulière ? Ou bien aurez-vous soif de changement et d'aventures ?

Elle avait débité tout cela d'un seul trait et d'un air quelque peu railleur, sans autres interruptions de ma part que les quelques commentaires banals qu'exigeait la politesse. Mais, malgré le ton léger avec lequel elle l'avait prononcé, le mot « aventures » me fit souvenir de ma rencontre avec la Dame en blanc et me donna l'impérieux désir de savoir quel avait été le lien de parenté, si toutefois elles avaient été parentes, entre Mrs Fairlie, ancienne maîtresse de Limmeridge House, et la fugitive sans nom de l'asile.

– Même si j'étais le plus changeant des hommes, répondis-je, il n'y aurait aucun danger que j'aie soif d'aventures pendant quelque temps, car la nuit qui précéda mon arrivée ici, j'en ai vécu une dont l'étrangeté et le mystère me poursuivront durant tout mon séjour à Limmeridge House, je vous le certifie, Miss Halcombe.

– Vraiment ? Puis-je la connaître ?

– Vous y avez un certain droit. L'héroïne principale de cette aventure vous est aussi étrangère qu'à moi, Miss Halcombe, mais elle a mentionné le nom de la dernière Mrs Fairlie, en termes empreints de la plus sincère gratitude et du plus profond respect.

– Le nom de ma mère ! Vous m'intéressez au-delà de toute expression. Je vous en prie, continuez.

Je racontai les circonstances de ma rencontre avec la Dame en blanc et répétai mot pour mot ce que celle-ci m'avait dit au sujet de Mrs Fairlie.

Les grands yeux honnêtes de Miss Halcombe me fixaient avec ardeur tandis que je parlais. Son visage exprimait de l'intérêt et de l'étonnement, mais rien de plus. Il était évident qu'elle ne connaissait pas la femme dont je parlais.

– Êtes-vous tout à fait certain des paroles qu'elle a prononcées au sujet de ma mère ? demanda-t-elle.

– Absolument. Qui qu'elle puisse être, cette femme fut un jour élevée à l'école du village de Limmeridge et y fut traitée avec une bonté spéciale par Mrs Fairlie. En souvenir de cette bonté, elle garde un intérêt affectueux à tous les survivants de la famille. Elle savait que Mrs Fairlie et son mari étaient morts et parlait de Miss Fairlie comme si elle l'eût bien connue étant enfant.

– Vous avez dit, je crois, qu'elle niait être de la région ?

– En effet ; elle m'a dit qu'elle était originaire du Hampshire.

– Et vous n'êtes pas parvenu à connaître son nom ?

– Non.

– Étrange… Je trouve que vous avez eu parfaitement raison de donner la liberté à cette pauvre créature, monsieur Hartright, car elle ne semble pas avoir fait, en votre présence, quelque chose qui prouvât qu'elle ne fût pas capable d'en jouir. J'aurais cependant voulu que vous eussiez fait preuve de plus de résolution pour découvrir son nom. De toute façon nous devons éclaircir ce mystère, mais vous feriez mieux de n'en parler ni à Mr Fairlie ni à ma sœur. Tous deux, j'en suis persuadée, ignorent tout de cette femme. Ils sont, chacun dans leur genre, nerveux et impressionnables, et vous ne pourriez qu'agiter l'un et alarmer l'autre, sans résultat. Quant à moi, je suis folle de curiosité et, à partir de cet instant, je vais consacrer toute mon énergie à éclaircir ce mystère. Lorsque ma mère vint ici après son second mariage, c'est elle qui créa l'école du village telle qu'elle existe encore aujourd'hui, mais tous les vieux professeurs sont morts ou partis, et il n'y a plus aucune lumière à espérer de ce côté. La seule possibilité à laquelle je songe est…

A ce moment, nous fûmes interrompus par l'entrée d'un domestique porteur d'un message de Mr Fairlie, m'informant qu'il serait heureux de me voir, aussitôt que j'aurais terminé mon déjeuner.

– Attendez dans le hall, dit Miss Halcombe, répondant à ma place de son ton sec habituel, Mr Hartright va arriver tout de suite… J'allais vous dire, continua-t-elle en se tournant de nouveau vers moi, que ma sœur et moi possédons de nombreuses lettres de ma mère adressées à mon père et au sien. En l'absence d'autres moyens d'information, je vais passer toute la matinée à examiner la correspondance de ma mère avec Mr Fairlie. Celui-ci adorait Londres et était constamment absent de sa maison de campagne. Ma mère avait l'habitude de lui écrire tout ce qui se passait à Limmeridge. Ses lettres sont pleines de renseignements sur l'école qui l'intéressait tant, et je pense qu'il y a beaucoup de chances pour que j'aie découvert quelque chose quand nous nous reverrons. Le lunch est à deux heures, monsieur, et j'aurai le plaisir de vous présenter à ma sœur. Nous emploierons l'après-midi à vous montrer le voisinage et tous les jolis points de vue des environs. A deux heures. Au revoir !

Elle me salua avec toute la grâce et l'aisance qui la caractérisaient et disparut. Je sortis aussitôt dans le hall et suivis le domestique vers les appartements de Mr Fairlie.

VI

Mon guide me conduisit au premier étage, dans le corridor menant à la chambre que j'avais occupée la nuit précédente et, ouvrant une porte contiguë à celle-ci, me pria d'entrer.

– Mon maître m'a donné l'ordre de vous montrer votre petit salon particulier, monsieur, déclara-t-il, et de m'informer si vous approuvez la lumière et la situation.

J'aurais été bien difficile à contenter si je n'avais pas approuvé la pièce et sa disposition. La fenêtre donnait sur la même vue merveilleuse que celle que j'avais admirée, le matin, dans ma chambre. Les meubles étaient du plus grand confort et du goût le plus raffiné. Une table était couverte de livres joliment reliés, d'une écritoire élégante et d'un vase contenant de superbes fleurs. Sur l'autre table, devant la fenêtre, s'étalait tout un nécessaire de peinture. Les murs étaient tendus de toile de Perse, et le plancher recouvert d'une natte de Chine de deux teintes, ocre et rouge. C'était le plus joli petit salon que j'eusse jamais vu et je l'admirai avec enthousiasme.

Le solennel domestique était trop bien stylé pour trahir la moindre satisfaction. Il s'inclina avec déférence lorsque j'eus épuisé mes termes élogieux, et m'ouvrit silencieusement la porte. Après avoir tourné, nous nous engageâmes dans un second corridor, assez long celui-ci, montâmes quelques marches, traversâmes un petit hall circulaire pour nous arrêter enfin devant une porte recouverte d'une tenture vert sombre. Le domestique l'ouvrit, puis il fit de même avec une seconde porte à peu près identique, et sans bruit écarta une portière de voile vert pâle, en articulant d'une voix douce : « Mr Hartright », puis il me quitta.

Je me trouvai dans une chambre haute et spacieuse, au plafond merveilleusement sculpté et au plancher recouvert d'un épais tapis doux et moelleux. D'un côté, il y avait une longue bibliothèque d'un bois rare incrusté que je ne connaissais pas, sur laquelle étaient rangées des statuettes de marbre. De l'autre côté se trouvaient deux armoires anciennes entre lesquelles était pendue au mur une reproduction de *la Vierge à l'Enfant*, de Raphaël. A droite et à gauche de la porte, enfin, une chiffonnière et un socle en marqueterie, supportant des porcelaines de Dresde, des ivoires, des curiosités incrustées d'or et de pierreries.

A l'autre extrémité de la chambre, en face de moi, les fenêtres étaient condamnées et l'ardeur du soleil était tempérée par de grands rideaux du même ton que la portière. La lumière ainsi obtenue était extrêmement douce, mystérieuse. Elle éclairait uniformément tous les objets et rendait plus sensible encore le silence profond qui régnait dans la pièce, plus sensible aussi son atmosphère de retraite ; elle entourait à souhait d'un halo paisible la silhouette solitaire du maître de maison, assis nonchalamment dans un grand fauteuil, aux bras duquel étaient fixés d'un côté un petit chevalet de lecture et, de l'autre, une petite table.

Si l'apparence d'un homme qui sort de son cabinet de toilette et qui a dépassé la quarantaine ne peut vous tromper sur son âge – ce qui reste à prouver –, j'aurais donné à celui-ci une cinquantaine d'années. Son visage rasé de frais était mince, fatigué et d'une pâleur transparente, mais sans rides. Son nez était grand et crochu, ses yeux étaient d'un gris-bleu indéfinissable et proéminents, les paupières bordées de rouge. Ses cheveux étaient rares, fins – des cheveux de ce blond clair qui ne laisse apparaître qu'assez tard le grisonnement. Il était vêtu d'un veston foncé, coupé dans un tissu très léger, d'un gilet et d'un pantalon d'un blanc neigeux. Les pieds, aussi petits que des pieds de femme, étaient chaussés de bas de soie de couleur chamois et de délicates pantoufles de cuir brun. Deux bagues, dont je devinai malgré mon inexpérience en la matière qu'elles avaient de la valeur, ornaient ses mains fines et blanches. Son regard, languissant et incertain, avait quelque chose de singulier et de désagréablement délicat chez un homme, même s'il eût semblé tout aussi étrange sur un visage de femme. Ma conversation du matin avec Miss Halcombe m'avait disposé à trouver tout le monde charmant à Limmeridge House, mais la vue de Mr Fairlie suscita en moi une antipathie profonde et immédiate.

En me rapprochant de lui, je m'aperçus qu'il n'était pas aussi inactif que je l'avais cru tout d'abord. Au milieu des objets rares qui couvraient une grande table ronde placée non loin de lui se trouvait une petite armoire d'ébène et d'argent, contenant des pièces de monnaie de toutes formes et de toutes tailles, rangées soigneusement dans de petits tiroirs drapés de velours rouge sombre. L'un d'eux était posé sur la tablette fixée au bras du fauteuil, ainsi que quelques brosses minuscules de bijoutier, une peau de chamois et une petite bouteille. Lorsque je m'avançai pour saluer Mr Fairlie, ses maigres doigts blancs manipulaient tendrement quelque chose qui, à mes yeux de profane, ressemblait à une médaille poussiéreuse aux coins usés.

– Très heureux de vous voir à Limmeridge House, monsieur Hartright, dit-il d'une voix dolente et éraillée. Asseyez-vous, je vous prie, sans reculer la chaise s'il vous plaît, car dans le triste état où se trouvent mes nerfs, n'importe quel bruit m'est pénible. Avez-vous vu votre petit salon ? Vous plaît-il ?

– Je viens justement de le voir, monsieur Fairlie, et je vous assure…

Il m'arrêta d'un geste implorant, en fermant les yeux.

– Je vous prie de m'excuser, mais ne pourriez-vous pas essayer de parler d'une voix moins aiguë ? Dans le triste état de mes nerfs, les sons criards me torturent. Vous pardonnez à un infirme, n'est-ce pas ? Je ne fais que vous dire ce que mon lamentable état de santé m'oblige à dire à tout le monde. Oui… alors vous aimez votre petit salon ?

– Je ne pourrais souhaiter rien de plus joli ni de plus confortable, répondis-je, abaissant la voix et me disant à part moi que l'égoïsme de Mr Fairlie et ses nerfs ne constituaient qu'une seule et même chose.

– J'en suis ravi. Vous serez traité dignement dans cette maison, monsieur Hartright, et vous n'y trouverez pas ces horribles idées reçues qu'engendre la barbarie anglaise à l'encontre du statut social des artistes. J'ai passé une si grande partie de ma jeunesse à l'étranger que je me suis complètement dépouillé de ces préjugés nationaux. Je voudrais pouvoir en dire autant de la gentry du voisinage, mais ce sont de vrais sauvages en matière d'art, monsieur Hartright. Cela vous dérangerait-il beaucoup de remettre ce tiroir dans la petite armoire et de me donner le suivant ? Dans le triste état de mes nerfs, tout mouvement est pour moi un supplice. Oui… merci.

La requête de Mr Fairlie, que j'interprétai aussitôt comme une démonstration pratique de la libéralité sociale dont il venait de m'exposer la théorie, me fit sourire intérieurement. Je remis le tiroir en place et lui en passai un autre avec politesse. Il recommença immédiatement son nettoyage, en continuant à me parler.

– Mille mercis et mille excuses. Aimez-vous les anciennes pièces de monnaie ? Oui… j'en suis ravi ! Voilà un autre goût que nous avons en commun, en plus de l'art. Maintenant, au sujet des arrangements pécuniaires, dites-moi, sont-ils satisfaisants ?

– Des plus satisfaisants, monsieur Fairlie.

– J'en suis ravi ! Bon… quoi d'autre ? Ah, oui ! je me souviens… En considération de l'amabilité avec laquelle vous voulez bien mettre votre talent à mon service, mon valet de chambre se mettra entièrement à votre disposition, dès la fin de la première semaine de votre séjour. Bon… après ? C'est curieux, n'est-ce pas ? Je sais que j'ai encore beaucoup de choses à vous dire et j'ai tout oublié. Cela ne vous dérangerait-il pas de sonner dans ce coin ? Oui… merci.

Je sonnai et, sans bruit, un autre domestique apparut, un étranger sans nul doute, au sourire étudié, aux cheveux bien brossés, un vrai valet de chambre, quoi !

– Louis, dit Mr Fairlie en époussetant rêveusement le bout de ses doigts à l'aide d'une des petites brosses, j'ai fait des annotations sur mes tablettes ce matin. Allez me les chercher… Mille pardons, monsieur Hartright, je crains de vous importuner.

Comme il fermait les yeux d'un air las, et comme, en effet, il m'importunait au-delà de toute expression, je me dispensai de répondre et attendis en contemplant *la Vierge à l'Enfant*, de Raphaël. Le valet revint bientôt, portant un petit livre à couverture d'ivoire. Après avoir poussé un soupir, Mr Fairlie l'ouvrit d'une main tandis que, de l'autre, il faisait signe au domestique d'attendre.

– Oui, c'est cela, Louis, prenez ce carton, dit-il en désignant une étagère en acajou près de la fenêtre. Non ! pas celui qui a le dos vert, il contient mes estampes de Rembrandt ! Monsieur Hartright, aimez-vous les eaux-fortes ? Oui... j'en suis ravi ! Encore un goût en commun. Le carton au dos rouge, Louis. Ne le laissez pas tomber surtout ! Vous n'avez pas idée de la torture que j'endurerais, monsieur Hartright, si Louis laissait tomber ce carton. Dites, est-il en sécurité sur cette chaise ? Oui ?... J'en suis ravi ! Voudriez-vous avoir maintenant l'obligeance d'examiner ces gravures, si toutefois vous êtes certain qu'elles sont en sécurité là. Louis, vous pouvez disposer. Quel âne vous faites ! Ne voyez-vous pas que j'ai toujours les tablettes en main ? Croyez-vous par hasard que je désire les garder ? Alors pourquoi ne m'en débarrassez-vous pas sans que je vous le dise ? Mille excuses, monsieur Hartright, les domestiques sont de tels ânes, n'est-ce pas ? Dites-moi, que pensez-vous de ces gravures ? Elles proviennent d'une vente où je les ai trouvées en piteux état ; la dernière fois que je les ai examinées, il m'a semblé qu'elles sentaient encore les doigts de brocanteurs.

Pour moi, si ni mon odorat ni mes nerfs n'étaient assez sensibles pour que l'odeur des doigts plébéiens les irritât, j'avais le goût assez sûr pour apprécier la valeur réelle des aquarelles. Car c'étaient, en réalité, de beaux spécimens de l'aquarelle anglaise, et ils auraient mérité un meilleur traitement que celui qu'on leur avait fait subir.

– Ces aquarelles ont besoin d'être sérieusement retouchées et restaurées, répondis-je ; mais, assurément, à mon avis, elles valent...

– Excusez-moi, interrompit Mr Fairlie. Cela vous dérangerait-il si je fermais les yeux, pendant que vous parlez ? Même cette lumière tamisée est trop forte pour moi... Oui ?

– Je disais que ces aquarelles valaient la peine d'y consacrer du temps et des efforts...

Mr Fairlie rouvrit brusquement les yeux et les roula avec un air désespéré dans la direction de la fenêtre.

– Je vous en supplie, monsieur Hartright, pardonnez-moi, mais je suis sûr d'avoir entendu crier quelque horrible enfant dans mon jardin privé, juste au-dessous de la fenêtre.

– Je ne sais, monsieur Fairlie, je n'ai moi-même rien entendu.

– Soyez obligeant, je vous prie. Vous avez déjà été si bon en ménageant mes pauvres nerfs ! Ayez l'amabilité de regarder par la fenêtre, mais surtout ne laissez pas pénétrer le soleil en soulevant le rideau.

J'accédai une nouvelle fois à son désir. Le jardin était entouré de hauts murs et aucun être vivant ne s'y trouvait. J'en fis part à Mr Fairlie.

– Mille mercis ! C'est mon imagination, je suppose… Il n'y a, grâce à Dieu, pas d'enfants dans la maison, mais les domestiques, qui sont nés sans nerfs, sont capables d'en ramener du village. Quels affreux marmots ! Mon Dieu, monsieur Hartright, dois-je vous l'avouer, je désire fortement une réforme dans la constitution des enfants. La seule pensée de la nature semble avoir été d'en faire des machines à produire du bruit. La conception de notre délicieux Raphaël est autrement préférable.

Ce disant, il me montrait les chérubins de l'école italienne, la tête appuyée sur les nuages.

– Une famille modèle ! continua-t-il. Des visages délicieusement potelés, entourés de jolies ailes et rien d'autre. Pas de sales petites jambes qui courent et pas de poumons qui crient. Quelle constitution supérieure à celle d'aujourd'hui ! Je vais de nouveau fermer les yeux, si vous le permettez ? Alors, vous pourriez restaurer ces aquarelles ? J'en suis ravi !… Y a-t-il autre chose à arranger ? Si c'est le cas, cela m'est sorti de l'esprit. Il serait peut-être préférable de sonner Louis.

Comme j'étais aussi désireux que Mr Fairlie de mettre un terme à l'entretien, je jugeai qu'il était inutile de convoquer le domestique et pris sur moi d'aborder le dernier point à discuter.

– La seule chose qui reste à établir, monsieur Fairlie, est l'enseignement du dessin, que j'aurai à donner aux deux jeunes filles.

– Ah oui ! Tout à fait exact ! J'aurais souhaité me sentir plus fort pour m'occuper de cet arrangement moi-même, mais je ne le puis. Les jeunes filles n'ont qu'à organiser cela elles-mêmes. Ma nièce adore votre art et s'y connaît assez pour se rendre compte de ses propres lacunes. Occupez-vous spécialement d'elle, je vous en prie. N'y a-t-il pas encore autre chose ? Non ! Je vois que nous nous comprenons fort bien. Je ne peux pas vous retenir plus longtemps ! Je suis ravi d'avoir tout arrangé, c'est un tel soulagement ! Cela ne vous dérange-t-il pas de sonner Louis afin qu'il transporte le carton dans votre chambre ?

– Je le transporterai moi-même, si vous le permettez.

– Vraiment ? Êtes-vous assez fort ? Quelle chance d'être si vigoureux ! Êtes-vous sûr de ne pas le laisser tomber ? Je suis ravi de vous avoir à Limmeridge House, monsieur Hartright ! Je suis tellement souffrant que je n'ose espérer beaucoup jouir de votre compagnie. Voulez-vous avoir l'obligeance de ne pas faire claquer la porte en sortant et de ne pas laisser tomber le carton surtout ? Merci ! Doucement avec les tentures, je vous prie, le moindre bruit me pénètre dans la chair comme un couteau. Oui… Bonne journée !

Lorsque les rideaux vert d'eau furent retombés et que les deux portes feutrées furent refermées derrière moi, je m'arrêtai un moment et poussai un profond soupir de soulagement. C'était comme si je revenais à la surface de l'eau après un long plongeon.

Installé confortablement dans mon joli petit salon, je décidai avant tout de ne plus mettre les pieds chez le maître de maison avant qu'il ne me le demandât spécialement, chose fort improbable. Ayant pris cette décision quant à mon attitude à l'endroit de Mr Fairlie, je retrouvai mon humeur sereine, et ma matinée s'écoula agréablement dans l'examen et le classement. Je fis tous mes préparatifs pour le travail que je comptais entreprendre et attendis avec impatience l'heure du lunch.

A deux heures, je descendis à la salle à manger, non sans une certaine inquiétude. J'allais être présenté à Miss Fairlie et, d'autre part, les recherches que Miss Halcombe avait faites parmi les lettres de sa mère avaient peut-être donné un résultat qui allait me révéler le mystère de la Dame en blanc.

VII

Je trouvai Miss Halcombe assise à table en compagnie d'une dame d'un certain âge.

Lorsque je fus présenté à cette dernière, qui n'était autre que la gouvernante de Miss Fairlie, je me souvins en souriant du portrait qu'en avait fait Miss Halcombe : « Possédant toutes les vertus cardinales, mais ne comptant pour rien ! » Mrs Vesey personnifiait bien la quiétude et l'amabilité. Un sourire serein éclairait éternellement son visage placide. Dans la vie, certains courent, d'autres flânent : Mrs Vesey, elle, s'asseyait dans la vie. Elle s'asseyait dans la maison, le matin et le soir, elle s'asseyait dans le jardin, elle s'asseyait aux fenêtres dans les corridors, elle s'asseyait sur un pliant quand on l'obligeait à aller se promener. Elle s'asseyait avant de parler, avant de répondre ne fût-ce que oui ou non, avant de regarder quelque chose, avec toujours le même sourire, la même inclination paisible de la tête, la même indolence dans les mains et les bras. Une vieille dame douce, extraordinairement tranquille et bien agréable. Devant elle, on oubliait même qu'elle existait… La nature a tant à faire, et il y a tant de variété parmi les êtres et les choses qu'elle produit que, de temps à autre, certainement, elle ne doit plus distinguer très clairement entre les différentes espèces au développement desquelles elle doit veiller. Aussi ai-je toujours eu la conviction intime que la nature s'occupait à faire pousser des choux au moment de la naissance de Mrs Vesey, et que la bonne dame subissait les conséquences de ce qu'avait été, à cette heure-là, la préoccupation de notre mère à tous.

– Dites, madame Vesey, interrogea Miss Halcombe de son petit air moqueur, qu'allez-vous prendre ? Une côtelette ?

Mrs Vesey joignit les mains sur le bord de la table, sourit candidement et répondit :

– Oui, très chère.

– Qu'y a-t-il en face de Mr Hartright ? Ah ! Je vois du poulet au blanc ! Je croyais que vous le préfériez aux côtelettes, madame Vesey ?

Celle-ci enleva les mains de la table, les joignit sur ses genoux, regarda le poulet d'un air pensif et répondit :

– Oui, très chère.

– Eh bien, que désirez-vous, aujourd'hui ? Mr Hartright doit-il vous donner du poulet, ou dois-je vous donner une côtelette ?

Mrs Vesey appuya une seule main sur la table, hésita, puis répondit :

– Comme vous voulez, très chère.

– Mais pour l'amour du Ciel ! c'est selon votre goût et non selon le mien, chère madame ! Supposons que vous preniez un peu des deux et que vous commenciez par ce poulet que Mr Hartright meurt d'envie de vous servir ?

Remettant sa seconde main sur la table, Mrs Vesey, en s'inclinant vers moi, me dit radieuse :

– S'il vous plaît, monsieur…

Une vieille dame douce, extraordinairement tranquille et bien agréable, certes.

Pendant tout ce temps, toujours pas de Miss Fairlie. Miss Halcombe, à qui rien n'échappait, remarquant les regards que je jetais vers la porte me rassura.

– Je vous comprends, monsieur Hartright ; vous vous demandez ce qu'est devenue votre seconde élève. Soyez tranquille, elle est descendue et n'a plus de migraine mais, ne se sentant pas en appétit, elle a préféré ne pas nous rejoindre à table. Fiez-vous à moi, je la découvrirai bien au jardin.

Prenant un parasol, elle se dirigea vers la porte-fenêtre donnant sur la pelouse. Inutile de dire que nous abandonnâmes Mrs Vesey, toujours à table, dans la même position, vouée sans doute à demeurer ainsi pour le restant de l'après-midi.

Tandis que nous traversions la pelouse, Miss Halcombe me regarda d'un air entendu :

– Votre mystérieuse aventure garde toute son obscurité, me dit-elle. J'ai passé toute la matinée à compulser la correspondance de ma mère et n'ai rien découvert. Mais ne désespérez pas, monsieur Hartright, vous avez une femme comme alliée et la curiosité de notre sexe est légendaire. D'ailleurs, il reste encore trois paquets de lettres que je n'ai pas examinées, et je vais y passer toute la soirée.

Voilà donc qu'un de mes espoirs de la matinée se trouvait déjà déçu ; je commençais à me demander si ma présentation à Miss Fairlie ne m'apporterait pas une seconde désillusion.

– Comment s'est passée votre entrevue avec Mr Fairlie ? demanda ma compagne, tandis que nous entrions dans un bosquet touffu. S'est-il montré très nerveux ce matin ? Oh ! pas besoin de me répondre ! Le seul fait que vous soyez obligé de réfléchir pour me répondre me suffit, et je vois à votre visage qu'il a dû être spécialement nerveux aujourd'hui. Mais, comme je ne désire pas du tout vous voir dans le même état, je n'insiste pas.

Nous prîmes un sentier sinueux qui conduisait à une jolie maisonnette en bois, pareille à un chalet suisse. La seule pièce de ce pavillon d'été était déjà occupée par une jeune fille, debout près d'une table rustique, qui, tout en feuilletant distraitement les pages d'un cahier de croquis, regardait en rêvant la lande et la montagne qui se dessinaient entre les arbres. C'était Miss Fairlie.

Comment pourrais-je la décrire ? Comment pourrais-je la dissocier de mes impressions personnelles et de tout ce qui est arrivé par la suite ? Comment pourrais-je la revoir comme je la vis pour la première fois, comme je voudrais la faire apparaître aux yeux du lecteur aujourd'hui ?

L'aquarelle que je fis d'elle plus tard se trouve sur mon bureau tandis que j'écris. Je la regarde et je vois, se découpant sur le fond du pavillon, une silhouette claire, vêtue d'une simple robe de mousseline blanche, rehaussée de lacets bleus et blancs. Une écharpe de même tissu ondule gracieusement sur ses épaules et un petit chapeau en paille naturelle, garni de rubans assortis à sa robe, ombre le dessus de son visage. Ses cheveux sont d'un brun doré et vaporeux et se confondent avec la paille de son chapeau ; ils sont séparés par une raie et attachés en arrière. Ses sourcils sont plus foncés que ses cheveux et ses yeux sont d'un bleu turquoise, doux et limpide, si souvent chanté par les poètes et si rarement rencontré dans la vie. Des yeux à la nuance merveilleuse, à la forme exquise, tendres et doucement pensifs, mais beaux surtout par leur limpidité profonde. Le charme qu'ils répandent sur tout le visage est si doux qu'il est assez difficile de se rendre compte des légers défauts de certains traits. On devine à peine que le menton est un peu trop fin pour s'harmoniser parfaitement avec le haut du visage, que le nez, loin d'être aquilin (forme toujours dure, même si elle est admirable, irréprochable, chez une femme), est au contraire un peu relevé et manque ainsi de cette perfection à laquelle nous rêvons ; ou que les lèvres doucement sensuelles ont tendance à s'élever d'un côté quand la jeune fille sourit. On remarquerait peut-être ces défauts dans un autre visage féminin, mais ici cela est presque impossible, vraiment, tant ils se confondent avec tout ce qu'il y a d'authentique et d'original dans son expression, et parce que rayonne, précisément, sur tous les traits, cette vivacité que reflète le regard.

Mon aquarelle, ce portrait que j'ai fait d'elle avec patience, avec amour en des jours heureux, me montre-t-elle bien tout cela ? Ah ! Que le portrait est pauvre en comparaison des souvenirs qui renaissent en moi ! Une jeune fille svelte et ravissante, habillée d'une robe légère, feuilletant un cahier de croquis tandis que son regard confiant se perd au-devant d'elle – voilà tout ce que le portrait peut représenter, et tout ce que représenterait, peut-être, une page mûrement réfléchie et soigneusement écrite. La femme qui la première donne vie, clarté et forme à la très vague conception que nous avons de la beauté comble en nous un vide dont jusque-là nous n'avions pas conscience. Des sympathies trop profondes pour que les mots les expliquent, trop profondes même pour que la pensée les saisisse sont alors réveillées par des charmes qui dépassent toutes sensations déjà connues et que l'on saurait à peine définir. Le mystère qui préside à la beauté féminine ne nous semble jamais impossible à exprimer jusqu'au jour où celle-ci éveille en nous-mêmes un mystère plus profond encore qui lui fait écho. Alors, et alors seulement, cette beauté échappe aux faibles lumières qui, dans ce monde, peuvent jaillir de notre plume ou de notre pinceau.

Vous qui me lisez, pensez à elle comme vous songeriez à la première femme qui fit battre votre cœur, demeuré jusque-là insensible ; laissez ses yeux bleus, candides et bons, vous regarder avec cette expression unique qu'on ne peut oublier, écoutez sa voix résonner à votre oreille comme celle de la femme que vous avez aimée autrefois ; et laissez ses pas errer dans cette histoire comme chacun des pas qui vous étreignaient le cœur en ce temps-là. Regardez-la comme la maîtresse de votre propre imagination ; et elle vivra pour vous comme elle vit encore pour moi.

Parmi la nuée de sentiments qui me submergea quand je la vis pour la première fois – de ces sentiments que nous connaissons tous, qui éclosent dans notre cœur pour mourir le plus souvent, et renaître dans leur plénitude à de si rares occasions, il en était un qui me troubla plus que tout, qui me paraissait, étrangement, discordant avec ce qui aurait dû émaner de la présence de Miss Fairlie.

A l'impression profonde que produisait le charme de son doux visage, de ses traits délicats, de son attitude pleine de pureté, se mêlait la sensation étrange qu'il y manquait quelque chose. Tantôt c'était en elle, me semblait-il, que je ne trouvais pas tout ce que j'aurais voulu trouver ; tantôt c'était en moi-même, et cela m'empêchait de la comprendre tout à fait. Aussi bizarre que cela paraisse, j'éprouvais surtout cette sensation lorsqu'elle me regardait ; ou, en d'autres mots, lorsque, parfaitement conscient de la beauté de son visage, j'étais troublé par ce je ne sais quoi qui lui manquait et que je ne parvenais pas à définir. Un manque, un manque, mais où, mais quoi, je n'eusse pu le dire.

Cette curieuse pensée ne facilita guère ma première rencontre avec Laura Fairlie. Je n'étais pas suffisamment maître de moi, lorsqu'elle prononça quelques mots de bienvenue, pour lui répondre sur le mode qu'eût exigé la courtoisie. Observant ma gêne, qu'elle ne manqua pas d'attribuer à un accès de timidité, Miss Halcombe sauva la situation avec son élégance habituelle.

– Eh bien ! monsieur Hartright, vous reconnaîtrez que j'ai vite découvert la retraite de votre élève modèle. Voyez ! Dès qu'elle a appris votre présence dans la maison, elle a empoigné son cahier de croquis et, contemplant l'immense nature devant elle, elle est prête à commencer la leçon !

Miss Fairlie éclata d'un rire joyeux, qui illumina son visage charmant comme un rayon de soleil de ce bel après-midi.

– Je ne dois pas prendre pour moi un mérite qui ne m'est pas dû, déclara-t-elle, tandis que son regard limpide se portait de Miss Halcombe à moi. Adorant le dessin comme je l'adore, je suis si consciente de mon ignorance que je suis plus effrayée que désireuse de commencer. Maintenant que je vous sais là, monsieur Hartright, je regarde mes croquis comme je révisais mes leçons lorsque j'étais petite fille et que j'étais pleine de crainte à l'idée de ne pas les savoir.

Elle fit cette confession simplement, avec un sérieux enfantin, en refermant le cahier de croquis, puis elle se tut. Miss Halcombe interrompit aussitôt le silence qui devenait embarrassant.

– Bons, mauvais ou médiocres, dit-elle, les croquis des élèves devront passer au crible du jugement du maître. Je propose de les emporter avec nous en voiture, Laura, afin que Mr Hartright les regarde pour la première fois au milieu des soubresauts et des interruptions forcées. Car, si nous pouvions, tout en nous promenant, arriver à lui faire confondre la nature telle que nous allons la lui montrer et la nature telle que nous l'avons représentée dans ce cahier de croquis, il se verrait obligé de nous faire des compliments et notre vanité serait sauvegardée.

– J'espère bien que Mr Hartright ne me fera jamais de compliments, répondit Miss Fairlie tandis que nous quittions le pavillon.

– Puis-je me permettre de vous demander pourquoi ? demandai-je.

– Parce que je vous croirais, répondit-elle simplement.

Par ces quelques mots, elle me faisait connaître, sans s'en rendre compte, la nature de son caractère tout entier : sa confiance profonde dans les autres, qui venait de sa grande loyauté personnelle. Je le sentis alors par intuition… j'en ai maintenant la certitude par expérience.

Avant de monter en voiture, nous allâmes chercher Mrs Vesey dans la salle à manger, où elle occupait toujours la même place, assise à table.

La vieille dame et Miss Halcombe s'installèrent sur le siège du fond, tandis que je prenais place à côté de Miss Fairlie sur le siège avant, le cahier de croquis grand ouvert entre nous deux. Toute critique sérieuse m'eût été rendue impossible par le parti pris de Miss Halcombe de ne voir que le côté ridicule du dessin dès lors que cet art était pratiqué par sa sœur, elle-même ou n'importe quelle autre femme en général. Aussi ai-je aujourd'hui bien meilleur souvenir de la conversation que nous eûmes durant cette promenade que des croquis sur lesquels je ne jetai qu'un regard machinal. Les paroles que prononça Miss Fairlie en particulier me reviennent en mémoire avec une parfaite clarté, comme si je les avais entendues il y a quelques heures à peine.

Oui, j'avoue que, dès le premier jour, le charme de sa présence me fit oublier qui j'étais réellement et quelle place j'étais venu occuper à Limmeridge House. Les questions les plus insignifiantes que me faisait Miss Fairlie sur la façon de dessiner et de mélanger les couleurs, le plus léger changement qui se produisait dans l'expression de ses beaux yeux avides d'apprendre, m'intéressaient bien plus que les merveilleux paysages que nous traversions et que les jeux de lumière sur la lande et sur le rivage.

Il est curieux de constater combien les beautés de la nature nous touchent peu, quand nous avons d'autres préoccupations en tête. Il n'y a que dans les livres que nous recherchons auprès de la nature le réconfort dans la peine et la communion dans la joie. L'admiration pour ces splendeurs inanimées que la poésie moderne décrit avec tant d'éloquence n'a rien d'inné, même chez les meilleurs d'entre nous. Aucun enfant ne possède ce don. Aucun individu qui n'a reçu d'éducation. Ceux dont la vie s'écoule au milieu des merveilles toujours changeantes de la terre et de la mer sont précisément ceux qui s'y intéressent le moins, à moins que ces changements continuels ne soient étroitement liés à leur profession. C'est tout un art de savoir apprécier les merveilles de l'univers sensible et c'est ce que la civilisation nous enseigne chaque jour. Mais cet art, le pratiquons-nous hors des moments où nous sommes oisifs et enclins à la paresse ? Nous sentons-nous jamais attirés par la nature lorsque nous éprouvons de la joie ou de la tristesse ? Quelle place occupe-t-elle dans les mille petites histoires qui, passant d'une bouche à l'autre, racontent ce qu'est notre expérience de la vie ? Tout ce que notre esprit peut appréhender, tout ce que notre cœur peut apprendre, nous pouvons l'obtenir, sans doute avec la même certitude, le même profit, là où notre terre nous montre son visage le plus aimable, comme là où elle est le plus désolée. Il doit certes y avoir une raison profonde à ce manque d'union entre la créature et la création ; cette raison se trouve peut-être dans la différence qui existe entre les destinées de l'homme et de la sphère sur laquelle il vit. Les plus hautes montagnes que l'œil puisse voir sont vouées à l'anéantissement, tandis que le plus infime sujet d'intérêt humain qui puisse faire battre un cœur pur en devient immortel.

Il y avait près de trois heures que nous nous promenions lorsque la voiture franchit à nouveau les grilles de Limmeridge House.

Sur le chemin du retour, j'avais laissé aux jeunes filles le soin de choisir elles-mêmes le paysage qu'elles dessineraient sous mes instructions, le lendemain après-midi. Lorsqu'elles furent montées chez elles s'habiller pour le dîner et que je me retrouvai seul dans mon petit salon, je me sentis soudain découragé. J'étais mécontent de moi-même, sans savoir pourquoi. Peut-être m'apercevais-je seulement alors que j'avais joui de notre promenade en invité, et non en professeur de dessin ? Peut-être étais-je toujours hanté par ce quelque chose qui me manquait ou manquait à Miss Fairlie ? En tout cas, j'éprouvai un réel soulagement lorsque la cloche du dîner m'arracha à ma solitude.

En entrant dans la salle à manger, je fus frappé du contraste – moins dans les teintes que dans les matières – de leurs robes. Tandis que Mrs Vesey et Miss Halcombe étaient vêtues avec recherche, chacune selon son âge, l'une en gris argent et l'autre en un jaune primevère s'harmonisant parfaitement avec son teint mat et ses cheveux noirs, Miss Fairlie portait une robe de mousseline blanche très simple et sans apprêt. Cette toilette immaculée lui seyait à ravir, mais c'était une robe que la fille d'un homme pauvre eût pu aussi bien porter ; elle paraissait même moins luxueuse que celle de sa gouvernante. Plus tard, lorsque je connus mieux la caractère de Miss Fairlie, je découvris que ce contraste était voulu, qu'il provenait de sa délicatesse naturelle jointe à l'aversion profonde qu'elle ressentait à faire étalage de sa fortune.

Après le dîner nous retournâmes ensemble au salon. Quoique Mr Fairlie, avec les manières du monarque qui se fût attaché les services du Titien, eût donné à son domestique l'ordre de me consulter quant aux liqueurs que je préférais après le dîner, j'étais décidé à résister à la tentation de rester glorieusement en solitaire parmi les bouteilles de mon choix, et j'avais demandé aux dames l'autorisation de quitter la table en même temps qu'elles, comme c'est l'usage à l'étranger, pendant tout le temps que durerait mon séjour à Limmeridge House.

Le salon se trouvait au rez-de-chaussée et avait les mêmes dimensions que la salle à manger. Deux grandes portes-fenêtres donnaient sur une terrasse admirablement garnie de fleurs. Tandis que nous pénétrions dans le salon, le crépuscule fondait harmonieusement dans la même ombre les feuilles et les fleurs dont le parfum enivrant parvenait jusqu'à nous. La bonne Mrs Vesey, toujours la première à s'asseoir, s'installa confortablement dans un fauteuil avec l'intention manifeste de s'y endormir. A ma demande, Miss Fairlie se mit au piano et, tandis que j'approchais un siège pour l'écouter, je vis Miss Halcombe se retirer dans l'embrasure d'une fenêtre et mettre à profit les dernières lueurs du jour pour achever l'examen de la correspondance de sa mère.

Ce tableau de famille est encore vivant à mes yeux tandis que j'écris ! De l'endroit où j'étais assis, je pouvais admirer la gracieuse silhouette de Miss Halcombe, à demi dans l'ombre, à demi éclairée par la douce lumière, parcourant une à une les lettres mises en tas sur ses genoux ; plus près de moi, le beau profil de Miss Fairlie se détachait délicatement sur l'arrière-plan de plus en plus sombre que formait le mur du fond. Dehors, sur la terrasse, les fleurs en bouquets et les plantes grimpantes frémissaient à peine dans la légère brise du soir. Le ciel était sans nuages et la mystérieuse clarté de la lune commençait à irradier le firmament. Un calme profond enveloppait toute chose tandis que s'égrenait doucement au piano la musique de Mozart. Une soirée dont chaque image, chaque bruit restent inscrits dans ma mémoire.

Nous restâmes à nos places sans bouger, jusqu'à ce que la lumière nous manquât tout à fait. La lune maintenant éclairait la terrasse et ses rayons d'argent nous atteignaient. Cette pénombre était si belle que d'un commun accord nous décidâmes de ne pas allumer les lampes que le domestique venait d'apporter. Seules les deux bougies du piano brûlaient.

Pendant une demi-heure encore, la musique nous enchanta, puis la beauté du clair de lune tenta Miss Fairlie. Elle se dirigea vers la terrasse où je la suivis. Absorbée dans sa lecture à la lumière des bougies, Miss Halcombe ne parut pas s'apercevoir de notre sortie.

Nous n'étions guère sur la terrasse depuis plus de cinq minutes, et Miss Fairlie, sur mon conseil, venait de se couvrir d'un foulard blanc pour se protéger de la fraîcheur du soir, quand la voix de sa sœur se fit entendre, plus grave que d'ordinaire.

– Monsieur Hartright, appelait-elle, voulez-vous venir ici un moment, je vous prie ? J'ai à vous parler.

Je rentrai rapidement et la trouvai les genoux encombrés de papiers tandis qu'elle approchait une lettre de la bougie. Je plaçai un siège à ses côtés, ce qui me permettait, tout en l'écoutant, d'observer la terrasse où Miss Fairlie se promenait sous les rayons lunaires.

– Je désire vous lire tout de suite les derniers passages de cette lettre, me dit Miss Halcombe, et que vous me disiez s'ils projettent quelque lumière sur votre aventure nocturne. Cette lettre est adressée par ma mère à son second mari, Mr Fairlie ; elle date d'il y a environ douze ans. A cette époque, Mr et Mrs Fairlie ainsi que ma demi-sœur Laura habitaient cette maison depuis quelques années et, pour moi, je complétais mon éducation à Paris.

Elle avait un air sérieux sous lequel perçait peut-être un léger embarras. Au moment où elle approcha la lettre de la bougie pour en faire la lecture, Miss Fairlie passa devant la porte-fenêtre, jeta un œil à l'intérieur et, voyant que nous étions occupés, continua sa promenade.

Miss Halcombe me lut ce qui suit :

Vous devez être fatigué, mon cher Philip, de m'entendre toujours parler de mes écoles et de mes frères. Blâmez-en la monotonie de l'existence de Limmeridge plutôt que moi, d'autant plus que, cette fois, j'ai quelque chose de vraiment intéressant à vous raconter au sujet d'une élève.

Vous connaissez, à la boutique du village, la vieille Mrs Kempe, n'est-ce pas ? Eh bien, après des années de souffrances, le médecin a enfin renoncé à la sauver et elle s'éteint doucement. Sa seule parente était une sœur qui est arrivée la semaine dernière. Celle-ci vient du Hampshire et se nomme Mrs Catherick. Il y a quatre jours, elle est venue me voir, accompagnée de son enfant, une adorable petite fille, n'ayant qu'un an de plus que notre Laura chérie...

Comme Miss Halcombe lisait cette dernière phrase, Miss Fairlie passa de nouveau devant la porte, chantonnant doucement une des mélodies qu'elle avait jouées dans la soirée. Miss Halcombe attendit un moment, puis elle continua :

Mrs Catherick est une femme d'un certain âge, convenable, bien élevée, respectable et paraissant avoir été presque jolie. Dans sa façon de faire, il y a cependant quelque chose qui m'intrigue, car le silence qu'elle s'obstine à garder sur elle-même me fait croire qu'il existe un mystère dans sa vie. Le but de sa visite à Limmeridge m'a paru tout à fait naturel quoi qu'il en soit. N'ayant personne qui pût s'occuper de sa petite fille dans le Hampshire en son absence, elle l'a emmenée avec elle pour venir soigner sa sœur. Mrs Kempe pouvant mourir d'un jour à l'autre ou traîner encore des mois, Mrs Catherick m'a demandé d'accepter sa petite fille à l'école, pendant ce temps. J'ai immédiatement accepté et, lorsque Laura et moi, ce jour-là, nous sommes sorties pour notre promenade quotidienne, nous sommes allées chercher l'enfant (elle vient d'avoir onze ans) pour la conduire en classe.

A la faveur d'un rayon de lune, la silhouette blanche de Miss Fairlie se dessina une nouvelle fois dans la porte, le visage joliment encadré du foulard blanc qu'elle avait noué sous son menton pour se préserver de l'humidité de la nuit. Cette fois encore, Miss Halcombe attendit qu'elle fût passée pour continuer.

J'ai un grand faible, Philip, pour ma nouvelle élève et je vous en dirai la raison plus loin pour vous en faire la surprise. La mère m'ayant aussi peu parlé de sa fille que d'elle-même, j'ai dû constater par moi-même que l'intelligence de la pauvre enfant n'était guère développée pour son âge. J'ai donc trouvé un prétexte pour la faire venir à la maison et j'ai demandé au médecin de famille de venir l'examiner et lui poser quelques questions. Son opinion est qu'avec de la patience et de la ténacité on aura raison de cette lenteur d'esprit. Mais il faut, dit-il, que l'on veille sérieusement, dès maintenant, à son éducation, car son peu d'aptitude à comprendre risquerait de la faire s'attacher dangereusement à quelques idées très simples une fois qu'elle les aurait saisies.

Ne croyez surtout pas, mon chéri, que je me sois attachée à une idiote ! Cette pauvre petite Anne Catherick est une adorable créature, affectueuse et reconnaissante. Elle dit les choses les plus exquises d'une façon spontanée, quoique un peu craintive (et vous pourrez juger par vous-même d'après un exemple que je vais vous donner). Elle est toujours vêtue très proprement mais sans goût, aussi me suis-je décidée à faire arranger à sa taille quelques anciennes robes blanches de notre Laura chérie, et à lui donner aussi certains de ses chapeaux blancs, en la persuadant que le blanc lui allait à ravir. Après un moment d'hésitation, elle a saisi ma main et l'a couverte de baisers en s'écriant d'un air très sérieux : « Toute ma vie, je porterai désormais du blanc. Cela m'aidera à me souvenir de vous, madame, et je serai heureuse de penser qu'ainsi je vous plais, même quand je serai loin de vous ! » Pauvre petite créature ! Je lui ferai apprêter tout un lot de robes blanches, afin qu'elle en ait pour des années…

Miss Halcombe, s'arrêtant brusquement, me demanda :

– La femme solitaire que vous avez rencontrée paraissait-elle avoir plus de vingt-deux ou vingt-trois ans ?

– Non, Miss Halcombe, elle paraissait cet âge.

– Et, curieusement, elle était vêtue de blanc, de la tête aux pieds ?

– Oui, tout en blanc.

Tandis que la réponse sortait de mes lèvres, Miss Fairlie s'arrêta devant la porte-fenêtre en nous tournant le dos et s'appuya contre la balustrade donnant sur le jardin. Mes yeux se fixèrent sur la robe de mousseline blanche éclairée par la lune, et une sensation très pénible, mais qu'il me serait impossible d'expliquer me parcourut.

– Tout en blanc ? répéta Miss Halcombe. Les phrases les plus importantes se trouvent à la fin de la lettre, mais je ne puis m'empêcher de m'arrêter déjà à cette coïncidence touchant la couleur des vêtements. Le médecin peut s'être trompé en diagnostiquant que la lenteur d'esprit de l'enfant se corrigerait, et la fantaisie reconnaissante de la petite fille vis-à-vis de ma mère peut être devenue un sentiment tenace chez la jeune femme.

Je regardais la robe vaporeuse de Miss Fairlie, sans répondre.

– Écoutez les dernières phrases, reprit Miss Halcombe, je pense qu'elles vous surprendront.

Comme elle disait ces mots, Miss Fairlie se retourna, son regard erra un temps dans le vague, puis elle s'éloigna de la balustrade, fit quelques pas vers la porte-fenêtre et s'arrêta devant nous.

Miss Halcombe avait repris sa lecture :

Et maintenant, mon chéri, voyant que je suis au bout de ma feuille de papier, je veux vous dire la surprenante raison de mon attachement à Anne Catherick. Quoiqu'elle ne soit pas de moitié aussi jolie que notre fille, par un caprice étrange de la nature, elle en est le portrait vivant, dans ses cheveux, ses traits, la couleur de ses yeux, la silhouette…

Je me levai de mon siège avant que Miss Halcombe eût pu terminer sa phrase. Le même frisson que celui qui m'avait parcouru dans la solitude de la nuit, lorsqu'une main s'était posée sur mon épaule, venait de me secouer tout entier.

Devant moi se tenait Miss Fairlie, silhouette blanche, seule sous les rayons de la lune, son attitude, son visage, son teint, sa silhouette… elle était le vivant portrait de la Dame en blanc ! Cette chose indéfinissable qui n'avait cessé de me troubler depuis mon arrivée venait de s'imposer dans toute sa clarté à mon esprit. Ce quelque chose qui manquait, c'était cette sinistre ressemblance entre la fugitive de l'asile et mon élève de Limmeridge House qui m'avait échappé !

– Vous la voyez maintenant ! s'exclama Miss Halcombe. Comme ma mère la vit il y a onze ans.

– Oui, je la vois, hélas ! plus à contrecœur que je ne puis vous le dire. Unir en pensée, même un instant, par le fait d'une ressemblance accidentelle, cette pauvre femme abandonnée à Miss Fairlie semble jeter une ombre sur l'avenir de la ravissante créature qui nous regarde.

Laissez-moi chasser cette affreuse sensation. Je vous en prie, rappelez Miss Fairlie, qu'elle sorte de ce lugubre rayon de lune au plus vite !

– Vous me surprenez, monsieur Hartright, je croyais les hommes du XIXe siècle à l'abri des superstitions.

– Miss Halcombe, je vous en supplie, rappelez-la !

– Chut, chut ! Elle arrive. Ne dites rien en sa présence. Que cette ressemblance reste notre secret ! Rentrez, chère Laura, et éveillez Mrs Vesey par un air de piano. Mr Hartright réclame de la musique et, cette fois, de la musique gaie !

VIII

Ainsi se termina ma première journée, qui avait été plutôt mouvementée, à Limmeridge House.

Miss Halcombe et moi, nous gardâmes notre secret, mais après cette découverte, aucune nouvelle lumière ne vint éclairer le mystère de la Dame en blanc. Dès que l'occasion s'en présenta, Miss Halcombe essaya avec prudence d'amener sa sœur à parler de leur mère, du temps passé et d'Anne Catherick, mais Miss Fairlie n'avait qu'un souvenir très vague de la petite écolière de Limmeridge. Elle évoqua la ressemblance qui existait entre elles comme une chose bien connue autrefois et qui lui semblait toute naturelle, mais elle ne fit aucune allusion au don des robes blanches ni à la gratitude candide et exagérée de l'enfant. Elle se souvenait qu'Anne Catherick avait habité Limmeridge durant quelques mois, puis qu'elle était retournée dans le Hampshire, mais ignorait ce qu'elle et sa mère étaient devenues depuis lors. Les lettres que Miss Halcombe acheva de lire pour sa part ne nous permirent guère d'en apprendre davantage. Nous avions identifié la Dame en blanc comme étant Anne Catherick, nous avions imaginé que le fait qu'elle fût vêtue en blanc n'était pas sans rapport avec les déficiences intellectuelles dont elle souffrait et qui avaient dû l'inciter, devenue adulte, à persister dans sa gratitude d'enfant à l'égard de Mrs Fairlie ; là, autant que nous pussions le constater à l'époque, s'arrêtaient nos découvertes.

Les jours, les mois passèrent. L'automne traçait des sillons d'or dans la verdure des feuillages, et ma vie s'écoulait comme dans un rêve. O temps de paix, temps bénis entre tous ! mon histoire semble glisser sur vous comme alors vous glissiez sur moi. De tous les trésors dont vous m'avez gratifié, que me reste-t-il qui vaille la peine qu'on en remplisse ces pages ? Rien d'autre que la plus triste des confessions qu'un homme puisse faire de son impardonnable folie.

Le secret de cette confession sera facile à dévoiler, car mes paroles m'ont déjà trahi. Les pauvres mots qui n'ont servi de rien pour décrire Miss Fairlie ont au moins trahi les sentiments qu'elle avait éveillés en moi. C'est ainsi. Nos mots sont des géants quand ils nous blessent, des nains quand ils doivent nous servir.

Je l'aimais.

Ah ! comme je me rends compte aujourd'hui de toute la tristesse, de toute l'ironie contenues dans ces trois mots ! Près d'une femme au cœur tendre qui me comprendrait, je pourrais bien pleurer sur eux, mais je peux aussi en rire, avec toute l'amertume d'un homme au cœur sec à qui ils n'inspirent que du mépris. Qu'on me plaigne ou qu'on me raille, je le confesse avec la même résolution, par respect de la vérité : je l'aimais !

N'avais je pas quelque excuse dans les conditions où je vivais à Limmeridge House ? Mes matinées se déroulaient dans le calme de mon petit salon où, tandis que mes mains retouchaient les gravures de Mr Fairlie, mes pensées pouvaient vagabonder à leur aise. Solitude dangereuse et énervante parce que suivie d'après-midi et de soirées passées, jour après jour, semaine après semaine, en compagnie de deux femmes, dont l'une personnifiait la grâce, l'élégance, l'intelligence, l'éducation, et dont l'autre possédait tous les charmes de la beauté, de la douceur et de la loyauté. Pas un jour ne s'écoulait, dans cette dangereuse intimité de maître à élève, sans que ma main frôlât la main de Miss Fairlie, sans que ma joue touchât presque la sienne, tandis que nous nous penchions tous deux sur le cahier de croquis. Plus elle suivait avec attention les mouvements de mon pinceau, plus je respirais le parfum de ses cheveux et la douceur de son souffle. Vivre dans le rayonnement de son regard, m'incliner vers elle pour lui enseigner le dessin, sentir les rubans de son corsage me balayer le visage dans le vent ou entendre sa voix chanter à mon oreille, tout cela faisait partie de mon service.

Les soirées de musique, qui suivaient nos promenades de l'après-midi, ne faisaient qu'augmenter encore cette intimité. Le goût réel que j'éprouvais pour le piano, dont elle jouait avec sentiment, et la joie qu'elle montrait de me rendre par son talent le même plaisir que je lui donnais en lui enseignant le dessin, tissaient lentement entre nous des liens chaque jour plus étroits. Les petits hasards de la conversation, les habitudes banales – aussi banales par exemple que les places que nous prenions à table – qui rythmaient nos journées, les moqueries que Miss Halcombe tenait toujours prêtes pour railler l'anxiété du professeur comme l'enthousiasme de son élève, l'air inoffensif avec lequel Mrs Vesey nous témoignait sa bienveillance, manière de nous considérer, Miss Fairlie et moi, comme deux jeunes gens qui ne la dérangeaient jamais, toutes ces petites choses, et mille autres encore contribuaient à nous envelopper tous les deux dans un cocon protecteur, ce qui devait nous conduire vers une situation sans issue.

J'aurais dû me souvenir de la position que j'occupais là-bas et me tenir sur mes gardes. C'est ce que je fis, mais trop tard. Toute la prudence, toute l'expérience dont j'avais pu faire montre avec les autres femmes pour résister à la tentation me firent défaut avec elle. La profession que j'exerçais depuis des années m'avait cependant mis à plusieurs reprises en contact avec des jeunes femmes d'âges différents et de beautés diverses. Je m'étais entraîné à laisser mon cœur à la porte d'entrée, comme on dépose son parapluie au vestiaire. J'avais appris depuis longtemps qu'on considérait ma position sociale comme la meilleure garantie contre les sentiments que j'eusse pu provoquer chez mes jeunes élèves, et que je n'étais admis dans la société de jeunes et jolies jeunes filles que parce que j'étais considéré comme un animal domestique inoffensif. Cette expérience qui me servait de guide, je l'avais acquise très jeune, cette expérience qui me servait de guide m'avait permis de poursuivre vaillamment mon modeste chemin en me gardant des embûches. Or voilà que pour la première fois je me trouvais dépossédé de ce talisman de confiance. Oui, j'en étais arrivé à perdre tout contrôle de moi-même comme cela arrive souvent aux hommes, il est vrai, quand une femme entre dans leur existence et s'empare de toutes leurs pensées. Je le sais à présent, j'aurais dû, dès alors, me demander pourquoi telle chambre de la maison, quand elle y entrait, me paraissait plus douce que mon propre foyer et plus triste qu'un désert quand elle en sortait ; pourquoi je remarquais toujours et retenais parfaitement chaque nouveau détail de sa toilette, alors que rien de semblable ne m'avait jamais frappé chez les autres femmes ; pourquoi à la voir, à l'entendre parler, à lui serrer la main matin et soir, j'éprouvais des sentiments qu'aucune femme n'avait jamais éveillés en moi. J'aurais dû lire en mon propre cœur, y voir ces sentiments qui s'y formaient peu à peu et leur imposer silence tant qu'il en était temps encore. Pourquoi n'eus-je point ce courage ? L'explication tient en trois mots, trois mots qui en disent assez – cet aveu que j'ai déjà fait : je l'aimais.

Les jours passaient, les semaines s'écoulaient et le troisième mois de mon séjour dans le Cumberland touchait à sa fin. La délicieuse monotonie de notre vie solitaire m'entraînait comme un bateau glissant sur un courant paisible. Le souvenir du passé, la pensée de l'avenir étaient ensevelis dans ce cadre trompeur, bercé par le chant de sirène que mon cœur se fredonnait à lui-même, les yeux clos devant le danger, les oreilles fermées aux avertissements de la prudence, j'approchais d'heure en heure du rocher fatal ! Le signal qui m'éveilla enfin, et me fit brutalement prendre conscience en m'emplissant de culpabilité de ce qu'avait été ma faiblesse, fut le plus clair, le plus loyal, le plus charitable qui pût être ; et ce fut elle qui, en silence, me l'adressa.

Nous nous étions quittés un soir, comme d'habitude. Aucune parole d'aveu n'était tombée de mes lèvres et cependant, lorsque nous nous revîmes le lendemain matin, l'attitude de Miss Fairlie vis-à-vis de moi avait changé. Alors je compris tout.

Je ne veux pas – pas davantage que je ne le souhaitais à l'époque – violer le secret de son cœur et le dévoiler à d'autres, comme j'ai dévoilé le mien. Qu'il me suffise de dire que je suis convaincu qu'elle se rendit compte de ses sentiments au moment même où elle devina les miens. Sa nature, trop loyale pour décevoir les autres, était trop noble pour se tromper elle-même. Quand ce secret que j'avais étouffé en moi s'imposa, avec toute sa force, sur ses frêles épaules, cette créature loyale choisit la vérité et se dit : « Tant pis pour lui. Tant pis pour moi. »

C'est ce qui s'imposa à son esprit, et bien d'autres choses encore que je ne saurais interpréter. Je ne compris que trop pourquoi elle évitait de se trouver seule avec moi et pourquoi elle était devenue tout à coup triste et réservée. Ses tendres lèvres sensuelles ne souriaient plus que rarement et les beaux yeux limpides me regardaient parfois, avec la pitié d'un ange ou l'innocente perplexité d'un enfant. La main qu'elle me tendait était froide et son visage était empreint d'une immobilité inusitée, où se mêlaient la crainte et le remords. Et pourtant, sous ce changement d'attitude, certaines choses continuaient de nous rapprocher secrètement, tandis que d'autres, tout aussi secrètement, nous séparaient déjà l'un de l'autre.

Troublé, perplexe, persuadé qu'il y avait là-dessous un secret qu'il ne tenait qu'à moi de percer au jour, je guettais dans les manières de Miss Halcombe quelques éclaircissements. Dans l'intimité où nous vivions tous les trois, aucune altération n'eût pu se produire chez l'un sans affecter les autres. Le changement qui s'était produit chez Miss Fairlie se reflétait fidèlement chez sa demi-sœur. Quoique aucun mot ne lui eût échappé, dénotant que ses sentiments à mon égard eussent changé, son regard pénétrant ne cessait de me surveiller. Il exprimait parfois une colère contenue et parfois une crainte réprimée, souvent un sentiment que je traduisais mal. Une semaine s'écoula de la sorte, chacun se tenant sur cette réserve tacite. Ma situation, aggravée par le sentiment de ma faiblesse, devenait intolérable. Je sentais que c'était à moi de mettre un terme à cette situation, maintenant et pour toujours, mais je ne savais comment m'y résoudre ni comment m'y prendre.

Miss Halcombe m'y aida. De ses lèvres jaillit la vérité amère, nécessaire, inattendue. Sa bonté m'aida à en supporter le choc. Son courage nous sauva tous du danger qui, à Limmeridge House, nous menaçait.

IX

C'était un jeudi, presque au terme de mon séjour.

Lorsque je descendis pour le petit déjeuner, Miss Halcombe, pour la première fois depuis mon arrivée à Limmeridge House, n'occupait pas sa place accoutumée. Miss Fairlie se trouvait sur la pelouse et me salua de loin, sans venir me rejoindre. Aucun mot n'avait été prononcé par elle ou par moi qui eût pu prêter à équivoque, et cependant nous étions aussi embarrassés l'un que l'autre de nous trouver en tête-à-tête. Nous attendîmes chacun de notre côté que Mrs Vesey ou Miss Halcombe arrivât. Avec quel empressement je l'aurais rejointe, avec quelle ardeur je lui aurais serré la main, avec quelle joie nous aurions repris nos interminables causeries, seulement quinze jours auparavant !

Miss Halcombe arriva enfin, l'air préoccupé, en s'excusant de son retard.

– J'ai été retenue par Mr Fairlie, dit-elle, pour des questions domestiques qu'il fallait mettre tout de suite au point.

Miss Fairlie rentra du jardin, nous échangeâmes le bonjour habituel, mais sa main se fit plus froide que jamais dans la mienne. Elle ne me regarda pas, mais son visage me parut plus pâle qu'à l'ordinaire. Mrs Vesey elle-même s'en aperçut en entrant.

– Je suppose que c'est le changement de vent, dit la vieille dame. L'hiver approche, ma petite, l'hiver approche !

Hélas ! dans notre cœur à tous deux, l'hiver était déjà là !

Le repas, naguère égayé par la discussion animée du programme de la journée, fut morne et rapide. Miss Fairlie semblait en souffrir et regardait sa sœur de temps à autre, avec l'espoir qu'elle romprait cet oppressant silence. Après quelques instants d'hésitation et avec un trouble qui lui était peu habituel, Miss Halcombe parla enfin :

– J'ai vu votre oncle, ce matin, Laura. Il trouve que c'est la chambre pourpre qui doit être mise en ordre et m'a confirmé ce que je vous avais dit : c'est lundi et non mardi qu'il arrive.

Miss Fairlie tenait les yeux fixés sur la table en écoutant ces paroles, tandis que ses doigts ramassaient nerveusement les miettes éparpillées sur la nappe. Son visage était devenu livide et ses lèvres tremblaient. Comme moi, Miss Halcombe s'en aperçut et se leva brusquement de table, pour nous donner l'exemple.

Mrs Vesey sortit de la chambre avec Miss Fairlie dont les tristes yeux bleus se posèrent sur moi un moment, avec la prescience d'un adieu prochain. Lorsque la porte se fut refermée sur elle, le cœur meurtri, je me dirigeai vers la porte-fenêtre où Miss Halcombe m'attendait, le chapeau à la main, en me fixant avec attention.

– Pouvez-vous me consacrer un moment, avant de commencer votre travail ? me demanda-t-elle.

– Certainement, Miss Halcombe, j'ai toujours le temps pour vous servir.

– Je désire vous dire un mot en privé, monsieur Hartright. Prenez votre chapeau et venez au jardin, nous ne serons pas dérangés à cette heure.

Lorsque nous atteignîmes le bout de la pelouse, un jeune jardinier nous croisa, porteur d'une lettre. Miss Halcombe l'arrêta.

– Est-ce une lettre pour moi ? lui demanda-t-elle.

– Non, miss, on m'a dit que c'était pour Miss Fairlie, répondit le jeune garçon en tendant la missive à Miss Halcombe qui l'examina.

– Étrange écriture ! murmura-t-elle. Qui peut bien écrire à Laura ?

Puis, s'adressant au messager, elle ajouta :

– Qui vous l'a remise ?

– Eh bien, miss, répondit ce dernier, je l'ai reçue d'une femme.

– Quelle femme ?

– Une femme d'un certain âge.

– Ah ! Une femme âgée… Vous la connaissez ?

– Parfaite étrangère !

– De quel côté est-elle repartie ?

– Vers cette grille, répondit le garçon, en désignant le côté sud, d'un geste large.

– Bizarre ! fit Miss Halcombe. Je suppose que c'est encore une de ces requêtes. Voilà ! ajouta-t-elle en rendant le pli au jardinier. Allez la remettre à la maison. Et maintenant, monsieur Hartright, si vous n'y voyez pas d'inconvénient, marchons de ce côté, voulez-vous ?

Elle me conduisit par le même chemin que le lendemain de mon arrivée, vers le pavillon d'été où j'avais rencontré Laura Fairlie pour la première fois. Là, elle rompit le silence qu'elle avait gardé tout au long de notre promenade.

– Ce que j'ai à vous dire, je puis vous le dire ici.

Prenant une chaise, elle m'en désigna une autre.

– Monsieur Hartright, je vais commencer par vous faire un aveu sans phrase et sans compliment, car je les méprise. Durant votre séjour ici, je me suis prise pour vous d'un sentiment de profonde amitié. La façon dont vous aviez agi vis-à-vis de cette malheureuse, rencontrée la nuit précédant votre arrivée ici, m'avait bien disposée en votre faveur. Si votre conduite n'a pas été prudente, elle a démontré du moins votre sang-froid, la délicatesse et la générosité d'un homme qui a agi en gentleman. Vous ne m'avez pas déçue depuis lors.

Elle s'arrêta, tout en me faisant signe de ne pas l'interrompre. En entrant dans le pavillon, je ne songeais guère à la Dame en blanc, mais les paroles de Miss Halcombe me remirent en mémoire mon étrange aventure. Tant que dura notre entrevue, elle fut – ce qui eut son importance – présente à mon esprit.

– Puisque je suis votre amie, reprit-elle, je vais vous dire directement, dans mon langage brutal et franc, que j'ai deviné votre secret. Je crains, monsieur Hartright, que vous n'ayez laissé votre cœur concevoir un attachement sérieux et dévoué pour ma sœur Laura. Je ne veux pas vous obliger à l'avouer et je vous sais trop honnête pour le nier. Je ne vous condamne pas… Je vous plains simplement d'avoir donné votre amour sans espoir. Je sais que vous n'avez jamais essayé de tirer avantage de votre situation, ni n'avez jamais parlé à ma sœur en secret. Votre seul crime est d'avoir été faible et de n'avoir pas su voir votre propre intérêt, rien de tragique en somme. Si vous aviez agi avec moins de délicatesse et d'humilité, je vous eusse prié de quitter la maison, sans explication, mais je ne puis blâmer que la malchance de votre âge et de votre position, non vous-même. Serrons-nous la main… Je vous ai fait mal, je vais vous faire plus de peine encore, mais il le faut. Allons ! Serrez d'abord la main de votre amie, Marian Halcombe.

La bonté spontanée, la chaude sympathie de cette jeune femme, unies à une générosité aussi rude que délicate, me bouleversèrent profondément. J'essayai de regarder ma compagne en lui tendant la main, mais mes yeux étaient humides. Je tentai de la remercier, mais la voix me manqua.

– Écoutez-moi, ajouta-t-elle, ne semblant pas s'apercevoir de mon émotion, et finissons-en rapidement. C'est un réel soulagement pour moi de ne pas devoir mettre en cause, dans ce que j'ai maintenant à vous dire, la question de la différence de rang social. Les circonstances, qui vont vous infliger un coup mortel, m'épargnent d'offenser par des remarques humiliantes un homme qui a vécu dans une amicale intimité sous le même toit que moi. Monsieur Hartright, vous devez quitter Limmeridge House, avant que plus de mal soit fait. Il est de mon devoir de vous en avertir, comme il serait de mon devoir si vous apparteniez à l'une des plus grandes familles d'Angleterre. Vous devez nous quitter, monsieur Hartright, non parce que vous êtes maître de dessin…

Elle hésita un moment, puis, me regardant droit dans les yeux, elle répéta en posant la main sur mon bras :

– Non parce que vous êtes maître de dessin, mais parce que Laura est fiancée.

Ces derniers mots me percèrent le cœur comme un glaive ; mon bras ne sentait plus la main qui le serrait. Je restais immobile et muet. Les feuilles mortes que le vent d'automne faisait tournoyer à mes pieds étaient semblables à mes pauvres espoirs envolés. Espoirs ! Fiancée ou non, Laura Fairlie était désormais loin de moi ! Un homme dans ma situation s'en serait-il souvenu ? Pas si comme moi il avait été amoureux comme je l'étais.

Le premier choc passé, il ne me restait qu'une sourde douleur. Je sentis à nouveau la main de Miss Halcombe sur mon bras ; je relevai la tête et la regardai. Ses grands yeux noirs étaient rivés aux miens, observant la pâleur qui envahissait mon visage, pâleur dont moi-même j'avais pleinement conscience.

– Arrachez cet amour de votre cœur, s'écria-t-elle. Ici même, où vous l'avez vue pour la première fois ! Ne faiblissez pas comme une femme. Arrachez-le et piétinez-le comme sait le faire un homme !

La chaleur de ses paroles, la force de sa volonté concentrée dans le regard qu'elle fixait sur moi, la force de son bras posé sur le mien me réconfortèrent. Nous restâmes silencieux tous les deux pendant quelques instants, au terme desquels je pus prouver – du moins en apparence – que j'étais digne de la confiance généreuse qu'elle me témoignait ; je m'étais ressaisi.

– Êtes-vous redevenu vous-même ?

– Suffisamment, Miss Halcombe, pour demander votre pardon et le sien. Suffisamment pour suivre votre conseil et vous prouver ma gratitude de cette façon, si je ne puis le faire autrement.

– Vous l'avez déjà prouvée par ces paroles, monsieur Hartright, répondit-elle. Nous n'avons plus de secret l'un pour l'autre ; je ne veux pas essayer de vous cacher les sentiments que ma sœur m'a inconsciemment révélés. Vous devez nous quitter, pour son bien et pour le vôtre. Votre présence ici, notre intimité forcée, et Dieu sait qu'elle fut irréprochable à tant d'égards, l'ont troublée et rendue malheureuse. Moi qui l'aime plus que moi-même, moi qui ai appris à croire en sa nature pure, innocente et noble comme je crois en ma religion, je sais trop combien elle a pu souffrir en secret depuis que l'ombre d'un sentiment déloyal à l'égard de son futur époux a envahi son cœur. Je ne dis pas – cela n'aurait aucun sens après ce qui vient de se passer – que ses fiançailles lui tiennent à cœur. C'est un engagement d'honneur, non d'amour, que son père a ratifié sur son lit de mort, il y a deux ans. Elle-même ne l'a ni recherché ni fui. Jusqu'à votre arrivée, elle était comme des milliers de jeunes filles qui épousent un homme dont elles ne sont pas amoureuses et qui apprennent à l'aimer – quand elles n'apprennent pas à le haïr – après le mariage. J'espère sincèrement, et vous devez avoir le même courageux désir, que les sentiments qui ont troublé sa sérénité n'ont pas pris racine trop profondément dans son cœur. Votre absence (si je ne vous croyais pas un homme d'honneur, de sensibilité et de courage, je n'aurais pas ainsi confiance en vous), votre absence aidera mes efforts, et le temps nous aidera tous les trois. Je suis heureuse de voir que je ne me suis pas fourvoyée en vous faisant confiance et que vous saurez vous comporter avec autant d'élégance et de générosité vis-à-vis de l'élève envers laquelle vous avez oublié un moment votre situation que vis-à-vis de l'étrangère abandonnée, de ce fantôme qui a pu un jour compter sur vous.

Encore une allusion à la Dame en blanc ! N'était-il donc pas possible de parler de Miss Fairlie et de moi sans évoquer le souvenir d'Anne Catherick, comme si c'eût été là une fatalité inévitable ?

– Dites-moi quelle excuse je dois donner à Mr Fairlie pour rompre mes engagements, demandai-je, et quand je dois partir. Je promets d'obéir aveuglément à vos désirs.

– Chaque heure compte, répondit-elle. Vous m'avez entendue parler ce matin de la nécessité qu'il y avait de préparer la chambre pourpre pour lundi. Le visiteur que nous attendons…

Je n'eus pas le courage d'attendre la fin. En me souvenant de l'attitude de Miss Fairlie au déjeuner, je devinai que le visiteur attendu à Limmeridge House était son futur mari. J'interrompis Miss Halcombe :

– Laissez-moi partir aujourd'hui ! m'écriai-je avec amertume. Le plus tôt sera le mieux !

– Non, pas aujourd'hui, répondit-elle calmement. La seule raison que vous puissiez invoquer, vis-à-vis de Mr Fairlie, est qu'une affaire urgente vous rappelle à Londres. Pour cela, vous devez attendre que la poste de demain vous apporte une lettre. Ainsi, votre décision sera plausible. Je sais qu'il est pénible de devoir user d'un stratagème, même aussi inoffensif, mais je connais Mr Fairlie et, s'il soupçonnait que vous vous êtes joué de lui, il refuserait de vous laisser partir. Parlez-lui vendredi matin et, d'ici là, tâchez, dans votre intérêt, de laisser le moins de désordre possible dans votre travail inachevé. Quittez-nous samedi, ce sera bien suffisant, monsieur Hartright, pour vous et pour nous tous.

Avant que j'eusse eu le temps de lui dire que je ferais ce qu'elle me demandait, nous entendîmes des pas dans le bosquet. Quelqu'un venait de la maison, sans doute pour nous chercher. Mon sang ne fit qu'un tour. Était-ce Miss Fairlie ? Ce fut presque un soulagement pour moi de voir que la personne qui s'avançait n'était que sa femme de chambre.

– Puis-je vous parler un instant, miss ? demanda-t-elle, l'air inquiet.

Miss Halcombe descendit les escaliers du pavillon et fit quelques pas avec la servante.

Resté seul, je me mis à songer avec désespoir à mon prochain départ et à l'horrible solitude qui m'attendait dans mon appartement de Londres. Je me remémorai les espérances, les vœux de ma mère et de ma sœur avant mon départ, et j'avoue à mon indicible honte que c'était la première fois depuis de très longues semaines que le souvenir de ces deux êtres si chers faisait battre mon cœur. Qu'allaient-elles dire, ma mère et ma sœur, lorsque je leur raconterais que j'avais dû quitter Limmeridge House à cause de ma folie, elles qui m'avaient laissé partir avec tant de bonheur, lors de la dernière soirée que j'avais passée à Hampstead ?

Et Anne Catherick ? Je ne pouvais évoquer cette soirée d'adieux avec ma mère et ma sœur sans que me revînt en mémoire mon retour vers Londres au clair de lune. Qu'est-ce que cela signifiait ? Étais-je donc destiné à la revoir ? Peut-être. Savait-elle que j'habitais Londres ? Oui, je le lui avais dit, un peu avant ou un peu après sa singulière question : connaissais-je beaucoup d'hommes portant le titre de baronnet ? Un peu avant, ou un peu après… mon trouble était tel, cette nuit-là, qu'il m'était bien difficile, au bout de trois mois, de préciser davantage.

Quelques minutes s'écoulèrent avant que Miss Halcombe me rejoignît. A son tour, elle paraissait soucieuse.

– Nous avons tout mis au point, monsieur Hartright, et nous nous sommes compris comme de vrais amis. Je voudrais rentrer au plus vite maintenant, car je vous avoue que je suis inquiète au sujet de Laura. Elle a envoyé la servante me dire qu'elle désirait me parler tout de suite, et celle-ci m'a rapporté que sa maîtresse semblait très agitée par une lettre reçue ce matin, cette lettre sans doute que j'ai fait remettre à la maison tout à l'heure.

Nous partîmes en hâte, mais si Miss Halcombe avait dit tout ce qu'elle avait à me dire, de mon côté, je n'en avais pas tout à fait terminé. Depuis que j'avais appris que le visiteur attendu à Limmeridge House devait être le fiancé de Miss Fairlie, je me sentais rongé par une curiosité amère, l'envie brûlante de savoir qui il était. Comme il était probable que je n'aurais pas d'autre occasion de savoir, je me risquai à poser une question :

– Puisque vous avez été assez bonne pour me dire que nous nous étions compris, Miss Halcombe, maintenant que vous êtes sûre de ma gratitude pour votre indulgence à mon égard et de mon obéissance quant à vos désirs, puis-je me permettre de vous demander qui est le fiancé de Miss Fairlie ?

L'esprit préoccupé par le message qu'elle venait de recevoir, elle me répondit d'un air absent :

– Un jeune homme qui possède une grande propriété dans le Hampshire.

Le Hampshire ! Le comté natal d'Anne Catherick ! Encore et toujours la Dame en blanc ! C'était donc la fatalité.

– Et son nom ? demandai-je d'une voix que je tâchais de rendre aussi indifférente que possible.

– Sir Percival Glyde.

Sir ! Sir Percival ! La question d'Anne Catherick, cette question si curieuse sur les baronnets que je pouvais connaître, qui m'était revenue en mémoire dans le pavillon quelques minutes à peine auparavant. Je m'arrêtai brusquement et regardai Miss Halcombe qui, croyant que je n'avais pas compris, répéta :

– Sir Percival Glyde.

– Chevalier ou baronnet ? demandai-je avec une agitation que je ne parvenais plus à dissimuler.

Elle attendit un moment, puis répondit avec froideur :

– Baronnet, évidemment !

X

Nous n'échangeâmes plus une parole jusqu'à la maison. Miss Halcombe se précipita aussitôt vers la chambre de sa sœur et je montai dans mon petit salon, afin de mettre de l'ordre dans les gravures de Mr Fairlie avant de les confier à d'autres mains. Maintenant que j'étais seul, toutes les pensées que je m'étais efforcé de refréner, toutes ces pensées qui ne faisaient qu'empirer l'état dans lequel je me trouvais m'assaillirent avec violence.

Elle était fiancée et son futur mari était sir Percival Glyde, un homme portant le titre de baronnet, propriétaire dans le Hampshire.

Il existait des centaines de baronnets en Angleterre et des douzaines de propriétaires terriens dans le Hampshire ! Je n'avais donc aucune raison, jusqu'ici, d'établir un lien entre sir Percival Glyde et les questions pleines de méfiance que m'avait posées la Dame en blanc. Et cependant, je ne pouvais m'en empêcher. Était-ce parce que son nom était maintenant uni dans mon esprit à celui de Miss Fairlie, et que celle-ci me faisait penser à Anne Catherick depuis le fameux soir où j'avais découvert entre elles une ressemblance fatale ? Les événements du matin m'avaient-ils à ce point rendu nerveux que je me trouvais à la merci de mon imagination et interprétais de travers ce qui n'était que pure coïncidence ? Je ne sais, mais je sentais que la conversation que j'avais eue avec Miss Halcombe en revenant du pavillon m'avait profondément bouleversé. J'avais la sensation d'un danger inconnu et l'impression que mon départ du Cumberland ne m'empêcherait pas d'être mêlé aux événements futurs ; l'impression aussi qu'aucun de nous n'entrevoyait l'issue de tout cela telle qu'elle serait réellement. Quoique je souffrisse intensément de la fin misérable de mon amour présomptueux, une angoisse encore plus forte m'envahissait en songeant à ce malheur invisible que je sentais planer sur nos têtes.

Je travaillais depuis une demi-heure lorsqu'on frappa à ma porte. Miss Halcombe entra, l'air agité et contrarié. Saisissant une chaise avant que j'aie eu le temps de la lui offrir, elle s'assit près de moi.

– Monsieur Hartright, me dit-elle, j'espérais avoir abordé avec vous ce matin tous les sujets pénibles. Je me suis trompée. Une main cachée et vile s'efforce d'effrayer ma sœur au sujet de son mariage. Vous vous rappelez cette lettre d'une écriture si étrange que le jardinier apportait ce matin pour Miss Fairlie ?

– Certainement.

– C'était une lettre anonyme… une misérable tentative pour amoindrir l'estime que ma sœur porte à sir Percival Glyde. Cette lettre l'a mise dans un tel état d'anxiété que j'ai eu toutes les peines du monde à la calmer, avant de venir jusqu'ici. Je sais que c'est une affaire de famille dont je ne devrais pas vous parler et qui, pour vous, n'offre aucun intérêt, mais…

– Excusez-moi, Miss Halcombe, de vous interrompre, mais tout ce qui touche au bonheur de Miss Fairlie ou au vôtre m'intéresse au plus haut point.

– Je suis heureuse de vous l'entendre dire, car vous êtes la seule personne dans la maison qui puisse me conseiller. Dans son état de santé et avec son horreur des difficultés, Mr Fairlie ne peut m'être d'aucun secours. Le pasteur est un homme bon et faible qui ne connaît rien en dehors de la routine de ses devoirs, et nos voisines sont de ces relations anodines sur lesquelles on ne peut compter ni dans les ennuis, ni dans le danger. Ce que je veux savoir, c'est si je dois tout mettre en œuvre sur-le-champ pour tenter de découvrir l'auteur de cette lettre, ou si je dois attendre demain pour demander l'avis de l'homme de loi de Mr Fairlie. Un jour de perdu ou un jour de gagné peut être de la plus haute importance. Dites-moi ce que vous en pensez, monsieur Hartright ? Si je n'avais déjà été obligée de faire de vous mon confident dans des circonstances très délicates, je n'aurais pas d'excuse pour vous parler ainsi, mais après tout ce que je vous ai déjà dit, il m'est permis, je crois, d'oublier que vous n'êtes notre ami que depuis trois mois.

Elle me tendit la lettre qui commençait sans en-tête :

Croyez-vous aux rêves? Je l'espère pour votre salut. Regardez ce que dit l'Écriture à propos des rêves et de leur accomplissement (Genèse XL *8; XLI, 25; Daniel* IV*, 18-25), et écoutez mon avertissement avant qu'il ne soit trop tard.*

La nuit dernière, j'ai rêvé de vous, Miss Fairlie. J'ai rêvé que j'étais dans le chœur de l'église d'un côté de l'autel et que le pasteur se trouvait de l'autre.

Après quelques instants, venant d'une aile de l'église, s'avancèrent vers nous une femme et un homme, pour recevoir la bénédiction nuptiale. Cette femme, c'était vous, Miss Fairlie, si jolie, si innocente dans votre ravissante robe de soie blanche et sous votre voile de dentelle fine, que mon cœur se serra et que les larmes me montèrent aux yeux.

C'étaient des larmes de pitié, jeune demoiselle, bénies par le Ciel; au lieu de tomber de mes yeux comme les pleurs que nous versons chaque jour, elles devinrent deux rayons lumineux qui se dirigèrent vers l'homme debout devant l'autel, près de vous. Les rayons dessinèrent comme un arc de lumière entre moi et lui. Je les suivis des yeux et je pus pénétrer dans les recoins les plus secrets de son cœur.

L'apparence extérieure de l'homme que vous alliez épouser était avenante. Il n'était ni trop grand, ni trop petit, paraissait avoir quarante-cinq ans et possédait un esprit brillant et aimable. Son visage était pâle, le devant de sa tête était dégarni, mais les cheveux qui lui restaient étaient d'un noir de jais. Il ne portait pas de barbe, mais des favoris et une moustache. Ses yeux bruns étaient intelligents et son nez droit et fin ressemblait à celui d'une femme. Ses mains étaient efféminées et délicates. De temps à autre, il était secoué par une toux sèche et, lorsqu'il portait la main droite à sa bouche, on voyait au dos de celle-ci la cicatrice d'une ancienne blessure.

L'homme dont j'ai rêvé est-il le bon, Miss Fairlie? Vous le savez mieux que personne. Lisez maintenant ce que je vis au fond du cœur de cet homme et faites-en votre profit.

Je suivis jusqu'au plus profond de son cœur les deux arcs de lumière. Il était noir comme la nuit et, en lettres de feu, de l'écriture des anges déchus, j'y vis écrits ces mots : « Sans pitié et sans remords. Il a semé le malheur dans la vie des autres et il vivra pour semer la souffrance dans celui de sa compagne. » Voilà ce que je lus. Les rayons de lumière montèrent ensuite sur ses épaules et, derrière lui, je vis un démon qui riait. Les rayons se déplacèrent encore et touchèrent votre épaule et, derrière vous, je vis un ange qui pleurait. Pour la troisième fois alors, les rayons changèrent de place et vinrent se poser entre vous et cet homme. Puis, doucement, ils s'élargirent de plus en plus, vous séparant l'un de l'autre. Le pasteur chercha en vain l'office de mariage dans son gros livre, il ne le trouva pas et, désespéré, le ferma. Et c'est alors que je m'éveillai, les yeux remplis de larmes et le cœur battant, car je crois aux rêves.

Croyez-y aussi, Miss Fairlie, je vous en supplie. Joseph, Daniel, et d'autres encore dans l'Écriture, avaient foi dans les rêves. Avant de prononcer les mots qui feront de vous sa malheureuse femme, renseignez-vous sur le passé de cet homme qui porte une cicatrice à la main. Je ne vous donne pas ce conseil dans mon intérêt, mais dans le vôtre. Tant que je vivrai, je veillerai sur vous, car vous occupez une tendre place dans mon cœur, en souvenir de votre mère qui fut ma première, ma meilleure et mon unique amie.

Ainsi se terminait cette lettre inouïe, sans aucune signature.

L'écriture tracée sur un papier quadrillé, en petits caractères d'imprimerie, ne pouvait donner aucune indication. L'encre était pâle, la feuille tachée en divers endroits.

– Cette lettre n'est pas le fait d'un illettré, déclara Miss Halcombe, et cependant elle est trop incohérente pour avoir été écrite par quelqu'un d'instruit ou de distingué. L'allusion à la robe de mariée et au voile, ainsi que d'autres petits détails semblent indiquer qu'elle a été rédigée par une femme. Qu'en pensez-vous, monsieur Hartright ?

– Je le crois aussi. Il me semble que cette missive vient non seulement d'une femme, mais d'une femme dont le cerveau doit être un peu…

– Dérangé ? suggéra Miss Halcombe. J'y pensais.

Je ne répondis pas, les yeux fixés sur la dernière phrase de la lettre : « Tant que je vivrai, je veillerai sur vous, car vous occupez une tendre place dans mon cœur, en souvenir de votre mère qui fut ma première, ma meilleure et mon unique amie. » Ces propos, comme le doute qui m'était venu quant à l'équilibre mental de l'auteur de la lettre, me suggéraient une pensée que j'avais peur de formuler tout haut. Je commençais à me demander si mes facultés n'étaient pas aussi un peu atteintes. Il semblait que ce fût une manie de ma part de rapporter toutes les choses étranges qui se produisaient à la même source cachée, à la même sinistre influence. Je pris la ferme résolution, cette fois, de ne plus tirer de conclusions avant d'avoir des preuves.

– Si nous avons une chance de retrouver cette personne, dis-je en rendant la lettre à Miss Halcombe, il me semble qu'il ne faut pas en rejeter l'occasion. Je pense que nous devrions questionner le jardinier au sujet de cette vieille femme, puis continuer nos recherches dans le village. Mais d'abord, permettez-moi une question. Vous m'avez parlé de consulter demain l'homme de loi de Mr Fairlie. N'y aurait-il pas moyen de l'atteindre plus tôt ? Pourquoi pas aujourd'hui, par exemple ?

– Je ne puis vous l'expliquer qu'en entrant dans quelques détails au sujet du mariage de ma sœur, détails que je n'avais pas jugé nécessaire, ce matin, de vous rapporter. Un des principaux desseins de sir Percival en venant ici lundi est de fixer la date de son mariage, restée imprécise jusqu'à présent. Il désire vivement que l'événement ait lieu avant la fin de l'année.

– Miss Fairlie est-elle au courant ?

– Elle ne le soupçonne même pas et, après ce qui vient de se passer, je ne prendrai pas sur moi de l'éclairer. Sir Percival n'a fait part de ses intentions qu'à Mr Fairlie, qui m'a assuré lui-même qu'en tant que tuteur de Laura il était tout à fait disposé à les accepter. Il a écrit, à Londres, à notre avocat de famille, Mr Gilmore. Mais celui-ci étant en tournée d'affaires à Glasgow, il a répondu qu'il passerait par Limmeridge House à son retour. Il arrivera demain et restera avec nous plusieurs jours, afin de donner à sir Percival le temps de plaider sa propre cause. Si celui-ci réussit, Mr Gilmore retournera à Londres, nanti des instructions relatives au contrat de mariage de Laura. Vous comprenez maintenant, monsieur Hartright, pourquoi j'ai parlé d'attendre jusqu'à demain ? Mr Gilmore est un vieil ami des Fairlie depuis deux générations et nous pouvons avoir pleine confiance en lui.

Le contrat de mariage ! Le seul fait d'entendre ces mots me plongea dans une jalousie qui allait empoisonner le meilleur de moi-même. Oserai-je l'avouer – cela m'est pénible à confesser, mais à présent que je me suis engagé à raconter cette terrible histoire du début à la fin, je n'en dois rien omettre –, je commençais à espérer, avec un vif sentiment de haine, que les accusations de la lettre anonyme contre sir Percival fussent fondées. Qu'arriverait-il si la vérité pouvait éclater avant le mariage ? J'ai essayé, depuis, de me leurrer sur la nature de mes sentiments et de me persuader que mon profond amour pour Miss Fairlie était seul à me guider, mais jamais je n'ai pu m'en convaincre tout à fait et je ne voudrais pas en convaincre les autres. Le seul mouvement qui m'animait, c'était une haine inépuisable, hargneuse, sans espoir, pour l'homme qui allait l'épouser.

– Si nous voulons découvrir quelque chose, repris-je, nous ne devons pas perdre une minute. Je ne puis que suggérer une seconde fois de questionner le jardinier, puis de nous diriger vers le village.

– Je pense pouvoir vous aider dans les deux cas, répondit Miss Halcombe en se levant. Allons, monsieur Hartright, et agissons pour le mieux.

Au moment de lui ouvrir la porte, je m'arrêtai soudain pour lui poser une dernière question importante.

– L'un des paragraphes de la lettre anonyme contient une description assez précise du futur mari, mais le nom de sir Percival n'est pas mentionné. Cette description est-elle exacte ?

– Absolument, jusque dans l'âge qu'elle lui donne, quarante-cinq ans.

Quarante-cinq ans ! Et elle en avait vingt et un à peine ! Je sais que des mariages de ce genre se font souvent, et l'expérience a prouvé qu'ils étaient parfaitement heureux… Pourtant l'idée de cette différence d'âge ne fit qu'accroître ma haine aveugle et ma méfiance envers lui.

– Absolument exacte, continua Miss Halcombe, jusqu'à la cicatrice sur la main droite, suite d'une blessure reçue au cours d'un voyage en Italie, il y a plusieurs années. Il ne fait aucun doute que l'auteur de la lettre connaisse bien sir Percival.

– Et cette toux sèche, qui le gêne souvent, est-ce exact ?

– Oui, c'est encore juste. Ses amis s'inquiètent de l'entendre tousser ainsi, mais lui-même prend cela à la légère.

– Je suppose que vous n'avez jamais rien entendu dire de mal contre lui ?

– Monsieur Hartright ! J'espère que vous n'accordez aucun crédit à cette lettre infâme.

Le sang me monta au visage, car je savais avoir été influencé malgré moi.

– Je souhaite que non ! répondis-je avec embarras, mais peut-être n'ai-je pas le droit de poser toutes ces questions.

– Je ne suis pas fâchée, au contraire, que vous le fassiez, car cela me fournit l'occasion de rendre justice à la réputation de sir Percival. Ni ma famille ni moi-même n'avons jamais entendu formuler l'ombre d'un blâme contre lui. Il est sorti avec succès de deux élections assez mouvementées et, en Angleterre, un homme qui obtient cela a une personnalité qui n'est plus à démontrer.

J'ouvris la porte en silence et la suivis, mais je n'étais pas convaincu. L'ange de la Justice en personne serait-il apparu à ce moment-là, pour prouver la véracité de ses paroles, que je ne l'eusse pas cru.

Nous trouvâmes le jardinier à sa besogne habituelle. Aucune de nos nombreuses questions ne parvint à le faire sortir de sa stupidité. La femme qui lui avait remis la lettre était vieille, elle ne lui avait pas dit un mot et elle était repartie vivement vers le sud. C'est tout ce que nous en tirâmes.

Le village se trouvait au sud de la propriété. Nous prîmes donc le chemin du village.

XI

Malgré toutes nos recherches à Limmeridge, nous ne découvrîmes absolument rien. Trois habitants du village certifièrent avoir vu la femme, mais, aucun n'étant capable de nous la décrire et chacun indiquant qu'elle était partie dans une direction différente, ces trois témoignages brillants qui tranchaient sur l'ignorance générale ne nous furent d'aucune utilité.

En marchant, nous étions arrivés au bout du village, à l'endroit où se dressait l'école fondée par Mrs Fairlie. Je suggérai à Miss Halcombe de faire une dernière tentative auprès du maître d'école que, vu sa profession, nous pouvions supposer être l'homme le plus intelligent de la région.

– Je crains fort qu'il n'ait été occupé avec ses élèves au moment où la femme a dû traverser le village, répondit-elle, mais nous pouvons essayer quand même.

Nous entrâmes dans le préau et nous dirigeâmes vers la classe des garçons, au fond du bâtiment. En passant devant la fenêtre, je jetai un coup d'œil à l'intérieur et vis le professeur, juché à son haut pupitre, haranguant ses élèves massés autour de lui, à l'exception d'un seul qui se tenait en pénitence dans un coin, petit Robinson abandonné sur son îlot de disgrâce.

La porte était entrouverte et nous entendions distinctement la voix du maître.

– Maintenant, mes enfants, écoutez bien ce que je vous dis. Si j'entends encore un seul mot de ces histoires de revenants, gare à vous ! Les revenants n'existent pas ! Un garçon qui croit aux fantômes croit à l'impossible, et un garçon qui appartient à l'école de Limmeridge et qui croit à l'impossible se révolte contre la raison et la discipline. Il doit être puni. Vous voyez tous Jacob Postlethwaite, en punition dans ce coin. Il n'a pas été puni parce qu'il a dit avoir vu un fantôme la nuit dernière, mais parce qu'il est un impudent qui persiste à affirmer qu'il a vu un revenant après que je lui ai dit que c'était impossible. S'il s'obstine encore, je le bâtonnerai pour forcer le fantôme à sortir de sa tête et, s'il vous prend l'envie d'être aussi têtus, je bâtonnerai toute la classe.

– Il semble que nous ayons mal choisi notre moment, murmura Miss Halcombe à mi-voix, ouvrant la porte et entrant dans la classe.

Notre apparition produisit une grande impression parmi les garçons, qui semblaient croire que nous arrivions pour assister à la bastonnade de Jacob.

– C'est l'heure de rentrer chez vous pour déjeuner, dit le maître d'école ; sauf pour Jacob, qui doit rester ici. Le fantôme pourra lui apporter son déjeuner, si bon lui semble.

Le courage du petit garçon l'abandonna tout d'un coup devant la disparition de ses compagnons et la perspective de devoir se passer de déjeuner. Il enleva les mains de ses poches, les regarda un moment fixement, puis se frotta les yeux en sanglotant bruyamment.

– Nous sommes venus ici vous poser quelques questions, monsieur Dempster, commença Miss Halcombe, s'adressant au maître d'école, et nous ne nous attendions guère à vous voir occupé à chasser un revenant. Que veut dire tout cela, qu'est-il arrivé au juste ?

– Ce petit misérable a effrayé toute la classe, Miss Halcombe, répondit le professeur, en prétendant avoir vu un fantôme hier soir, et il s'obstine à le soutenir malgré mes remontrances.

– C'est très étrange, dit Miss Halcombe. Je n'aurais pas cru qu'un de vos élèves fût capable d'autant d'imagination. Voilà qui ne doit pas vous faciliter la tâche, dans la formation des jeunes cerveaux de Limmeridge, monsieur Dempster, et je vous souhaite bonne chance. Mais laissez-moi vous expliquer le but de notre visite.

Miss Halcombe répéta alors au maître d'école les questions que nous avions posées au village, sans plus de succès. Mr Dempster n'avait pas vu l'étrangère que nous cherchions.

– Nous ferions mieux de retourner à la maison, monsieur Hartright, me dit-elle alors d'un air déçu, nous ne trouverons rien ici.

Sur ce, elle salua Mr Dempster et se dirigea vers la porte. C'est alors que son attention fut attirée par le jeune Jacob en pénitence dans son coin. Voulant donner un peu d'encouragement au petit entêté, elle lui dit doucement :

– Espèce de petit sot ! Pourquoi ne demandez-vous pas pardon à Mr Dempster ? Pourquoi ne lui promettez-vous pas de ne plus jamais parler de fantôme ?

– Mais j'ai vu le fantôme ! insista Jacob d'un air terrifié, en éclatant en larmes.

– Balivernes et sottises ! Vous n'avez rien vu du tout. Un revenant vraiment ! Quel fantôme…

– Je m'excuse, Miss Halcombe, interrompit le professeur avec embarras, mais je pense que vous feriez mieux de ne pas questionner l'enfant. La folie de son histoire est au-delà de toute imagination et cela pourrait le conduire, bien inconsciemment…

– Le conduire bien inconsciemment à quoi ? demanda vivement Miss Halcombe.

– A heurter vos sentiments, répondit Mr Dempster, l'air extrêmement mal à l'aise.

– Ma parole, monsieur Dempster, vous me faites beaucoup d'honneur en me croyant assez influençable pour me laisser offenser par un drôle de cette espèce !

Tournant alors vers le petit Jacob un visage empreint d'une expression soupçonneuse et ironique, elle commença à l'interroger :

– Allons ! Viens ici. Je veux tout savoir, polisson. Quand as-tu vu un fantôme ?

– Hier, à la tombée de la nuit, répondit le gosse.

– Ah ! Tu l'as vu hier soir, au crépuscule ? Et comment était-il ?

– Tout blanc, comme un vrai fantôme doit être.

– Et où était-il ?

– Dans le cimetière naturellement, comme tous les fantômes.

– Comme un vrai fantôme, comme tous les fantômes ! Tu parles comme si les habitudes et les coutumes des revenants t'étaient familières depuis ta plus tendre enfance ! En tout cas, tu connais ton histoire sur le bout du doigt, mon petit ami. Je suppose que tu vas maintenant me dire qui était ce fantôme ?

– Eh ben, oui, je peux vous le dire ! répondit Jacob d'un air triomphant.

Mr Dempster avait déjà tâché, mais en vain, d'interrompre son élève. Cette fois cependant, il s'interposa résolument :

– Excusez-moi, Miss Halcombe, si je me permets de vous dire qu'en questionnant cet enfant vous l'encouragez.

– Je n'ai plus qu'une question à lui poser et je serai satisfaite, monsieur Dempster. Eh bien ! continua-t-elle en s'adressant à nouveau au garçon, ce fantôme était celui de qui ?

– De Mrs Fairlie, murmura Jacob dans un souffle.

L'effet que cette réponse produisit sur Miss Halcombe justifiait pleinement les efforts qu'avait faits le maître d'école pour l'éviter. Son visage devint cramoisi d'indignation et elle se retourna vers le petit Jacob avec un air de telle colère que celui-ci éclata de nouveau en pleurs. Mais, au lieu de parler à l'enfant, elle s'adressa au maître d'école :

– Il est inutile de rendre cet enfant responsable de ses paroles, déclara-t-elle. J'ai l'impression qu'elles lui ont été dictées par d'autres. S'il existe dans ce village des personnes qui ont oublié le respect et la gratitude qu'elles doivent à la mémoire de ma mère, monsieur Dempster, je les découvrirai bien et si j'ai quelque influence sur Mr Fairlie, elles s'en repentiront, je vous le jure.

– J'espère vraiment… je suis même certain, Miss Halcombe, que vous vous méprenez, dit le maître d'école. Toute cette histoire est née de l'imagination insensée de ce garçon. Tandis qu'il traversait le cimetière hier soir, il a vu ou il a cru voir une dame en blanc, debout près de la tombe de Mrs Fairlie. Ces circonstances seules ont suggéré à l'enfant la réponse qui vous a si naturellement offensée.

Quoique Miss Halcombe ne parût pas convaincue, elle sentit que le maître d'école avait peut-être raison et, le remerciant de son explication, elle lui promit de le tenir au courant. Puis, après l'avoir salué, elle sortit.

Pendant toute cette étrange scène, j'étais resté à l'écart, écoutant attentivement et tirant mes propres conclusions. Dès que nous fûmes de nouveau seuls, Miss Halcombe me demanda si j'avais une opinion.

– Une opinion très solide, répondis-je. Je pense que l'histoire racontée par ce garçon est fondée et j'avoue être pressé de voir par moi-même la tombe de Mrs Fairlie et d'examiner la terre aux alentours.

– Je vais vous la montrer, me répondit ma compagne.

Puis, s'arrêtant, elle ajouta d'un air distrait :

– Ce qui s'est passé dans la classe m'a complètement fait oublier le but de notre visite. Croyez-vous que nous devions abandonner les recherches et remettre la chose, demain, entre les mains de Mr Gilmore ?

– En aucun cas, Miss Halcombe. Ce qui s'est passé dans cette classe m'encourage au contraire à persévérer dans nos investigations.

– Pourquoi ?

– Parce que cela renforce un soupçon que j'ai eu en lisant la lettre anonyme.

– Je suppose que vous aviez vos raisons pour me cacher ce soupçon, monsieur Hartright ?

– J'avais peur de trop y croire moi-même. Je croyais que c'était absurde et craignais qu'il ne fût l'effet de mon imagination. Maintenant je vois que je n'avais pas tort. Non seulement les réponses de l'enfant à vos questions, mais même certaines paroles que le maître d'école a prononcées incidemment me laissent penser que ce soupçon était fondé. Les événements peuvent me décevoir, Miss Halcombe, mais en ce moment, j'ai la conviction que le fantôme du cimetière et l'auteur de la lettre anonyme ne sont qu'une seule et même personne.

Elle s'arrêta en pâlissant et me regarda avec anxiété.

– Quelle personne ?

– Le maître d'école vous l'a dit inconsciemment. En mentionnant le personnage que le garçon avait vu dans le cimetière, il a parlé d'une « dame en blanc ».

– Pas Anne Catherick ?

– Si, Anne Catherick !

Passant la main sous mon bras, elle s'y appuya fortement.

– Je ne sais pourquoi, dit-elle, mais il y a quelque chose dans vos soupçons qui m'épouvante et me rend nerveuse. Je sens…

S'arrêtant, elle essaya de sourire, puis ajouta :

– Monsieur Hartright, je vais vous montrer la tombe de ma mère, puis je rentrerai immédiatement. Il vaut mieux que je ne laisse pas Laura seule trop longtemps. Il vaut mieux que je reste près d'elle.

Nous approchions du cimetière. L'église, sombre bâtisse en pierre grise, se trouvait enfouie dans une petite vallée, où elle était fort bien préservée de la bise qui soufflait. Le champ des morts s'avançait jusqu'au versant de la colline et était entouré d'un petit mur de pierre. Quelques arbustes nains y poussaient sur une herbe maigre, traversée par un petit ruisseau qui descendait de la montagne. Juste au-delà de ce ruisseau s'élevait la croix de marbre blanc qui distinguait la tombe de Mrs Fairlie des pauvres tombes voisines.

– Il est inutile que j'aille plus loin, déclara Miss Halcombe en me désignant le monument. Vous me direz tout à l'heure si vous avez découvert quelque chose confirmant vos doutes. Nous nous retrouverons à la maison.

Tandis qu'elle me quittait, je me dirigeai rapidement vers le cimetière et franchis la marche qui menait à la tombe de Mrs Fairlie.

L'herbe qui l'environnait était trop courte et la terre trop dure pour me permettre de déceler aucune empreinte de pas. Désappointé, j'examinai avec attention la croix et le bloc de marbre qui portait l'épitaphe.

La blancheur de la croix était souillée çà et là par la pluie, et la stèle l'était aussi, à l'endroit où était gravée l'épitaphe. L'autre partie de la stèle, cependant, attira aussitôt mon attention : elle était parfaitement nette, avait repris son éclat premier. Je l'examinai mieux, et je vis que le marbre, à cet endroit, avait été récemment nettoyé, de haut en bas. On voyait nettement la séparation entre la partie propre et celle qui ne l'était pas, et cette séparation était sans aucun doute artificielle. Qui donc avait entrepris cette tâche sans la terminer ?

Je regardai autour de moi, me demandant si je n'allais pas rencontrer quelqu'un qui pourrait répondre à ma question. Aucune habitation ne se voyait de l'endroit où je me trouvais ; le cimetière n'appartenait qu'aux morts. Je retournai vers l'église, la contournai et me trouvai au bout d'un sentier conduisant à une carrière de pierres abandonnée. Adossé à la carrière, un petit cottage était construit ; devant la porte, une vieille femme lessivait.

Je me dirigeai vers elle et entamai une conversation sur l'église et le cimetière. Elle ne demandait qu'à bavarder et, dès les premiers mots, je sus que son mari remplissait les fonctions de sacristain et de fossoyeur. J'admirai le monument de Mrs Fairlie, mais la vieille femme hocha la tête en me disant que je ne l'avais pas vu en bon état. C'était le travail de son mari de l'entretenir, mais le pauvre homme s'était senti si faible et si souffrant depuis quelques mois, qu'il était à peine arrivé à remplir ses fonctions à l'église, le dimanche. Il allait un peu mieux actuellement et, d'ici à une semaine ou deux, espérait pouvoir se remettre au travail et nettoyer le monument.

Cette information, extraite d'une longue réponse embrouillée en dialecte du pays, me renseignait largement. Je donnai quelques sous à la pauvre vieille et retournai à Limmeridge House.

Le nettoyage partiel du monument avait donc été accompli par une main étrangère. Rapprochant cette découverte des soupçons qui m'étaient venus en entendant l'histoire du fantôme aperçu au crépuscule, je n'eus plus désormais qu'un désir : revenir en secret à la tombée de la nuit, afin de surveiller la tombe de Mrs Fairlie. La personne qui avait commencé à nettoyer la stèle de marbre allait sans nul doute venir achever son travail.

J'informai Miss Halcombe de mes intentions. Elle parut surprise et assez inquiète, mais n'y fit aucune objection. Elle me dit seulement :

– J'espère que tout cela finira bien.

Comme elle me quittait pour rejoindre Miss Fairlie, je lui demandai, en m'efforçant de garder mon calme, des nouvelles de sa sœur. Cette dernière se sentait mieux et Miss Halcombe espérait lui faire prendre un peu l'air avant le coucher du soleil.

Je retournai dans mon petit salon, afin de continuer à mettre de l'ordre dans les gravures de Mr Fairlie. C'était une tâche indispensable, doublement indispensable même, car elle m'empêchait de songer à ce que j'allais devenir, à cet avenir sans espoir qui s'allongeait devant moi. De temps à autre, je jetais un coup d'œil vers la fenêtre afin d'examiner l'horizon où le soleil déclinait peu à peu. A un moment, j'aperçus une silhouette qui se promenait lentement sous ma fenêtre ; c'était celle de Miss Fairlie.

Je ne l'avais pas revue depuis le petit déjeuner et lui avais à peine adressé la parole. Il ne me restait plus qu'un jour à passer à Limmeridge House, puis je ne la verrais plus. Cette pensée suffit à me retenir quelque temps à la fenêtre où, par considération pour elle, je me dissimulai derrière le rideau pour la suivre des yeux, le plus longtemps possible.

Elle portait un manteau brun qui recouvrait une robe de soie noire et, sur la tête, le simple chapeau de paille qu'elle portait le premier jour. A ses côtés trottinait un petit lévrier italien, compagnon favori de ses flâneries, élégamment vêtu d'un manteau de drap écarlate, destiné à protéger sa peau délicate des morsures de l'air trop vif. Miss Fairlie ne semblait pas s'apercevoir de la présence du chien ; elle marchait droit devant elle, la tête un peu penchée en avant et les bras repliés sous son manteau. Les feuilles mortes qui avaient tourbillonné à mes pieds ce matin dans le pavillon d'été, lorsque j'avais appris son mariage, tourbillonnaient maintenant autour d'elle et venaient mourir sous ses pas, tandis qu'au loin le soleil se couchait. Le chien frissonnait en se frottant contre sa robe avec l'espoir que sa maîtresse s'occuperait de lui, mais elle ne le regardait même pas. Elle s'en allait de plus en plus loin de moi, entourée de feuilles jaunies, et je la suivis du regard jusqu'à ce que mes yeux me fissent mal. De nouveau je fus livré à moi-même, le cœur bien lourd. Au bout d'une heure, ayant terminé mon travail et le soleil ayant disparu, je me glissai dans le hall où je pris mon chapeau et mon manteau, et je sortis de la maison sans rencontrer personne.

Les nuages étaient sombres et, de la mer, un vent glacé soufflait. Quoique la plage fût assez éloignée, le bruit des vagues balayant le rivage résonnait dans mes oreilles, tandis que j'entrais dans le cimetière. Aucun être vivant n'était en vue, l'endroit paraissait plus lugubre que jamais. Les yeux fixés sur la croix blanche de la tombe de Mrs Fairlie, j'attendis.

XII

La situation du cimetière m'avait obligé à choisir avec prudence l'endroit où j'allais me cacher.

L'entrée principale de l'église donnait sur le cimetière, et la porte se trouvait sous un porche en pierre qui s'avançait de quelques pas et dont les murs étaient percés, de part et d'autre, d'une meurtrière. C'est là qu'après quelques hésitations je décidai de me dissimuler. Par l'une des ouvertures je pouvais surveiller la tombe tandis que par l'autre j'avais vue sur le petit cottage de la carrière. Devant moi, face à la porte de l'église, s'étendait un terrain nu terminé par un mur bas. Derrière ce mur on apercevait un bout de la colline sur laquelle de gros nuages avançaient, poussés par le vent. Nulle part âme qui vive, pas un oiseau, pas un seul chien qui aboyât. On n'entendait que les frissons des arbres nains balayant les tombes ainsi que le gémissement du ruisseau coulant sur son lit de pierres. Lugubre tableau, heure sinistre ! Mon cœur battait fort tandis que je comptais les minutes.

Ce n'était pas encore tout à fait le crépuscule ; les dernières lueurs du soir couchant traînaient encore dans le ciel lorsque j'entendis des pas et une voix qui se rapprochaient de l'autre côté de l'église.

– Ne vous agitez pas au sujet de la lettre, disait la voix. Je l'ai remise en sécurité entre les mains du jardinier qui me l'a prise sans une parole. Il est ensuite parti de son côté et je suis partie du mien. Personne ne m'a suivie, je vous le garantis, ma petite.

On devine si ces paroles redoublèrent mon attention, cependant que ma curiosité se mêlait d'une terrible angoisse. Il y eut un silence, mais j'entendais toujours les pas qui s'avançaient, puis je vis deux femmes apparaître devant la meurtrière. Elles se dirigeaient droit sur la tombe en me tournant le dos.

L'une d'elles portait un bonnet et un châle. L'autre était vêtue d'un ample manteau bleu foncé dont le capuchon était rabattu. Quelques centimètres de sa robe dépassaient et mon cœur battit à se rompre lorsque je remarquai sa couleur : elle était blanche !

A mi-chemin entre l'église et la tombe, elles s'arrêtèrent et la femme au manteau tourna la tête vers sa compagne, mais, à cause du capuchon, je ne distinguai même pas son profil, qu'un simple chapeau m'eût laissé voir.

– Il vaut mieux que vous gardiez ce manteau, disait la femme au châle, celle dont j'avais déjà entendu la voix. Mrs Todd a raison quand elle dit que vous paraissiez un peu étrange hier soir, tout en blanc. Je vais me promener pendant que vous serez ici, car je n'ai pas comme vous un grand attrait pour les cimetières. Finissez ce que vous désirez faire avant que je revienne, afin que nous puissions rentrer avant qu'il fasse nuit.

Ce disant, la femme au châle se retourna et je vis son visage. C'était celui d'une personne d'un certain âge, rugueux et hâlé, sans rien de méchant ni de rusé. Près de l'église, elle s'arrêta pour croiser plus fort sur sa poitrine le châle qu'elle portait.

– Étrange, l'entendis-je se murmurer à elle-même, toujours étrange dans ses caprices et dans ses façons de faire depuis que je la connais. Mais inoffensive, pauvre âme, comme un petit enfant.

Elle soupira, regarda autour d'elle d'un air anxieux, puis hocha la tête, comme si les intentions de l'autre ne lui plaisaient nullement, et disparut derrière l'église.

J'hésitai un moment à la suivre pour lui parler, mais le désir que j'éprouvais de me trouver face à face avec sa compagne m'arrêta. Il était fort probable d'ailleurs qu'elle aurait été incapable de me donner les renseignements que je cherchais. Ce n'était pas la porteuse de la lettre qui m'intéressait, mais son auteur, et cette personne se trouvait à présent dans le cimetière, je n'en doutais plus.

Tandis que toutes ces pensées me venaient presque ensemble à l'esprit, la dame au manteau bleu foncé s'était approchée de la tombe et la contemplait. Puis, après avoir jeté un regard autour d'elle, elle sortit un linge blanc de dessous son manteau, et elle se dirigea vers le ruisseau qui entrait dans le cimetière en coulant sous une petite arche pratiquée dans le bas du mur et en sortait, après un cours serpentant de quelques dizaines de pas, par une ouverture toute semblable dans le mur d'en face. Ayant trempé le linge dans le ruisseau, elle revint vers la tombe qu'elle embrassa avec effusion avant de se mettre à genoux pour procéder à son nettoyage.

Ne sachant trop comment lui parler sans l'effrayer, je décidai finalement d'enjamber le petit mur qui se trouvait devant moi, puis, l'ayant longé par l'extérieur, de rentrer dans le cimetière par la petite marche de pierre à proximité de la tombe, afin de lui permettre de me voir arriver de loin. Elle était tellement absorbée par son travail qu'elle ne s'aperçut de ma présence qu'au moment où je franchissais la grille. Elle se releva alors brusquement en poussant un cri de terreur et me regarda sans dire un mot.

– Ne craignez rien, lui dis-je doucement ; sans doute me reconnaissez-vous ?

Je m'avançai vers elle à pas fort lents. S'il me restait encore l'ombre d'un doute, il s'évanouit à l'instant. Devant moi, près de la tombe de Mrs Fairlie, se dressait la même image que celle qui m'était apparue au clair de lune sur la grand-route.

– Vous souvenez-vous de moi ? demandai-je. Nous nous sommes rencontrés très tard, une nuit, et je vous ai aidée à trouver le chemin de Londres. Vous ne pouvez pas l'avoir oublié ?

Son visage se détendit et elle poussa un profond soupir de soulagement tandis qu'elle semblait me reconnaître.

– N'essayez pas de parler maintenant, repris-je encore. Prenez le temps de vous remettre et de vous souvenir que je suis pour vous un ami.

– Vous êtes très bon pour moi, murmura-t-elle, aussi bon aujourd'hui que vous le fûtes alors.

Elle s'arrêta et je gardai le silence, non seulement par égard pour elle, mais pour avoir moi-même le temps de maîtriser mon émotion. Sous la lumière blafarde du crépuscule, dans cet endroit lugubre, près d'une tombe, entourés de morts, cette femme et moi, nous nous rencontrions pour la seconde fois.

Le moment, le lieu, les circonstances qui nous mettaient face à face dans cette sinistre vallée, le destin qui dépendait peut-être des paroles que j'allais entendre, la pensée que l'avenir de Laura Fairlie allait peut-être se décider en bien ou en mal par le seul fait que je saurais gagner ou perdre la confiance de cette pauvre créature tremblante qui se tenait devant moi, tout cela ébranlait un peu le sang-froid dont j'avais tant besoin. Je m'efforçai, ayant conscience de cela, de rester maître de moi pour user au mieux des quelques instants de réflexion qui m'étaient laissés.

– Vous sentez-vous plus calme maintenant ? lui demandai-je enfin, et pouvez-vous causer avec moi sans la moindre crainte, comme à un ami ?

– Comment êtes-vous arrivé ici ? demanda-t-elle sans répondre à ma question.

– Ne vous souvenez-vous pas que je vous ai dit, lors de notre dernière rencontre, que je partais pour le Cumberland le lendemain ? Depuis lors, j'habite Limmeridge House.

– Limmeridge House ! répéta-t-elle tandis que son pâle visage s'illuminait et que ses yeux se fixaient sur moi avec un intérêt soudain. Ah ! comme vous devez y être heureux !

Je profitai de cette confiance nouvelle qu'elle me témoignait pour l'examiner avec attention et curiosité. Je la regardai, le cœur rempli de la pensée de cet autre adorable visage qui, par un clair de lune, m'avait fait songer à elle avec effroi, sur la terrasse de Limmeridge House. J'avais vu alors la ressemblance de Miss Fairlie avec Anne Catherick. Je voyais à présent la ressemblance d'Anne Catherick avec Miss Fairlie. Je la voyais d'autant mieux que les dissemblances à présent me frappaient. Dans la façon de se tenir et dans la proportion des traits, dans la teinte des cheveux et dans le frémissement de la lèvre, ainsi que dans le port de la tête, la ressemblance me paraissait plus évidente que jamais. Mais là cessait toute similitude entre elles. La beauté délicate du teint de Miss Fairlie, la limpidité de ses yeux, la douceur de sa peau, la chaude coloration de ses lèvres contrastaient étrangement avec le pauvre visage fatigué que je voyais devant moi.

Bien que je m'en voulusse d'avoir de telles pensées, je me disais avec terreur qu'un changement funeste dans l'avenir était la seule chose qui pût rendre la ressemblance complète. Si le chagrin et la souffrance marquaient un jour le ferme et beau visage de Miss Fairlie, alors et alors seulement Anne Catherick et elle seraient comme des sœurs jumelles. Je frissonnai à cette vision. Il y avait quelque chose de terrible à envisager l'espace d'un seul instant ce destin inconnu, et ce fut un réel soulagement pour moi de sentir la main d'Anne Catherick se poser sur mon épaule comme la première fois, cette main qui, la nuit de notre première rencontre, m'avait pétrifié.

– Vous me regardez avec attention et vous pensez à quelque chose, dit-elle de sa voix saccadée et rapide. A quoi ?

– A rien d'extraordinaire, répondis-je ; je me demandais seulement comment vous étiez venue ici.

– Je suis venue avec une amie qui est très bonne pour moi. Je ne suis ici que depuis deux jours.

– Et vous êtes déjà venue dans ce cimetière hier ?

– Comment le savez-vous ?

– Je l'ai deviné.

Elle se détourna de moi et s'agenouilla de nouveau sur la tombe.

– Où irais-je, sinon ici ? dit-elle. L'amie qui fut plus qu'une mère pour moi est la seule personne à laquelle je doive rendre visite à Limmeridge. Oh ! mon cœur saigne de voir comme sa tombe est souillée ! Elle aurait dû être gardée blanche comme de la neige, par amour pour elle ! J'ai commencé à la nettoyer hier et je suis revenue aujourd'hui. Y a-t-il quelque chose de mal dans ce que j'ai fait ? J'espère que non... Je suis sûre que rien de ce que je fais pour Mrs Fairlie ne peut être mal.

La gratitude était certes une idée fixe dans ce pauvre cerveau qui, de toute évidence, ne se souvenait que des jours heureux de son enfance. Je compris que, pour gagner son entière confiance, il fallait que je l'encourage à continuer le travail qu'elle avait entrepris. Sur mon conseil, elle reprit donc sa tâche pieuse. Elle caressait tendrement le marbre comme un être vivant, en répétant les mots de l'épitaphe comme si les jours de sa jeunesse étaient soudain revenus et qu'elle fût assise à apprendre patiemment sa leçon auprès de Mrs Fairlie.

– Cela vous surprendrait-il, demandai-je pour préparer avec prudence les questions que je voulais lui poser, si je vous disais que c'est un vrai plaisir pour moi de vous revoir ici ? J'étais très inquiet après votre départ précipité en voiture.

Elle me regarda d'un air soupçonneux.

– Inquiet ? répéta-t-elle. Pourquoi ?

– Lorsque le fiacre qui vous emmenait se fut éloigné, il s'est passé une chose étrange. Deux hommes en cabriolet se sont arrêtés sur la route, non loin de moi, et se sont adressés au policeman qui se trouvait de l'autre côté de la route.

Elle s'arrêta brusquement et laissa tomber le linge qu'elle tenait à la main tandis que son autre main se crispait sur la croix de marbre blanc. Tournant vers moi un visage livide, elle me regarda avec des yeux terrifiés. Il était trop tard pour reculer, aussi continuai-je à tout hasard.

– Les deux hommes ont demandé au policeman s'il n'avait pas vu une femme qui s'était échappée de leur asile.

Elle bondit sur ses pieds, affolée, comme si mes derniers mots avaient fait apparaître ses poursuivants.

– Mais attendez la fin, pour l'amour du Ciel ! lui criai-je, et vous verrez que je vous ai protégée jusqu'au bout. Un seul mot de ma part aurait mis ces hommes à votre poursuite, mais je veillais sur vous, et je n'ai pas prononcé ce mot. Réfléchissez je vous en prie, essayez de comprendre ce que je vous dis.

Mes façons de faire semblèrent la calmer plus que mes paroles. Elle fit un effort évident pour comprendre ce que je disais, faisant passer d'une main à l'autre le petit chiffon qu'elle avait ramassé de la même manière hésitante qu'elle jouait avec son petit sac, la première fois que je l'avais rencontrée. Peu à peu, elle parut saisir le sens de mes paroles et son visage se détendit à nouveau tandis qu'elle posait sur moi un regard où la curiosité remplaçait l'effroi.

– Vous ne pensez pas que je devrais retourner à l'asile, n'est-ce pas ? me demanda-t-elle.

– Bien sûr que non ! Je suis content au contraire que vous vous soyez enfuie et heureux d'avoir pu vous y aider.

– Oui, oui, c'est vrai ! Vous m'avez aidée dans la partie la plus difficile de ma fuite, continua-t-elle d'un air absent. C'était facile de partir car ils ne me surveillaient pas comme les autres. J'étais calme, obéissante et si vite effrayée. Mais atteindre Londres était l'entreprise la plus malaisée, et là vous m'avez aidée. Vous ai-je assez remercié à ce moment-là ? Merci encore, merci du fond du cœur, merci !

– L'asile était-il loin de l'endroit où vous m'avez rencontré ? Allons ! Montrez-moi que vous me considérez comme un véritable ami et dites-moi où il se trouve.

Elle me nomma l'endroit. C'était un asile privé, situé non loin de l'endroit où je l'avais rencontrée. Puis, avec anxiété, elle répéta sa question :

– Vous ne pensez pas que je devrais retourner à l'asile, n'est-ce pas ?

– Je vous répète que je suis content que vous vous soyez enfuie et heureux de voir que tout s'est bien passé après que vous m'eûtes quitté. Mais vous disiez avoir une amie, à Londres. L'avez-vous trouvée cette nuit-là ?

– Oui, il était très tard, mais une jeune fille cousait encore dans la maison et elle m'a aidée à réveiller Mrs Clements. C'est ainsi que se nomme mon amie, une très bonne amie, une très bonne créature, mais pas comme Mrs Fairlie cependant. Oh ! personne n'est comme Mrs Fairlie !

– Mrs Clements est une vieille amie ? Vous la connaissez depuis longtemps ?

– Oui, elle était notre voisine dans le Hampshire, elle m'aimait bien et s'occupait de moi quand j'étais petite fille. Il y a des années, lorsqu'elle nous quitta, elle m'écrivit son adresse à Londres dans mon livre de prières, et elle me dit : « Si vous avez un jour des ennuis, Anne, venez près de moi. Je n'ai plus de mari et je n'ai pas d'enfant ; je prendrai soin de vous. » Paroles délicieuses, n'est-ce pas ? Je suppose que je m'en souviens parce qu'elles sont pleines de bonté, car je me rappelle si peu de chose, si peu de chose, en vérité !

– N'aviez-vous ni père ni mère pour s'occuper de vous ?

– Un père ? Je ne l'ai jamais vu et je n'ai jamais entendu ma mère en parler. Un père ? Je suppose qu'il est mort.

– Et votre mère ?

– Je ne m'entendais pas avec elle. Nous étions une crainte et un ennui l'une pour l'autre.

Une crainte et un ennui ! A ces mots, je soupçonnai pour la première fois sa mère de l'avoir fait enfermer.

– Ne me parlez pas de ma mère, continua-t-elle. Je préfère parler de Mrs Clements : elle, au moins, est comme vous ; elle ne pense pas que je devrais retourner à l'asile et elle est aussi contente que vous que je me sois enfuie. Elle a pleuré sur mon malheur, en me disant que je devais le garder secret.

Son malheur. Dans quel sens employait-elle ce mot ? Dans un sens qui pouvait expliquer le motif qui lui avait fait écrire la lettre anonyme ? Dans un sens qu'auraient pu comprendre tant de femmes animées d'un sentiment de vengeance contre l'homme ayant ruiné leur vie ? Avant d'aller plus loin, je devais éclaircir ce mystère.

– De quel malheur parlez-vous ? demandai-je.

– Du malheur d'être enfermée, répondit-elle, de toute évidence surprise par ma question. De quel autre malheur pourrait-il s'agir ?

J'insistai avec autant de délicatesse et de ménagement que possible.

Je devais être absolument sûr de chaque pas où me menait mon enquête.

– Il existe un autre malheur, repris-je, qui peut frapper une femme et la faire souffrir toute sa vie dans le chagrin et le déshonneur.

– Qu'est-ce ? demanda-t-elle vivement.

– Le malheur d'avoir cru avec trop de candeur dans sa propre vertu et dans la loyauté et l'honneur de l'homme qu'elle aime, répondis-je.

Elle me regarda avec l'étonnement d'une enfant et son visage, qui ne cachait jamais aucune émotion, ne trahit aucun trouble. Aucune parole n'eût pu me convaincre avec plus de certitude que son regard et son attitude de ce que les motifs que je lui avais attribués pour avoir écrit cette lettre anonyme n'étaient pas les bons. Je n'avais plus aucun doute à ce sujet, mais cela précisément suscitait une autre question. Quoiqu'il n'y fût point nommé, sa lettre visait sir Percival Glyde. Elle devait donc avoir une raison bien grave pour le dénoncer à Miss Fairlie en termes aussi violents. Si cela n'avait rien à voir avec sa vertu, de quelle nature, alors, pouvait être l'offense qu'elle avait subie de lui ?

– Je ne vous comprends pas, reprit-elle après avoir fait de vains efforts pour comprendre le sens de mes paroles.

– Peu importe, répondis-je. Continuons à parler de ce qui nous intéresse. Racontez-moi combien de temps a duré votre séjour chez Mrs Clements et comment vous êtes venue ici ?

– Combien de temps ? répéta-t-elle, mais jusqu'à mon arrivée ici, avec elle, il y a deux jours.

– Vous habitez le village, alors ? C'est curieux que je ne vous aie pas encore rencontrée…

– Non, non, pas dans le village. A trois lieues d'ici, dans une ferme. Todd's Corner.

Je me souvenais parfaitement de l'endroit pour y être souvent passé lors de nos promenades. C'était l'une des plus vieilles fermes du voisinage, située dans un coin solitaire, entre deux collines.

– Ce sont des parents de Mrs Clements, continua-t-elle, et ils lui avaient souvent demandé de venir les voir. Elle m'a prise avec elle, afin que je respire un peu d'air frais dans le calme. C'est gentil de sa part, n'est-ce pas ? J'en avais besoin et j'aurais été n'importe où pour me sentir en sécurité. Mais, lorsque j'ai appris que Todd's Corner se trouvait à proximité de Limmeridge House, oh ! je fus si heureuse que j'aurais fait le chemin pieds nus pour revoir l'école, le village et Limmeridge House. Ce sont de braves gens, les habitants de cette ferme, et je souhaite y rester longtemps. Il n'y a qu'une chose que je n'aime pas en eux, ni en Mrs Clements…

– Quoi ?

– C'est qu'ils me taquinent toujours parce que je m'habille en blanc. Ils disent que ça fait original. Qu'en savent-ils, eux ? Mrs Fairlie s'y connaissait mieux qu'eux et elle ne m'eût jamais fait porter cet horrible manteau bleu, elle ! Ah ! comme elle aimait le blanc ! Et voilà une croix en marbre blanc sur sa tombe… et je la rends bien blanche, par amour pour elle. Elle portait souvent du blanc elle-même, et elle habillait toujours sa petite fille en blanc. Miss Fairlie est-elle en bonne santé et heureuse ? Porte-t-elle encore du blanc comme lorsqu'elle était enfant ?

Sa voix tremblait en parlant de Miss Fairlie et elle se détourna de moi. J'attribuai son trouble au souvenir du risque qu'elle avait couru en envoyant la lettre anonyme et je décidai de l'obliger à avouer.

– Miss Fairlie n'était ni très heureuse ni bien portante ce matin, dis-je.

Elle murmura quelques paroles inintelligibles.

– M'avez-vous demandé pourquoi Miss Fairlie ne se sentait pas très bien ce matin ? demandai-je.

– Non, non, répondit-elle vivement. Oh non ! Je n'ai jamais demandé cela.

– Je vais quand même vous le dire. Miss Fairlie a reçu votre lettre !

Depuis quelques instants, elle s'était remise à genoux et enlevait avec soin la souillure de l'épitaphe. A mes paroles, elle s'arrêta net et resta comme pétrifiée en me regardant. Son visage pâlit encore, ses lèvres s'ouvrirent et elle laissa une fois de plus tomber le chiffon blanc qu'elle tenait à la main.

– Comment le savez-vous ? demanda-t-elle dans un souffle. Qui vous l'a montrée ?

Puis, se rendant compte qu'elle s'était trahie elle-même, le sang lui remonta au visage et, se tordant les mains d'un air désespéré, elle balbutia :

– Je n'ai jamais écrit cette lettre ! J'ignore ce que vous voulez dire.

– Si, dis-je avec calme, vous l'avez écrite et vous savez très bien ce que je veux dire. C'est mal d'avoir écrit une telle lettre, c'est mal d'avoir effrayé Miss Fairlie. Si vous aviez quelque chose à lui dire de vrai et d'honnête, vous auriez dû aller vous-même à Limmeridge House pour lui en parler.

Elle s'affaissa sur la pierre en se cachant le visage et ne répondit pas.

– Miss Fairlie sera aussi douce et bonne pour vous que l'était sa mère, si votre intention est loyale, continuai-je. Miss Fairlie gardera votre secret et vous protégera. Voulez-vous qu'elle vienne vous voir demain à la ferme ? Ou préférez-vous la rencontrer dans le jardin de Limmeridge House ?

– Oh ! si je pouvais mourir ! Disparaître et reposer en paix avec vous ! murmura-t-elle avec passion, les lèvres collées contre la pierre tombale, comme si elle s'adressait à la morte. Vous seule savez comme j'aime votre enfant, par amour pour vous. Oh ! Madame Fairlie ! Madame Fairlie ! Dites-moi comment je pourrais la sauver. Soyez ma mère et mon amie une fois de plus et dites-moi ce que je dois faire !

J'entendis ses lèvres embrasser la pierre, je vis ses mains se crisper violemment. Touché plus que je ne saurais le dire, je me penchai vers elle, prenant affectueusement dans les miennes ses mains désemparées, espérant ainsi la calmer de nouveau. En vain ! D'un mouvement brusque, elle retira ses mains, ne releva ni même ne tourna le visage. Comprenant qu'il fallait l'apaiser de toute urgence et par n'importe quel moyen, j'employai celui que je croyais le plus efficace et lui dis doucement :

– Allons, allons ! Essayez de vous dominer ou vous allez me faire croire que la personne qui vous a fait mettre dans cet asile avait quelque excuse…

La fin de ma phrase mourut sur mes lèvres car elle s'était levée subitement et un changement frappant s'était opéré en elle. Son visage si touchant à regarder dans sa sensibilité enfantine était devenu sombre et empreint d'une expression de folie haineuse. Ses yeux étaient dilatés comme ceux d'un animal sauvage. Elle ramassa le chiffon qui se trouvait à ses pieds et, comme s'il se fût agi d'un être vivant qu'elle s'apprêtait à étrangler, elle le tordit convulsivement avec une telle force que les quelques gouttes d'humidité qui y restaient tombèrent sur la pierre.

– Parlez d'autre chose, murmura-t-elle entre ses dents. Si vous me parlez de cela, je suis perdue !

Toute douceur avait maintenant disparu en elle. Il était évident que la bonté de Mrs Fairlie n'était pas la seule impression violente qui demeurât marquée dans sa mémoire. Au reconnaissant souvenir de ses jours d'école à Limmeridge se joignait le souvenir du mal qui lui avait été fait par son internement à l'asile. Qui en était l'auteur ? Était-il possible que ce fût sa mère ?

Il était pénible de devoir arrêter mes investigations sur ce dernier point, mais je me forçai à y renoncer pour l'instant. Dans l'état où elle se trouvait, il eût été cruel de songer à autre chose que de l'aider à se remettre.

– Je ne parlerai plus de ce qui vous chagrine, repris-je.

– Vous désirez encore autre chose, reprit-elle vivement d'un ton soupçonneux. Ne me regardez pas comme cela ! Parlez ! Dites ce que vous voulez !

– Je désire seulement que vous vous calmiez… et après, que vous réfléchissiez à ce que je vous ai dit.

– Ce que vous m'avez dit ? interrogea-t-elle en tordant à nouveau son chiffon et en se parlant à elle-même : « Qu'a-t-il dit ? »

Puis, se tournant brusquement vers moi et secouant la tête avec impatience, elle ajouta :

– Pourquoi ne m'aidez-vous pas ?

– Mais je vais vous aider, répondis-je doucement, et vous allez tout de suite vous souvenir. Je vous demandais si vous vouliez voir Miss Fairlie demain pour lui dire toute la vérité au sujet de la lettre ?

– Ah ! Miss Fairlie… Fairlie… Fairlie…

Rien qu'à répéter ce nom adoré et familier à son oreille, elle parut se calmer, et son visage se détendit un peu.

– Vous ne devez pas avoir peur de Miss Fairlie, continuai-je, ni craindre d'avoir des ennuis au sujet de la lettre. Elle en sait déjà si long qu'il ne vous sera pas difficile de tout lui dire. Vous ne citez pas de nom dans votre lettre, mais Miss Fairlie sait que vous parlez de sir Percival Glyde…

J'eus à peine prononcé ce nom que l'expression de haine et de terreur réapparut sur son visage et qu'elle poussa un cri horrifié qui résonna dans tout le cimetière et qui me fit tressaillir moi-même d'effroi. Le cri, le regard terrifié parlaient d'eux-mêmes. Je n'avais plus de doute. Sa mère était innocente ; c'est un homme qui l'avait fait enfermer, et cet homme, c'était sir Percival Glyde.

Son cri avait atteint d'autres oreilles que les miennes. J'entendis la porte du cottage s'ouvrir brusquement et de l'autre côté, derrière le bouquet d'arbres, la voix de sa compagne, la femme au châle, s'écrier :

– J'arrive, j'arrive !

Quelques instants après, Mrs Clements parut.

– Qui êtes-vous ? me lança-t-elle, le pied déjà posé sur la marche de pierre. Comment osez-vous effrayer une pauvre femme sans défense ?

Avant que j'aie eu le temps de répondre, elle avait passé son bras autour de la jeune fille et lui demandait avec anxiété :

– Qu'est-il arrivé, ma petite ? Que vous a-t-il fait ?

– Rien, répondit la pauvre créature en tremblant. Rien… j'ai seulement eu très peur.

Mrs Clements se retourna vers moi et me regarda pleine de colère et d'indignation, ce qui m'inspira aussitôt du respect pour elle.

– Je serais vraiment honteux si je méritais un tel regard, dis-je enfin, mais je ne le mérite pas. Si je l'ai effrayée, c'est sans intention, je vous assure. Ce n'est pas la première fois qu'elle me voit. Demandez-lui si je suis capable de vouloir du mal à une femme.

Je parlais distinctement pour qu'Anne Catherick m'entendît et me comprît ; mes paroles la touchèrent.

– Oui, oui, il a été bon pour moi, il m'a aidée à…

Elle chuchota le reste de la phrase dans l'oreille de son amie.

– Curieux, en vérité ! s'exclama Mrs Clements avec un regard perplexe. C'est tout différent alors. Je regrette d'avoir été impolie vis-à-vis de vous, monsieur, mais vous admettrez que les apparences étaient contre vous. C'est davantage ma faute que la vôtre d'ailleurs. J'ai eu tort de céder à ses caprices et de la laisser seule en un tel endroit. Allons, chère petite, rentrons vite maintenant.

J'eus l'impression que l'obscurité effrayait un peu la brave femme et je lui offris de les accompagner jusqu'à ce qu'elles fussent en vue de la ferme. Mrs Clements me remercia poliment mais refusa, me déclarant qu'elles rencontreraient des ouvriers de la ferme en chemin.

– Tâchez de me pardonner, dis-je à Anne Catherick, tandis qu'elle prenait le bras de son amie pour partir.

– Je tâcherai, répondit-elle, mais vous en savez trop et je crains d'avoir toujours peur désormais de vous rencontrer.

Mrs Clements me regarda en secouant tristement la tête :

– Bonne nuit, monsieur. Vous ne l'avez pas fait exprès, je sais, mais j'aurais souhaité que ce fût moi que vous eussiez effrayée et non elle.

Elles firent quelques pas et je crus qu'elles partaient, mais tout à coup Anne Catherick s'arrêta et, quittant le bras de sa compagne, lui cria en retournant sur ses pas :

– Attendez un instant, je dois lui dire au revoir !

S'élançant vers la tombe, elle entoura la croix de marbre de ses deux bras et l'embrassa.

– Je me sens mieux maintenant, soupira-t-elle en me regardant avec calme. Je vous pardonne.

Elle rejoignit son amie et, ensemble, elles quittèrent le champ des morts. Je les vis s'arrêter un moment près de l'église et parler à la femme du sacristain venue à leur rencontre, puis elles prirent le sentier conduisant à la lande. Longtemps je regardai s'éloigner Anne Catherick et, lorsque le crépuscule la déroba à mon regard, une sensation pénible et angoissante m'envahit, comme si c'était la dernière fois que je voyais, dans ce monde cruel, la Dame en blanc.

XIII

Une demi-heure après, j'étais de retour à Limmeridge House. J'informai Miss Halcombe de ce qui s'était passé. Elle m'écouta avec une attention soutenue qui, chez une femme de son tempérament, était la meilleure preuve de ce que mon récit l'impressionnait.

– Je suis remplie de crainte pour l'avenir, dit-elle simplement, lorsque j'eus terminé.

– L'avenir dépend de la manière dont nous agissons aujourd'hui, répondis-je. Il est probable qu'Anne Catherick serait plus confiante en présence d'une femme, et si Miss Fairlie…

– Il ne faut pas y songer un instant ! m'interrompit Miss Halcombe, impérieuse.

– Permettez-moi alors de vous suggérer d'aller trouver vous-même Anne Catherick et de faire tout ce qui est en votre pouvoir pour gagner sa confiance. Pour ma part, j'hésite à effrayer de nouveau cette pauvre femme. Verriez-vous une objection à m'accompagner demain à la ferme ?

– Pas la moindre. J'irais n'importe où et je ferais n'importe quoi pour Laura. Comment appelez-vous cet endroit ?

– Vous devez bien le connaître. Il s'agit de Todd's Corner.

– Évidemment, c'est l'une des fermes de Mr Fairlie, et notre fille de laiterie est la seconde fille du fermier. Elle va constamment chez son père et il se pourrait qu'elle ait appris là-bas quelque chose d'intéressant. Je vais m'en assurer tout de suite.

Miss Halcombe tira la sonnette et envoya le domestique quérir la servante, mais il revint bientôt, déclarant que cette dernière se trouvait justement à la ferme. Elle n'y avait pas été depuis trois jours et avait obtenu la permission d'y passer une partie de la soirée.

– Je lui parlerai demain, dit Miss Halcombe lorsque le domestique se fut éloigné. Expliquez-moi bien ce que vous espérez de mon entrevue avec Anne Catherick. Ne fait-il aucun doute dans votre esprit que c'est sir Percival qui l'a fait interner dans un asile ?

– Pas l'ombre d'un doute. Le seul mystère qui reste à éclaircir est le motif qui l'a poussé à agir de la sorte. Vu la différence du rang social, toute idée de parenté doit être écartée. Il est donc de la plus grande importance de savoir pourquoi – en supposant même que la jeune fille ait dû réellement être placée sous surveillance – il a pris une telle responsabilité.

– C'est un asile privé, n'est-ce pas ?

– Oui, un asile privé dont la pension, trop onéreuse pour de pauvres gens, a dû être payée par quelqu'un qui en avait les moyens.

– Je comprends, monsieur Hartright, et je vous promets que ce point sera éclairci, qu'Anne Catherick nous y aide ou non. Sir Percival ne demeurera pas longtemps dans cette maison si Mr Gilmore et moi n'obtenons pleine satisfaction. L'avenir de ma sœur est mon plus grand souci dans la vie, et j'ai assez d'influence sur elle pour la faire renoncer à ce mariage, si cela s'avérait nécessaire.

Sur ces mots, nous nous séparâmes pour la nuit.

Le lendemain matin, un obstacle, auquel je n'avais pas songé la veille, nous empêcha de mettre notre projet à exécution aussitôt après le petit déjeuner. C'était le dernier jour que je passais à Limmeridge House, et je devais attendre le courrier pour faire part à Mr Fairlie de la rupture de mon contrat, un mois avant son terme. La poste, fort heureusement, m'apporta deux lettres d'amis de Londres. Cela sauvait les apparences. J'emportai les lettres dans ma chambre et fis immédiatement envoyer un domestique chez Mr Fairlie, le priant de me recevoir pour une affaire urgente.

J'attendis le retour du domestique sans la moindre anxiété au sujet de la réponse que me donnerait son maître. Que Mr Fairlie approuvât ou non la décision, je devais partir. Et le sentiment d'avoir déjà fait le premier pas sur le triste chemin qui m'éloignerait définitivement de Miss Fairlie semblait avoir émoussé ma sensibilité pour toute autre chose. C'en était fait de ma susceptibilité d'homme et de ma vanité d'artiste. Je n'en étais plus à redouter la colère et les insolences de Mr Fairlie.

Ce dernier me fit répondre une chose qui ne me surprit pas. Il regrettait que l'état de sa santé ne lui permît pas de me recevoir et, avec mille excuses, il me priait de lui écrire ce que j'avais à lui dire. J'avais ainsi reçu plusieurs messages de ce genre au cours de mon séjour. Mr Fairlie m'avait toujours fait savoir qu'il se réjouissait de « m'avoir » à Limmeridge House, mais il n'avait jamais été assez bien pour me recevoir une seconde fois. Toutes nos relations s'étaient bornées à ceci : le domestique portait, avec mes « respects », les aquarelles à son maître au fur et à mesure que je les restaurais, puis il revenait me trouver les mains vides, chargé de me transmettre les « compliments » de Mr Fairlie, ses « remerciements » et ses « regrets sincères » d'être obligé de rester seul et enfermé dans sa chambre à cause de sa mauvaise santé. On eût difficilement imaginé arrangement plus agréable et pour lui et pour moi ! Et il serait difficile de dire qui de nous deux éprouvait le plus de gratitude à l'égard de la sensibilité des nerfs de Mr Fairlie.

Je me mis en devoir de lui écrire, en m'exprimant avec autant de politesse, de clarté et de brièveté que possible. Mr Fairlie ne se pressa pas de répondre. Une heure s'écoula avant que m'arrivât la réponse. Elle était écrite en caractères réguliers et nets, à l'encre violette sur une feuille de bloc-notes, aussi lisse que de l'ivoire et aussi épaisse que du carton. Les termes en étaient les suivants :

Mr Fairlie adresse ses compliments à Mr Hartright. Il est à la fois surpris et déçu, plus qu'il n'est capable de le dire, surtout dans son état de santé, par la sollicitation de Mr Hartright. N'étant pas homme d'affaires, Mr Fairlie a consulté son régisseur et celui-ci a confirmé l'opinion de Mr Fairlie, à savoir que la requête faite par Mr Hartright d'être autorisé à rompre son contrat ne peut être justifiée par aucune nécessité, quelle qu'elle soit, exception faite toutefois d'une question de vie ou de mort. Si les sentiments de haute estime que Mr Fairlie a toujours nourris pour l'art et pour ceux qui le cultivent pouvaient être facilement ébranlés, la façon d'agir de Mr Hartright les aurait fortement secoués. Mais il n'en est point ainsi, sinon à l'égard de Mr Hartright lui-même.

Ayant examiné la situation aussi clairement que son état de santé précaire le lui permet, Mr Fairlie n'a plus rien à ajouter, sinon l'expression de sa décision, au regard de l'irrégularité de la requête qui lui a été adressée. Le complet repos de corps et d'esprit ayant une importance capitale dans son état, Mr Fairlie n'admettrait pas que Mr Hartright le troublât en restant dans la maison dans de telles conditions. En conséquence, Mr Fairlie renonce à ses droits d'opposition, uniquement pour sauvegarder sa propre tranquillité… et informe Mr Hartright qu'il peut partir.

Pliant la lettre, je la mis dans ma poche. Autrefois, je l'aurais considérée comme une insulte, aujourd'hui je l'acceptais comme une délivrance. Elle m'était sortie de l'esprit, je l'avais déjà presque oubliée quand je descendis prévenir Miss Halcombe que j'étais prêt à l'accompagner à la ferme.

– Mr Fairlie vous a-t-il donné une réponse satisfaisante ? me demanda-t-elle, comme nous quittions la maison.

– Il m'a autorisé à partir, Miss Halcombe.

Elle me regarda, puis d'un geste spontané prit mon bras, sans que je le lui eusse offert. Aucun mot ne pouvait exprimer avec plus de délicatesse qu'elle savait à quoi s'en tenir sur les termes avec lesquels on m'avait laissé partir, et qu'elle me donnait sa sympathie, non en tant que personne d'un rang supérieur, mais en tant qu'amie. Je n'avais guère été atteint par l'arrogance de Mr Fairlie, mais cette preuve d'amitié de la part de Miss Halcombe réussit à me toucher profondément.

Sur le chemin de la ferme, nous décidâmes qu'elle entrerait seule et que, restant au-dehors, j'attendrais qu'elle m'appelât. Nous craignions en effet que ma présence, après ce qui s'était passé dans le cimetière la veille au soir, ne renouvelât l'effroi d'Anne Catherick et ne la rendît plus méfiante encore devant les questions que lui poserait, même avec toute la délicatesse possible, une personne qu'elle ne connaissait pas. Miss Halcombe me quitta donc dans l'intention de parler d'abord à la fermière dont elle savait le dévouement. Je m'attendais à devoir rester seul un bon moment, mais cinq minutes à peine s'étaient écoulées quand je la vis reparaître.

– Anne Catherick a refusé de vous voir ? demandai-je aussitôt avec étonnement.

– Anne Catherick est partie.

– Partie ?

– Oui. Partie avec Mrs Clements, ce matin à huit heures.

Je ne répondis pas, mais j'eus la sensation que notre dernière chance de découvrir quelque chose venait de s'évanouir.

– Mrs Todd m'a raconté tout ce qu'elle savait de ses invitées, et cela ne nous éclaire pas davantage, reprit Miss Halcombe. Hier soir, après vous avoir quitté, elles sont rentrées à la ferme et ont passé la soirée avec toute la famille comme à l'ordinaire. Juste avant le dîner, Anne Catherick s'est subitement évanouie. Elle avait éprouvé le même malaise, mais toutefois moins alarmant, le jour de son arrivée. Mrs Todd l'avait attribué à quelque nouvelle, lue dans le journal local qui traînait sur la table et qu'elle avait pris quelques minutes avant.

– Mrs Todd sait-elle quel est le passage du journal qui l'a impressionnée à ce point ?

– Non, elle m'a dit l'avoir relu et n'y avoir rien trouvé d'anormal. J'ai demandé malgré tout à l'examiner à mon tour et, sur la première page que j'ai ouverte, je suis tombée sur l'annonce du mariage prochain de Laura, extraite de la rubrique mondaine des journaux londoniens. J'en ai conclu que c'était là la cause de son malaise, tout comme j'y ai vu l'origine de la lettre anonyme qu'elle a envoyée chez nous le lendemain.

– Sans aucun doute. Mais que vous a-t-on dit au sujet de ce second évanouissement ?

– Rien. Un parfait mystère. Il n'y avait pas d'étranger dans la maison et la seule visiteuse était notre fille de laiterie. La conversation roulait sur les potins du village lorsqu'elle a poussé un cri strident en s'affaissant. Longtemps après qu'on l'eut transportée sur son lit, on l'entendit bavarder avec son amie, Mrs Clements et, de bonne heure ce matin, celle-ci est venue prévenir Mrs Todd de leur départ. Elle a expliqué qu'une raison sérieuse – rien à voir avec personne à la ferme – obligeait Anne Catherick à quitter Limmeridge au plus tôt. C'est en vain que Mrs Todd a questionné Mrs Clements ; celle-ci s'est bornée à secouer la tête en disant que pour le bien d'Anne elle demandait que personne ne cherchât à en savoir plus long. Elle paraissait elle aussi dans un grand état d'agitation et ne cessait de répéter qu'Anne et elle devaient partir, et que personne ne devait savoir où elles allaient. Je vous épargne les démonstrations d'hospitalité auxquelles se livra Mrs Todd et les refus qu'elle essuya. Pour finir, elle fut bien obligée de les accompagner à la gare, tâchant encore pendant le trajet de les faire parler, mais sans succès. Elle les a donc laissées devant la gare, si offensée par ce départ discourtois et brusqué qu'elle les a quittées sans presque leur dire adieu. Voilà exactement comment les choses se sont passées. Fouillez votre mémoire, monsieur Hartright, et dites-moi s'il s'est produit hier soir dans le cimetière un incident quelconque qui pourrait expliquer ce départ ?

– A mon avis, Miss Halcombe, il serait plus important d'expliquer d'abord l'évanouissement d'Anne Catherick, survenant plusieurs heures après son retour du cimetière, assez longtemps après pour qu'elle se fût remise des émotions que j'ai pu involontairement et bien malheureusement lui causer. Vous êtes-vous enquise du tour qu'avait pris la conversation générale au moment où elle s'est évanouie ?

– Oui. Mais Mrs Todd était si occupée par ses travaux de ménage qu'elle ne prenait point part, ou alors bien distraitement, à la conversation. Tout ce qu'elle a pu me dire, c'est que l'on parlait « des nouvelles ». Des nouvelles des uns et des autres, je suppose…

– La mémoire de la fille sera peut-être meilleure que celle de la mère. Sans doute devriez-vous lui parler, dès que nous serons rentrés.

C'est ce que fit Miss Halcombe, à peine arrivée à Limmeridge House. Nous nous dirigeâmes vers l'office et nous trouvâmes la servante dans sa laiterie, les manches retroussées, chantant à tue-tête en nettoyant une cruche à lait.

– J'ai amené ce monsieur pour admirer votre laiterie modèle, Hannah, dit Miss Halcombe, elle vous fait honneur.

La jeune fille salua en rougissant et expliqua sur un ton timide qu'elle faisait toujours de son mieux pour que tout fût propre et en ordre.

– Nous revenons justement de chez vous, continua Miss Halcombe. J'ai appris que vous y aviez passé la soirée. Il y avait des invités chez vous ?

– Oui, miss.

– Il paraît que l'une d'elles s'est sentie mal tout à coup. Je suppose que vous ne racontiez rien de terrible, qui eût pu l'effrayer ?

– Oh non ! miss, répondit la fille en riant, on se racontait les nouvelles.

– Vos sœurs vous donnaient des nouvelles de Todd's Corner sans doute ?

– Oui, miss.

– Et vous leur en donniez de Limmeridge House ?

– Oui, miss, et je suis sûre qu'on ne disait rien qui eût pu effrayer cette pauvre créature. Car c'est moi qui parlais lorsqu'elle s'est évanouie. Moi-même je ne me suis jamais sentie mal, et je n'avais jamais encore assisté à un évanouissement et ça m'a fait un drôle d'effet, je vous assure !

Comme on l'appelait à l'extérieur pour lui remettre des œufs, je murmurai à l'oreille de Miss Halcombe :

– Demandez-lui si elle a dit qu'on attendait des visiteurs.

Miss Halcombe, d'un regard, me montra qu'elle avait compris et posa la question dès que la fille fut revenue.

– Oh oui ! miss, j'ai raconté cela et aussi l'accident qui est arrivé à la vache tachetée.

– Avez-vous nommé les personnes ? Avez-vous dit que sir Percival Glyde était attendu ce lundi ?

– Oui, miss, je leur ai dit que sir Percival Glyde allait venir. J'espère que je n'ai pas mal fait ?

– Pas du tout, c'est parfait. Venez, monsieur Hartright, sinon Hannah va trouver que nous l'empêchons de travailler.

Quand nous fûmes seuls, je regardai Miss Halcombe.

– Avez-vous encore l'ombre d'un doute ? demandai-je.

– Sir Percival devra éclaircir lui-même ce point, monsieur Hartright… ou Laura Fairlie ne sera jamais sa femme.

XIV

Alors que nous revenions vers le devant de la maison, un fiacre, arrivant de la gare, nous rejoignit par la grande allée. Miss Halcombe attendit sur les marches du perron qu'il s'arrêtât, puis s'élança à la rencontre d'un vieux monsieur qui mettait pied à terre. Mr Gilmore était arrivé.

Après les présentations d'usage, j'examinai le nouveau venu avec une curiosité et un intérêt mal dissimulés. Devant moi se trouvait donc l'homme qui resterait à Limmeridge House après mon départ, celui qui écouterait les explications de sir Percival et donnerait son avis à Miss Halcombe, celui qui resterait jusqu'à ce que la date du mariage fût fixée. C'était sa main qui, pour peu que l'affaire se conclût, rédigerait le contrat liant Miss Fairlie pour la vie. Et dès ce moment-là, alors même que je ne savais absolument rien en comparaison de ce que je sais aujourd'hui, je me sentis pour le vieux confident de cette famille une sympathie comme ne m'en avait jamais inspiré de prime abord un étranger.

L'aspect de Mr Gilmore était exactement à l'opposé de l'idée qu'on pouvait se faire d'un vieil avocat. Son teint était rose et frais, ses cheveux, d'un blanc neigeux, étaient brossés avec soin, et ses vêtements noirs lui allaient parfaitement. Sa cravate blanche était nouée avec soin et ses gants de peau couleur lavande auraient pu convenir aux mains d'un respectable clergyman. Ses façons étaient empreintes de la politesse et de la grâce particulières à la vieille école, et animées d'une énergie digne d'un homme d'affaires que ses occupations professionnelles obligent à être toujours sur le pied de guerre. Une constitution robuste et un avenir brillant qui s'ouvrait devant lui à l'origine, une longue carrière placée sous le signe de la respectabilité et de la prospérité par la suite, une vieillesse agréable, active et pleine de dignité enfin, telles furent les impressions que je tirai de ma présentation à

Mr Gilmore, et ce n'est que lui rendre justice que d'ajouter que ce que j'appris par la suite ne fit que confirmer ces premières impressions.

Je laissai Miss Halcombe entrer dans la maison avec le vieux gentleman afin de les laisser aborder les questions familiales sans être gênés par la présence d'un étranger. Ils traversèrent le hall en direction de la salle à manger, tandis que je descendais vers le jardin.

Mes heures à Limmeridge House étaient comptées – mon départ le lendemain matin était irrévocable – et le rôle que j'avais à jouer dans les recherches concernant la lettre anonyme était terminé. Je ne pouvais donc ne faire du mal qu'à moi-même si, une fois encore, je laissais parler mes sentiments, si je les libérais de la contrainte cruelle que j'avais dû leur imposer, en faisant tendrement mes adieux aux lieux qui avaient vu naître un bonheur aussitôt anéanti.

Instinctivement, je pris le chemin que Miss Fairlie avait la veille encore parcouru avec son petit lévrier, et je me dirigeai vers la roseraie. Sans pitié, le vent glacé d'automne était passé par là. Les fleurs qu'elle m'avait appris à nommer, les fleurs que je lui avais enseigné à peindre, toutes avaient disparu. J'entrai dans l'avenue bordée d'arbres où, par les soirs d'été, nous avions admiré ensemble les jeux d'ombre et de lumière sur le sol. Les feuilles mortes tombaient lentement des arbres, la nature se mourait devant mes yeux et je me sentais glacé jusqu'aux os. Puis je gagnai les collines. Le vieux tronc d'arbre couché au bord du chemin et sur lequel nous avions pris l'habitude de nous asseoir était tout imprégné de pluie, et les fougères que j'avais amassées pour elle au pied du mur de pierre, en face de notre banc, formaient à présent les îlots d'une petite mare. Je montai jusqu'au sommet de la colline et contemplai le paysage que nous avions si souvent admiré tous deux, en ces moments de bonheur. Froid et désolé, il n'était pas celui de mon souvenir. La présence aimée ne rayonnait plus à mes côtés ; la voix charmante ne chantait plus à mon oreille. Ici, elle m'avait parlé de son père, le dernier parent qui lui restait et qu'elle avait perdu, m'avait dit combien ils s'aimaient l'un l'autre, combien il lui manquait encore, surtout quand elle entrait dans certaines pièces de la maison ou quand elle se livrait aux occupations et aux distractions qu'ils avaient l'habitude de partager. Était-ce là la vue que j'avais contemplée tandis que j'écoutais ses paroles, cette vue qui à présent s'offrait à mes seuls regards ? Je fis demi-tour pour partir. A travers la bruyère, je descendis vers les dunes pour atteindre la plage. Les flots écumaient toujours rageusement et la multitude des vagues continuait de lécher inlassablement le rivage, mais était-ce là l'endroit où elle avait un jour, sur le sable, tracé des arabesques du bout de son ombrelle, l'endroit où nous nous asseyions tous les deux pour qu'elle m'écoutât parler des miens, m'interrogeant avec un tact tout féminin sur ma mère et ma sœur, se demandant avec candeur si un jour j'abandonnerais mon appartement de célibataire pour fonder un foyer ? Le vent et les vagues avaient depuis longtemps effacé les traces qu'elle avait laissées sur le sable. Je contemplai l'immensité monotone de la mer. Plus rien de ce qui illuminait mes souvenirs n'existait, comme si tout cela n'avait été qu'un rêve, comme si je me trouvais à présent sur un rivage étranger.

Le silence de la plage me broyait le cœur. Je retournai vers la maison ; là au moins, tout me parlerait d'elle et j'avais l'espoir de la revoir encore.

Sur la terrasse, je rencontrai Mr Gilmore, qui me cherchait visiblement, car il pressa le pas quand il m'aperçut. Dans l'état d'esprit où je me trouvais, j'étais peu disposé à faire la conversation à un étranger mais, ne pouvant l'éviter, je m'y résignai avec philosophie.

– Vous êtes justement la personne que je désirais voir, me dit le vieux gentleman. J'ai deux mots à vous dire, cher monsieur, et, si vous n'y voyez pas d'objection, je saisirai cette occasion. Pour ne rien vous cacher, Miss Halcombe m'a mis au courant de tout ce qui s'est passé avant mon arrivée et m'a dit le rôle important que vous aviez joué dans cette affaire de lettre anonyme. Ce rôle, je le comprends, fait que vous vous intéressez à l'issue des futures investigations. Je voulais simplement vous assurer, cher monsieur, que vous pouviez partir tranquille, car l'affaire est à présent entre mes mains.

– De toute façon, monsieur Gilmore, vous êtes mieux placé que moi pour conseiller et pour agir dans un tel cas. Serait-il indiscret de vous demander si vous avez déjà décidé comment vous allez procéder ?

– Oui, autant que cela m'est possible. J'ai l'intention d'envoyer une copie de la lettre anonyme, avec un résumé de la situation, à l'avocat de sir Percival à Londres, lequel se trouve être de mes connaissances. La lettre elle-même, je la garderai ici pour la lui montrer dès son arrivée. J'ai fait filer les deux femmes, en envoyant à la gare un domestique de confiance de Mr Fairlie, muni d'argent et de directives précises. C'est tout ce que je puis faire en attendant l'arrivée de sir Percival, lundi. Je ne doute pas qu'il nous donnera volontiers toutes les explications qu'on peut attendre d'un gentleman et d'un homme d'honneur. Sir Percival occupe une situation très élevée et sa réputation est au-dessus de tout soupçon, et je n'ai aucun doute quant à l'issue de tout cela, absolument aucun doute. Des choses de ce genre se présentent souvent dans mon métier : lettres anonymes, femmes délaissées, mauvaises fréquentations… Je ne nie pas que le cas actuel offre quelques complications, mais, en lui-même, il n'est, hélas ! que trop courant.

– Je crains de n'être pas tout à fait de votre avis, monsieur Gilmore.

– Évidemment, évidemment ! Je suis un vieillard enclin au pragmatisme. Vous êtes un jeune homme avant tout sensible au romanesque. Ne nous disputons pas, voulez-vous ? Je vis, de par ma profession, dans une atmosphère de querelles continuelles, monsieur Hartright, et je suis trop heureux quand j'ai l'occasion d'y échapper un peu. Nous attendrons les événements ; oui, oui, nous attendrons les événements. Charmant endroit, n'est-ce pas ? Bonnes chasses ? Je suppose que non, car aucune des propriétés de Mr Fairlie n'est clôturée. Mais charmant endroit tout de même, et comme ces gens sont délicieux ! J'ai appris que vous dessinez et peignez, monsieur Hartright. Quel beau talent ! Quel est votre genre ?

Nous continuâmes ainsi à parler de choses et d'autres, ou plutôt Mr Gilmore parla tandis que je l'écoutais. Mon esprit était absent, à mille lieues des sujets qu'il abordait avec tant d'aisance. Après ma promenade solitaire, je n'avais plus qu'une idée en tête : quitter Limmeridge au plus vite. Pourquoi retarder d'une minute cette dure épreuve des adieux ? Qui pouvait encore avoir besoin de moi ? Je n'avais plus aucune raison de prolonger mon séjour dans le Cumberland, Mr Fairlie me laissait libre de partir à n'importe quel moment. Pourquoi alors ne pas en finir sur-le-champ ?

Ma décision était prise. La nuit me laissait quelques heures avant de tomber, et il n'y avait aucun obstacle à ce que je prisse immédiatement le chemin de Londres. Je donnai à Mr Gilmore la première excuse qui me vint à l'esprit pour prendre congé et me dirigeai vers la maison.

En montant dans ma chambre, je rencontrai Miss Halcombe qui vit bien, à ma hâte et à mon agitation, que j'avais quelque nouveau projet en tête. Elle me demanda ce qui se passait. Je le lui expliquai.

– Non, non ! s'écria-t-elle avec chaleur. Quittez-nous comme un véritable ami, monsieur Hartright, après avoir une fois encore partagé notre repas. Aidez-nous à rendre cette dernière soirée aussi heureuse que la première, si possible. C'est mon désir, celui de Mrs Vesey… (elle marqua une courte pause) et celui de Laura également.

Je promis de rester. Dieu sait que je n'eusse pas voulu laisser derrière moi la moindre ombre de tristesse ou de regret. Je demeurai dans ma chambre jusqu'au dîner.

Je n'avais pas adressé la parole à Miss Fairlie – je ne l'avais pas même vue – de toute la journée. Nos retrouvailles, dans la salle à manger, furent pour elle comme pour moi une pénible épreuve. Elle aussi avait voulu rendre notre dernière soirée aussi douce que les précédentes, celles des temps heureux qui ne reviendraient jamais plus. Elle avait revêtu sa toilette que je préférais, une robe de soie bleu foncé, ornée de vieilles dentelles. Elle m'accueillit avec sa spontanéité d'antan, et me tendit la main avec l'entrain plein de franchise qui avait toujours été le sien. Les doigts glacés, la rougeur qui marquait ses joues pâles, le sourire forcé qui s'efforçait de conquérir ses lèvres pour y mourir aussitôt tandis que je la regardais, tout cela me disait assez cependant la souffrance qu'elle endurait en secret.

Je crois que je ne l'ai jamais autant aimée qu'en ce moment-là.

La présence de Mr Gilmore nous fut d'un grand secours. Étant d'excellente humeur, il fit tous les frais de la conversation. Miss Halcombe l'assista avec énergie et j'essayai de suivre son exemple. Ses limpides yeux bleus, dont j'avais pris l'habitude d'interpréter chaque expression, me lancèrent un regard suppliant dès que nous nous mîmes à table. « Aidez ma sœur, semblaient-ils dire ; aidez ma sœur, et vous m'aiderez ! »

Le dîner se déroula dans une atmosphère joyeuse en apparence. Après que les dames eurent quitté la table, je restai seul dans la salle à manger avec Mr Gilmore. On annonça que le domestique envoyé pour filer Anne Catherick et Mrs Clements était de retour et il fut introduit immédiatement, ce qui me fournit l'occasion de me changer les idées et de me calmer un peu.

– Eh bien, demanda Mr Gilmore, qu'avez-vous découvert ?

– J'ai découvert que les deux dames avaient pris un ticket pour Carlisle, monsieur, répondit l'homme.

– Ayant appris cela, je suppose que vous vous êtes immédiatement rendu à Carlisle ?

– Oui, monsieur, mais j'ai le regret de devoir dire que je n'ai pu retrouver leurs traces.

– Vous vous êtes informé à la gare ?

– Oui, monsieur.

– Et dans les auberges des environs ?

– Oui, monsieur.

– Et vous avez laissé au bureau de police le signalement que je vous avais remis ?

– Oui, monsieur.

– Eh bien ! alors, mon ami, vous avez fait votre devoir et, quant à moi, j'ai fait tout ce que je pouvais. Nous avons joué nos cartes maîtresses, monsieur Hartright, continua le vieux gentleman quand le domestique se fut retiré. Pour le moment du moins, ces femmes ont réussi à nous faire perdre leur piste, et notre seule ressource est d'attendre l'arrivée de sir Percival. Vous ne remplissez plus votre verre ? Excellent porto… il m'a tout l'air d'être vieux. Mais j'en ai encore du meilleur dans ma cave.

Nous retournâmes au salon, ce salon où s'étaient passées les plus belles soirées de ma vie, ce salon que, désormais, je ne reverrais plus. Son aspect avait un peu changé depuis que les jours étaient plus courts et qu'il faisait plus froid. La porte-fenêtre donnant sur la terrasse était fermée et cachée par d'épaisses draperies. Au lieu de la semi-obscurité du crépuscule à laquelle nous étions habitués, la brillante lumière de la lampe éblouissait maintenant les yeux. Tout était changé, assurément, dans la maison comme au-dehors.

Miss Halcombe entama une partie de cartes avec Mr Gilmore, Mrs Vesey s'installa dans son fauteuil habituel. Ils jouissaient sans réserve de leur soirée et, à les observer, je ressentais d'autant plus la tristesse de mes dernières heures passées parmi eux. Je vis Miss Fairlie se diriger vers le piano. Quelque temps auparavant je l'aurais suivie, mais j'hésitai, ne sachant que faire. Elle me lança un coup d'œil rapide, prit une partition et vint vers moi.

– Si je jouais quelques-unes de ces mélodies de Mozart que vous aimez tant ? me demanda-t-elle en ouvrant la partition, les yeux baissés.

Avant que j'eusse eu le temps de la remercier, elle était déjà au piano. La chaise où je m'asseyais toujours était inoccupée. La jeune fille tapa quelques accords, me lança un bref regard, puis reposa les yeux sur sa partition :

– Ne prenez-vous pas votre place ? me demanda-t-elle dans un souffle.

– Oui, pour le dernier soir, répondis-je.

Elle ne dit plus un mot. Elle tenait les yeux fixés sur sa partition, un morceau qu'elle connaissait de mémoire, qu'elle avait joué tant de fois par cœur. Je vis à la pâleur soudaine de ses joues qu'elle m'avait entendu, qu'elle avait conscience de ma présence juste à côté d'elle.

– Je suis désolée que vous partiez, murmura-t-elle en fixant toujours sa partition, tandis que ses doigts volaient sur le clavier avec une énergie fiévreuse que je ne lui avais encore jamais vue.

– Je me souviendrai de ces douces paroles, Miss Fairlie, longtemps, bien longtemps après que la journée de demain se sera enfuie…

Elle devint livide et détourna son visage.

– Ne parlez pas de demain. Laissons plutôt la musique nous parler de ce soir ; son langage est plus joyeux que le nôtre.

Ses lèvres tremblaient, un faible soupir s'en échappa, qu'elle essaya en vain de réprimer. Puis ses doigts s'embrouillèrent, elle fit une fausse note, se troubla en voulant la reprendre et, irritée contre elle-même, laissa tomber ses mains sur ses genoux. Miss Halcombe et Mr Gilmore levèrent la tête, étonnés, et même Mrs Vesey, qui somnolait dans son fauteuil, sursauta à cette interruption soudaine de la musique et demanda ce qui se passait.

– Jouez-vous au whist, monsieur Hartright ? fit Miss Halcombe, les yeux rivés sur la chaise que j'occupais.

Je compris pourquoi elle me demandait cela ; je compris qu'elle avait raison, et je me levai immédiatement pour aller vers la table de jeu. Miss Fairlie tourna une page de la partition et se remit à jouer d'une main plus sûre, presque avec passion.

– Je la jouerai, murmura-t-elle, je la jouerai pour le dernier soir !

– Allons, madame Vesey, dit Miss Halcombe, monsieur Gilmore et moi sommes fatigués de l'écarté. Venez faire une partie de whist, avec Mr Hartright.

Le vieil homme de loi eut un sourire moqueur ; ayant gagné, il attribuait évidemment la soudaine décision de sa jeune amie au fait que les dames ne supportent pas de perdre quand elles jouent aux cartes.

La soirée s'écoula sans qu'elle m'adressât un mot ni un regard. Elle demeura assise au piano, et moi à la table de jeu. Elle ne cessa pas un moment de jouer, comme si en jouant elle se fuyait elle-même. Ses doigts parfois effleuraient les notes avec langueur, une douce et plaintive tendresse d'une beauté empreinte de tristesse ; parfois ils tremblaient, hésitaient ou se mettaient à galoper sur le clavier, comme s'ils voulaient en finir au plus vite. Mais ils ne faillirent pas avant que le morceau fût achevé. Elle ne quitta le piano que lorsque, tous, nous nous levâmes pour nous souhaiter le bonsoir.

Mrs Vesey se tenait près de la porte, et ce fut elle la première qui me serra la main.

– Je ne vous reverrai plus, monsieur Hartright, dit-elle. Je suis réellement peinée que vous nous quittiez. Vous avez été très bon et plein d'attentions pour une vieille dame comme moi, et je l'apprécie. Je vous souhaite d'être heureux, monsieur ; et je vous souhaite le bonsoir.

Puis ce fut le tour de Mr Gilmore.

– J'espère que nous aurons encore l'occasion de nous rencontrer, monsieur Hartright. Partez en paix, cette affaire est en bonnes mains ! Dieu, qu'il fait froid ! Je ne vous retiens pas plus longtemps sur le pas de la porte. *Bon voyage*, cher monsieur, *bon voyage* [1], comme disent les Français.

Miss Halcombe s'approcha ensuite :

– A sept heures et demie, demain matin, me dit-elle avant d'ajouter dans un murmure : J'en ai vu et entendu plus que vous ne le pensez. Votre conduite de ce soir a fait de vous mon ami pour la vie.

Enfin, je fus en face de Miss Fairlie. En prenant la main qu'elle me tendait et en pensant au lendemain matin, je n'eus pas la force de la regarder.

– Je dois partir de bonne heure, fis-je, la voix étranglée. Je serai parti, Miss Fairlie, avant que…

– Non, non ! Pas avant que je sois descendue, monsieur Hartright. Je déjeunerai avec Marian et vous. Je ne suis pas assez ingrate pour oublier les trois mois écoulés…

1. En français dans le texte.

La voix lui manqua, sa main serra la mienne, puis la lâcha brusquement. Je n'eus pas le temps de lui souhaiter bonne nuit qu'elle avait déjà disparu.

Le dernier matin de mon séjour à Limmeridge House se leva.

Il était à peine sept heures et demie lorsque je descendis dans la salle à manger, où je trouvai déjà à table mes deux anciennes élèves. L'air était très frais, la lumière blafarde. Nous nous assîmes tous trois dans la maison silencieuse, essayant de manger et de parler. Mais il était vain de vouloir sauver les apparences, et je me levai le premier pour mettre fin à ce moment affreux.

Comme je tendais la main à Miss Halcombe, Miss Fairlie se détourna et sortit brusquement.

– Cela vaut mieux, dit Miss Halcombe une fois la porte refermée, cela vaut mieux et pour vous et pour elle.

J'attendis un moment avant de pouvoir parler ; il était insupportable de la quitter ainsi sans un mot ni un regard d'adieu. Tâchant de me contrôler, je m'efforçai de trouver les mots appropriés pour prendre congé de Miss Halcombe, mais je ne pus que dire simplement :

– Ai-je mérité que vous m'écriviez parfois ?

– Vous l'avez noblement mérité, et je vous tiendrai au courant de tout.

– Si je puis encore vous être utile un jour, n'importe quand, pour n'importe quoi… lorsque vous aurez oublié ma folle présomption…

Il me fut impossible de poursuivre. Ma voix tremblait, mes yeux s'embuèrent. Elle me prit les deux mains qu'elle serra avec effusion et cette franchise toute masculine qui la caractérisait. Il y eut une lueur dans ses yeux et son teint mat s'illumina de cette beauté intérieure, pleine de pitié généreuse, qui se dégageait d'elle.

– Toujours je vous considérerai comme mon ami, et comme son ami ; comme mon frère… et le sien.

Et s'approchant de moi, noble créature, elle m'embrassa sur le front et, pour la première fois, m'appela par mon prénom :

– Dieu vous bénisse, Walter ! Restez encore quelques minutes ici pour vous remettre. Il vaut mieux que je vous laisse seul… Je monte à mon balcon d'où je vous regarderai partir…

Elle sortit. J'allai à la fenêtre contempler le triste paysage d'automne, et je m'efforçai de reprendre mes esprits avant de quitter à mon tour la salle à manger – de la quitter pour toujours.

Une minute à peine devait s'être écoulée lorsque j'entendis derrière moi la porte s'ouvrir doucement, puis le frôlement d'une robe de soie sur le tapis. Mon cœur battit très fort comme je me retournais : Miss Fairlie s'avançait vers moi.

Lorsqu'elle s'aperçut que nous étions seuls, elle marqua un temps d'hésitation ; puis, avec ce courage que les femmes perdent rarement dans les grandes circonstances et si souvent dans les petites, elle s'approcha, étrangement calme et pâle. Je vis qu'elle tenait quelque chose en main que cachaient les plis de sa robe.

– Je suis allée chercher ceci, dit-elle. Peut-être cela vous rappellera-t-il votre séjour ici et les amies que vous laissez derrière vous. Vous m'aviez complimentée sur mes progrès quand je l'ai dessiné, et j'ai pensé que…

Elle détourna la tête et me tendit un croquis du pavillon d'été où nous nous étions rencontrés pour la première fois qu'elle avait dessiné. Je pris la feuille qui tremblait dans sa main – et qui trembla dans la mienne.

J'avais peur d'exprimer ce que réellement je ressentais. Je dis simplement :

– Il ne me quittera jamais… je le garderai toujours comme ce que je possède de plus précieux. Je vous en remercie, et je vous remercie de ne pas m'avoir laissé partir sans un adieu…

– Oh ! fit-elle avec candeur. Comment aurais-je pu faire cela, après les jours heureux que nous avons passés ensemble !

– Ces jours ne reviendront sans doute jamais, Miss Fairlie, car nos chemins vont se séparer. Mais s'il arrive que mon dévouement puisse vous procurer un moment de bonheur ou vous épargner un moment de peine, je vous prie, souvenez-vous de votre professeur de dessin. Miss Halcombe me l'a promis ; voulez-vous me le promettre à votre tour ?

Des larmes brillèrent dans ses beaux yeux bleus.

– Je vous le promets, articula-t-elle d'une voix brisée. Je vous le promets de tout mon cœur ! Mais, par pitié, ne me regardez pas ainsi !

Je m'approchai plus près d'elle, la main tendue.

– Vous avez beaucoup d'amis, Miss Fairlie, et votre bonheur est le vœu de tous. Puis-je vous dire avant de partir que c'est aussi le mien ?

Les pleurs ruisselaient sur ses joues tandis qu'à son tour elle me tendait la main. Je la pris dans la mienne et la pressai contre mes lèvres, l'inondant de mes propres larmes. Ce n'était pas de l'amour, non, pas de l'amour, que je ressentais à l'instant du départ, mais l'agonie du désespoir.

– Pour l'amour du Ciel, laissez-moi ! supplia-t-elle tout bas.

C'était enfin l'aveu – l'aveu que je n'avais pas le droit d'entendre et auquel je n'avais pas le droit de répondre. Ces paroles m'obligeaient irrévocablement, par respect pour sa faiblesse, à quitter la pièce. Tout était fini. Je lâchai sa main sans rien dire. Les larmes qui m'emplissaient les yeux me masquaient son visage, et je les essuyai vivement pour la regarder une dernière fois. Un ultime regard tandis qu'elle se laissait tomber sur une chaise et cachait son beau visage entre ses bras reposant sur la table. Un ultime regard et la porte se refermait déjà entre elle et moi – notre séparation était chose accomplie, et l'image de Laura Fairlie un souvenir du passé.

RÉCIT DE VINCENT GILMORE, AVOCAT A CHANCERY LANE

I

J'écris ces lignes à la requête de mon ami Walter Hartright. Elles relatent certains événements qui concernent de près Miss Fairlie et survinrent après que Mr Hartright eut quitté Limmeridge House.

Je n'ai pas à me prononcer sur la divulgation de l'étrange histoire de cette famille, à laquelle mon propre récit contribue pour une large part. La responsabilité en incombe entièrement à Mr Hartright, mais les lignes qui vont suivre montreront qu'il est parfaitement habilité à prendre cette décision, si toutefois il décide de rendre l'affaire publique. Pour ce qui concerne les événements, il a souhaité, en gage de clarté et de vérité, que chaque épisode fût raconté par un témoin direct. C'est ainsi que je suis amené à prendre la plume. Je fus présent durant le séjour de sir Percival Glyde dans le Cumberland, et me trouvai personnellement impliqué dans les suites de sa courte visite à Mr Fairlie. Il est en conséquence de mon devoir d'ajouter de nouveaux maillons à la chaîne des événements, en reprenant cette chaîne à l'endroit précis où Mr Hartright l'a abandonnée.

J'arrivai à Limmeridge House le vendredi 2 novembre.

Je devais rester chez Mr Fairlie jusqu'à l'arrivée de sir Percival Glyde. Si, au cours de son séjour à Limmeridge House, la date de son mariage avec Miss Fairlie était arrêtée, je devais retourner à Londres muni des instructions nécessaires pour établir le contrat de mariage.

Le vendredi, je n'eus pas le plaisir d'être reçu par Mr Fairlie. Depuis des années il était ou s'imaginait être malade, et ce jour-là il ne se sentait pas assez bien pour tenir une conversation. Je vis d'abord Miss Halcombe. Elle m'accueillit sur le perron et me présenta à Mr Hartright, lequel vivait à Limmeridge House depuis quelque temps.

Miss Fairlie ne parut qu'à l'heure du dîner. Je fus navré de sa mine. C'est une jeune fille charmante, aussi aimable et attentive aux autres que l'était sa pauvre mère, bien que, personnellement, je trouve qu'elle tienne davantage de son père. C'est davantage Miss Halcombe, la fille aînée de Mrs Fairlie, qui, avec ses yeux noirs et sa chevelure sombre, m'évoqua fortement sa mère. Au cours de la soirée, Miss Fairlie se mit au piano, mais joua-t-elle aussi bien que d'habitude ? Tout en l'écoutant, nous fîmes une ou deux parties de cartes. Ma première rencontre avec Mr Hartright m'avait fait bonne impression, mais je ne tardai pas à m'apercevoir qu'il lui manquait ce qui fait toujours défaut à la jeunesse. Il est trois choses que les jeunes hommes de la nouvelle génération sont incapables de faire : apprécier le bon vin, jouer au whist et tourner avec tout l'art requis un compliment à une dame. A part cela, je le trouvai plein de modestie et appréciai dès ce premier moment ses manières de gentleman.

Ainsi s'écoula la journée du vendredi. Je ne dirai rien des questions sérieuses qui retinrent mon attention ce jour-là, la lettre anonyme adressée à Miss Fairlie, les mesures que je crus bon de prendre quand on me rapporta l'affaire, et la conviction que j'en tirai que toute la chose trouverait une explication avec l'arrivée de sir Percival Glyde ; tout cela, en effet, a, me semble-t-il, été parfaitement établi par le récit qui précède le mien.

Le samedi, lorsque je descendis pour le petit déjeuner, Mr Hartright était parti. Miss Fairlie garda la chambre toute la journée et Miss Halcombe me sembla moins bien disposée que d'ordinaire. La maison n'était plus ce qu'elle était du temps de Mr et Mrs Philip Fairlie. Après le déjeuner, je me promenai seul aux alentours de la propriété et je revis certains endroits que je connaissais depuis plus de trente ans. Eux aussi avaient changé.

A deux heures, Mr Fairlie me fit dire qu'il pouvait me recevoir. Lui, du moins, était tel que je l'avais toujours connu. Sa conversation roula sur les mêmes sempiternels sujets : sa santé, ses merveilleuses pièces de monnaie et ses extraordinaires eaux-fortes de Rembrandt. Dès que j'essayai de lui parler du but de ma visite, il ferma les yeux, déclarant que ce sujet l'éreintait. Je revins à la charge à plusieurs reprises, mais tout ce que je pus en tirer, c'est qu'il considérait le mariage de sa nièce comme une chose faite : le père de Laura avait approuvé cette union, lui-même l'approuvait également. Ce mariage était une bonne chose et il se réjouirait quand tout serait conclu. Quant aux clauses du contrat de mariage, il me demandait de consulter sa nièce, de me plonger comme je l'entendais dans les affaires de la famille afin de tout régler, pour limiter son rôle de tuteur à dire « Oui » au moment voulu. Il s'empressa de m'informer qu'il me donnait sa bénédiction pour tout mener. Eût-il pu agir autrement, lui qui était toujours souffrant et devait rester enfermé dans sa chambre ? Alors, pourquoi venait-on l'importuner ?

Son indifférence eût sans doute pu m'étonner quelque peu, n'eût été ma connaissance de la famille ; après tout, Mr Fairlie était un célibataire qui n'avait qu'un intérêt viager sur la propriété de Limmeridge House. En conséquence, je ne fus ni surpris ni déçu du résultat de notre entretien.

Le dimanche fut morne, à l'extérieur comme à l'intérieur de la maison. Je reçus une lettre de l'avocat de sir Percival m'accusant réception de la copie de la lettre anonyme et de la note que j'y avais jointe. Miss Fairlie nous rejoignit dans l'après-midi, la mine pâle et défaite. Je risquai une légère allusion à l'arrivée prochaine de sir Percival, mais elle me regarda d'un air si mélancolique, sans répondre, que je me demandai si elle ne se repentait pas de ses fiançailles, comme le font souvent les jeunes filles, quand il est trop tard pour regretter.

Le lundi, sir Percival Glyde arriva.

C'était un homme charmant, paraissant plus que son âge à cause de sa calvitie naissante et de son visage buriné par le temps ; mais son allure était celle d'un jeune homme. Sa rencontre avec Miss Halcombe fut cordiale et sans affectation ; ma présence lui parut si naturelle que nous devînmes rapidement bons amis. Miss Fairlie arriva quelques instants plus tard. Sir Percival l'accueillit avec élégance et galanterie. Le changement qu'il ne manqua pas d'observer en elle suscita chez lui un regain de tendresse et de respect qu'il s'empressa de lui témoigner, ce qui ne faisait que plaider en faveur de sa bonne éducation et de sa sensibilité. Je fus donc plutôt surpris de constater que Miss Fairlie restait sur sa réserve ; elle semblait mal à l'aise en sa présence et saisit la première occasion pour quitter la pièce. Sir Percival feignit de ne pas s'en apercevoir et ne fit aucune remarque à ce propos ; son tact, d'ailleurs, ne fut jamais pris en défaut durant les quelques jours que je passai en sa compagnie à Limmeridge House.

Dès que Miss Fairlie nous eut quittés, il nous épargna tout embarras au sujet de la lettre anonyme en nous en parlant le premier. Étant passé à Londres en venant du Hampshire, il avait vu son avocat qui l'avait mis au courant de l'affaire, et il avait hâte de nous rassurer.

Le voyant dans de telles dispositions, je lui proposai de jeter un œil sur le document original, proposition qu'il déclina d'un air digne, disant que la copie lui suffisait et qu'il ne souhaitait en aucun cas nous priver de la véritable lettre.

Ses explications furent aussi satisfaisantes que je l'avais prévu.

Il avait des obligations envers Mrs Catherick, celle-ci ayant rendu autrefois des services à sa famille et à lui-même. Elle avait été doublement malheureuse en épousant un homme qui l'avait abandonnée avec une petite fille dont les facultés mentales s'étaient révélées anormales dès l'enfance. Quoique son mariage l'eût éloignée de la propriété de sir Percival, celui-ci s'était fait un devoir de ne pas la perdre de vue, la sympathie qu'il vouait à la pauvre femme après ce qu'elle avait pu faire pour sa famille s'étant grandement renforcée à la vue de la patience et du courage avec lesquels elle supportait ses malheurs. Les symptômes de folie augmentant chez sa fille et Mrs Catherick répugnant, en tant que personne occupant une place respectable dans la société, à mettre celle-ci dans un asile public, sir Percival, sensible à ses réticences et souhaitant témoigner sa reconnaissance à cette femme, l'avait placée dans un asile privé d'excellente réputation en prenant à sa charge tous les frais que cela impliquait. Malheureusement, la pauvre créature, ayant appris la part qu'il avait prise dans son internement, lui avait voué une haine féroce. C'est cette haine qui, après s'être déjà manifestée à l'asile au cours de plusieurs épisodes regrettables, avait sans nul doute été à l'origine de la lettre anonyme. Si Miss Halcombe ou Mr Gilmore avaient encore des doutes à ce sujet ou s'ils souhaitaient de plus amples renseignements concernant l'asile (dont il s'empressa de donner le nom ainsi que ceux des deux médecins qui y officiaient), il était prêt à répondre à toutes leurs questions afin de dissiper la moindre équivoque. Il avait fait une fois de plus son devoir envers cette jeune femme en ordonnant à son avocat de ne rien épargner pour la retrouver et pour la remettre entre les mains des médecins. Il espérait que Miss Fairlie et sa famille seraient satisfaites de ces explications.

Je fus le premier à répondre. Je savais ce que j'avais à dire. Le droit, et c'est sa grande beauté, peut mettre en cause tout témoignage humain, quelles que soient les circonstances qui l'entourent ou la forme qu'il prend. Si je m'étais senti obligé, par devoir professionnel, de m'élever contre sir Percival Glyde, j'eusse pu le faire, sans l'ombre d'un doute. Mais ma tâche ne me portait pas à cela. Mon rôle était de me comporter en juge. Il me fallait apprécier les explications que nous venions d'entendre, en prenant bien en compte la réputation au-dessus de tout soupçon du gentleman qui venait de nous les fournir, pour décider en mon âme et conscience si les apparences, d'après ce que nous en avait lui-même dit sir Percival, étaient pour lui ou contre lui. Ma conviction était qu'elles étaient entièrement pour lui et, en conséquence, je déclarai que ses explications me satisfaisaient pleinement.

Après m'avoir regardé gravement, avec attention, Miss Halcombe marqua une hésitation que rien ne justifiait à mes yeux avant de se ranger à mon avis. Sir Percival remarqua-t-il cette hésitation ? Sans doute, car il poursuivit :

– Puisque mes affirmations satisfont pleinement Mr Gilmore, et comme il croit en ma parole, je pourrais considérer l'incident comme clos, mais ma situation vis-à-vis d'une dame est toute différente. A elle je dois ce que je n'accorderais à aucun homme, une preuve de la véracité de ce que j'avance. Comme vous pouvez difficilement me la demander, Miss Halcombe, il est de mon devoir de vous la donner et, surtout, de la donner à Miss Fairlie. Puis-je vous prier d'écrire à Mrs Catherick, la mère de cette infortunée, afin de lui demander son témoignage ?

Miss Halcombe changea de couleur et se troubla, car la proposition de sir Percival semblait une réponse directe à son hésitation.

– J'espère, sir Percival, que vous ne me faites pas l'injure de penser que je ne vous crois pas ?

– Certainement non, Miss Halcombe. Si je vous propose cela, c'est par égard pour vous. M'excuserez-vous si j'insiste ?

Ce disant, il se dirigea vers la table où se trouvait l'écritoire et l'ouvrit :

– Je vous demande d'écrire ce mot également pour me faire plaisir. Cela ne vous prendra que quelques minutes. Vous n'avez que deux questions à poser à Mrs Catherick. Demandez-lui si sa fille a été placée dans un asile avec son assentiment, puis si mon intervention mérite sa gratitude ou non. Je sais que Mr Gilmore est rassuré et que vous l'êtes aussi, mais permettez qu'à mon tour je sois parfaitement tranquille une fois que cette note sera rédigée.

– Vous m'obligez à accepter votre requête, sir Percival, alors que j'aurais préféré la refuser, répondit Miss Halcombe en se dirigeant vers la table.

Sir Percival la remercia en lui tendant la plume et il s'approcha de l'âtre. Le petit lévrier de Miss Fairlie dormait paisiblement devant le foyer et sir Percival tendit la main pour le caresser.

– Ici, Nina. Tu te souviens de moi, n'est-ce pas ?

Mais l'animal, craintif et boudeur comme le sont tous les animaux domestiques, lui jeta un regard perçant, eut un mouvement de recul et, après s'être ébroué avec un gémissement, alla se blottir sous un canapé. Je ne crois pas que sir Percival soit homme à se laisser impressionner par l'accueil que lui font les bêtes ; cependant, son front s'obscurcit et il se dirigea vers la fenêtre d'un air maussade. Serait-il irritable ? Si oui, il a toute ma sympathie, car je le suis également.

Miss Halcombe eut bientôt terminé la lettre qu'elle tendit à sir Percival. Il la prit en s'inclinant et la ferma sans la lire. Il écrivit ensuite l'adresse et la lui rendit. Tout ceci fut accompli avec une élégance que j'ai rarement vue dans ma vie.

– Vous insistez pour que je mette moi-même ce pli à la poste, sir Percival ? demanda Miss Halcombe.

– Je vous en prie. Et maintenant qu'il est fermé, permettez-moi de vous poser quelques questions. Mon avocat m'a expliqué comment l'auteur de la lettre anonyme a été identifié. Mais il y a certains détails que j'ignore encore. Par exemple, Anne Catherick a-t-elle rencontré Miss Fairlie ?

– Certainement pas !

– Vous a-t-elle vue ?

– Pas davantage.

– Elle n'a donc rencontré personne de la maison, sinon un certain Mr Hartright, qui l'a vue par hasard dans le cimetière ?

– Personne d'autre.

– Ce Mr Hartright, à ce que j'ai cru comprendre, était engagé comme professeur de dessin à Limmeridge House. Fait-il partie d'une société d'aquarellistes ?

– Je suppose.

Il se tut quelques instants, comme s'il méditait cette dernière réponse, puis ajouta :

– Avez-vous découvert où logeait Anne Catherick, durant son séjour dans les environs ?

– Oui, dans une ferme de Mr Fairlie, appelée Todd's Corner.

– Nous devons tout faire pour la retrouver, déclara-t-il. J'irai aux renseignements. Pendant ce temps, dans la mesure où je ne me permettrais pas d'aborder ce pénible sujet avec Miss Fairlie, puis-je compter sur vous, Miss Halcombe, pour lui rendre compte de notre conversation, lorsque la réponse de Mrs Catherick vous sera parvenue ?

Miss Halcombe acquiesça. Lorsque sir Percival se leva pour nous quitter et monter à sa chambre, le lévrier italien sortit de sa cachette et gronda en aboyant derrière lui.

– Une bonne chose de faite, Miss Halcombe, dis-je quand nous fûmes seuls. Voilà une grosse inquiétude apaisée, n'est-ce pas ?

– Oui ! répondit-elle, sans doute. Je suis très contente que vous soyez entièrement convaincu de sa sincérité, monsieur Gilmore.

– Moi ? Mais certainement ! Et je suppose qu'avec la lettre que vous tenez en main, vous l'êtes tout autant.

– Oh oui ! Comment pourrait-il en être autrement ? J'aurais cependant souhaité que Walter Hartright fût resté ici pour assister à cette explication !

Je fus surpris – peut-être légèrement vexé – par ces derniers mots.

– Je sais que Mr Hartright a été intimement mêlé à l'histoire de cette lettre, répondis-je, mais je ne vois pas ce que sa présence aurait pu changer à votre opinion ou à la mienne, au sujet des explications données par sir Percival.

– C'est peut-être un caprice de ma part, répondit-elle, l'air absent. N'en parlons plus. Votre expérience est sans nul doute notre meilleur guide.

J'avoue que je n'aimais pas beaucoup cette façon de me faire endosser toute la responsabilité. De la part de Mr Fairlie, c'eût été compréhensible, mais Miss Halcombe, avec son esprit résolu et clairvoyant, était la dernière personne de qui je me fusse attendu à pareille faiblesse.

– Si vous avez encore quelque crainte, repris-je, pourquoi ne pas me le dire tout de suite ? Avez-vous une raison sérieuse pour vous défier de sir Percival ?

– Aucune.

– Voyez-vous quelque chose d'improbable ou de contradictoire dans ses explications ?

– Comment pourrais-je le penser après le geste qu'il a eu ? Puis-je avoir un meilleur témoignage en sa faveur, Mr Gilmore, que celui de cette femme ?

– Je ne le crois pas. Si la réponse à votre lettre se révèle satisfaisante, je ne vois pas ce que l'on peut demander de plus à sir Percival.

– Alors, je vais mettre cette lettre à la poste et nous attendrons la réponse de Mrs Catherick. N'attachez aucune importance à mes hésitations, monsieur Gilmore. J'ai été très inquiète pour Laura ces derniers temps et l'anxiété ébranle les plus forts d'entre nous.

Sa voix naturellement si ferme tremblait un peu lorsqu'elle quitta la pièce. C'était une nature intelligente et passionnée, une femme à la cheville de laquelle peu d'autres personnes de son sexe arrivaient, en cette époque de superficialité. Moi, qui la connaissais depuis son enfance, je l'avais vue affronter maintes crises familiales, et les réticences qu'elle montrait, et dont je ne me serais soucié chez nulle autre femme, me tracassaient. J'étais troublé de la voir mal à l'aise alors que rien à mes yeux ne le justifiait. Plus jeune, j'aurais été irrité de me laisser à ce point influencer. Mais à mon âge, on prend les choses autrement : je sortis faire un tour de jardin pour me changer les idées.

II

Nous nous retrouvâmes tous à l'heure du dîner.

Sir Percival se montra d'une telle gaieté tapageuse que j'eus de la peine à reconnaître l'homme distingué, raffiné et délicat qui m'avait fait si forte impression le matin. Ce dernier ne réapparaissait que lorsqu'il s'adressait à Miss Fairlie qui, d'un seul mot, d'un seul regard, arrêtait toute cette exubérance ; alors il semblait concentrer toute son attention sur elle, comme si les autres convives n'existaient plus. Bien qu'il ne tentât jamais de l'amener malgré elle dans la conversation, il ne perdait pas une occasion, si elle la lui offrait, de la laisser s'exprimer et de lui témoigner alors les égards qu'elle méritait. A ma grande surprise, la jeune fille paraissait y être fort sensible sans pour autant en être profondément touchée. Elle se troublait peut-être de temps à autre lorsqu'il la regardait ou lui adressait la parole ; mais jamais elle ne se tournait vers lui pour l'encourager. Situation sociale, fortune, éducation, bonnes manières, le respect d'un gentleman et la dévotion d'un cœur aimant, tout cela lui était humblement offert mais, en apparence du moins, offert en vain.

Le lendemain, mardi, sir Percival se fit accompagner à Todd's Corner par l'un des domestiques, mais sans succès, comme je l'appris par la suite. Il eut ensuite une entrevue avec Mr Fairlie, puis, dans l'après-midi, il monta à cheval avec Miss Halcombe. Rien d'autre n'arriva que je doive mentionner ici. La soirée se passa paisiblement. Sir Percival et Miss Fairlie semblaient l'un et l'autre très calmes.

Le courrier du mercredi apporta la réponse de Mrs Catherick, dont voici la copie exacte :

Madame,

J'ai bien reçu votre lettre me demandant si ma fille Anne avait été placée sous surveillance médicale avec mon assentiment, et si le rôle joué par sir Percival Glyde méritait ma gratitude. Sachez que ma réponse aux deux questions est affirmative, et croyez que je reste votre servante,

Jane Anne CATHERICK.

Succincte, directe et précise, une lettre d'homme d'affaires plutôt que de femme ; mais elle apportait le témoignage que nous désirions. C'est ce que je déclarai et, à quelques réserves près, Miss Halcombe fut de mon avis. Quand on lui montra la lettre, sir Percival ne parut pas frappé de sa brièveté. Il nous dit que Mrs Catherick était une femme intelligente, honnête, franche, mais qui parlait peu et écrivait comme elle parlait.

Il restait maintenant à mettre Miss Fairlie au courant de l'explication de sir Percival. Miss Halcombe s'apprêtait à le faire et avait déjà quitté la pièce pour monter chez sa sœur quand elle se ravisa et revint s'asseoir à côté du fauteuil où j'étais en train de lire mon journal. Sir Percival venait de sortir pour aller aux écuries, et nous étions seuls dans la pièce.

– Je suppose que nous avons réellement fait tout ce qui était en notre pouvoir, monsieur Gilmore ? me demanda-t-elle avec anxiété.

– Si nous considérons que nous sommes des amis de sir Percival, et que de ce fait nous lui accordons toute notre confiance, nous avons fait plus qu'il ne fallait, répondis-je, ennuyé de voir réapparaître chez elle le même doute. Mais si nous sommes des ennemis et que nous les suspections…

– Il n'est pas question de cela ! coupa-t-elle. Nous sommes les amis de sir Percival, et si nous savons nous montrer un tant soit peu généreux et magnanimes je crois que nous devons également être de ses admirateurs. Vous savez qu'il a vu Mr Fairlie hier, et qu'il s'est ensuite promené avec moi ?

– Oui, je vous ai vus partir à cheval.

– Nous avons parlé d'Anne Catherick et de la façon singulière dont Mr Hartright fit sa connaissance. Mais sir Percival a rapidement laissé tomber ce sujet pour évoquer, dans les termes les plus altruistes qui soient, ses fiançailles avec Laura. Il m'a dit avoir remarqué un changement dans son attitude envers lui, changement qu'il imputait à son état de santé. Toutefois, s'il s'agissait d'une autre raison, il a supplié que ni Mr Fairlie ni moi-même ne fassions pression sur les sentiments de ma sœur. Il ne demande qu'une chose en un cas pareil, c'est que Laura se souvienne des circonstances dans lesquelles leurs fiançailles ont eu lieu et de la conduite qu'il a toujours eue envers elle. Si, après mûre réflexion, elle désire réellement qu'il renonce à l'honneur de devenir son mari, il se sacrifiera et lui rendra sa parole.

– Aucun homme ne peut être plus correct, Miss Halcombe ! m'écriai-je, et peu d'hommes en feraient autant.

Elle me regarda avec une expression où se mêlaient la perplexité et le désarroi.

– Je n'accuse personne et je ne soupçonne rien ! déclara-t-elle brusquement. Mais je ne puis et ne veux accepter la responsabilité de convaincre Laura.

– Mais c'est précisément ce que sir Percival vous a demandé, répondis-je étonné. Il vous a priée de ne pas forcer ses sentiments.

– Et il m'oblige indirectement à le faire, si je répète son message.

– Comment cela ?

– Vous connaissez Laura, monsieur Gilmore. Si je fais allusion aux circonstances dans lesquelles ses fiançailles ont été conclues, je fais appel aux deux sentiments les plus forts chez elles : son amour pour son père et sa propre loyauté. Vous savez comme moi que jamais elle n'a manqué à la parole donnée ; et vous savez qu'elle s'est fiancée au moment où son père commençait à souffrir de la maladie qui devait l'emporter. Et n'oubliez surtout pas que Mr Fairlie, sur son lit de mort, a encore dit tout l'espoir qu'il plaçait dans ce mariage.

– J'avoue n'avoir pas songé à cela. Voulez-vous dire qu'en vous parlant de la sorte sir Percival avait l'intention de spéculer sur ce résultat ?

– Croyez-vous que je supporterais une heure de plus la compagnie d'un homme que je soupçonnerais d'une telle bassesse ? demanda-t-elle avec colère.

Pour moi qui, dans mon métier, suis confronté à tant de duplicité et de ruse, sa franche indignation m'était un réel soulagement.

– Dans ce cas, repris-je avec calme, permettez-moi de vous dire que, pour employer notre jargon juridique, vous n'avez pas à faire de la rétention d'informations. Sir Percival a le droit de demander que votre sœur examine sérieusement son engagement sous tous les angles, avant d'en demander la rupture. Si cette lettre anonyme lui a fait du tort dans l'estime de Laura, allez tout de suite lui expliquer comment il s'est blanchi à vos yeux et aux miens. Que peut-elle encore trouver contre lui après cela ? Quelle excuse peut-elle invoquer pour changer de sentiments envers un homme qu'elle a librement accepté, il y a deux ans ?

– Aux yeux de la loi et de la raison, aucune excuse, monsieur Gilmore, je l'admets. Si elle hésite et… si j'hésite aussi, vous devez attribuer notre étrange conduite à un caprice.

Après avoir dit ces mots, elle se leva et sortit. Lorsqu'une femme évite une question directe par une réponse évasive, c'est le signe certain, dans neuf cas sur dix, qu'elle a quelque chose à cacher. Je me replongeai dans la lecture de mon journal avec la conviction que Miss Fairlie et Miss Halcombe avaient un secret qu'elles cachaient à sir Percival et qu'elles me cachaient. C'était une idée fort déplaisante, surtout pour ce qui concernait sir Percival.

Mes soupçons – pour tout dire, mes certitudes – furent d'ailleurs confirmés dès le lendemain par l'attitude de Miss Halcombe. Elle se montra étrangement succincte et vague dans la manière dont elle me rapporta la conversation qu'elle avait eue avec sa sœur. A ce qu'elle m'en dit, Laura avait écouté avec calme l'histoire de la lettre, mais lorsque Miss Halcombe lui avait dit que le but réel de la visite de sir Percival était de fixer la date du mariage, elle avait mis un terme à la discussion en demandant qu'on lui laissât encore un peu de temps. Si sir Percival n'y voyait pas d'inconvénient, elle s'engageait à lui donner une réponse définitive avant la fin de l'année. Elle semblait si nerveuse en faisant cette requête que Miss Halcombe avait promis d'user, s'il le fallait, de toute son influence pour lui obtenir ce délai; et la question en resta là.

Cet arrangement convenait peut-être à la jeune fille, mais il était quelque peu problématique pour l'auteur de ces lignes. Le courrier du matin m'avait apporté une lettre de mon associé m'obligeant à retourner à Londres dès le lendemain par le train de l'après-midi, et il était peu probable que j'eusse une nouvelle occasion de revenir à Limmeridge House avant l'année suivante.

Dans ce cas, et en supposant que Miss Fairlie finalement ne rompît point ses fiançailles, l'entretien qu'il me fallait avoir avec elle afin de rédiger le contrat de mariage ne pourrait avoir lieu, et nous serions contraints de régler par écrit des questions sur lesquelles il est de la plus haute importance de pouvoir s'entretenir de vive voix. Je ne parlai pas de cette difficulté avant que l'on eût consulté sir Percival au sujet du délai que demandait la jeune fille. C'était un gentleman trop galant pour ne pas immédiatement accepter. Lorsque Miss Halcombe vint m'en informer, je la priai aussitôt de me ménager avec sa sœur une courte entrevue en tête-à-tête le lendemain. Miss Fairlie ne descendit pas pour le dîner et nous ne la vîmes pas de toute la soirée. Elle ne se sentait pas très bien, nous fit-on savoir, et j'eus l'impression que sir Percival, pour autant qu'il laissât paraître ses sentiments, était assez contrarié de cette nouvelle.

Le lendemain, après le petit déjeuner, je montai dans le boudoir de Miss Fairlie. Je la trouvai si pâle et si déprimée que ma résolution de la blâmer de son indécision tomba immédiatement. Son petit lévrier boudeur se trouvait dans la pièce et je m'attendais à être accueilli par un concert de grognements, mais assez étrangement l'animal capricieux sauta sur mes genoux et glissa son museau dans ma main dès que je me fus assis.

– Vous aviez l'habitude de vous asseoir sur mes genoux lorsque vous étiez enfant, ma chère ; on dirait qu'aujourd'hui c'est votre petite bête qui s'apprête à prendre la succession. C'est vous qui avez peint cette ravissante aquarelle ?

Je lui désignais sur la table un album de croquis qu'elle feuilletait au moment où j'étais entré. La page à laquelle il était ouvert représentait un paysage. Ma question était sans importance, mais comment eussé-je pu lui parler brutalement des graves questions qui m'amenaient ?

– Non, ce n'est pas mon œuvre, répondit-elle en détournant la tête.

Depuis qu'elle était enfant, elle avait l'habitude, quand on lui parlait, de jouer nerveusement avec tout ce qui se trouvait à sa portée. Ce jour-là, c'était la petite aquarelle qui attirait ses doigts, de façon irrésistible, sans qu'elle lui jetât un seul coup d'œil, pas plus qu'elle ne se résolvait à poser les yeux sur moi. De plus en plus triste, elle promenait ses regards tout autour d'elle dans la chambre, et je compris qu'elle se doutait du but de ma visite. Je lui parlai sans plus tarder :

– L'une des raisons qui m'amènent près de vous est de vous faire mes adieux. Je dois retourner aujourd'hui à Londres et, avant de partir, je voulais vous dire un mot au sujet de vos affaires.

– Je suis désolée que vous partiez, monsieur Gilmore. Votre présence me rappelle le bon vieux temps.

– J'espère bien pouvoir revenir et vous rendre encore de ces bons souvenirs, mais comme je n'en suis pas certain, je dois prendre mes précautions. Je suis votre conseiller et votre ami et, à ce titre, je puis sans vous froisser vous parler de votre mariage avec sir Percival Glyde, n'est-ce pas ?

Elle enleva brusquement sa main de l'album, comme si celui-ci fût tout à coup devenu brûlant. Les doigts nerveusement emmêlés sur ses genoux, elle baissa les yeux vers le sol avec une expression de grande douleur.

– Est-il absolument nécessaire d'en parler ? me demanda-t-elle en soupirant.

– Cela serait préférable, mon enfant. Disons simplement que vous pouvez vous marier ou bien ne pas le faire. Dans le premier cas, il faut que je prépare votre contrat, et je ne puis le faire, c'est la moindre des courtoisies, sans vous consulter. C'est peut-être la seule occasion pour moi de connaître vos désirs. Supposons donc que vous acceptiez ce mariage, et permettez-moi de vous informer de votre situation présente et de ce qu'elle peut devenir.

Je lui dis à quoi s'élèverait exactement sa fortune, d'abord à sa majorité, ensuite à la mort de son oncle, spécifiant bien ce sur quoi elle ne toucherait qu'une rente et ce qui serait laissé en son entière propriété. Elle m'écouta avec attention, le visage toujours défait et les mains toujours jointes sur les genoux.

– Maintenant, ajoutai-je lorsque j'eus terminé mes explications, dites-moi s'il existe une clause que vous aimeriez y ajouter, avec l'approbation de votre tuteur bien entendu, en attendant votre majorité.

Elle eut un mouvement sur sa chaise, puis me regarda soudainement avec attention.

– Si cela arrive… si je dois…

– Si vous devez vous marier… ajoutai-je pour l'aider.

– Oh ! monsieur Gilmore, empêchez-le de me séparer de Marian… Faites que, légalement, elle soit obligée de vivre avec moi !

En d'autres circonstances, j'eusse peut-être été amusé par cette interprétation toute féminine de ma question et du long développement qui l'avait précédée. Mais le ton sur lequel elle avait prononcé ces dernières paroles m'obligeait à les prendre au sérieux et me remplissait de crainte. Il y avait chez cette enfant un attachement désespéré au passé, qui n'augurait rien de bon pour l'avenir.

– C'est une chose qui peut être établie facilement par un arrangement privé, répondis-je, mais vous avez mal compris ma question. Je parlais de vos biens, de votre fortune. Si, une fois majeure, vous deviez faire un testament, en faveur de qui souhaiteriez-vous le rédiger ?

– Marian a été pour moi une mère et une sœur, répondit-elle, une lueur illuminant soudain ses beaux yeux bleus. Puis-je lui léguer ma fortune, monsieur Gilmore ?

– Certainement, ma chère, mais souvenez-vous que cela fait une très grosse somme. Vous voudriez la lui laisser tout entière ?

Elle hésita. Elle rosit légèrement et sa main se posa de nouveau sur le petit album.

– Non, pas tout entière... Il y a quelqu'un d'autre...

Elle s'arrêta, les joues en feu, ses doigts pianotant dans la marge du cahier à dessins, comme s'ils exécutaient de mémoire l'un de ses morceaux favoris.

– Vous voulez dire quelque autre membre de la famille ? lui suggérai-je, la voyant embarrassée.

Elle rougit subitement et sa main se referma sur la tranche de l'album.

– Il y a quelqu'un d'autre, poursuivit-elle, feignant de ne pas avoir entendu mes derniers mots, quelqu'un d'autre qui pourrait avoir besoin... d'un petit souvenir... si je puis le lui laisser... Cela ne fera de mal à personne, si je meurs la première...

Elle s'arrêta de nouveau. Aussi soudainement que le rouge lui était monté aux joues, il s'en retira. Sa main lâcha l'album qu'elle écarta en tremblant. Après m'avoir lancé un regard, elle se détourna sur sa chaise. En bougeant elle fit tomber son mouchoir sur le sol ; elle enfouit soudain son visage dans ses mains.

Quelle tristesse de la voir ainsi, dans la fleur de l'âge, si triste et si désemparée ! Moi qui l'avais connue enfant rieuse et insouciante, j'en étais chaviré jusqu'au fond de l'âme. J'en oubliai jusqu'aux années qui avaient passé, jusqu'aux positions respectives que nous occupions désormais. Rapprochant ma chaise de la sienne, je ramassai son mouchoir et écartai ses mains de son visage.

– Ne pleurez plus, ma chérie, lui dis-je en essuyant ses larmes comme je le faisais autrefois.

C'était le meilleur moyen de la consoler. Elle posa sa tête sur mon épaule et ébaucha un faible sourire.

– Je suis navrée de m'être laissée aller ! Je n'ai pas été bien portante ces temps derniers, j'ai été faible et nerveuse, et j'ai souvenir d'avoir pleuré sans raison ; il faut m'excuser. Je me sens mieux maintenant ; je peux répondre à vos questions comme il faut.

– Non, non ! ma petite, considérons le sujet comme réglé pour l'instant. Vous m'en avez dit assez pour que je soigne au mieux vos intérêts.

Nous examinerons les détails un autre jour. Laissons là les affaires et parlons d'autre chose.

Après dix minutes de bavardage à propos de choses et d'autres, je la vis reprendre des couleurs. Je me levai alors pour prendre congé.

– Revenez bientôt, monsieur Gilmore ! supplia-t-elle. Si vous voulez bien revenir, je saurai me montrer plus digne des bons sentiments que vous avez pour moi. Revenez, monsieur Gilmore !

Encore le retour au passé – car je représentais pour elle un aspect du passé comme Miss Halcombe en représentait un autre. J'étais infiniment malheureux de voir qu'au printemps de sa vie elle regardait en arrière, exactement comme je le faisais au déclin de la mienne.

– Si je reviens, j'espère vous trouver en meilleure santé et… plus heureuse ! Dieu vous bénisse, mon enfant !

Se jetant à mon cou, elle m'embrassa avec tendresse. Même les hommes de loi ont un cœur, et le mien me faisait un peu mal lorsque je sortis de la chambre.

Notre entretien avait duré une demi-heure à peine, elle ne m'avait pas le moins du monde expliqué ce qui, de toute évidence, la décourageait et l'attristait à la pensée de son mariage, et pourtant elle avait réussi à me faire entrer dans ses vues – comment et pourquoi, je l'ignorais. J'étais monté chez elle persuadé que sir Percival avait de justes raisons de se plaindre de l'attitude qu'elle prenait envers lui. J'en redescendais en espérant secrètement que tout cela finirait par une rupture. A mon âge et vu mon expérience, j'aurais peut-être dû être plus ferme sur mes positions. J'étais sans excuse ; je ne peux que dire la vérité : j'avais bel et bien changé d'avis.

Mon départ approchait. Je fis savoir à Mr Fairlie que j'étais prêt à aller lui faire mes adieux s'il le désirait, mais qu'il devrait m'excuser, car j'étais excessivement pressé. Il m'envoya ce message, écrit au crayon sur un bout de papier :

Amitiés et meilleurs vœux, cher Gilmore ! Toute hâte m'est pénible à un point que je ne saurais dire. Soignez-vous bien. Au revoir.

Avant de quitter la maison, je vis Miss Halcombe seule un moment.

– Avez-vous pu parler à Laura ? demanda-t-elle.

– Oui, mais elle est très faible et très nerveuse. Je suis heureux que vous soyez là pour veiller sur elle.

Les yeux de Miss Halcombe me scrutèrent profondément.

– Vous avez changé d'opinion, n'est-ce pas ? Vous êtes davantage disposé à tenir compte des hésitations de Laura ?

Un homme sensé ne s'engage jamais dans une joute verbale avec une femme sans s'y être préparé, et je me bornai à répondre :

– Tenez-moi au courant de tout. Je ne ferai rien sans avoir reçu de vos nouvelles.

Elle me fixa de nouveau intensément.

– Je voudrais que tout cela finisse bientôt, monsieur Gilmore, et vous aussi, n'est-ce pas ?

Sur ces mots, elle sortit.

Avec politesse, sir Percival m'accompagna jusqu'à la voiture.

– Si vous êtes un jour dans mes parages, n'oubliez pas que je serai ravi de faire avec vous plus ample connaissance, monsieur Gilmore. Les vrais amis de cette famille seront toujours les bienvenus chez moi !

Quel homme charmant, irrésistible, courtois ! Un vrai gentleman, en somme ! Comme je m'éloignais vers la gare, je sentis que je ferais n'importe quoi pour sir Percival Glyde… excepté le contrat de mariage de sa femme !

III

Un semaine s'écoula après mon retour à Londres sans aucune nouvelle de Limmeridge House.

Le huitième jour, je reçus une lettre de Miss Halcombe m'annonçant que sir Percival Glyde avait été définitivement accepté et que, selon ses désirs, le mariage aurait lieu avant la fin de l'année, probablement à la fin de décembre. L'anniversaire de Miss Fairlie n'étant qu'en mars, elle deviendrait donc lady Glyde trois mois avant ses vingt et un ans.

J'eusse dû ne pas être surpris, j'eusse dû ne pas être contrarié. Pourtant, j'éprouvai et surprise et contrariété. Le désappointement que me causait la brièveté de cette lettre s'ajoutant encore à ces pénibles sentiments, je fus bouleversé pour le reste de la journée. Six lignes suffisaient à ma correspondante pour me faire part du mariage, trois de plus pour m'annoncer que sir Percival avait quitté le Cumberland pour regagner sa propriété du Hampshire, deux lignes de conclusion enfin me faisaient savoir que, Laura ayant grand besoin d'un changement d'air et de distractions, elle l'emmenait chez des amis, dans le Yorkshire. La lettre se terminait là, sans un mot d'explication sur ce qui avait amené Miss Fairlie à accepter sir Percival Glyde, moins d'une semaine après notre dernière rencontre.

Je sus plus tard la raison de cette décision. Il ne m'appartient pas d'en rendre compte ici, d'après de simples ouï-dire. Miss Halcombe qui était présente dira dans son récit ce qui se passa exactement. Dans cette attente et avant qu'à mon tour j'abandonne la plume, il me reste à rendre compte du seul épisode concernant le mariage de Miss Fairlie dans lequel je sois directement impliqué, je veux parler du contrat de mariage.

On ne peut comprendre quoi que ce soit à ce document si l'on ne s'attache pas à certains détails concernant la situation financière de la future mariée. Je tâcherai d'être le plus concis et le plus clair possible. C'est une question de la plus haute importance. J'avertis les lecteurs que l'héritage de Miss Fairlie est une des clefs de cette histoire. Afin qu'ils comprennent les récits qui vont suivre, je dois les faire profiter de mes lumières sur le sujet.

Miss Fairlie pouvait donc s'attendre à hériter de deux manières : d'une part, elle pouvait recevoir, à la mort de son oncle, des terres ; d'autre part, elle était vouée à rentrer en possession à sa majorité d'une certaine somme d'argent.

Parlons d'abord des terres.

Le grand-père, en mourant, avait laissé trois fils : Philip, Frederick et Arthur. Philip, l'aîné, héritait du domaine. S'il mourait sans héritier mâle, ce domaine revenait au second frère, Frederick ; si Frederick mourait lui aussi sans garçon, le troisième frère, Arthur, devenait l'héritier en titre.

Il advint que Philip Fairlie mourut en ne laissant qu'une fille, notre Laura, ce qui fit que le domaine passa dans les mains du second frère, Frederick, resté célibataire. Le dernier frère, Arthur, était mort bien avant Philip. Il avait une fille et un fils, lequel se noya à Oxford à dix-huit ans. Laura devenait de ce fait héritière présomptive. A la mort de Frederick, elle hériterait s'il ne laissait pas d'héritier mâle.

Cela revenait donc à dire que la nièce de Frederick Fairlie serait à sa mort sa seule héritière, et qu'elle hériterait, comme l'on s'en souvient, uniquement d'une rente à vie sur la propriété. Si Laura Fairlie mourait vieille fille ou sans enfants, la propriété reviendrait de droit à sa cousine Magdalen, la fille d'Arthur. Si en revanche elle se mariait avec le contrat que je comptais établir pour elle, elle disposerait sa vie durant de l'intégralité de la rente fournie par le domaine (trois mille livres par an). Si elle mourait avant son mari, celui-ci jouirait de ce revenu jusqu'à ce qu'il disparût à son tour, et si elle avait un fils, il serait l'héritier, écartant ainsi Magdalen de la succession. Ainsi, en épousant Miss Fairlie, sir Percival pouvait escompter tirer un double avantage du décès de Mr Frederick Fairlie : d'une part, une rente annuelle de trois mille livres (dont il jouirait avec l'autorisation de sa femme du vivant de celle-ci, et de son plein droit si elle venait à mourir avant lui); d'autre part, un droit de propriété sur Limmeridge pour son fils, s'il avait un fils.

Voilà pour ce qui concerne les terres et le revenu en découlant. Jusque-là, aucune difficulté ne pouvait surgir entre l'avocat de sir Percival et moi-même au sujet du contrat de mariage.

Il nous faut maintenant nous pencher sur l'argent en possession duquel Miss Fairlie rentrerait à sa majorité.

Il s'agissait en réalité d'une petite fortune que son père lui avait léguée par testament et qui s'élevait à vingt mille livres. En outre elle jouissait d'une rente de dix mille livres, rente qui devait revenir après sa mort à sa tante Eleanor, la sœur unique de son père. Pourquoi la tante n'aurait-elle ce legs que si sa nièce mourait avant elle? Pour aider le lecteur à mieux comprendre, je dois ici expliquer la chose.

Mr Philip Fairlie et sa sœur Eleanor étaient restés en excellents termes jusqu'au mariage de la jeune fille. Mais lorsque, ayant déjà atteint un certain âge, elle avait épousé un Italien – un comte italien – du nom de Fosco, Mr Fairlie avait à tel point désapprouvé cette union qu'il n'avait jamais plus voulu voir sa sœur ni entendre parler d'elle, et avait même rayé son nom de son testament. Les autres membres de la famille l'avaient jugé trop dur. Le comte Fosco, quoique peu fortuné, n'était pas un aventurier. Il jouissait d'un revenu personnel modeste mais suffisant, occupait une place enviable dans la société et vivait en Angleterre depuis de nombreuses années. Tout cela, pourtant, ne satisfaisait pas Mr Fairlie. Dans ses manières de penser, il avait un côté « vieille Angleterre » ; il détestait un étranger seulement et simplement parce que c'était un étranger. Il consentit, des années plus tard, essentiellement grâce aux injonctions de Miss Fairlie, à coucher de nouveau sa sœur sur son testament, mais en stipulant que le revenu des dix mille livres reviendrait à Laura Fairlie sa vie durant, et que le capital, si sa tante mourait avant elle, irait à sa cousine Magdalen. Bien entendu, si l'on considérait les âges respectifs de l'une et de l'autre, il y avait peu de chances, dans l'ordre naturel des choses, que Mrs Fosco se vît un jour en possession des dix mille livres ; aussi se vengea-t-elle injustement de son frère en refusant toujours de rencontrer sa nièce et en ne voulant pas croire que c'était grâce à elle que son propre nom figurait comme par le passé sur le testament de Mr Fairlie.

Telle était l'histoire des dix mille livres. Là encore, aucun problème ne pouvait survenir entre les deux parties contractantes ; le revenu serait à la disposition de l'épouse ; le capital, à sa mort, irait soit à sa tante, soit à sa cousine.

Après ces explications préliminaires, j'en viens à présent au nœud de l'affaire, les vingt mille livres.

Miss Fairlie devait entrer en pleine possession de cette somme le jour de ses vingt et un ans, et la façon dont elle en disposerait par la suite dépendait au premier chef de son contrat de mariage. Nul besoin que je mentionne ici le contenu des autres clauses de ce document, réglant des points de formalité. Mais le passage concernant l'argent est trop important pour être passé sous silence. Quelques lignes suffiront.

Mes conditions en la matière étaient les suivantes : la totalité de la somme devait être placée de façon à garantir à la jeune épouse un revenu à vie – puis, à sa mort, à sir Percival –, étant entendu que le capital irait aux enfants issus du mariage. A défaut de descendance directe, l'épouse serait libre de décider par testament à qui reviendrait cette somme. En résumé, si lady Glyde mourait sans enfant, sa demi-sœur Miss Halcombe et toute autre personne, parente ou amie, qu'elle souhaitait faire son héritière entreraient en possession de l'argent à la mort de sir Percival, selon un partage établi par la signataire du testament. Si elle avait des enfants, leurs intérêts devenaient naturellement premiers. Telle était la clause que je rédigeai, et on comprendra qu'elle ne lésait aucune des deux parties.

Eh bien, voyons comment elle fut accueillie du côté du futur époux.

Au moment où je reçus la lettre de Miss Halcombe, j'étais encore plus occupé que d'habitude. Je n'en fis pas moins en sorte de m'atteler au contrat le plus vite possible. Je le rédigeai et l'envoyai à l'avocat de sir Percival pour approbation moins d'une semaine après que Miss Halcombe m'eut informé que le mariage se faisait.

Le document me fut retourné par mon confrère deux jours après. Ses objections, pour la plupart, étaient sans grande importance, jusqu'à ce qu'il en vînt à la clause concernant les vingt mille livres ; il l'avait marquée d'un double trait rouge et avait écrit dans la marge cette brève observation :

Inadmissible. Le capital doit revenir à sir Percival s'il survit à lady Glyde, à l'exclusion de tout autre héritier.

Ce qui revenait à dire que pas un sou de l'héritage de lady Glyde n'irait à Miss Halcombe ni à quiconque, que la somme totale devait glisser dans la poche de son mari, si elle ne laissait pas d'enfant.

Ma réponse fut aussi sèche et brève que possible.

Je maintiens la clause. Sincèrement vôtre.

Je reçus la réponse en moins d'un quart d'heure :

Je maintiens mes remarques à l'encre rouge. Sincèrement vôtre.

Comme l'on dirait aujourd'hui, nous étions « dans l'impasse ». Il ne nous restait plus qu'à en référer, chacun de notre côté, à nos clients respectifs.

Pour ma part, Miss Fairlie n'étant pas encore majeure, cela revenait à m'adresser à Mr Frederick Fairlie, son tuteur. Je lui écrivis, ne me contentant pas d'avancer tous les arguments susceptibles de le convaincre de maintenir cette clause, mais allant jusqu'à lui exposer les basses raisons qui motivaient de l'autre côté son rejet. Ce que j'avais appris de la situation de sir Percival ne me laissait aucun doute sur l'ampleur des dettes qu'il avait contractées et sur le fait que ses revenus étaient en réalité insignifiants, vu la situation élevée qu'il occupait. Sir Percival avait grand besoin d'argent frais, ce qui expliquait pleinement l'opposition que je rencontrais.

La réponse de Mr Fairlie m'arriva par retour du courrier. Elle était vague et d'une légèreté inconcevable.

Le cher Gilmore voudrait-il être assez obligeant pour ne pas ennuyer son ami avec des bagatelles comme une éventualité éloignée ? Est-il probable qu'une jeune femme de vingt et un ans meure avant son mari qui en a quarante-cinq ? et, de plus, meure sans enfants ? D'autre part, est-il possible de sous-estimer à ce point la valeur de la paix et de la tranquillité dans un monde déjà si pénible ? Si ces deux bénédictions peuvent être obtenues en échange d'une babiole comme l'espoir lointain de posséder un jour vingt mille livres, n'est-ce pas une affaire équitable ? Je crois que si. Alors, pourquoi s'y opposer ?

Je jetai la lettre avec dégoût. A ce moment on frappa à la porte, et Mr Merriman, l'avocat de sir Percival, fut introduit. Il existe dans le monde différents types de professionnels, mais je pense que ceux avec lesquels il est le plus difficile de traiter sont ceux qui, sous des dehors joviaux, vous trompent délibérément. Mr Merriman était de cette catégorie.

– Et comment va ce bon monsieur Gilmore ? commença-t-il, tout réjoui de sa propre amabilité. Je suis heureux de vous voir en aussi bonne santé, monsieur. Passant devant votre porte, je me suis décidé à venir vous voir, supposant que vous auriez des nouvelles pour moi. Si nous essayions d'arranger de vive voix notre petite affaire ? Votre client vous a-t-il écrit ?

– Oui, et le vôtre ?

– Mon cher monsieur, je le souhaiterais de tout cœur, je n'aurais plus à prendre une telle responsabilité ; mais il est entêté ou plutôt résolu. « Merriman, m'a-t-il dit il y a une quinzaine de jours, je vous laisse le soin d'arranger tous les détails au mieux de mes intérêts. Ne m'en parlez plus avant que l'histoire soit terminée ! » Impossible d'en tirer davantage. Je vous assure que je suis un homme sensible, monsieur Gilmore, et si cela ne dépendait que de moi, je ne vous aurais jamais envoyé la réponse que je vous ai écrite. Mais, puisque sir Percival s'en est remis à moi pour la défense de ses intérêts, il est de mon devoir d'agir ainsi. J'ai les mains liées, mon cher, absolument liées !

– Alors vous maintenez votre point de vue au sujet de cette clause ?

– Oui, le diable l'emporte ! Je n'ai pas le choix.

S'approchant de l'âtre, il ajouta, en se frottant les mains :

– Et que dit-on de votre côté ?

J'étais confus de le lui avouer et tâchai de gagner du temps en proposant une transaction.

– Vingt mille livres, c'est une grosse somme à abandonner, dis-je.

– C'est vrai. Absolument vrai. On ne peut plus vrai, cher monsieur, fit Merriman.

– Un compromis sauvegardant les intérêts des deux parties effraierait moins mon client, peut-être. Allons, Merriman, tout ceci n'est qu'une affaire de négociations. Dites-moi jusqu'à combien vous réduiriez vos prétentions ?

– Jusqu'à 19 999 livres 19 shillings et 11 pence et 3 farthings [1] ! Ha ! ha ! C'est une bonne petite plaisanterie, n'est-ce pas ?

– Petite, en effet ; elle ne vaut que le farthing pour lequel elle fut faite ! répondis-je avec mépris.

Mais Mr Merriman était enchanté et riait à gorge déployée. Ne me sentant pas d'aussi bonne humeur, je mis un terme à l'entretien.

– Nous sommes vendredi aujourd'hui. Eh bien ! donnez-nous jusqu'à mardi prochain pour vous envoyer une réponse définitive.

– Naturellement. Plus longtemps même, si vous le désirez, cher monsieur.

Et, prenant son chapeau, il ajouta :

– Au fait, vos clients du Cumberland n'ont plus eu de nouvelles de la femme qui a écrit cette lettre anonyme ?

– Aucune. Avez-vous retrouvé sa trace ?

– Pas encore, mais nous ne désespérons pas. Sir Percival soupçonne quelqu'un de la cacher et nous surveillons cette personne de près.

1. Dans l'ancien système de mesure britannique, cette somme équivaut à vingt mille livres moins un quart de penny (soit l'équivalent de quelques centimes…).

– Vous faites allusion à la vieille femme qui l'accompagnait ?

– Oh, pas du tout ! Nous n'avons pas encore mis la main sur cette vieille femme. Il s'agit d'un homme, et nous le tenons à l'œil, ici, à Londres. Nous le soupçonnons même de n'avoir pas été étranger à sa fuite de l'asile. Sir Percival a voulu l'interroger immédiatement ; je l'en ai dissuadé, car cela n'aurait fait que le mettre en garde. « Surveillons-le, et attendons », ai-je dit. Nous verrons ensuite. Une femme dangereuse est en liberté, monsieur Gilmore ; personne ne sait ce qu'elle peut faire à présent. Je vous souhaite le bonjour, monsieur. J'attends le plaisir d'avoir de vos nouvelles, mardi prochain.

Il sourit très courtoisement, et il sortit.

J'avoue avoir été plutôt distrait pendant les derniers instants de l'entretien. J'étais si préoccupé au sujet du contrat de mariage que je ne pouvais porter mon attention ailleurs. Dès que je fus seul, je réfléchis à ce qu'il fallait faire.

En d'autres cas, j'aurais agi selon les ordres qui m'étaient donnés, quelque réticence qu'ils m'inspirassent. Mais il s'agissait de Miss Fairlie pour qui j'avais une profonde affection et une grande admiration – je me souvenais avec gratitude de son père qui avait été le plus généreux des clients et le plus noble des amis. En rédigeant son contrat, j'avais pensé à elle comme à la fille que j'eusse pu avoir si je n'étais pas resté célibataire, et j'étais décidé à ne rien épargner de mes efforts pour préserver ses intérêts. Écrire une seconde fois à son tuteur, il ne fallait pas y songer : c'eût été lui donner une seconde occasion de me répondre à côté de la question. Je devais le voir et lui parler personnellement. Le lendemain était un samedi. Je résolus de prendre un billet pour le Cumberland et d'y traîner mes vieux os, dans l'espoir de le persuader d'adopter une position juste et honorable. Mes chances étaient faibles, bien sûr, mais au moins aurais-je fait alors tout ce qui était en mon pouvoir en faveur de la fille unique de mon meilleur ami, et ma conscience serait en paix.

Le samedi, donc, le temps était magnifique : vent d'ouest et soleil éclatant. Comme je souffrais de nouveau, depuis quelques jours, d'un violent mal de tête – auquel mon médecin, depuis plus de deux ans, m'avait si souvent dit de prendre garde –, je profitai de l'occasion pour faire un peu d'exercice en envoyant mes bagages par voiture, tandis que je marchai jusqu'à la gare d'Euston Square. Alors que j'arrivai dans Holborn, un homme s'approcha de moi. C'était Mr Walter Hartright.

S'il ne m'avait pas salué le premier, je ne l'aurais certainement pas reconnu, tant il avait changé. Son visage était extrêmement pâle, son expression hagarde, et ses mouvements dénotaient une nervosité maladive. Ses habits, d'une parfaite élégance lors de notre première rencontre à Limmeridge House, étaient maintenant à ce point négligés que j'eusse rougi de voir un de mes clercs en porter de semblables.

– Y a-t-il longtemps que vous êtes revenu du Cumberland ? me demanda-t-il. Dans sa dernière lettre, Miss Halcombe me dit que les explications de sir Percival ont été trouvées satisfaisantes. Savez-vous si le mariage aura lieu bientôt, monsieur Gilmore ?

Il parlait tellement vite et avec tant de confusion que j'avais de la peine à le suivre. Quoiqu'il eût eu une intimité passagère avec les habitants de Limmeridge House, je ne voyais pas de quel droit il me faisait ces questions, aussi résolus-je de couper court à la conversation.

– L'avenir vous le dira, monsieur Hartright, répondis-je, et les journaux vous l'apprendront ! Mais, sans vouloir vous offenser, vous paraissez moins bien portant qu'à notre dernière rencontre.

Il baissa les yeux l'espace d'une seconde, ses lèvres eurent une légère contraction, et je me reprochai aussitôt de lui avoir répondu de cette façon.

– Rien ne me donne le droit de vous demander la date de son mariage, monsieur Gilmore, fit-il amèrement, comme s'il avait lu ma pensée. Vous avez raison, je l'apprendrai comme les autres, par les journaux… (Il poursuivit avant que j'eusse eu le temps de lui présenter des excuses.) En effet, je n'ai pas été bien portant ces derniers temps. J'ai besoin de changer d'air et je pars pour l'étranger. Miss Halcombe a bien voulu m'aider de ses bonnes recommandations. C'est évidemment loin d'ici, mais peu m'importent la distance, le pays et le temps que je resterai là-bas.

Tout en parlant, il regardait autour de lui la foule des inconnus qui se pressait, comme s'il pensait que quelqu'un, peut-être, nous surveillait.

– Je vous souhaite bon voyage, dis-je avant d'ajouter, afin de ne pas trop le tenir dans l'ignorance de ce qui se passait chez les Fairlie :

Quant à moi, je pars pour Limmeridge, où j'ai affaire avec Mr Fairlie. Les jeunes filles sont en ce moment chez des amis, dans le Yorkshire.

Ses yeux brillèrent. Allait-il me répondre ? Non. Ses traits se contractèrent encore, il me prit la main, la serra avec force, et disparut dans la foule sans avoir prononcé un mot de plus. Je le connaissais à peine, et pourtant, tandis que je le suivais des yeux, j'éprouvai une sorte de regret. Je connais assez les jeunes hommes pour voir à certains signes extérieurs s'ils vont mal tourner, et je suis navré de devoir dire que, en me dirigeant vers la gare, c'est avec appréhension que je songeais à l'avenir de Mr Hartright.

IV

J'arrivai à Limmeridge House pour le dîner. La maison était déserte et d'un calme oppressant. J'avais cru que Mrs Vesey me tiendrait compagnie en l'absence des deux jeunes filles mais, ayant pris froid, elle gardait la chambre. Les domestiques furent si surpris de me voir arriver qu'ils furent pris d'une agitation frénétique et se mirent à agir en dépit du bon sens. Même le maître d'hôtel, homme d'âge et d'expérience, m'amena une bouteille de porto qui était glacée. Mr Fairlie, à qui j'avais demandé une entrevue, me fit répondre que ma venue subite lui avait donné des palpitations et qu'il me recevrait le lendemain. Le vent souffla avec rage toute la nuit, et l'on entendait d'inquiétants craquements un peu partout dans la maison. Je dormis aussi mal que possible, et c'est de fort mauvaise humeur, le lendemain matin, que je descendis prendre mon petit déjeuner.

A dix heures, je fus introduit chez Mr Fairlie, que je trouvai assis au même endroit que d'habitude, dans la même attitude. Quand j'entrai, son domestique se tenait debout devant lui et lui présentait un imposant volume d'eaux-fortes, aussi large et aussi long que la table de mon bureau. Le malheureux étranger grimaçait sous l'effort, prêt à tout lâcher, tandis que son maître feuilletait avec lenteur les dessins dont il admirait chaque détail caché à la loupe.

– Mon très cher ami ! dit-il nonchalamment à mon entrée. Allez-vous bien ? Comme c'est gentil de venir me voir dans ma solitude ! Cher Gilmore !

Je m'attendais à ce que le domestique fût congédié, mais il n'en fut rien. Il restait debout avec son fardeau, devant Mr Fairlie, assis lui, qui manipulait sa loupe avec délectation.

– Je suis venu vous entretenir d'une question très importante, et je pense, avec tout le respect que je vous dois, qu'il serait préférable que nous soyons seuls.

L'infortuné domestique me jeta un regard de reconnaissance. Mr Fairlie répéta pour lui-même mes trois derniers mots avec un air d'intense étonnement. N'étant pas d'humeur à plaisanter, je décidai de me faire mieux comprendre.

– Vous m'obligeriez en demandant à cet homme de se retirer, fis-je en désignant le domestique.

– Cet homme ? répéta-t-il. Sacré Gilmore ! Qu'allez-vous me parler d'un homme ! Il n'est rien de tel. C'était peut-être un homme il y a une demi-heure, avant de m'avoir présenté mes eaux-fortes, et peut-être le sera-t-il de nouveau dans une demi-heure quand j'en aurai fini. Pour l'heure, il n'est qu'un chevalet. Vous objecteriez, Gilmore, contre la présence d'un chevalet ?

– J'objecte. Pour la troisième fois, Mr Fairlie, j'exige que nous soyons seuls.

Mon ton et mes manières ne lui laissaient pas le choix. Il regarda le domestique en lui désignant une chaise à ses côtés.

– Posez ça là. Et surtout ne perdez pas la page. Alors, cette page, vous me l'avez perdue ou non ? Je suis sûr que vous l'avez perdue ! Et ma sonnette, l'ai-je à portée de main ? Oui ? Alors, que faites-vous encore ici ?

Le domestique sortit. Mr Fairlie se tourna dans son fauteuil. Il avait pris un fin mouchoir de batiste avec lequel il essuyait délicatement sa loupe tout en jetant des regards complaisant vers ses eaux-fortes. Dans ces conditions, il me fallut toute ma volonté pour ne pas perdre mon sang-froid.

– Il m'en a coûté de venir jusqu'ici, dis-je, dans le seul but de servir les intérêts de votre nièce et de votre famille, et je pense avoir mérité en retour quelque attention de votre part.

– Ne faites pas tant de bruit ! s'écria-t-il en fermant les yeux. Ne me fatiguez pas, je vous en prie ! Je n'ai pas assez de forces.

J'étais déterminé cependant à continuer, malgré ses lamentations, pour le bien de Laura Fairlie.

– Mon but est de vous prier de considérer à nouveau votre lettre et de ne pas me forcer à abandonner les droits de votre nièce. Laissez-moi vous expliquer encore la situation, pour la dernière fois.

Mr Fairlie soupira désespérément :

– Vous n'avez pas de cœur, monsieur Gilmore ! Peu importe, allez-y.

Tandis que je développais avec soin mon sujet, il garda les yeux fermés et la tête renversée en arrière. Lorsque j'eus terminé, il les rouvrit et respira ses sels avec un air d'intense soulagement.

– Brave Gilmore ! Comme c'est beau ce que vous faites et comme vous me réconciliez avec l'humanité !

– Donnez une réponse précise à une question précise, monsieur Fairlie. Je vous répète que sir Percival n'a aucun droit à prétendre à plus que le revenu de la fortune de sa femme, et que, si celle-ci meurt sans enfant, l'argent doit retourner à la famille. Si vous restez ferme, sir Percival devra céder – et il doit céder –, sinon il risque d'être accusé de n'épouser Miss Fairlie que pour sa fortune.

– Cher Gilmore ! Comme vous détestez le rang et la noblesse, n'est-ce pas ? Comme vous haïssez sir Percival parce qu'il est baronnet ! Quel radical vous êtes, Gilmore ! Quel radical !

Radical ! Moi qui, toute ma vie, avais défendu les principes conservateurs, c'en était trop ! Mon sang ne fit qu'un tour et je me levai indigné.

– Pour l'amour du Ciel ! Ne faites pas trembler toute la chambre, cria Mr Fairlie. Je n'ai pas voulu vous offenser, très estimé Gilmore. Mes idées sont aussi libérales que les vôtres. Oui, nous faisons une paire de vrais radicaux. Ne vous fâchez pas, je vous prie, je n'ai pas le courage de me disputer avec vous. Changeons de sujet, voulez-vous, et admirez ces merveilleuses eaux-fortes. Laissez-moi vous enseigner la beauté divine de cet art. Allez, allez.

Tandis qu'il marmottait de la sorte, je reprenais mon sang-froid et, méprisant ses impertinences, je poursuivis :

– Vous vous trompez absolument en pensant que je parle avec parti pris contre sir Percival. Je regrette même infiniment la confiance absolue qu'en cette affaire il témoigne à son avocat et qui m'empêche de m'entendre directement avec lui. Ce que je vous ai dit vaudrait pour n'importe quel autre homme dans sa situation, quel que soit son rang.

C'est une question de principe. Prenez l'avis du premier avocat du voisinage, et il vous dira en tant qu'étranger ce que je vous ai dit en tant qu'ami. Il vous dira qu'il est contraire à toutes les règles qu'une femme abandonne toute sa fortune entre les mains de l'homme qu'elle va épouser, et il refusera de donner légalement au mari un intérêt de vingt mille livres sur la mort de sa femme.

– Vraiment, Gilmore ? Mais s'il osait me dire la moitié d'une chose aussi horrible, je vous assure que je le ferais immédiatement mettre à la porte par Louis.

– Vous n'arriverez pas à me décontenancer, monsieur Fairlie... par amitié pour Laura et par respect pour la mémoire de son père... non, vous n'y arriverez pas. Mais avant que je quitte cette chambre, vous prendrez sur vous seul la responsabilité d'un contrat aussi scandaleux !

– Je vous en prie, monsieur Gilmore ! Je vous en prie. Songez donc combien votre temps est précieux, ne le gaspillez pas. Quant à moi, je suis trop faible pour discuter avec vous ! Vous désirez me tracasser, vous tracasser vous-même, tracasser Glyde et tracasser Laura, et tout cela au nom de la dernière chose qui semble devoir jamais arriver ! Non ! cher ami, au nom de la tranquillité et de la paix, définitivement, non !

– Alors, si je vous comprends bien, vous vous en tenez à la décision contenue dans votre lettre ?

– Oui, s'il vous plaît. Je suis ravi que nous nous soyons enfin compris ! Asseyez-vous encore un peu, je vous en prie.

Je me dirigeai vers la porte sans répondre. Avant de sortir, je me retournai encore :

– Quoi qu'il arrive, monsieur, souvenez-vous que je vous ai prévenu ! En tant qu'ami fidèle de la famille, je puis vous le dire : jamais je n'aurais marié ma fille à un homme avec un tel contrat !

– Louis, dit Mr Fairlie au valet de chambre qui entrait, reconduisez monsieur Gilmore et revenez tenir mes eaux-fortes. Veillez à ce qu'on lui serve un bon lunch.

J'étais trop écœuré pour ajouter un mot ; je le quittai. A deux heures de l'après-midi, je pris le train pour Londres.

Le mardi suivant, j'envoyai le contrat remanié qui déshéritait pratiquement les seules personnes à qui Miss Fairlie voulait laisser sa fortune. Si je ne l'avais pas fait, un autre avocat l'eût fait à ma place.

J'en ai fini. Le rôle que j'ai joué dans cette histoire est maintenant terminé. Je passe la plume à quelqu'un d'autre en concluant tristement, pour ma part, par ces paroles que j'ai déjà dites en quittant Limmeridge House : jamais ma fille, si j'en avais eu une, ne se fût mariée avec un contrat de mariage comme celui que je dus établir pour Laura Fairlie.

EXTRAITS DU JOURNAL DE MARIAN HALCOMBE

I

Limmeridge House.

. . . .[1]

8 novembre. – Mr Gilmore nous a quittés ce matin.

L'entretien qu'il a eu avec Laura l'a visiblement étonné et peiné, plus qu'il ne veut l'avouer. Je crains qu'il n'ait deviné la cause réelle de l'état dépressif de Laura et celle de mon anxiété. Cette crainte m'obsédait à tel point que, après le départ de notre vieil ami, au lieu de monter à cheval avec sir Percival, je suis immédiatement montée chez Laura.

Je n'avais pas soupçonné, dans cette douloureuse et lamentable affaire, la profondeur du malheureux attachement qui a germé dans son cœur. J'aurais dû me rendre compte que la délicatesse, la générosité et le sens de l'honneur qui m'avaient fait admirer et estimer le pauvre Hartright étaient précisément les qualités qui devaient conquérir la nature généreuse et sensible de ma sœur. Avant qu'elle m'eût ouvert son cœur, je n'avais pas imaginé à quel point le sentiment neuf qu'elle éprouvait était profondément enraciné en elle. J'ai cru un instant que le temps et l'affection des siens le feraient disparaître, mais

1. Les passages du journal de Miss Halcombe qui ont été supprimés l'ont été parce qu'ils ne contenaient aucune allusion aux événements ou aux personnes dont il est question dans ces pages.

je crains fort maintenant qu'il ne meure qu'avec elle. L'erreur de jugement que j'ai commise dans ce cas me rend moins sûre de moi en toute chose. Je doute de la sincérité de sir Percival, même devant les preuves les meilleures qu'il puisse donner ; j'hésite même à parler à Laura. Ce matin encore, la main prête à ouvrir la porte de sa chambre, je me demandais si j'allais enfin la questionner.

Quand je suis entrée, je l'ai trouvée se promenant de long en large. Elle était manifestement dans un état de grande excitation. Avant que j'aie ouvert les lèvres, elle s'est précipitée vers moi.

– Je désirais tant te voir, Marian ! s'est-elle écriée. Viens t'asseoir à côté de moi. Je ne puis plus supporter tout cela, il faut en finir.

Son visage était en feu et elle parlait d'une voix extraordinairement décidée, cependant que ses mains caressaient tendrement le fatal petit album de croquis. Je le lui ai enlevé doucement et l'ai placé hors de sa vue.

– Dis-moi calmement ce que tu veux faire, ma chérie, lui ai-je dit. Mr Gilmore t'a-t-il parlé ?

– Pas de cela, a-t-elle dit en secouant la tête. Il a été très bon pour moi, Marian, et je suis honteuse d'avouer que j'ai pleuré devant lui. Il était bouleversé ! Mais je suis si malheureuse… je n'ai pas su me maîtriser ! Oui, pour notre salut à tous, je dois avoir le courage d'en finir !

– Le courage de reprendre ta liberté, Laura ?

– Non, a-t-elle fait simplement, le courage de dire la vérité.

Mettant ses bras autour de mon cou, elle a laissé tomber la tête sur mon épaule et son regard s'est posé longuement sur le portrait de son père.

– Je ne pourrai jamais reprendre ma parole, Marian. Quelle que soit l'issue, elle sera malheureuse pour moi. Tout ce que je puis faire, c'est de ne pas rendre ce malheur pire en y ajoutant la honte d'avoir rompu mes engagements et oublié les paroles de mon père mourant.

– Que comptes-tu faire alors ?

– Dire à sir Percival toute la vérité, afin qu'il me délivre, s'il le désire, non parce que je le lui aurai demandé mais parce qu'il saura tout.

– Qu'entends-tu par tout, chérie ? Il suffira de dire – sir Percival me l'a affirmé lui-même – que vos fiançailles vont à l'encontre de tes désirs.

– Comment pourrais-je dire une chose pareille, alors qu'elles furent consacrées par mon père avec mon consentement ? J'aurais tenu ma promesse, Marian, sans doute sans grande joie mais enfin je l'aurais tenue, si un autre sentiment n'avait pas grandi dans mon cœur, un sentiment qui n'existait pas quand j'ai fait la promesse de devenir la femme de sir Percival.

– Laura ! me suis-je écriée vivement, tu ne vas pas t'abaisser jusqu'à lui faire un tel aveu, n'est-ce pas ?

– Je m'abaisserais encore bien plus, si j'acquérais ma liberté au prix d'une dissimulation.

– Mais il n'a aucun droit de savoir cela !

– Erreur, Marian, erreur ! Je n'ai le droit de tromper personne et surtout pas l'homme qui doit être mon mari et auquel mon père m'a promise ! Tu m'aimes tellement, ma chérie, que tu voudrais que je fasse des choses que tu ne te permettrais pas toi-même. Mieux vaut que sir Percival juge mal ma conduite plutôt que je doive lui mentir d'abord en pensée, puis que je sois assez misérable pour lui cacher ce mensonge au nom de mon intérêt.

Pour la première fois, les rôles étaient renversés, elle était résolue et j'étais hésitante, je ne savais que lui conseiller. J'ai contemplé ce jeune visage pâle, calme et résigné, et j'ai vu dans ses yeux une telle pureté que les objections que j'avais se sont éteintes sur mes lèvres. Je n'ai pu que hocher la tête. A sa place j'aurais réagi comme elle.

– Ne sois pas fâchée contre moi, Marian chérie, a-t-elle supplié, se trompant sur le sens de mon silence.

Pour toute réponse, je l'ai pressée tendrement sur mon cœur, craignant d'éclater en sanglots si je prononçais seulement un mot. Je ne pleure jamais facilement. Mes larmes ressemblent à celles des hommes, des sanglots qui semblent me déchirer en pièces et qui effraient les gens.

– Il y a des jours et des jours que je pense à cela, a-t-elle continué en me caressant les cheveux de ses doigts qui, comme ceux des enfants, ne savent rester en place, malgré tout ce qu'a pu faire Mrs Vesey pour la guérir de cette habitude ; je suis certaine de mon courage parce que ma conscience me donne raison. Je lui parlerai demain… en ta présence. Mais n'aie pas peur, Marian, je ne dirai rien qui puisse te faire honte… et mon cœur sera si soulagé ! Lorsqu'il m'aura entendue, il décidera…

Elle a soupiré et reposé sa tête sur ma poitrine. De sombres pressentiments m'envahissaient, mais ne sachant plus que penser, je lui ai dit que j'agirais comme elle le souhaitait. Elle m'a remerciée, puis nous avons parlé d'autre chose.

Au dîner, Laura nous a rejoints. Elle a paru plus naturelle avec sir Percival que d'habitude. Dans la soirée, elle s'est mise au piano et a joué un nouveau morceau, car jamais, depuis le départ de Hartright, elle n'a repris la partition de Mozart. Elle l'a même fait disparaître du casier à musique, afin que personne ne lui demande de jouer ces mélodies qu'il aimait tant.

Jusqu'au moment de nous retirer, je me suis demandé si oui ou non elle avait l'intention d'avoir ce grave entretien avec sir Percival, mais, en lui souhaitant bonne nuit, elle l'a informé de son désir de lui parler le lendemain matin. Il a changé de couleur à ces mots et j'ai senti sa main qui tremblait quand il m'a dit bonsoir. Il savait à n'en pas douter que les événements du lendemain décideraient de sa vie future.

Comme chaque soir, j'ai franchi la porte de communication qui sépare nos deux chambres pour aller embrasser Laura. En me penchant sur elle, j'ai aperçu un coin de l'album de croquis dépasser de son oreiller, comme ses jouets préférés quand elle était enfant. Je n'ai pas eu le cœur de rien lui dire, mais je l'ai montré du doigt, en secouant tristement la tête. Elle a approché son visage tout près du mien :

– Laisse-le-moi encore cette nuit, a-t-elle supplié ; demain sera sans doute cruel pour moi… et je devrai lui dire adieu pour toujours !

9 novembre. – La lettre du pauvre Walter Hartright, que m'a apportée le courrier du matin, a été loin de me remonter le moral. C'est la réponse à mon courrier l'informant de la manière dont sir Percival s'est expliqué au sujet d'Anne Catherick. Il m'écrit brièvement et plein d'amertume au sujet de ces explications, et me dit simplement qu'il ne se sent pas le droit d'émettre un avis sur la façon dont se conduisent ceux qui lui sont supérieurs. Mais le plus triste touche à ce qu'il me dit de lui-même. En vain il a essayé de reprendre ses occupations d'autrefois, elles lui paraissent plus pénibles de jour en jour ; il me demande instamment de lui trouver une situation l'obligeant à quitter l'Angleterre. Je ne suis que trop décidée à l'aider, après la lecture d'un autre passage de sa lettre qui m'a fortement inquiétée sur son état.

Il me signale qu'il n'a plus jamais entendu parler d'Anne Catherick, puis, brusquement, de la manière la plus étrange, il change de sujet et m'apprend que, depuis qu'il est retourné à Londres, il est sans arrêt suivi et surveillé par des inconnus. Il reconnaît qu'il ne peut porter ses soupçons sur personne en particulier, mais il n'en démord pas. Ma crainte est que son obsession de Laura lui ait fait perdre la tête. Je vais dès aujourd'hui ou demain le recommander à de vieux amis de ma mère qui sont très influents. Dans la crise qu'il traverse, un changement d'air et de perspective ne pourra que lui faire du bien.

A mon grand soulagement, sir Percival n'est pas descendu pour déjeuner. Il s'est excusé en nous faisant savoir qu'il avait déjà bu son café et qu'il lui restait du courrier à faire. Il a fait demander à Miss Fairlie s'il lui convenait de le recevoir à onze heures.

Je n'ai pas quitté Laura des yeux tandis qu'elle prenait connaissance du message. Je l'ai trouvée extraordinairement calme, un calme dont elle ne s'est à aucun moment départie. Même quand nous nous sommes assises sur le sofa de son boudoir pour attendre sir Percival, elle m'a paru parfaitement maîtresse d'elle-même.

– N'aie pas peur pour moi, Marian, m'a-t-elle dit, je puis avoir des faiblesses devant un vieil ami comme Mr Gilmore ou devant toi, ma sœur chérie, mais je n'en aurai pas devant lui.

Je la regardai en silence, car son énergie m'étonnait. Après tant d'années d'intimité, je découvrais cette force intérieure qu'elle avait tenue cachée à tous aussi bien qu'à elle-même, mais que l'amour avait su trouver et que la souffrance aujourd'hui faisait se développer.

A onze heures précises, sir Percival est entré, s'efforçant visiblement de dissimuler son agitation et son inquiétude. Toussant plus qu'à l'ordinaire, il s'est assis en face de nous, près de la table. Laura n'a pas bougé. Je les ai regardés tous les deux ; c'était lui le plus pâle.

Il a prononcé quelques phrases de courtoisie. Mais sa voix tremblait malgré lui et il a dû s'en rendre compte, car il s'est interrompu au milieu d'une phrase, renonçant à tenter plus longtemps de cacher son embarras. Il y a eu un moment de silence avant que Laura prenne la parole.

– Je désire vous entretenir d'un sujet très important pour nous deux, sir Percival, a commencé Laura d'une voix parfaitement calme. Ma sœur est ici pour me donner du courage, mais elle ne m'a pas dicté un seul mot de ce que je vais vous dire. Je voudrais que vous en soyez persuadé avant que je poursuive.

Sir Percival s'est incliné en acquiesçant. Jusqu'alors, elle faisait preuve d'une grande sérénité et d'une parfaite élégance dans ses manières. Ils se sont regardés tous les deux, et il m'a paru qu'ils étaient prêts à tout faire pour se comprendre.

– Marian m'a fait savoir qu'il me suffisait de réclamer la rupture de notre engagement pour retrouver ma liberté. C'est très généreux de votre part, sir Percival. Cette proposition vous fait honneur, comme il me fera honneur, me semble-t-il, de la décliner.

Le visage de sir Percival s'est un peu détendu, mais j'ai remarqué que, sous la table, son pied ne cessait pas de battre silencieusement la mesure, signe que son anxiété n'avait guère diminué.

– Je n'ai pas oublié que vous aviez demandé la permission à mon père avant de m'honorer de votre demande en mariage, a continué Laura. Sans doute n'avez-vous pas oublié ce que j'ai dit en l'acceptant ? Je vous avais dit que l'influence et les conseils de mon père étaient les principales raisons de mon assentiment. Il était mon plus sûr guide, le meilleur des protecteurs, le plus cher des amis. Il n'est plus là aujourd'hui ; je n'ai plus que son souvenir à chérir, mais ma confiance en lui est toujours la même. Je crois à l'instant où je vous parle comme je l'ai toujours cru qu'il savait ce qui était bien pour moi et que je dois faire miens ses vœux et ses espoirs.

Sa voix tremblait légèrement et sa main a saisi la mienne. Après un nouveau silence, ce fut au tour de sir Percival de parler.

– Puis-je vous demander si je me suis jamais montré indigne de la confiance que j'ai le bonheur de posséder ?

– Je n'ai rien à vous reprocher. Vous m'avez toujours traitée avec délicatesse et, ce qui est encore plus important pour moi, vous aviez la confiance de mon père. Vous ne m'avez fourni la matière d'aucune excuse, si j'avais voulu en trouver une, pour vous demander de me rendre ma liberté. Tout ce que je viens de vous dire doit vous montrer à quel point je suis votre obligée. Au regard de cela, au regard de ce que je dois à mon père et des promesses que j'ai faites, je ne puis que considérer qu'il m'est interdit de provoquer la rupture de notre engagement. La rupture ne peut venir que de vous, sir Percival, pas de moi.

Son pied s'est brusquement arrêté de battre et il s'est penché vers nous.

– De moi ? Mais quelle raison puis-je avoir de souhaiter cette rupture ? s'est-il écrié.

La respiration de Laura s'est accélérée et j'ai senti sa main se glacer dans la mienne. Malgré ses serments, je commençais à avoir peur pour elle. J'avais tort.

– Une raison qu'il m'est très difficile de vous avouer. Un changement s'est produit en moi, sir Percival, un changement assez sérieux pour justifier à vos yeux et aux miens la rupture de nos fiançailles.

Sir Percival a blêmi si fort que même ses lèvres sont devenues livides tandis qu'il appuyait sa tête entre ses mains et ne nous laissait voir que son profil.

– Quel changement ? a-t-il demandé d'un ton douloureux.

Laura a soupiré profondément et, se penchant vers moi, elle a appuyé son épaule contre la mienne ; je l'ai sentie trembler et j'ai voulu parler à sa place, mais elle m'a arrêtée d'une pression de la main.

– J'ai entendu dire, a-t-elle repris sans le regarder, et je le crois aussi, que le plus grand amour est celui qu'une femme donne à son mari. Lorsque nous nous sommes fiancés, c'était à moi d'essayer de vous le donner, c'était à vous de le gagner. Mais je dois vous avouer aujourd'hui qu'il n'en est plus ainsi, car mon cœur a changé.

Quelques larmes ont perlé dans ses yeux et ont glissé sur ses joues. Pas un muscle du visage de sir Percival n'avait bougé et il n'a pas prononcé une parole. Ses doigts agrippaient son crâne sans qu'on puisse savoir si c'était de douleur ou de colère. Nul n'aurait pu dire à cet instant, à cet instant précis où se jouaient sa vie et la sienne, quelles secrètes pensées l'habitaient.

Pour l'amour de Laura, je voulais qu'il parle !

– Sir Percival ! me suis-je écriée vivement en perdant mon sang-froid, n'avez-vous rien à dire après que ma sœur vous a fait un aveu qu'aucun homme n'avait le droit d'entendre ?

Ces derniers mots lui offraient une échappatoire, s'il le désirait, et il en a immédiatement tiré avantage.

– Excusez-moi, Miss Halcombe, si je vous fais remarquer que je n'ai nullement réclamé ce privilège.

Les quelques mots qui, d'emblée, lui auraient fait avouer le secret de sa pensée, ces mots étaient déjà sur mes lèvres, quand Laura a repris la parole.

– J'espère n'avoir pas fait cette confession pénible en vain, a-t-elle repris. J'espère qu'elle me garantit votre confiance pour ce que j'ai encore à vous dire ?

– Soyez-en certaine, je vous en prie, fit-il, avec ardeur cette fois.

Il s'était de nouveau tourné vers nous et nous regardait avec pénétration. Quelles qu'aient été ses dernières pensées, il n'en laissait rien paraître.

– Je désire que vous sachiez que je n'ai pas parlé dans un but égoïste, car si vous me quittez après ce que je vous ai avoué, je n'épouserai personne d'autre. Le sentiment qui a grandi dans mon cœur y mourra sans que rien le trahisse. Je suis la seule à savoir... (J'ai vu qu'elle hésitait sur l'expression qu'elle allait employer.) Je suis la seule à savoir et celui dont je vous parle aujourd'hui pour la première et la dernière fois ignore tout de mes sentiments envers lui... et il en sera toujours de même. Il est probable que nous ne nous reverrons plus jamais, lui et moi, en ce bas monde. Je vous supplie de ne pas m'obliger à en dire plus, et de me croire sur parole. Voilà la vérité, sir Percival, la vérité que celui qui est destiné à devenir un jour mon mari avait le droit d'entendre, quoi qu'il m'en coûte. J'en appelle à votre générosité pour me pardonner et à votre sens de l'honneur pour garder mon secret.

– Votre confiance m'est sacrée et votre secret sera gardé ! a-t-il répondu.

Il l'a regardée, prêt, sans doute, à en entendre davantage.

– J'ai dit tout ce que j'avais à dire, a-t-elle ajouté calmement, et plus qu'il n'en faut pour vous excuser de rompre nos fiançailles.

– Vous avez dit plus qu'il n'en fallait pour que le maintien de notre engagement devienne ce qui me tient le plus à cœur, a-t-il répondu avec feu en se levant et en faisant quelques pas vers elle.

Laura a eu un mouvement de recul et a laissé échapper un cri. Chaque mot qu'elle avait prononcé n'avait servi qu'à révéler sa pureté et sa loyauté à un homme qui en mesurait parfaitement le prix. Sa noble conduite se retournait contre elle et venait de trahir tous ses espoirs, ce que je craignais depuis le début. Je l'en aurais empêchée si seulement elle m'en avait laissé la possibilité en poussant un cri. A présent encore, j'attendais le premier mot de sir Percival qui me donnerait l'occasion de redresser la situation.

– Vous m'avez dit que c'était à moi de rompre nos fiançailles, Miss Fairlie, continua ce dernier. Mais j'ai trop de cœur pour abandonner une femme qui s'est révélée être la plus noble, la plus loyale de toutes les femmes !

Il avait parlé avec tant d'ardeur et tant de générosité, et en même tant avec une telle délicatesse, qu'elle a relevé la tête, a rougi légèrement et l'a regardé avec fermeté.

– Non ! Dites plutôt la plus misérable, puisqu'elle doit se donner en mariage à un homme à qui elle ne peut donner son amour !

– Ne pourra-t-elle pas le lui donner un jour, si le seul but de son mari est de le mériter ?

– Jamais ! a répondu Laura avec vivacité. Si vous persistez à maintenir votre engagement, sir Percival, je pourrai être une épouse fidèle et loyale, mais votre femme aimante… jamais !

Elle était tellement belle en prononçant ces mots qu'aucun homme n'aurait résisté. J'aurais voulu blâmer sir Percival, et le lui dire, mais je ne pouvais que le plaindre, malgré moi.

– J'accepte avec gratitude votre fidélité et votre loyauté, a-t-il dit. Si peu que vous m'offriez, c'est encore davantage à mes yeux que tout ce que je pourrais espérer d'aucune autre femme.

Il s'est incliné et, prenant la main de Laura, il l'a effleurée de ses lèvres plus qu'il ne l'a embrassée, puis, me saluant, il est sorti.

Laura est restée le regard fixé sur le plancher sans mot dire. Elle était assise à côté de moi, immobile. J'ai vu qu'il était inutile de parler, et je l'ai simplement prise dans mes bras. Nous sommes restées ainsi, silencieuses, un long moment, jusqu'à ce que je me décide enfin à dire quelque chose.

Le son de ma voix a semblé la ramener à la réalité. Elle s'est soudainement écartée de moi et s'est mise debout.

– Je dois me soumettre, Marian. Ma nouvelle vie comportera de cruels devoirs et… le premier commence aujourd'hui.

Elle s'est dirigée vers sa table de dessin près de la fenêtre et, mettant tout ce qui s'y trouvait dans le tiroir, elle l'a fermé et m'a donné la clef.

– Je dois me séparer de tout ce qui me le rappelle. Mets cette clef où tu veux… je ne la redemanderai jamais.

Puis, allant à la bibliothèque, elle a saisi l'album de croquis de Walter Hartright et l'a pressé contre ses lèvres avec amour.

– Oh, Laura ! Laura ! me suis-je écriée, non pas avec colère, non pas avec reproche, mais la tristesse me gonflant le cœur.

– C'est la dernière fois, Marian. Je lui dis adieu pour toujours !

Déposant le cahier sur la table, elle a enlevé le peigne qui retenait son admirable chevelure. Choisissant une longue mèche, elle l'a coupée et l'a disposée en spirale sur la première page de l'album, qu'elle m'a remis.

– Vous vous écrivez, n'est-ce pas ? Tant que je vivrai, Marian, ne lui dis jamais que je suis malheureuse. Ne le fais pas souffrir, Marian, je t'en supplie, ne le fais pas souffrir. Si je venais à mourir la première, promets-moi que tu lui remettras cet album ; dis-lui alors ce que je n'ai jamais pu lui dire : que je l'aimais !

Elle s'est jetée à mon cou en murmurant avec ferveur ces derniers mots à mon oreille. J'avais le cœur brisé. Après avoir tant pris sur soi, elle se laissait aller à ses émotions. Brusquement, elle s'est écartée de moi pour se jeter sur le sofa, dans un déluge de larmes et de sanglots qui la secouaient des pieds à la tête.

En vain j'ai essayé de la calmer et de la raisonner. Quand enfin ses larmes se sont taries, elle était trop épuisée pour parler. Elle s'est assoupie, et j'en ai profité pour emporter l'album de croquis ; je ne voulais pas qu'elle l'ait sous les yeux en se réveillant. Lorsqu'elle s'est réveillée, mon visage affichait une sérénité que ne connaissait pas mon cœur. Ni l'une ni l'autre nous n'avons plus fait la moindre allusion à l'entretien du matin. Nous n'avons pas prononcé le nom de sir Percival, ni celui de Walter Hartright.

10 novembre. – Ce matin, l'ayant trouvée plus calme et reposée, je me suis hasardée à lui parler de ce qui la fait tant souffrir et l'ai implorée de me laisser parler moi-même à sir Percival et à Mr Fairlie, au sujet de ce triste mariage. Il m'a semblé que je pouvais en la matière faire preuve de plus de fermeté qu'elle, mais elle a gentiment et fermement protesté.

– C'est hier que tout s'est décidé. Aujourd'hui il est trop tard pour revenir en arrière.

Dans l'après-midi, sir Percival m'a reparlé de la conversation de la veille. Il m'a dit que la confiance sans bornes qu'elle lui avait témoignée en la circonstance l'avait convaincu de sa pureté d'esprit et qu'il se sentait incapable d'éprouver la moindre jalousie. Tout en souffrant du fond du cœur de ne pouvoir obtenir de Laura ce qu'elle ne peut lui donner, il est fermement persuadé qu'elle a su taire ses sentiments par le passé, et qu'il en sera toujours de même. Il en a la certitude et la meilleure preuve qu'il peut en donner c'est qu'il n'éprouve pas la moindre curiosité sur la personne qui a suscité ces sentiments ni sur l'époque à laquelle remontent ces derniers. Il a une confiance absolue en Laura, et ce qu'elle a bien voulu lui avouer lui donne un témoignage supplémentaire de sa grande loyauté. Il ne désire pas en apprendre davantage.

Après m'avoir dit tout cela, il m'a regardée. Je ne pouvais m'empêcher – sans doute à tort – de penser qu'il attendait précisément de moi que je réponde impulsivement à la question qu'il disait ne pas vouloir poser, et je m'empressai, légèrement confuse, de détourner la conversation. Dans le même temps, je n'avais pas perdu espoir de pouvoir plaider la cause de Laura, et je lui ai dit franchement qu'il était regrettable que, dans sa générosité, il ne soit pas allé jusqu'à rompre leurs fiançailles.

Là encore il m'a désarmée, car il n'a nullement essayé de se défendre. Il m'a simplement fait remarquer la différence qu'il y avait entre le fait de laisser à Laura la responsabilité de la rupture – ce qui n'était de sa part à lui qu'un simple acte de soumission – et le fait de décider lui-même de cette rupture – ce qui représentait pour lui une manière de suicide moral. L'attitude de Laura, la veille, avait à tel point fortifié son amour déjà si profond au bout de deux années qu'il se sentait absolument incapable d'une décision aussi cruelle. Je devais sans doute, a-t-il ajouté, le trouver faible, égoïste, insensible envers la femme qu'il adorait, et il ne pouvait m'empêcher de le juger ainsi, mais il se permettait de me poser une question : l'avenir de Laura serait-il meilleur si elle restait célibataire, souffrant d'un attachement secret, que si elle épousait l'homme qui aurait baisé le sol sur lequel elle marchait ? Dans ce dernier cas, il fallait laisser le temps faire son œuvre et garder l'espoir, aussi faible soit-il ; dans le premier cas, elle avait elle-même dit qu'aucun espoir n'était permis.

Les femmes veulent toujours avoir le dernier mot. C'est pour cela que je lui ai répondu, plus que parce que j'avais quelque chose d'important à lui dire. Il n'était que trop clair que la conduite de Laura, la veille, lui avait donné un avantage dont il s'était saisi aussitôt. On ne m'ôtera pas cette idée de la tête.

Tout ce qu'on peut encore espérer, c'est qu'en agissant ainsi il obéisse, comme il le prétend, à son irrépressible amour pour Laura.

Avant de refermer ce journal ce soir, je dois encore ajouter que j'ai écrit aujourd'hui à deux anciens amis de ma mère, à Londres, les priant de trouver une situation à l'étranger pour le pauvre Hartright. S'ils le peuvent, je suis sûre qu'ils feront quelque chose pour lui. Walter m'inquiète presque autant que Laura, et les événements qui se sont produits ici depuis son départ n'ont fait que renforcer ma sympathie pour lui. J'espère que je fais bien en voulant l'aider à quitter l'Angleterre ; j'espère, du fond du cœur, que tout ceci finira bien.

11 novembre. – Sir Percival ayant obtenu une entrevue avec Mr Fairlie, ils m'ont priée d'y assister.

J'ai trouvé Mr Fairlie très soulagé à l'idée que nos « soucis familiaux » (comme il se plaît à parler du mariage de sa nièce) sont sur le point d'être réglés. Il ne m'a pas semblé qu'on attendait de moi un avis quelconque sur le sujet, mais quand il a suggéré, avec cette indolence qui le caractérise, que l'on pourrait peut-être en avancer encore la date, si sir Percival n'y voyait pas d'inconvénient, je me suis fait un plaisir de l'énerver en protestant. Sir Percival m'a immédiatement assuré qu'il me comprenait et qu'il n'était pour rien dans cette suggestion. Mr Fairlie s'est enfoncé dans son fauteuil, a fermé les yeux et a déclaré que nous faisions tous deux honneur à la nature humaine ; puis il a répété sa proposition, comme si je n'avais rien dit. J'ai déclaré que je refusais de la soumettre à Laura si elle n'abordait pas elle-même le sujet. Sir Percival avait l'air sérieusement ennuyé. Mr Fairlie a allongé paresseusement les jambes sur son tabouret de velours vert et s'est écrié, tandis que je sortais avec précipitation de la chambre : « Chère Marian ! Comme j'envie votre vitalité ! Mais ne faites pas claquer la porte, je vous en supplie ! »

Je me suis rendue chez Laura. Elle m'avait fait demander, et

Mrs Vesey lui avait dit que j'étais chez Mr Fairlie. Elle voulait savoir pourquoi il m'avait appelée et je lui ai rapporté toute la scène sans lui cacher combien tout cela m'avait navrée. La réponse qu'elle m'a faite était bien la dernière à laquelle je m'attendais.

– Mon oncle n'a pas tort. J'ai causé suffisamment d'ennuis et de désagréments, Marian... Laissons sir Percival décider.

J'ai protesté contre cette abdication totale, mais en vain.

– Je suis tenue par ma parole, chérie, et j'ai rompu avec le passé. Même si je le retarde, le jour fatal devra quand même arriver. Alors, à quoi bon ? Non, Marian, mon oncle a bien raison. J'ai causé suffisamment d'ennuis et de désagréments. Il faut en finir.

Elle qui avait toujours été la souplesse même faisait maintenant preuve d'une obstination passive dans sa résignation – dans son désespoir, devrais-je presque dire. L'aimant comme je l'aime, j'aurai préféré la voir révoltée et nerveuse qu'affichant cette froideur et cette indifférence.

12 novembre. – Au petit déjeuner, ce matin, sir Percival m'a questionnée au sujet de Laura et j'ai été obligée de lui rapporter ce qu'elle m'avait dit.

Tandis que nous causions, elle est entrée, aussi calme et détachée qu'elle m'était apparue hier. Comme on se levait de table, sir Percival a réussi à lui dire quelques mots en particulier, puis, presque aussitôt, il est venu me rejoindre, cependant que Laura accompagnait Mrs Vesey. Il m'a dit qu'il avait prié Miss Fairlie de fixer elle-même la date du mariage, mais qu'elle avait exprimé le désir qu'il en décide seul et qu'il me le fasse savoir.

Je n'ai plus le courage d'écrire. En cette occasion encore, sir Percival est arrivé à ses fins avec presque toutes les apparences en sa faveur ; et Laura, s'étant résignée à ce mariage désespéré, s'entête dans son apparente indifférence. En renonçant à tout ce qui lui rappelait Hartright, elle semble avoir perdu toute sensibilité et toute tendresse. Tandis que j'écris ces lignes il n'est que trois heures, et sir Percival nous a déjà quittées avec l'ardeur d'un futur époux, pressé de préparer l'arrivée de sa jeune femme dans sa demeure du Hampshire. A moins d'un événement extraordinaire, ils seront mariés avant la fin de l'année… exactement comme il l'avait souhaité. Mes doigts me brûlent en l'écrivant !

13 novembre. – Nuit sans sommeil, tant je me tracasse pour Laura. Vers le matin j'ai décidé qu'un changement d'air lui ferait peut-être du bien. Elle ne restera sûrement pas dans cette torpeur atroce si je l'éloigne de Limmeridge et qu'elle se trouve entourée de visages amis. J'ai écrit aux Arnold, dans le Yorkshire, pour leur annoncer notre visite. Ce sont de bons vieux amis, simples et accueillants, que Laura connaît depuis son enfance. Lorsque j'ai eu posté ma lettre, je lui ai fait part de mes projets. J'aurais presque souhaité qu'elle résiste, mais non, elle m'a simplement répondu : « J'irai n'importe où avec toi, Marian. Tu as raison, je pense qu'un changement d'air me fera du bien. »

14 novembre. – J'ai prévenu Mr Gilmore que le mariage était décidé et que j'emmenais Laura dans le Yorkshire pour sa santé. Je n'ai pas eu le cœur de donner plus de détails à notre vieil ami. Il en sera temps encore lorsque la date du mariage approchera.

15 novembre. – Trois lettres pour moi, ce matin. La première des Arnold, ravis à l'idée de nous voir arriver. La seconde d'un des messieurs à qui j'avais écrit au sujet de Walter Hartright ; il me dit avoir trouvé l'occasion de me faire plaisir. Une troisième de Walter lui-même, me remerciant avec effusion de lui avoir procuré le moyen de quitter sa maison, son pays et ses amis. Le dessinateur engagé pour accompagner une expédition archéologique en Amérique centrale s'étant récusé à la dernière minute, Walter le remplace. Son contrat prévoit qu'il restera six mois au moins là-bas, peut-être une année supplémentaire si les fouilles sont fructueuses. Sa lettre se termine par la promesse de m'écrire encore un mot sur le bateau avant son départ de Liverpool. Fasse le Ciel que lui et moi agissions pour le mieux ! J'ai l'impression qu'il franchit là un pas irréversible, ce qui m'angoisse un peu. Mais, malheureux comme il l'est, pouvait-il rester en Angleterre ?

16 novembre. – La voiture est devant la porte. Nous partons aujourd'hui pour le Yorkshire.

. . . .

Polesdean Lodge, Yorkshire.

23 novembre. – La semaine que nous venons de passer, chez ces amis bons et charmants, n'a pas eu sur Laura tous les effets bénéfiques que j'en attendais. Aussi ai-je décidé de prolonger notre séjour ici. Rien ne nous oblige à rentrer à Limmeridge pour le moment.

24 novembre. – Tristes nouvelles au courrier ce matin. L'expédition pour l'Amérique centrale est en route depuis le 21 déjà. Nous nous sommes séparées d'un homme loyal, nous avons perdu un véritable ami… Walter Hartright a quitté l'Angleterre.

25 novembre. – Tristes nouvelles hier, nouvelles sinistres aujourd'hui ! Sir Percival Glyde a écrit à Mr Fairlie et ce dernier nous demande de rentrer d'urgence.

Que signifie tout cela ? Aurait-on fixé la date du mariage en notre absence ?

II

Limmeridge House.

27 novembre. – Mon pressentiment n'était que trop justifié. Le mariage a été fixé au 22 décembre.

Le lendemain de notre départ pour Polesdean Lodge, Mr Fairlie a, semble-t-il, reçu une lettre de sir Percival, où celui-ci lui disait que les réparations et les changements à effectuer dans sa maison du Hampshire prendraient beaucoup plus de temps qu'il ne l'avait cru. Aussi, afin d'avertir les entrepreneurs de la date où les travaux devraient être achevés, il souhaitait savoir exactement quand aurait lieu la cérémonie du mariage. Cela lui permettrait de prendre ses dispositions et aussi de s'excuser auprès de certains amis qu'il avait invités à venir le voir cet hiver, et qu'il lui serait évidemment impossible de recevoir une fois la maison abandonnée aux mains des ouvriers.

En réponse à cette lettre, Mr Fairlie a demandé à sir Percival de proposer lui-même une date à Laura, date que, en tant que tuteur, il engagerait vivement la jeune fille à accepter. Par retour du courrier, sir Percival lui a donc proposé la seconde quinzaine de décembre, le 22, le 24, ou tout autre jour que préféreraient Miss Fairlie et son tuteur. Miss Fairlie n'étant pas là pour donner son avis, son tuteur a opté pour le premier des jours proposés – le 22 décembre –, puis nous a rappelées à Limmeridge.

Après m'avoir donné tous ces détails, lors d'un entretien en tête-à-tête que nous avons eu hier, Mr Fairlie m'a demandé, de sa manière la plus aimable, d'entamer aussitôt les négociations avec Laura. Sentant qu'il ne servait de rien de résister à moins que Laura ne le désire, j'ai consenti à lui en parler, en faisant savoir toutefois qu'en aucun cas je ne me permettrais de peser sur sa décision. Mr Fairlie m'a complimentée sur ma « scrupuleuse conscience » comme il m'aurait complimenté sur mon « excellente constitution » si nous avions été en promenade, et il a paru enchanté de s'être une fois de plus déchargé de ses responsabilités familiales sur mes épaules.

Comme promis, j'ai parlé à Laura ce matin. La parfaite sérénité – insensibilité, devrais-je dire – qu'elle n'a cessé d'afficher depuis le départ de sir Percival n'a pas résisté à la nouvelle. Elle a pâli et s'est mise à trembler violemment.

– Pas si vite ! Oh, Marian ! Pas si vite !

Elle en avait assez dit pour me décider à me battre. Je me suis levée pour aller engager les hostilités contre Mr Fairlie. Au moment où ma main saisissait la poignée de la porte, elle m'a arrêtée en me retenant par un bout de ma robe.

– Laisse-moi y aller, ai-je fait. Je tiens à dire à ton oncle que sir Percival et lui n'en feront pas toujours uniquement à leur tête.

– Non, a-t-elle lâché dans un soupir. Il est trop tard, Marian, trop tard.

– En aucun cas, ai-je rétorqué. Le temps est notre affaire, et fais-moi confiance, Laura, pour en user du mieux qu'une femme peut le faire.

J'avais essayé, tandis que je parlais, de me dégager, mais elle m'a prise par la taille et m'a serrée plus violemment encore.

– Cela ne ferait que nous valoir de nouveaux ennuis, qu'envenimer davantage ton désaccord avec mon oncle d'abord et ramener ici sir Percival avec de nouvelles raisons de se plaindre…

– Tant mieux ! me suis-je écriée avec feu. Qu'avons-nous à faire de ses raisons de se plaindre ? Vas-tu te briser le cœur pour lui faire plaisir ? Aucun homme en ce monde ne vaut un tel sacrifice ! Les hommes ! Ce sont les ennemis de notre innocence et de notre paix ; ils nous accaparent corps et âme, nous séparent de nos proches, lient nos vies sans défense aux leurs comme on attache un chien à sa niche. Et pour nous donner quoi en retour ? Laisse-moi y aller, Laura, je deviens folle quand j'y pense !

Des larmes – de misérables larmes de femme, pleines de rage et d'humiliation – me montaient aux yeux. Elle a souri tristement et m'a tendu son mouchoir pour que j'y cache cette faiblesse qu'elle me sait avoir en horreur chez les autres.

– Oh, Marian ! tu pleures, toi ? Mais pense à ce que tu me dirais si j'étais à ta place et si ces larmes étaient les miennes. Tout ton amour et tout ton dévouement n'empêcheront pas ce qui doit arriver tôt ou tard. Laisse mon oncle agir à sa guise. Cessons de nous torturer. Promets-moi seulement que tu resteras près de moi après mon mariage ? Promets-le-moi, Marian, et n'en dis pas plus.

Mais je n'ai pas pu m'empêcher de parler encore. Ravalant ces larmes qui ne me soulageaient pas et ne faisaient que la chagriner, elle, davantage, j'ai encore tâché de la raisonner. En vain. Elle m'a fait promettre une nouvelle fois de ne pas la quitter après son mariage, puis elle a brusquement changé de sujet.

– Pendant notre séjour à Polesdean, tu as reçu une lettre, Marian…

A son ton hésitant et à la manière dont elle détournait les yeux, toute rougissante, j'ai compris à qui elle faisait allusion.

– Je croyais, Laura, que nous avions décidé de ne plus jamais parler de lui, ai-je dit doucement.

– Tu as reçu une lettre de lui, n'est-ce pas ? a-t-elle insisté.

– Oui, si tu tiens tant à le savoir.

– Comptes-tu lui répondre bientôt ?

J'hésitais à lui apprendre son départ et la part que j'y avais prise. D'ailleurs, là où il allait, aucune lettre ne lui parviendrait avant des mois, des années peut-être.

– Imagine que j'aie effectivement l'intention de lui répondre, ai-je dit enfin, pourquoi cela t'intéresse-t-il ?

Elle avait les joues en feu et je la sentais frissonner contre mon épaule.

– Ne… Ne lui parle pas du 22, Marian, et promets-moi de ne plus jamais faire allusion à moi quand tu lui écriras ?

J'ai promis. Mais aucun mot ne pourrait exprimer avec quelle tristesse j'ai promis. Elle a aussitôt ôté ses bras de ma taille, s'est dirigée vers la fenêtre pour contempler le jardin. Au bout d'un moment, elle a de nouveau parlé, sans se retourner, sans me laisser voir son visage.

– Si tu vas chez mon oncle, dis-lui que je consens à tout ce qu'il décidera. Tu peux me laisser à présent ; j'ai besoin d'être seule.

Je l'ai quittée. Si, à ce moment-là, j'avais pu envoyer au bout du monde sir Percival et Mr Fairlie, je l'aurais fait avec joie. J'aurais éclaté en sanglots si le feu de ma colère n'avait pas consumé mes larmes. Comme une trombe, j'ai fait irruption dans la chambre de Mr Fairlie et lui ai jeté au visage : « Laura accepte le 22 ! », sur quoi je suis sortie sans attendre sa réponse en claquant la porte. J'espère lui avoir brisé les nerfs pour le restant de la journée !

28 novembre. – En relisant ce matin la lettre d'adieu de ce pauvre Hartright, je me suis une nouvelle fois demandé si j'avais eu raison de ne pas parler de son voyage à Laura.

A la réflexion, il me semble que j'ai bien fait, car il me laisse entendre que l'expédition sera fatigante et périlleuse. Compte tenu de l'angoisse que cela suscite en moi, que serait-ce avec elle ! Il est déjà terrible que son départ nous prive du plus sûr ami sur lequel nous pourrions nous reposer en cas de besoin, mais il est encore plus affreux de se dire qu'il va affronter les dangers et le climat malsain d'une contrée sauvage. Il serait vraiment criminel d'en avertir Laura sans nécessité !

J'en suis à me demander si je dois brûler cette lettre, de peur qu'un jour ou l'autre elle ne tombe malencontreusement en d'autres mains. Car non seulement ce que Hartright y dit de Laura doit rester secret, mais il me répète ses soupçons aussi inexplicables qu'inquiétants, au sujet de la surveillance secrète dont il serait l'objet depuis qu'il a quitté Limmeridge. Parmi la foule qui, sur les quais de Liverpool, regardait s'embarquer les membres de l'expédition, il prétend avoir revu les deux inconnus qui l'avaient suivi dans les rues de Londres, et il affirme avoir entendu le nom d'Anne Catherick prononcé derrière lui, comme il montait à bord. « Tout cela, écrit-il, cache un secret que l'on découvrira un jour. Le mystère d'Anne Catherick n'est pas encore éclairci. Sans doute cette femme ne croisera-t-elle plus jamais mon chemin ; mais s'il arrive qu'elle croise le vôtre, profitez mieux que moi de l'occasion. Je suis convaincu de ce que je dis et je vous prie, Miss Halcombe, de ne pas l'oublier. » Ce sont ses propres mots. Mais comment pourrais-je l'oublier ! Je ne suis que trop disposée à me souvenir de la moindre allusion à Anne Catherick faite par Walter Hartright. Mais il y a danger à garder cette lettre ; on ne sait jamais qui peut la trouver. Si je tombais malade... si je venais à mourir... Mieux vaut la brûler tout de suite et avoir un sujet d'inquiétude en moins.

Voilà, elle est brûlée. Sa lettre d'adieu, la dernière peut-être que j'aie de lui, ne forme qu'un minuscule tas de cendres noires au bord de l'âtre. Est-ce la triste fin de cette triste histoire ? Oh, non ! Pas encore... sûrement pas encore...

29 novembre. – Les préparatifs du mariage ont commencé. La couturière est déjà venue, mais Laura reste indifférente à tout ce qui d'ordinaire occupe les futures mariées. Elle s'en remet à la couturière et à moi-même. Comme cela aurait été différent si Walter Hartright avait été baronnet et s'il avait été le gendre choisi par son père ! Elle se serait montrée fort difficile à contenter, et aurait rendu la tâche pénible à la couturière la plus experte !

30 novembre. – Chaque jour nous apporte des nouvelles de sir Percival. Il écrit que les travaux dans la maison prendront au moins six mois. Si les maçons, les peintres et les tapissiers avaient le pouvoir d'embellir la vie de Laura comme ils embellissent sa future maison, peut-être alors m'intéresserais-je à eux. En réalité, la seule chose qui, dans sa dernière lettre, ne me laisse pas indifférente, ce sont ses projets pour le voyage de noces. Il propose, connaissant la nature délicate de Laura et sachant que l'hiver s'annonce ici particulièrement rude, de l'emmener à Rome et de demeurer en Italie jusqu'au début de l'été ; à moins qu'elle ne préfère passer la saison à Londres où il peut louer un confortable et luxueux appartement.

Je m'efforce de faire abstraction de mes propres sentiments – c'est mon devoir de le faire –, et il me semble que, pour Laura, la première solution est de loin préférable. De toute façon, nous serons séparées. La séparation sera plus longue s'ils partent pour l'Italie, mais Laura y trouvera un meilleur climat qu'à Londres, et ce premier voyage qu'elle fera dans sa vie peut lui apporter l'excitation et l'émerveillement nécessaires pour l'aider à mieux accepter sa nouvelle existence. Au contraire, elle n'est pas dans des dispositions d'esprit qui puissent lui faire goûter les plaisirs conventionnels qu'offre Londres. Et ces plaisirs ne lui rendront que plus pénibles ces premiers mois de mariage. Je redoute le pire pour ses premiers pas dans ce que va être désormais sa nouvelle vie, et un voyage peut sans doute l'aider…

Ces dernières lignes de mon journal m'inspirent un sentiment étrange. Je parle du mariage de Laura et de notre séparation comme d'une chose naturelle. On me croirait froide et insensible. Mais que puis-je faire d'autre alors que le temps s'enfuit sous nos pas ? Avant qu'un autre mois se soit écoulé elle sera SA Laura et non plus MA Laura ! SA Laura ! Je ne puis me faire à cette idée. Elle est aussi irréelle pour moi que si, au lieu de parler de son mariage, je parlais de sa mort.

1er décembre. – Journée mélancolique. Après une semaine de tergiversations, je me suis décidée ce matin à communiquer à Laura les propositions de sir Percival au sujet du voyage de noces.

Persuadée que je l'accompagnerais, la pauvre enfant – car sous maints aspects c'est encore une enfant – s'est montrée presque heureuse à l'idée de voir Rome, Naples et Florence. J'avais le cœur brisé de devoir lui ôter ses illusions et de la mettre en face de la réalité brutale. Je lui ai expliqué qu'aucun homme n'admettrait la présence d'un tiers au cours de son voyage de noces. Je lui ai fait comprendre que, si elle voulait conserver une chance de m'avoir plus tard auprès d'elle, il était indispensable de ne pas susciter la jalousie ou la contrariété de sir Percival en m'immisçant dans leur couple comme sa confidente et en venant troubler ainsi leurs premières semaines de mariage. Goutte à goutte je distillai de la sorte le poison profanateur de nos conventions sociales dans ce cœur pur et innocent, tandis que ce qu'il y a de meilleur en moi frémissait de devoir accomplir une tâche aussi affreuse ! C'est chose faite à présent. Elle connaît sa terrible leçon. Toutes les illusions de sa jeunesse se sont envolées ; c'est ma main qui les a arrachées de son cœur. Ma main vaut pourtant mieux que la sienne à lui ; c'est mon unique consolation.

Ils iront donc en Italie. Il me reste à parler à sir Percival du désir de Laura de me retrouver à leur retour. En d'autres termes, je dois, pour la première fois de ma vie, demander une faveur personnelle, et la demander à l'homme envers qui il me déplaît souverainement d'avoir une obligation, quelle qu'elle soit. C'est ainsi ! Pour l'amour de Laura, je ferais plus encore.

2 décembre. – Lorsque je relis mon journal, je constate que je ne parle de sir Percival que pour le dénigrer. Les circonstances étant ce qu'elles sont, je dois absolument me débarrasser de mes préjugés contre lui.

En y pensant, je ne parviens pas à m'expliquer pourquoi je suis si mal disposée à son égard, ce qui n'a pas toujours été le cas. Est-ce à cause des réticences de Laura à devenir sa femme ? Sont-ce les soupçons de Hartright qui m'ont influencée ? La lettre d'Anne Catherick y est-elle pour quelque chose ? Je n'en sais rien. Je suis certaine d'une seule chose, c'est qu'il ne me faut pas mal juger sir Percival. Je dois perdre l'habitude d'en parler et d'écrire à son propos en termes défavorables, devrais-je pour cela renoncer à tenir mon journal jusqu'à ce que le mariage soit célébré ! Je suis en colère contre moi-même… Je ne veux plus écrire aujourd'hui.

16 décembre. – Quinze jours se sont écoulés sans que j'aie ouvert mon journal. J'y reviens avec un esprit plus serein et mieux disposé à l'égard de sir Percival.

Il n'y a pas grand-chose à dire de ces deux semaines qui viennent de s'écouler. Le trousseau de Laura est prêt, les nouvelles malles sont arrivées de Londres. La pauvre chérie ne me quitte pas une seconde. La nuit dernière, comme nous ne parvenions à dormir ni l'une ni l'autre, elle est venue se glisser dans mon lit. « Je vais bientôt te perdre, Marian, a-t-elle murmuré. Je dois en profiter tant qu'il est encore temps. »

Ils se marieront à l'église de Limmeridge et, grâce au Ciel, aucun voisin n'est convié à la cérémonie. Le seul invité sera notre vieil ami Mr Arnold, qui viendra de Polesdean pour conduire Laura à l'autel, son oncle étant trop délicat pour se risquer au-dehors par un temps pareil. Si je n'étais pas décidée à ne regarder que le bon côté des choses, je m'attristerais qu'aucun homme de notre famille ou de nos amis n'assiste à ce qui devrait être le plus beau jour de la vie de Laura.

Sir Percival arrive demain. Il nous a offert, si nous tenons à nous conformer aux conventions jusqu'au jour du mariage, d'aller loger chez le pasteur ; Mr Fairlie et moi-même avons jugé que la situation ne nécessitait pas de telles complications. Dans cette grande maison perdue au milieu de la lande, il nous est permis de ne pas nous arrêter à des futilités dont les gens s'encombrent ailleurs.

17 décembre. – Il est arrivé ce matin, l'air fatigué et inquiet, mais il parle et il rit comme l'homme le plus content de la terre. Il a offert à Laura de très beaux bijoux qu'elle a reçus de bonne grâce et, en apparence du moins, avec un calme parfait. Le seul signe qui me fasse deviner à quel point elle lutte pour ne rien laisser paraître de sa tristesse, c'est le besoin qu'elle a de ne jamais se trouver seule. Elle qui d'ordinaire passe de longs moments dans sa chambre semble redouter de s'y rendre. Quand je suis montée après le déjeuner me vêtir pour la promenade, elle a insisté pour m'accompagner, et avant le dîner, encore, elle a voulu laisser ouverte la porte de communication entre nos deux chambres pendant que nous nous habillions. « Ne me laisse pas désœuvrée, a-t-elle dit, ne me laisse pas seule. Je ne dois penser à rien, c'est la seule chose que je demande, Marian, je ne dois penser à rien. »

Les tristes changements qui se sont opérés en elle ne sont que des charmes supplémentaires aux yeux de sir Percival. Il est persuadé que la fièvre qui brûle ses joues et fait briller son regard la rend plus belle que jamais et qu'elle témoigne de son nouvel appétit de vivre. Au dîner, elle a parlé sans arrêt, avec une animation et une gaieté si forcées et si contraires à sa nature que j'avais hâte de l'emmener pour qu'elle se taise ; mais sir Percival, lui, semblait enchanté autant qu'étonné. L'inquiétude que j'avais lue sur ses traits au moment de son arrivée avait complètement disparu et, vraiment, je lui aurais donné dix ans de moins.

Malgré tous les préjugés que j'entretiens à tort contre sir Percival, je dois reconnaître que le futur époux de Laura est un bel homme. Il possède – premier avantage – des traits réguliers. Ses yeux sombres et brillants le rendent aussi très séduisant. Même son début de calvitie lui sied, car cela lui dégage le front, un front haut qui exprime une forte intelligence. Il se meut avec une certaine grâce, a des manières agréables et sait faire preuve de présence d'esprit et de tact dans la conversation. Devant ces indéniables mérites, il n'est pas étonnant que Mr Gilmore, dans l'ignorance où il se trouve du secret de Laura, se soit étonné qu'elle veuille rompre ses fiançailles. Moi-même, s'il me fallait dire quels sont les défauts que je trouve à sir Percival, je n'en vois que deux. D'abord sa perpétuelle agitation et sa nervosité extrême, qui viennent peut-être d'un tempérament à l'énergie exceptionnelle, puis sa façon méprisante de parler aux domestiques – qui n'est peut-être après tout qu'une mauvaise habitude. Non, vraiment, sans conteste, sir Percival est un gentleman plein de charme. Enfin ! voilà qui est écrit ! Bonne chose de faite…

18 décembre. – Me sentant déprimée ce matin, j'ai confié Laura à Mrs Vesey et suis allée me promener dans la lande. J'ai pris le chemin venté qui la traverse et mène à Todd's Corner. Je marchais depuis une demi-heure peut-être quand, à ma plus grande stupéfaction, j'ai reconnu sir Percival qui venait à ma rencontre. Il marchait à grands pas, faisant comme d'habitude des moulinets avec sa canne. Avant que je lui aie posé la moindre question, il s'est empressé de me dire qu'il s'était rendu à la ferme afin de s'informer si Mrs et Mr Todd n'avaient pas reçu de nouvelles d'Anne Catherick.

– Et bien sûr, lui ai-je dit, ils n'ont aucune nouvelle ?

– Aucune. Je commence à craindre sérieusement de l'avoir perdue. Sauriez-vous par hasard, a-t-il continué en me scrutant attentivement, si l'artiste, Mr Hartright, pourrait nous donner des renseignements ?

– Il n'a jamais plus entendu parler d'elle depuis qu'il a quitté le Cumberland.

– Dommage ! a repris sir Percival, comme déçu et soulagé à la fois. Personne ne peut dire ce qu'il a pu arriver à cette pauvre créature. Je suis très ennuyé de n'avoir pu la remettre entre les mains des médecins !

Il semblait, cette fois, fort soucieux. Je lui ai exprimé ma sympathie, et nous sommes passés à un autre sujet. Assurément, en le rencontrant ainsi par hasard dans la lande, j'ai découvert chez lui un autre trait de caractère qui est tout à son honneur ! N'est-ce pas bienveillance extrême de sa part, à la veille de son mariage, que de penser à Anne Catherick et d'aller à Todd's Corner afin de demander de ses nouvelles, alors qu'il aurait pu passer agréablement la matinée avec Laura ? Il n'a pu agir ainsi que par charité, aussi sa conduite mérite-t-elle un extraordinaire éloge. Eh bien voilà : je l'ai fait, cet éloge !

19 décembre. – Nouvelle découverte quant à la générosité sans bornes de sir Percival.

J'avais à peine fait allusion à l'espoir de Laura de m'avoir près d'elle, à leur retour de voyage de noces, qu'il m'a saisi les deux mains avec effusion en me disant que c'était son désir le plus cher. J'étais la compagne qu'il souhaitait pour sa jeune femme, et il m'était profondément reconnaissant de lui avoir fait cette suggestion.

Je l'ai remercié vivement de la grande bonté qu'il nous témoignait à toutes deux, puis il m'a entretenu de leur voyage en Italie et du projet qu'il avait de faire connaître à Laura tous ses amis de Rome, tous des compatriotes, à l'exception d'un Italien, le comte Fosco.

En entendant le nom du comte et à l'idée que les jeunes mariés allaient rencontrer sur le continent le comte et son épouse, je me suis prise à considérer pour la première fois le mariage de Laura sous un jour favorable. C'est peut-être là l'occasion de mettre un terme à notre vieille brouille familiale : même si jusqu'à présent la comtesse Fosco a choisi d'oublier ses obligations en tant que tante de Laura par dépit contre feu Mr Fairlie, elle ne pourra plus continuer à lui en vouloir. Sir Percival et le comte Fosco sont amis intimes de longue date, et leurs femmes n'auront d'autre choix que de bien s'entendre. La comtesse, dans sa jeunesse, était la personne la plus insolente qui soit. Capricieuse, exigeante et vaniteuse au plus haut point ! Si son mari est parvenu à la mater, il aura mérité la reconnaissance de toute la famille.

Je suis impatiente de faire la connaissance du comte. Le fait qu'il soit le meilleur ami du mari de Laura excite ma curiosité. Ni elle ni moi ne l'avons jamais rencontré. Tout ce que je sais de lui, c'est qu'il a sauvé la vie à sir Percival attaqué par des voleurs et des assassins sur les marches de la Trinità del Monte, à Rome. C'est de là d'ailleurs que provient la cicatrice que ce dernier porte à la main. Je me souviens aussi qu'à l'époque où le regretté Mr Fairlie s'opposa de façon si absurde au mariage de sa sœur, le comte lui écrivit une lettre modérée et fort sensée, lettre qui, j'ai honte de le dire, est restée sans réponse. Je ne sais rien d'autre de l'ami de sir Percival. Je me demande s'il viendra un jour en Angleterre… Je me demande si j'aurai de la sympathie pour lui…

Je laisse courir ma plume sur le papier, et je m'éloigne de ce qui m'intéresse réellement. Revenons-en aux faits. Il est certain que ce n'est pas seulement avec politesse et amabilité, mais avec affection, que sir Percival m'a répondu quand je lui ai timidement proposé d'aller vivre avec Laura et lui. Et je suis sûre qu'il n'aura aucune raison de se plaindre de moi, dans les dispositions où je suis. J'ai déjà dit qu'il était bel homme, très courtois, très bon et généreux envers les malheureux, et plein d'égards pour moi. Je l'avoue ici, j'ai peine à me reconnaître dans mon nouveau rôle d'amie très cordiale de sir Percival !

20 décembre. – Je hais sir Percival ! C'est un homme éminemment désagréable, au caractère effroyable, et qui manque totalement d'humanité et de gentillesse. Toutes ses apparences sont trompeuses ! Hier soir, les cartes de visite du futur couple sont arrivées de Londres. Laura, en ouvrant le paquet, a vu imprimé pour la première fois son nom de femme mariée. Sir Percival, qui regardait par-dessus son épaule les cartes qui transformaient Miss Fairlie en lady Glyde, a eu un odieux sourire de suffisance et lui a murmuré quelques mots à l'oreille. J'ignore quoi, car Laura a refusé de me le dire, mais je l'ai vue blêmir. Lui ne s'est même pas aperçu qu'il avait pu lui faire de la peine. Tous mes vieux sentiments d'hostilité à son encontre ont resurgi sur-le-champ et ne se sont guère assagis depuis. Je suis plus déraisonnable et plus injuste que jamais. En trois mots – et avec quelle aisance ma plume les écrit ! –, en trois mots, je le hais.

21 décembre. – Je commence à me demander si l'énervement de ces derniers jours n'a pas un peu ébranlé mes facultés. Il me semble que j'ai écrit tous ces temps-ci avec une légèreté qui, le Ciel m'en est témoin, ne me ressemble pas, et dont je suis extrêmement choquée à me relire.

Peut-être ai-je attrapé la fièvre de Laura. Si c'est le cas, la crise aujourd'hui est passée et me laisse dans un curieux état d'esprit. Depuis la nuit dernière, je suis hantée par l'idée fixe qu'il va se produire quelque chose qui empêchera le mariage. D'où vient ce pressentiment ? Est-ce de mes appréhensions au sujet de l'avenir de Laura ? Ou bien cela provient-il de l'irritabilité toujours plus grande que j'ai observée chez sir Percival à mesure que le jour de la cérémonie se rapproche ? Impossible à dire. C'est probablement la pensée la plus féroce qu'une femme puisse avoir, mais j'ai beau essayer, je ne peux en déceler la source.

Tout ce qui s'est passé aujourd'hui a été bien pénible. Comment pourrais-je avoir le courage d'en parler ? Et pourtant je sens qu'il me faut écrire… mettre mes tristes pensées sur le papier, et non les garder pour moi seule.

La bonne Mrs Vesey, que nous avons tous eu tendance à négliger ces temps derniers, a été bien malgré elle à l'origine d'une scène pleine de tristesse, ce matin. Depuis plusieurs mois, elle confectionnait en secret un beau châle en laine de Shetland pour sa chère Laura, une pièce magnifique quand on songe que c'est une femme comme elle qui l'a réalisée. Elle l'a offert à Laura, qui a éclaté en sanglots en recevant ce merveilleux présent de celle qui l'avait aimée et dorlotée comme une mère depuis sa naissance. J'avais à peine eu le temps de les consoler toutes deux et de sécher mes propres larmes que j'ai été appelée chez Mr Fairlie pour l'entendre me réciter la litanie de toutes les dispositions destinées à assurer sa tranquillité le jour du mariage.

Sa chère Laura recevrait de sa part un cadeau de noce (une misérable bague avec, comme ornement, quelques cheveux de son oncle affectionné au lieu d'une pierre précieuse, et portant une inscription en français sur les sentiments à entretenir vis-à-vis de sa famille); sa chère Laura recevrait donc ce tribut d'affection par mon entremise et le plus tôt possible, afin de lui donner le temps de se remettre de son émotion, avant de paraître devant son oncle; sa chère Laura lui ferait une courte visite de remerciement le soir même et aurait la bonté de lui épargner toute scène d'attendrissement; sa chère Laura lui ferait une seconde visite le lendemain matin en robe de mariée, mais toujours sans scène; sa chère Laura lui ferait une troisième et dernière visite avant de partir, sans larmes surtout, « par pitié et pour l'amour de Dieu, chère Marian, affectionnée et dévouée entre toutes, surtout sans larmes ! »

J'étais tellement écœurée et exaspérée par l'odieux égoïsme de Mr Fairlie que je m'apprêtais à lui dire les vérités les plus cinglantes qu'il ait jamais entendues de sa vie, quand j'en ai été empêchée par l'arrivée de Mr Arnold, ce qui m'a obligée à descendre.

Le reste de la journée a été indescriptible. Je pense que personne dans la maison ne l'a vraiment vu passer. Des pièces du trousseau manquantes, des paquets défaits pour être refaits tout aussitôt, puis redéfaits, des cadeaux arrivant de toutes parts, l'agitation, les ordres et les contrordres, les imprévus de toutes sortes ont contribué à la confusion générale. Chacun courait partout, impatient d'être à demain. Sir Percival n'était pas à tenir et toussait sans arrêt. Il sortait, il rentrait, et semblait rongé par une sorte de nouvelle inquiétude qui le poussait à questionner d'un ton méfiant les fournisseurs ou toute autre personne qui s'arrêtait un instant chez nous. Quant à Laura et moi, nous n'avions qu'une idée en tête : notre séparation du lendemain. Ni l'une ni l'autre n'avons fait allusion à l'angoisse qui nous étreint à la pensée que ce mariage est peut-être la plus grosse erreur de sa vie et qu'il me voue à un chagrin éternel. Pour la première fois de notre vie, ce soir, nous avons évité de nous trouver tête à tête. Je ne peux plus le supporter. Quels que soient les chagrins à venir, je songerai toujours à ce 21 décembre comme au jour le plus affreux de ma vie.

J'écris ces lignes, bien après minuit, dans la solitude de ma chambre. Je viens d'aller jeter un dernier regard sur Laura qui repose calmement dans son petit lit blanc de jeune fille. Elle est là, à se reposer, sans savoir que je la regarde. Elle ne dort pas. Elle semble plus calme que je ne l'aurais espéré. Dans la pénombre j'ai vu des larmes couler de ses yeux mi-clos. Le petit souvenir que je lui ai donné, une simple broche, est posé sur sa table de chevet à côté de son livre de prières et d'une miniature de son père qui ne la quitte jamais. Je l'ai contemplée un moment, sa petite main posée sur le couvre-lit blanc. Je suis restée longtemps les yeux posés sur elle, immobile et respirant calmement, comme plus jamais je ne pourrai le faire. Ma pauvre chérie ! Malgré toute ta fortune et toute ta beauté, comme tu es seule au monde ! Le seul homme qui donnerait sa vie pour toi est à mille lieues d'ici, en train d'affronter les furies de l'océan. Qui te reste-t-il d'autre ? Ni père, ni frère ; aucune autre créature vivante que la femme impuissante qui écrit ces tristes lignes et qui te veillera jusqu'au matin, pleine d'un chagrin qu'elle ne peut étouffer, envahie de doutes qu'elle ne peut faire taire. Oh ! Quel joyau va être déposé demain entre les mains de cet homme ! Si jamais il l'oublie… Si jamais il touche à un seul cheveu de sa tête…

VINGT-DEUX DÉCEMBRE, sept heures. – Matin triste et brumeux. Elle vient de se lever. Je la trouve plus calme maintenant que le moment est venu qu'elle ne l'était hier.

Dix heures. – Laura est habillée. Nous nous sommes embrassées en nous promettant de ne pas perdre courage. Je me suis retirée un moment dans ma chambre. Dans la confusion de mes pensées, l'idée que quelque chose va arriver, qui empêchera le mariage, continue de me hanter. Et lui, y pense-t-il ? Je l'aperçois par la fenêtre, en train de marcher nerveusement au milieu des voitures qui encombrent le devant du perron. Comment puis-je écrire une chose pareille !

Le mariage est presque fait. Dans une demi-heure, nous partons pour l'église.

Onze heures. – Tout est consommé. Ils sont mariés.

Trois heures. – Ils sont partis ! Je ne vois plus clair d'avoir tant pleuré. Je ne peux plus écrire…

. . . .

DEUXIÈME ÉPOQUE

SUITE DU JOURNAL DE MARIAN HALCOMBE

I

. . . .

Blackwater Park, Hampshire.

11 juin 1850. – Six mois se sont écoulés depuis que Laura m'a quittée. Six mois longs et solitaires !

Combien de jours me faudra-t-il encore attendre ? Plus qu'un ! Demain, le 12, les voyageurs sont de retour en Angleterre. Je ne puis croire à mon bonheur. Je ne puis croire que dans vingt-quatre heures nous serons de nouveau réunies !

Les jeunes mariés ont passé tout l'hiver en Italie, puis se sont rendus dans le Tyrol. Ils rentrent avec le comte et la comtesse Fosco, qui doivent s'installer aux environs de Londres mais qui ont promis de résider à Blackwater Park pendant l'été. Laura rentre, et c'est l'essentiel. Peu importe avec qui. Sir Percival peut bien remplir la maison s'il le veut, pourvu que sa femme et moi nous soyons ensemble.

En attendant, me voilà moi-même établie à Blackwater Park, « demeure ancienne, appartenant à sir Percival Glyde, baronnet » (comme m'en informe obligeamment la chronique du village) et (comme je puis bien l'ajouter pour ma part) future résidence de Marian Halcombe, vieille fille, actuellement installée dans un agréable petit salon, avec à ses côtés une tasse de thé et autour d'elle tout son avoir, se résumant en trois malles et un sac.

J'ai quitté Limmeridge House hier, après avoir reçu la lettre que

Laura m'a écrite de Paris, me disant de ne pas les attendre à Londres comme il en avait été question, sir Percival ayant décidé d'accoster à Southampton et de gagner immédiatement Blackwater. Il a, à ce qu'il paraît, dépensé un argent considérable au cours de son voyage, et terminer la saison à Londres lui serait trop onéreux. Laura elle-même aspire maintenant au calme de la campagne. Quant à moi, je suis prête, avec elle, à être heureuse n'importe où. Tout s'annonce donc pour le mieux.

J'ai dormi à Londres, la nuit dernière, et en ai profité pour faire des courses et m'acquitter de certaines tâches, si bien que je ne suis arrivée ici qu'après la tombée de la nuit.

A première vue, Blackwater Park est l'opposé de Limmeridge House.

La maison est située sur un plateau et presque ensevelie sous les arbres. Je n'ai vu personne d'autre que le domestique qui m'a ouvert la porte et la gouvernante qui m'a montré mon appartement et, très aimablement, m'a apporté une tasse de thé. J'ai une chambre à coucher agréable et un joli boudoir au premier étage, au bout d'un corridor. Les domestiques occupent le second étage, où se trouvent également quelques chambres inoccupées. Les pièces de réception sont au rez-de-chaussée. Je ne les ai pas encore vues et j'ignore à peu près tout de la maison en elle-même, si ce n'est qu'une de ses ailes date, paraît-il, d'il y a cinq cents ans, qu'elle était autrefois entourée d'un fossé et qu'elle tient son nom d'un lac situé dans le parc.

Une horloge sévère et fantomatique vient de sonner onze heures. Elle a dû réveiller un molosse qui hurle à la mort à l'extérieur. J'entends des pas au-dessus de ma tête, et le bruit des lourds verrous qu'on est en train de fermer. Les domestiques s'apprêtent à aller au lit. Si je faisais de même ?

Non, je n'ai pas sommeil. Sommeil, ai-je dit ? J'ai l'impression que plus jamais je ne pourrai fermer les yeux. L'idée de revoir Laura demain me rend folle de joie. Si j'avais les privilèges d'un homme, je demanderais qu'on me selle le meilleur cheval de sir Percival et j'irais galoper dans la nuit, à leur rencontre, vers le soleil levant. Mais je ne suis, hélas ! qu'une femme, et cela m'est interdit. Alors ? Il me faut respecter les principes du maître des lieux et prendre mon mal en patience, comme le font toutes les femmes.

Lire ? Il ne faut pas y songer ; aucun livre ne peut fixer mon attention. Tâchons plutôt d'écrire jusqu'à tomber d'épuisement. Je vais essayer de mettre à jour mon journal délaissé depuis le mariage de Laura. Que pourrais-je dire, au seuil de ma nouvelle vie, des personnes et des événements, des hasards et des changements qui ont rempli ces six interminables mois d'absence de Laura ?

Walter Hartright est de tous mes amis absents celui qui s'impose d'abord à mon esprit. J'ai reçu quelques lignes courageuses qu'il m'a écrites à son débarquement au Honduras. Six semaines après, je pouvais lire dans un journal américain des détails sur le départ de l'expédition dans l'intérieur des terres. On avait vu pour la dernière fois les hommes sac au dos et fusil sur l'épaule, au moment où ils pénétraient dans la forêt vierge. Depuis lors, on est sans nouvelles. Pas une ligne de Walter, pas un article de journal n'a pu me renseigner sur le sort de l'expédition.

La même obscurité plane sur le sort d'Anne Catherick et de Mrs Clements. On n'a rien pu découvrir à leur sujet. Personne ne sait si elles ont ou non quitté le pays, si elles sont mortes ou vivantes. L'avocat de sir Percival lui-même a renoncé à retrouver leurs traces.

Notre pauvre vieil ami Gilmore a traversé une passe difficile. Au début du printemps, il a été victime d'une attaque d'apoplexie. Depuis longtemps il se plaignait de maux de tête et son médecin l'avait mis en garde contre le surmenage qu'il s'imposait en travaillant comme s'il avait encore eu sa santé de jeunesse. Il est obligé aujourd'hui d'abandonner son étude pour un an au moins et de s'astreindre au plus grand repos. Il a confié ses affaires à son associé et est parti en Allemagne, chez des amis à lui établis là-bas. Ainsi, un autre ami très cher et dont l'aide nous est toujours précieuse nous a quittés… mais celui-là, j'espère, nous reviendra bientôt.

La brave Mrs Vesey a voyagé avec moi jusqu'à Londres. Nous ne pouvions l'abandonner dans la solitude de Limmeridge, et il a été décidé qu'elle habiterait à Clapham, chez une de ses sœurs, plus jeune qu'elle et célibataire, qui y tient une école. Elle viendra nous voir l'automne prochain, ce dont elle se réjouit par avance. J'ai veillé à ce que la brave femme arrive à bon port et l'ai laissée aux bons soins de sa sœur.

Quant à Mr Fairlie, je crois ne pas commettre d'injustice à son égard en disant qu'il est ravi de ne plus nous avoir chez lui. L'idée que sa nièce pourrait lui manquer est inimaginable – quand elle était à Limmeridge, il pouvait rester des mois sans la voir –, et pour ce qui est de Mrs Vesey et de moi-même, je me permets de traduire les paroles déchirantes qu'il nous a adressées le jour de notre départ comme un aveu de sa secrète joie d'être débarrassé de nous. Sa dernière manie est de faire photographier tous les objets de sa collection afin d'en envoyer des épreuves à l'Institut des sciences appliquées de Carlisle, avec pour chaque cliché une légende pompeuse écrite en lettres rouges sous le sujet : « *Vierge à l'Enfant*, par Raphaël. Propriété de Frederick Fairlie, Esq. » ; « Pièce en bronze. Propriété de Frederick Fairlie, Esq. » ; « Eau-forte de Rembrandt, pièce unique, connue dans toute l'Europe et intitulée *la Tache*, à cause d'une tache d'encre faite par l'imprimeur dans un coin, qui n'existe sur aucune autre copie. Évaluée à trois cents guinées. Propriété de Frederick Fairlie, Esq. » Il avait fait réaliser des douzaines de photographies de ce genre avant mon départ, et il lui en restait plus d'une centaine encore à faire. Cette nouvelle manie le rendra heureux pendant de nombreux mois, et les deux pauvres photographes qu'il veut continuellement chez lui partageront le martyre du valet de chambre.

Voilà pour les personnes qui occupent le plus mes pensées. Que dire à présent du seul être qui occupe mon cœur ? Malgré notre dure séparation, Laura m'est présente à chaque instant. Que puis-je dire d'elle, pour les six mois qui viennent de s'écouler ?

Je n'ai que ses lettres pour me guider, et sur la plus importante des questions que notre correspondance a pu aborder, je reste dans l'incertitude.

La traite-t-il bien ? Est-elle plus heureuse aujourd'hui que lorsque je l'ai quittée le jour de son mariage ? Ces questions que je n'ai cessé de lui poser dans mes lettres sont restées sans réponse. Elle se borne à me parler de sa santé. Elle me dit qu'elle va très bien et que son voyage lui plaît beaucoup, que pour la première fois de sa vie elle a traversé l'hiver sans attraper de rhume. Mais pas un mot sur sa vie conjugale, rien qui puisse me dire si le 22 décembre reste pour elle un souvenir amer. Elle ne cite le nom de son mari que comme celui d'un quelconque compagnon de route, dont le seul rôle serait de décider de l'itinéraire. « Sir

Percival a dit que nous partirions tel jour… », « Sir Percival a dit que nous prendrions telle route… » De temps à autre elle écrit simplement « Percival », mais neuf fois sur dix, elle lui donne son titre.

Je ne vois pas que les habitudes et les goûts de son mari l'aient influencée en quoi que ce soit, comme cela arrive le plus souvent chez les jeunes femmes. Elle parle de ses impressions personnelles, en découvrant toutes les merveilles qu'elle a pu voir, exactement comme si elle écrivait à quelqu'un d'autre et que ce fût avec moi, et non avec son mari, qu'elle voyageait. Je ne lis nulle part la trace de la moindre communion d'idées entre eux. Même lorsqu'elle envisage l'existence qu'elle mènera ici, à son retour, c'est en pensant à ma présence auprès d'elle et non à leur vie commune. Et pourtant, le ton de ses lettres ne m'indique en rien qu'elle soit malheureuse, Dieu merci. Je n'y discerne que passivité et indifférence. Durant ces six mois écoulés, c'est la Laura Fairlie telle que je l'ai quittée le jour de son mariage qui m'a écrit, jamais lady Glyde.

Le silence obstiné qu'elle garde au sujet de son mari, elle l'observe également au sujet de l'ami intime de celui-ci, le comte Fosco. Pour une raison que j'ignore, le comte et sa femme semblent avoir brusquement changé de projet, à la fin de l'automne dernier, et être partis pour Vienne et non pour Rome, alors que sir Percival avait cru les retrouver dans cette ville. Ils n'ont quitté Vienne qu'au printemps et ont rejoint les jeunes mariés au Tyrol. Laura parle plus volontiers de sa tante, qu'elle a trouvée agréablement changée, plus sereine et plus sensible qu'à l'époque où elle était encore jeune fille. Elle dit que j'aurai bien du mal à la reconnaître. En ce qui concerne le comte (qui pourtant m'intéresse infiniment plus que sa femme), elle se montre étrangement circonspecte et silencieuse. Elle m'écrit seulement qu'il l'intrigue, et qu'elle attend mon impression pour me livrer la sienne.

Telle que je la connais, c'est qu'il ne lui plaît pas beaucoup. Laura a conservé de son enfance cette faculté extraordinaire de reconnaître d'instinct ses amis, et si je ne me trompe pas en pensant que sa première impression du comte Fosco n'a pas été bonne, je crains bien d'être moi-même d'emblée mal disposée à l'égard de l'illustre étranger, avant même de l'avoir rencontré. Mais patience, patience… Mon incertitude au sujet de tant de choses ne durera plus longtemps. Demain, c'en sera fini de mes doutes.

Minuit sonne, et je viens de jeter un coup d'œil par la fenêtre ouverte. La nuit est calme, suffocante et sans lune. Les étoiles sont rares et pâles. Les arbres, qui bouchent la vue de tous les côtés, semblent à distance former un grand mur de rochers noirs. Dans le lointain, j'entends le coassement des crapauds et l'écho de la grosse horloge qui se répète faiblement. Je me demande comment sera Blackwater à la lumière du jour ? Je ne l'aime pas du tout la nuit !

12 juin. – Journée d'investigations et de découvertes. Des découvertes infiniment plus intéressantes que je n'aurais pu le soupçonner.

Naturellement, j'ai commencé mon inspection par la maison.

Le corps de logis date de l'époque de la reine Elizabeth, cette souveraine dont on veut tant surévaluer les mérites. Au rez-de-chaussée se trouvent deux longues galeries parallèles, à plafond bas, rendues encore plus sinistres et sombres par de hideux portraits de famille que je voudrais brûler en bloc ! Les chambres se trouvant au-dessus des galeries sont assez bien entretenues mais rarement habitées. L'aimable gouvernante qui me sert de guide m'a offert de les visiter, ajoutant qu'elles étaient peut-être un peu en désordre. Comme je tiens beaucoup plus à la propreté de mes jupons et de mes bas qu'à toutes les chambres élisabéthaines du royaume, j'ai poliment décliné l'invitation. La gouvernante a déclaré être entièrement de mon avis et j'ai compris à son air heureux qu'elle pensait qu'elle n'avait pas rencontré depuis longtemps une femme aussi intelligente que moi.

De chaque côté du bâtiment central se trouve une aile. Celle de gauche, presque en ruine, date du XIVe siècle. Il paraît que l'architecture en est superbe, mais comme je n'aime ni l'humidité, ni l'obscurité, ni les rats, je me suis privée sans trop de regrets du plaisir de la visiter. De nouveau, la gouvernante m'a dit qu'elle était tout à fait d'accord avec moi, et j'ai lu dans son regard toute son admiration pour mon extraordinaire bon sens.

Nous nous sommes ensuite dirigées vers l'aile droite, bâtie, celle-ci, sous George II. C'est la partie habitable de la maison, restaurée en l'honneur de Laura. Les chambres à coucher sont toutes au premier étage, à l'exception de celles des domestiques, au second. Le rez-de-chaussée se compose d'un salon, d'une salle à manger, d'une bibliothèque et d'un joli petit boudoir pour Laura, le tout gentiment décoré au goût du jour et meublé avec un luxe tout à fait moderne. J'en suis ravie. Les pièces sont loin d'être aussi spacieuses qu'à Limmeridge House, mais je crois qu'il fait bon y vivre. D'après ce que j'avais entendu dire de Blackwater Park, je craignais fort d'y trouver de vieilles chaises au dos droit et dur, de sombres vitraux ne laissant pas passer le jour, des draperies usées et poussiéreuses, enfin tout ce que les gens nés sans le sens du confort accumulent autour d'eux, au mépris du bien-être de leurs amis. Quel n'a pas été mon soulagement en constatant que le XIXe siècle règne en maître dans cette demeure où je vais vivre, et a balayé une fois pour toutes le « bon vieux temps » loin de notre vie quotidienne.

J'ai flâné ainsi toute la matinée entre la maison et la grande cour formée par les trois corps de bâtiment et fermée sur le devant par un massif portail en bronze. Au centre de la cour se trouve un bassin à poissons rouges, au milieu duquel trône un monstrueux animal en fonte à prétentions allégoriques. Le bassin est entouré d'un merveilleux gazon. J'ai musardé à l'ombre sur ce soyeux tapis de verdure jusqu'à l'heure du déjeuner, après quoi, coiffée de mon chapeau de paille, j'ai entrepris, sous un doux soleil, d'explorer les environs.

La lumière du jour a confirmé mon impression nocturne. Il y a trop d'arbres à Blackwater ! La maison est réellement étouffée par eux. Ils sont jeunes pour la plupart et plantés trop serrés. Je suppose qu'on en a abattu en quantité sur le domaine avant l'époque de sir Percival, et que celui-ci n'a eu de cesse de vouloir les remplacer aussi vite et en aussi grand nombre que possible. A ma gauche j'ai remarqué un jardin fleuri, et j'ai dirigé mes pas dans cette direction pour voir ce que je pourrais y découvrir.

De plus près, le jardin s'est révélé être bien petit et mal entretenu. J'en suis rapidement sortie par une petite porte ouverte dans la haie et je me suis trouvée dans une sapinière.

Une allée avait été tracée au milieu des arbres, et mon expérience des régions du Nord m'a assez vite avertie que je m'avançais vers une lande sablonneuse. Après une demi-heure de marche environ, le chemin tournait brusquement, laissant derrière lui le petit bois, et j'ai débouché sur un vaste espace ouvert, devant le lac de Blackwater dont la propriété tire son nom.

Le sol était sablonneux, constellé ici et là de rares pousses de bruyère. Le lac avait dû recouvrir autrefois l'endroit où je me trouvais, puis s'assécher progressivement jusqu'à ne plus occuper qu'un tiers à peine de sa superficie originelle. J'apercevais sa surface immobile à quelques centaines de pas devant moi. Sur la berge, de l'autre côté, de grands arbres, encore, coupaient la vue et jetaient leurs ombres noires sur l'eau stagnante et peu profonde. Là, le sol semblait boueux et était recouvert d'herbes hautes poussant sous des saules pleureurs. L'eau, claire et limpide du côté sablonneux, paraissait noire et infecte là-bas. Les grenouilles coassaient, et tandis que j'avançais, j'ai vu des rats sortir de l'eau sombre et y rentrer, tels des morts vivants. Émergeant à demi du lac, un débris de vieille barque surgissait, donnant asile à une couleuvre endormie. Un faible rayon de soleil filtrant à travers les épais feuillages venait frapper cette épave. On avait une horrible sensation de solitude et d'abandon, et le soleil d'été que l'on devinait éclatant au-dessus de la voûte des arbres ne rendait que plus saisissant l'aspect désolé de cet endroit humide et sombre.

Revenant sur mes pas, je me suis dirigée vers un vieux hangar qui se trouvait au bord de la sapinière, mais que je n'avais pas remarqué en descendant vers le lac. Il avait dû servir autrefois à remiser les barques et était actuellement aménagé en tonnelle rustique où l'on avait installé une table et quelques sièges en bois. Je me laissai tomber sur l'un d'eux, ravie de me reposer un peu.

Je n'étais pas assise depuis une minute que je pris conscience que le son de ma respiration essoufflée était soutenu par un bruit provenant de dessous ma chaise. J'ai écouté attentivement : on aurait dit un halètement faible et saccadé. Mes nerfs sont plutôt solides d'ordinaire, mais en cette occasion je me suis levée d'un bond, et ai appelé sans recevoir de réponse. Alors, prenant mon courage à deux mains, je me suis penchée pour regarder.

Blotti dans un coin, j'ai vu la cause de ma terreur : un petit épagneul blanc et noir. La misérable créature a gémi, sans bouger. En l'examinant de plus près, je me suis aperçue qu'elle avait des traces de sang coagulé sur le côté. C'était une des plus pitoyables visions qu'il puisse être donné de voir que cette pauvre bête impuissante. Je l'ai prise aussi doucement que je le pouvais et l'ai ramenée à la maison.

Ne rencontrant personne, je suis montée à ma chambre et ai fait de mon vieux châle une couchette pour le petit blessé, puis j'ai sonné. Une femme de chambre presque obèse s'est présentée. Son visage reflétait une bêtise qui aurait fait perdre patience à un saint. En voyant le pauvre animal, elle s'est mise à ricaner bêtement.

– Que voyez-vous là de si risible? lui ai-je demandé d'un air revêche. Savez-vous à qui appartient ce chien?

– Non, miss, sûrement pas.

Elle s'est penchée sur les blessures de l'épagneul et son regard s'est éclairé comme si elle venait d'avoir une révélation. Montrant du doigt le flanc de l'animal elle s'est écriée, gonflée de satisfaction :

– Pour sûr, c'est l'œuvre de Baxter, ça!

J'étais tellement exaspérée que j'aurais pu la gifler.

– Baxter? Qui est donc cette brute que vous appelez Baxter?

La fille a ricané de nouveau :

– Mon Dieu, miss, c'est le garde de sir Percival. Quand il rencontre des chiens qui rôdent, il leur tire un coup de feu. C'est son devoir, d'ailleurs! Je crois bien que ce chien va mourir, car il vise bien, Baxter! C'est son devoir, d'ailleurs!

Hors de moi, j'ai été assez méchante pour souhaiter que ce Baxter ait tiré sur cette idiote au lieu de tirer sur le chien. Voyant que je n'en obtiendrais rien, je lui ai demandé de prier la gouvernante de venir m'aider. Elle est sortie exactement comme elle était entrée, en souriant bêtement. En refermant la porte, elle se répétait encore à elle-même : « Ça, c'est l'œuvre de Baxter, ça... C'est son devoir... »

La gouvernante, qui possédait, elle, de l'éducation et quelque intelligence, est arrivée tout de suite, munie d'un bol d'eau chaude et d'un peu de lait. En apercevant la pauvre petite bête, elle s'est écriée :

– Mon Dieu! Mais c'est le chien de Mrs Catherick!

– De qui? demandai-je absolument stupéfaite.

– De Mrs Catherick. Vous paraissez la connaître, Miss Halcombe?

– Pas personnellement, mais j'ai entendu parler d'elle. Habite-t-elle ici? A-t-elle des nouvelles de sa fille?

– Non, Miss Halcombe, elle est venue en chercher justement...

– Quand?

– Hier. Parce qu'on lui avait dit qu'une personne répondant à son signalement avait été aperçue dans les environs. Mais ici, nous ne sommes au courant de rien, pas plus qu'au village où j'ai envoyé quelqu'un se renseigner, à la demande de Mrs Catherick. Elle a dû venir ici avec cette pauvre petite bête. Je l'ai vue trottiner après elle quand elle est partie. Elle s'est sans doute perdue dans la sapinière et s'est fait tirer dessus. Où l'avez-vous trouvée, Miss Halcombe ?

– Près du lac, dans le vieux hangar.

– Ah, oui ! c'est du côté des sapins. Le pauvre animal est allé se cacher là pour mourir. Peut-être pourriez-vous humecter ses lèvres d'un peu de lait pendant que je nettoie ses plaies. Mais je crains qu'il ne soit trop tard. Enfin, nous pouvons essayer quand même.

Mrs Catherick ! Le nom résonnait encore à mes oreilles. Tandis que nous prenions soin du chien, les paroles de Walter Hartright me revenaient en mémoire : « Si vous rencontrez Anne Catherick, profitez mieux que moi de l'occasion. » Après avoir trouvé l'épagneul blessé, je venais d'apprendre la visite de Mrs Catherick à Blackwater ; grâce à cela j'allais peut-être découvrir autre chose. J'ai décidé de saisir ma chance et de tâcher d'en apprendre le plus possible.

– Vous m'avez dit que Mrs Catherick habitait les environs ? ai-je demandé.

– Oh, non ! répondit la gouvernante. Elle habite à Welmingham, à l'autre bout du Hampshire. C'est au moins à dix lieues d'ici.

– Je suppose que vous la connaissez depuis longtemps ?

– Pas du tout, Miss Halcombe, je ne l'avais jamais vue avant la visite qu'elle m'a faite hier. J'ai souvent entendu parler, évidemment, des bontés que sir Percival a eues pour sa fille en la mettant entre les mains des docteurs, mais rien de plus. Mrs Catherick paraît un peu étrange, mais c'est une personne très respectable. A vrai dire, elle semblait très désappointée de ne trouver ici aucune information confirmant que sa fille avait bien été aperçue dans la région.

– Mrs Catherick m'intéresse beaucoup, ai-je ajouté, et je regrette de n'avoir pas été là pour la voir. Est-elle restée longtemps ici ?

– Elle serait restée plus longtemps, je crois, si l'on n'était pas venu me dire qu'un monsieur demandait à me parler – un monsieur qui voulait savoir quand sir Percival rentrait de voyage. En entendant que nous l'attendions aujourd'hui, Mrs Catherick s'est levée brusquement. En partant, elle m'a dit qu'il n'était guère besoin d'avertir sir Percival de sa visite. J'ai trouvé cela bizarre.

C'était mon avis également, puisque sir Percival nous avait laissé croire, à Limmeridge, qu'il était en excellents termes avec Mrs Catherick. Si c'était réellement le cas, pourquoi désirait-elle cacher sa visite à Blackwater Park ?

– Elle a sans doute voulu, ai-je hasardé en voyant que la gouvernante semblait attendre mon opinion sur les paroles de Mrs Catherick, épargner du tracas à sir Percival, en ne lui rappelant pas que sa fille n'avait pas encore été retrouvée. A-t-elle beaucoup parlé de sa fille ?

– Oh, très peu ! Elle a surtout demandé beaucoup de renseignements sur sir Percival, sur l'endroit où il était parti en voyage et sur la nouvelle lady Glyde. La disparition de sa fille semble la contrarier plus qu'elle ne l'attriste véritablement. « J'abandonne, m'a-t-elle dit. J'abandonne, je la considère comme perdue. » Puis elle est passée à autre chose. Elle a posé beaucoup de questions sur la nouvelle femme de sir Percival, si elle était jolie, jeune, agréable, en bonne santé… Oh, mon Dieu ! Je savais bien que cela finirait ainsi. Regardez, Miss Halcombe, la pauvre petite bête est morte !

Le chien était bel et bien mort. Au moment où la gouvernante me rapportait les questions de Mrs Catherick, il avait été secoué d'une brève convulsion et avait émis un faible gémissement. Et à présent, il gisait là, inanimé.

8 heures. – Je suis remontée dans ma chambre après un dîner solitaire. Les derniers rayons de soleil se meurent à travers les arbres. J'ai repris mon journal pour calmer mon impatience, car les voyageurs sont en retard et cette maison est tellement lugubre quand il n'y a personne ! Je compte les minutes avant que le bruit des roues dans la cour m'annonce qu'il est temps pour moi de descendre et de me précipiter dans les bras de Laura.

Pauvre chien ! Je frissonne en pensant que ma première journée à Blackwater a été assombrie par une mort, même s'il ne s'agit que d'une petite bête égarée !

Welmingham… Je constate en relisant les dernières pages de mon journal que c'est ainsi que se nomme l'endroit où vit Mrs Catherick. J'ai encore le mot qu'elle m'a écrit en réponse à la lettre que sir Percival m'a obligée à lui envoyer. Dès que j'en aurai l'occasion, il faut que j'aille la voir. Sa lettre me servira d'introduction. Je me demande pourquoi elle veut garder sa visite secrète et je ne serais pas étonnée pour ma part qu'Anne soit dans les environs. Qu'aurait fait Walter

Hartright dans cette situation ? Pauvre, cher Hartright ! Comme ses conseils me manquent…

Mais j'entends quelque chose ! Des pas dans l'escalier ? Oui ! j'entends les sabots des chevaux… j'entends un grincement de roues sur le gravier…

II

15 juin. – Passé le premier branle-bas de leur arrivée, le calme, depuis deux jours, s'est rétabli à Blackwater Park, où la vie s'organise. Je peux reprendre mon journal.

Je dois commencer, me semble-t-il, par une étrange remarque que je me suis faite depuis que Laura est rentrée.

Si deux êtres liés par des liens familiaux ou par l'amitié se séparent, l'un partant pour l'étranger, l'autre restant au pays, la situation de ce dernier n'est-elle pas tout à son désavantage lors du retour du voyageur ? Tandis que l'un rapporte de nouvelles manières de voir, de nouvelles idées dont il s'est enrichi, l'autre garde passivement ses vieilles habitudes et ses idées de toujours – ce qui détruit aussitôt les sympathies les plus profondes, éloigne les êtres les plus unis, sans qu'ils sachent pourquoi ni comment. Après nous être laissées aller, Laura et moi, à la joie des retrouvailles, après nous être assises, main dans la main, pour nous remettre de notre émotion et nous raconter tout ce que nous avions à nous dire, nous avons eu – elle comme moi, je l'ai deviné – cette sensation de distance entre nous. Cela s'est atténué aujourd'hui que nous avons retrouvé nos anciennes habitudes, et cela disparaîtra sûrement avec le temps, mais je pense que j'en ai été profondément influencée pour ce qui est du regard que je porte sur elle. C'est pourquoi j'en parle ici.

Si elle m'a retrouvée semblable à moi-même, je l'ai trouvée changée. Physiquement et moralement. Je n'irais sans doute pas jusqu'à dire qu'elle paraît moins belle qu'avant… disons que c'est à mes yeux qu'elle est moins belle.

Ceux qui ne la connaissent pas comme moi estimeront peut-être qu'elle est plus jolie, mieux portante, plus assurée aussi dans ses gestes. Mais moi, je n'arrive pas à retrouver en la nouvelle lady Glyde ce je ne sais quoi d'innocence et de légèreté qui caractérisait l'ancienne Laura Fairlie. Il y avait autrefois dans sa physionomie une fraîcheur, une douceur, une tendresse qui faisaient tout son charme – un charme que les mots sont impuissants à décrire, et que le meilleur peintre lui-même, comme le disait souvent le pauvre Hartright, n'arriverait pas à rendre. Un bref instant, dans l'émotion des retrouvailles, j'ai cru retrouver cette limpidité, mais elle s'est aussitôt évanouie. Ses lettres ne m'avaient guère préparée à ce changement. Au contraire, elles m'avaient laissé croire que le mariage ne l'avait pas transformée. Peut-être me suis-je trompée sur ses lettres comme je me trompe à présent sur son apparence… Peu importe ! Ce qui compte c'est que ces six mois d'absence, qu'elle ait ou non perdu de sa beauté, me l'ont rendue encore plus chère, et sans doute est-ce là l'aspect le plus positif de son mariage !

Que son caractère également ait changé ne me surprend pas, puisque je l'avais déjà compris au ton de ses lettres. A présent qu'elle est de retour, je la trouve tout aussi réticente à évoquer sa vie de femme mariée qu'elle l'était quand nous nous écrivions. Aux premiers mots que j'ai dits à ce sujet, elle m'a mis la main sur les lèvres, avec une expression qui m'a cruellement rappelé l'époque bénie où nous n'avions pas de secret l'une pour l'autre.

– Chaque fois que nous serons ensemble comme maintenant, Marian, m'a-t-elle dit alors que nous nous trouvions dans mon petit salon, nous serons beaucoup plus heureuses en acceptant ma vie conjugale comme elle est, sans en parler. Si mes confidences ne pouvaient toucher que moi, je te dirais tout, chérie, mais elles me conduiraient forcément à parler de mon mari et je n'en ai pas le droit. Je ne dis pas que ces confidences pourraient en quoi que ce soit te chagriner ou me rendre triste, ce n'est pas du tout cela. Mais ne pensons qu'au bonheur d'être de nouveau réunies, veux-tu ? J'ai tellement envie d'être heureuse et que tu le sois aussi, maintenant que nous sommes de nouveau réunies…

Elle s'est interrompue brusquement pour embrasser du regard la pièce où nous nous trouvions.

– Ah ! s'est-elle exclamée en battant des mains, je retrouve déjà un vieil ami ! Ton petit meuble de bibliothèque ! Marian ! Comme je suis heureuse que tu l'aies emmené ! Et ton affreux parapluie d'homme ! Et surtout, ton visage au teint de bohémienne, bouillonnant d'intelligence, qui me regarde comme toujours ! C'est comme quand nous étions à la maison, n'est-ce pas ? Je vais installer le portrait de père ici plutôt que dans ma chambre, et j'y mettrai aussi tous mes souvenirs de jeune fille ; tu verras, nous passerons ainsi des heures merveilleuses ! Oh, Marian ! a-t-elle continué en se jetant à mes genoux avec un air suppliant, promets-moi que tu ne te marieras jamais et que tu resteras toujours avec moi. C'est un peu égoïste de dire ça, mais tu es tellement mieux ainsi, seule… A moins que… à moins que tu ne sois profondément éprise de ton mari. Mais tu n'aimeras jamais personne plus que moi, n'est-ce pas ?

Elle s'est tue de nouveau, a croisé les bras sur mes genoux et y a appuyé sa tête ; puis elle m'a demandé d'une voix soudainement altérée :

– Avez-vous reçu beaucoup de lettres en mon absence ?

J'ai parfaitement compris ce que signifiait sa question, mais je ne voulais pas l'encourager en y répondant.

– A-t-il écrit ? Savez-vous s'il a repris le dessus maintenant ? M'a-t-il oubliée ?

Elle n'aurait pas dû me poser toutes ces questions. Elle oubliait déjà les résolutions qu'elle avait prises le fameux matin où elle avait parlé à sir Percival et où elle m'avait confié l'album de croquis. Mais que celui qui n'a jamais péché lui jette la première pierre ! Quelle femme saurait arracher définitivement de son cœur l'image qu'un véritable amour y a fixée ? Si les livres nous disent que de telles héroïnes existent, que nous apprend, d'autre part, notre propre expérience ?

Pauvre Laura ! La simplicité si pure de ses questions m'a retenue de la gronder, car j'étais heureuse de la retrouver se confiant tout entière à moi. Sans doute ai-je senti aussi qu'à sa place j'aurais posé les mêmes questions. J'ai donc répondu seulement que je ne lui avais pas écrit dernièrement et n'avais pas non plus reçu de ses nouvelles, puis j'ai ramené la conversation vers des sujets plus anodins.

Cette première discussion que nous avons eue en tête-à-tête m'a emplie de tristesse pour plusieurs raisons : l'idée que pour la première fois, maintenant qu'elle est mariée, il y a entre nous des sujets interdits ; l'impression qu'il n'existe entre elle et son mari aucune chaleur, aucune complicité ; la découverte que son ancien et douloureux attachement n'a pas disparu. Je ne peux m'empêcher, moi qui l'aime si tendrement et qui crains tant pour elle, de souffrir de ces constatations.

Ma seule consolation est que j'ai retrouvé en la revoyant toute la grâce de son caractère, sa nature spontanée, la douceur et la simplicité féminines qui charmaient tous ceux qui l'approchaient. Si je doute parfois de mes autres impressions à son égard, j'ai la certitude au moins que sur ce dernier point elle est toujours la même.

Venons-en maintenant à ses compagnons de voyage, et d'abord à son mari. Qu'ai-je pu observer chez lui qui m'aide à me faire une meilleure opinion de ce qu'il est ?

J'aurais peine à le dire. Il semble avoir été assailli, depuis son retour, par une foule de contrariétés et de petits ennuis sous le poids desquels nul homme ne montrerait son meilleur visage. Je le trouve amaigri, et sa toux semble s'être aggravée. Ses façons de faire – tout au moins à mon égard – sont beaucoup plus brusques. Il n'a pas manifesté sa cordialité et son affabilité d'antan quand il m'a saluée le soir de son arrivée, aucun discours de bienvenue, aucune démonstration de joie à ma vue, rien qu'une rapide poignée de mains assortie d'un « Comment allez-vous, Miss Halcombe ? Ravi de vous revoir ». Il paraît m'accepter comme un mal nécessaire et inévitable.

La plupart des hommes se montrent sous leur vrai jour quand ils sont chez eux, et j'ai déjà remarqué que sir Percival est terriblement maniaque quant à l'ordre et à l'exactitude, ce que rien dans son ancien comportement ne m'avait fait présager. Si je prends un livre dans la bibliothèque, puis le laisse sur la table, il vient aussitôt le remettre à sa place. Si je sors en laissant ma chaise là où j'étais assise, il a soin de la replacer contre le mur. Il ramasse constamment des pétales de fleurs tombés sur le tapis, d'un air aussi mécontent que s'il s'agissait de tisons dangereux susceptibles de le trouer, et il tempête contre les domestiques si, au dîner, il voit un faux pli sur la nappe ou un couteau qui n'est pas disposé comme d'habitude. Oui, il s'irrite alors comme si on l'avait personnellement insulté.

J'ai parlé des tracas qu'il avait eu à subir depuis son retour. Sans doute sont-ils la cause de cette aggravation de son caractère. Je veux m'en persuader pour ne pas redouter le pire quant à l'avenir. Il est certainement terrible pour un homme de se voir ainsi contrarié au moment où il rentre enfin chez lui après une longue absence, et j'ai pu moi-même constater ce qu'il avait eu à supporter.

Le soir même de son retour, à peine un pied dans le hall, il a demandé à la gouvernante qui venait les accueillir si personne n'était venu pour lui, ces derniers jours. La brave femme l'a mis au courant de la visite, la veille, du monsieur dont elle m'avait également parlé. Il s'était enquis du jour où sir Percival revenait… Là-dessus, sir Percival a demandé le nom de ce monsieur : il n'avait pas donné son nom. Pourquoi venait-il ? La gouvernante l'ignorait. Comment était-il ? Elle n'a pu fournir aucun détail qui aurait permis à sir Percival de reconnaître le visiteur… Sir Percival a froncé le sourcil en tapant du pied et s'est dirigé vers le salon sans mot dire. Pourquoi un incident aussi insignifiant le décontenançait-il à ce point ? Je l'ignore, mais il était terriblement décontenancé, cela est certain.

Il est peut-être préférable de ne pas juger ses manières d'être avant que soient apaisées les inquiétudes qui visiblement le tourmentent en ce moment. Je vais donc tourner une nouvelle page et le laisser tranquille pour le moment.

Parlons plutôt de ses deux invités, le comte et la comtesse Fosco. Je commence par la comtesse pour en avoir plus vite terminé.

Laura n'avait pas exagéré en me disant que je ne reconnaîtrais plus sa tante. Jamais de ma vie je n'ai assisté à une pareille transformation produite par le mariage. A trente-sept ans, Eleanor Fairlie était prétentieuse, idiote et assommait les pauvres hommes par sa vanité et son bavardage incessant. A quarante-trois ans, la comtesse Fosco reste des heures entières sans dire un seul mot, perdue dans ses pensées. Les ridicules accroche-cœurs qu'elle portait autrefois de chaque côté du visage sont remplacés par de petites boucles soigneusement brossées. La tête couverte d'un bonnet, elle a pour la première fois de sa vie l'air décent. Elle n'exhibe plus comme autrefois (sauf à son mari, j'entends) sa gorge squelettique et ses épaules en lames de rasoir. Vêtue de sobres robes grises ou noires devant lesquelles, dans sa jeunesse, elle aurait éclaté de rire ou de colère selon le caprice du moment, elle s'assied dans un coin, silencieuse. Ses mains blanches et sèches sont continuellement occupées à broder ou à rouler des cigarettes pour le comte. Dans les rares occasions où elle lève ses yeux d'un bleu froid, c'est pour les poser sur son mari avec cet air soumis que l'on rencontre chez les chiens fidèles. Le seul sentiment qu'elle ait laissé paraître sous ses dehors glaciaux depuis son arrivée est une jalousie de tigresse envers toute femme de la maison, y compris les servantes, que le comte regarde avec un semblant d'attention et d'intérêt. En dehors de ces moments-là, que ce soit le matin, à midi ou le soir, dans la maison ou dans le parc, qu'il fasse beau ou mauvais, elle reste aussi froide, aussi insensible qu'une statue. Aux yeux de la société, cet extraordinaire changement est sans nul doute admirable, puisque cette femme est devenue polie, réservée, silencieuse et qu'elle ne dérange jamais personne. Jusqu'à quel point son être intime est réellement amendé ou dégradé, c'est une autre question. Il m'est arrivé de surprendre de soudains changements d'expression sur ses lèvres pincées, certaines inflexions de sa voix d'habitude monotone qui me font penser que, peut-être, la réserve que nous lui voyons maintenant a refoulé en elle un élément dangereux de sa nature, laquelle auparavant s'exprimait librement et, par là même, de façon inoffensive. Le temps nous montrera si je me trompe.

Que dire du magicien qui a réussi une telle transformation, de cet étranger qui a si bien su dresser cette Anglaise que même ses parents ne la reconnaissent plus ? Que dire du comte ?

En deux mots : il semble bien être de ces hommes capables d'apprivoiser n'importe qui ; s'il avait épousé une lionne au lieu d'une femme, il l'aurait domptée. S'il m'avait épousée, moi, je roulerais ses cigarettes, comme sa femme, et je me tairais, comme sa femme, quand il me regarderait ! J'ai peur de l'avouer, même à ses pages, mais il m'a littéralement subjuguée, attirée, conquise – et cela en moins de deux jours. Comment y est-il arrivé ? Je ne saurais pas le dire. Je suis stupéfaite, alors qu'il occupe mes pensées, de constater à quel point je le vois avec netteté, avec bien plus de netteté que je ne peux voir sir Percival, Mr Fairlie, ou même Walter Hartright. Il n'y a que Laura que je puisse me représenter avec plus de précision. Il me semble entendre sa voix, comme s'il était en train de me parler. Je me remémore notre conversation d'hier comme si elle s'était déroulée il y a quelques minutes à peine.

Comment pourrais-je le décrire ? Il y a pas mal de choses dans son apparence extérieure, ses habitudes, ses goûts, que je critiquerais ou ridiculiserais sans pitié chez d'autres. Pourquoi, lorsque je les vois chez lui, l'idée ne me vient-elle même pas de les blâmer ou de m'en moquer ?

Par exemple, il est très gros, et j'ai toujours eu horreur des hommes corpulents. J'ai toujours pensé que la façon que nous avions d'associer systématiquement l'embonpoint à la jovialité revenait à dire que seuls les gens enjoués peuvent grossir, ou que l'excédent de chair a une influence directe et bénéfique sur le caractère des êtres qu'elle enrobe. J'ai toujours combattu ces deux inepties grâce à tous les exemples d'individus gros qui révélaient une nature étriquée, vicieuse et cruelle. Est-ce qu'Henry VIII était un personnage sympathique ? Le pape Alexandre VI était-il si bon que cela ? Et ces nourrices dont on payait autrefois les services, et dont la cruauté est proverbiale dans notre pays, ne comptaient-elles pas, pour la plupart d'entre elles, parmi les plus grosses femmes qu'ait produites l'Angleterre ? Les exemples sont légion, aujourd'hui ou naguère, chez nous comme à l'étranger, parmi les riches comme parmi les pauvres… Et malgré ce que je crois, voici le comte Fosco, aussi gros qu'Henry VIII, qui a pourtant gagné toute ma sympathie au premier regard. Incroyable !

Est-ce donc son visage qui m'a fait si bonne impression ?

Peut-être. Il ressemble de façon extraordinaire au grand Napoléon. Ses traits ont la même magnifique régularité, son expression rappelle le calme olympien, la force imperturbable du grand soldat. La ressemblance m'a frappée immédiatement, mais il y a au-delà de cette ressemblance quelque chose qui m'a encore davantage impressionnée. Je crois que ce sont ses yeux. Des yeux d'un gris incroyable qui dégagent parfois un éclat perçant, clair, merveilleux, irrésistible et qui m'hypnotisent et provoquent en moi de curieuses sensations. Pour le reste, il a un teint plutôt clair, contrastant très fort avec sa chevelure d'un noir de jais, ce qui me fait penser qu'il porte une perruque. Toujours rasé de près, son visage lisse ne porte aucune cicatrice et semble moins ridé que le mien, bien que, au dire de sir Percival, il soit âgé de près de soixante ans. Mais, je le répète, ce qu'il y a de plus étonnant chez lui, ce qui le distingue de tous les hommes qu'il m'a été donné de rencontrer jusqu'alors, c'est l'extraordinaire pouvoir que dégagent ses yeux si expressifs.

Ses manières et sa connaissance de notre langue ont peut-être également contribué à faire naître l'estime que j'ai pour lui. Il est très aimable et très galant avec les dames, et il a cette mystérieuse douceur dans la voix à laquelle, quoi que nous disions, aucune d'entre nous ne résiste. Il est naturellement aidé par le fait qu'il parle parfaitement l'anglais. J'ai souvent entendu vanter le talent des Italiens pour maîtriser notre rude et difficile langue du Nord, mais avant d'avoir rencontré le comte Fosco je n'aurais pu imaginer qu'il était possible qu'un étranger parle notre langue comme il le fait. La plupart du temps, il est impossible de deviner à son accent qu'il est étranger, et bien peu de nos compatriotes parlent avec la même facilité et se répètent aussi peu que lui. S'il donne à certaines de ses phrases une tournure plus ou moins étrangère, je ne l'ai jamais entendu employer une expression incorrecte, ou hésiter dans le choix d'un mot.

Les moindres caractéristiques, chez lui, ont quelque chose de fortement original et, en même temps, d'étrangement contradictoire. Par exemple, malgré sa corpulence, il est d'une vivacité et d'une agilité surprenantes; ses gestes pourraient rivaliser de discrétion avec ceux d'une femme et, malgré la puissance qui se dégage de toute sa personne, il possède, comme nous autres femmes, une sensibilité à fleur de peau. Il est capable de sursauter au moindre bruit de la même manière que le ferait Laura. Et hier, il a frissonné et blêmi de peur en voyant sir Percival frapper l'un des épagneuls, si bien que j'ai eu par comparaison honte de ma propre insensibilité.

A ce propos, que je dise ici qu'il voue un véritable culte aux animaux domestiques; il a emmené avec lui un perroquet, deux canaris et toute une famille de souris blanches. Il entoure de mille soins ces étranges amis, et il sait s'en faire aimer; il leur a appris à ne rien craindre quand il est auprès d'eux. Il lui suffit d'ouvrir la porte de la cage pour que les canaris viennent se percher tranquillement sur sa main. Ses souris blanches vivent dans une sorte de pagode grillagée qu'il a lui-même fabriquée. Elles sont aussi peu farouches que les canaris. Elles lui grimpent dessus, s'enfouissent dans son vêtement ou se nichent sur ses épaules. Il est proprement fou de ces petites bêtes, qu'il ne cesse d'embrasser en les appelant par toutes sortes de petits noms affectueux. N'importe quel Anglais partageant cette passion enfantine en éprouverait de la honte et se garderait bien d'en faire la démonstration en public. Pas lui. Il cajolerait sans vergogne ses souris blanches au milieu d'une assemblée de nos chasseurs de renard, qu'il regarderait avec compassion comme un troupeau de barbares si d'aventure ils voulaient rire de lui.

Et cet homme, qui a toute la tendresse d'une vieille fille pour son perroquet, toute la patience du monde avec ses chères souris blanches, sait, aussi incroyable que cela puisse paraître, se lancer dans des discours qui révèlent une grande indépendance de pensée, une culture et une érudition fort étendues. Il connaît la moitié des capitales de l'Europe et ne manquerait pas de faire grande impression au milieu de la société la plus brillante qui soit. Ce dompteur de canaris, cet architecte qui construit des pagodes miniatures est, à ce que m'a dit sir Percival, l'un des premiers chimistes de notre époque, et, sans parler de ses autres inventions, il a trouvé un moyen de pétrifier le corps après la mort, de sorte qu'on puisse le conserver, aussi dur que du marbre, jusqu'à la fin des temps.

C'est ce gros homme, indolent et vieillissant, dont les nerfs sont si fragiles qu'il sursaute au moindre bruit, dont la sensibilité est telle qu'il frémit quand on maltraite un épagneul devant ses yeux, qui, le lendemain de son arrivée, s'est rendu au chenil et a posé sa main sur la tête d'un molosse si féroce qu'il est attaché en permanence et que le garçon qui s'en occupe se tient toujours à distance respectable. Sa femme et moi avons alors assisté à une scène inoubliable.

– Faites attention au chien, monsieur, a dit le garçon, il saute sur tout ce qui bouge.

– Mais mon garçon, a répondu le comte avec le plus grand calme, s'il le fait, c'est parce que tout le monde a peur de lui. Voyons s'il me saute dessus.

Sur ces mots, il a caressé la tête de l'animal en regardant la brute droit dans les yeux.

– Vous autres chiens, a-t-il ajouté avec mépris à l'intention de l'animal, le visage touchant presque sa gueule, vous n'êtes que des poules mouillées. Tu dévorerais un pauvre chat, espèce de lâche ; tu attaquerais un mendiant affamé, espèce de lâche. Tu te jettes sur tout ce qui est sans défense, sur tout ce qui peut avoir peur de ta taille, de tes horribles canines et de ta gueule écumante. Rien ne t'empêche de me sauter à la gorge et pourtant, tu restes là à me regarder sans bouger, tout simplement parce que je n'ai pas peur de toi. Ah ! Tu changes d'avis ? Cela te dirait de goûter ce cou appétissant ? Même pas, hein !

Il s'est redressé avec un grand éclat de rire devant l'air médusé du garçon, et le chien est retourné penaud vers sa niche.

– Mon gilet, quelle pitié ! a conclu le comte sur un ton pathétique. Je suis un fou d'être venu par ici. Cette brute m'a bavé dessus.

Ces derniers propos reflètent l'une de ses autres bizarreries : il attache autant d'importance à l'élégance vestimentaire que le plus grand imbécile qui soit. Pendant les deux journées qu'il a passées à Blackwater Park, nous lui avons déjà vu quatre gilets différents, mais tous les quatre magnifiques.

Reste que sa finesse et son intelligence sont aussi remarquables que ses lubies et tous les enfantillages dont il est capable.

J'ai l'impression qu'il a l'intention de rester dans les meilleurs termes qui soient avec chacun ici. Il n'a pas manqué de remarquer l'aversion secrète que Laura éprouve pour lui, ce qui ne l'a pas empêché de découvrir la passion qu'elle voue aux fleurs. Il sait lui préparer de ravissants petits bouquets qu'il a lui-même arrangés et, à mon grand amusement, il a cure à chaque fois d'en confectionner un exactement identique destiné à prévenir la jalousie de sa femme. D'ailleurs, la façon dont il se comporte en public avec la comtesse est tout un spectacle. Il lui fait la révérence, ne s'adresse à elle qu'en lui disant « mon ange », lui apporte ses canaris pour qu'ils lui fassent la sérénade, lui baise la main quand elle lui donne ses cigarettes, puis lui offre à son tour des bonbons qu'il lui met lui-même dans la bouche, délicatement. La main de fer avec laquelle il la tient en secret ne se laisse jamais voir en société. Il ne doit la montrer que dans l'intimité de leurs appartements.

Avec moi, il s'y prend tout différemment. Il flatte ma vanité en me traitant avec sérieux comme un homme. Bien sûr, je vois clair en lui quand je suis ici, dans ma chambre, et pourtant, dès que je descends et que je me retrouve avec lui, voilà qu'il m'aveugle et que je me laisse flatter de nouveau, comme si je n'avais conscience de rien ! Il nous mène tous par le bout du nez, moi et les autres, même sir Percival : « Mon cher Percival, j'aime votre humour anglais, même s'il manque de subtilité ! », « Mon cher Percival, j'apprécie votre solide bon sens anglais ! » Voici comment il répond aux remarques de sir Percival sur ses goûts efféminés : il appelle toujours le baronnet par son petit nom avec la condescendance bienveillante qu'aurait un père pour son fils.

L'intérêt que j'éprouve pour ce personnage étrange m'a poussée à questionner sir Percival sur le passé de son ami, mais il ignore – ou prétend tout ignorer — de sa vie avant leur rencontre à Rome dans les circonstances tragiques que j'ai déjà relatées. Depuis lors, ils ont été partout ensemble, à Londres, à Paris, à Vienne, mais... jamais le comte n'est retourné en Italie. Peut-être est-il victime d'une machination politique quelconque ? En tout état de cause, il se montre extrêmement intéressé par le sort de ses compatriotes vivant en Angleterre. Le soir de son arrivée, il s'est empressé de demander à quelle distance nous nous trouvions de la ville la plus proche, et si nous savions si des Italiens y résidaient. Il doit être en correspondance avec des gens de tous les pays, car les timbres des lettres qu'il reçoit sont de toutes nationalités, et j'ai vu ce matin une lettre à lui adressée qui portait, m'a-t-il semblé, un cachet officiel. Correspond-il avec son gouvernement ? Mais alors, c'est qu'il ne serait pas un exilé politique...

C'est incroyable ce que j'ai pu écrire sur le comte Fosco ! Et tout ça pour quoi ? comme le demanderait notre pauvre cher Mr Gilmore. Je ne peux que répéter que j'éprouve, presque malgré moi, de l'attirance pour le comte. Il exerce sur moi le même empire que sur sir Percival. Ce dernier, même s'il semble libre, presque grossier parfois, vis-à-vis de son ami, a peur, c'est évident, de l'offenser. Et moi, aurais-je aussi peur de lui ? Il n'existe certainement pas un homme sur cette terre dont je souhaite moins me faire un ennemi. Est-ce parce que je l'apprécie ou parce qu'il m'inspire une certaine crainte ? *Chi sa?* comme dirait le comte Fosco dans sa langue. Qui sait ?

16 juin. – A côté de mes pensées et de mes impressions, j'ai quelque chose à raconter qui s'est produit aujourd'hui. Un visiteur s'est présenté – ni Laura ni moi ne le connaissions – qui manifestement n'était pas attendu par sir Percival.

Nous déjeunions ce midi dans la pièce qui ouvre sur la véranda ; le comte était en train de se goinfrer de pâtisseries (à part mes anciennes camarades d'école, je n'ai jamais vu quelqu'un se jeter avec tant de voracité sur des gâteaux) et venait de nous faire rire en demandant une quatrième tartelette, quand le domestique est entré pour annoncer le visiteur.

– Mr Merriman est là, sir Percival, et désire vous parler immédiatement.

– Mr Merriman ! s'est exclamé ce dernier, l'air agacé et vaguement inquiet comme s'il n'en croyait pas ses oreilles.

– Oui, sir Percival. Mr Merriman, de Londres.

– Où est-il ?

– Dans la bibliothèque, sir Percival.

Il a quitté la table sans s'excuser et est sorti précipitamment.

– Qui est Mr Merriman ? m'a demandé Laura.

– Je n'en ai pas la moindre idée, ai-je répondu.

Le comte, ayant terminé son quatrième gâteau, s'était levé de table pour aller dire quelques mots d'amitié à son perroquet. Il s'est tourné vers nous, son oiseau sur l'épaule.

– Mr Merriman est l'avocat de sir Percival, a-t-il dit avec calme.

Son avocat… Voilà qui répondait directement à la question de Laura, et pourtant cela ne disait pas tout. Si Mr Merriman avait été appelé par sir Percival, il n'y aurait rien eu d'étonnant à le voir arriver ici. Mais quand un homme de loi voyage depuis Londres jusque dans le Hampshire sans avoir été convoqué, et quand son apparition dans la maison d'un gentleman provoque la stupeur du gentleman en question, c'est le signe qu'il est porteur d'une nouvelle importante, soit très bonne soit très mauvaise.

Aussi Laura et moi sommes-nous restées assises à table près d'un quart d'heure, nous demandant anxieusement ce qu'il était arrivé et attendant le retour du maître de maison. Ne le voyant pas revenir, nous avons fini par nous lever de table à notre tour.

Le comte Fosco, le perroquet toujours sur l'épaule, a fait preuve de sa prévenance habituelle et s'est précipité pour nous ouvrir la porte. Mrs Fosco et Laura sont sorties les premières. Comme je m'apprêtais à les suivre, il m'a fait un signe de la main et m'a adressé cette réflexion étrange, comme s'il avait deviné mes pensées :

– Oui, oui, Miss Halcombe, il s'est passé quelque chose.

J'étais sur le point de lui dire que je ne lui avais rien demandé, lorsque le perroquet a poussé un tel cri que je me suis sauvée.

J'ai rejoint Laura au bas de l'escalier. Elle pensait la même chose que moi et m'a avoué qu'elle avait peur que quelque chose ne soit arrivé.

III

16 juin. – J'ai encore quelques lignes à ajouter à mon journal avant d'aller au lit.

Deux heures après que sir Percival nous eut quittés pour rejoindre son avocat, il m'a pris l'envie d'aller me promener un peu. Comme je me trouvais sur le palier du premier étage, j'ai entendu la porte de la bibliothèque s'ouvrir. Pensant qu'il valait mieux ne pas déranger les deux hommes, j'ai préféré attendre jusqu'à ce qu'ils aient quitté le hall. Ils se parlaient à voix basse, mais j'ai pu saisir la fin de leur conversation.

– Ne vous en faites pas, sir Percival, a dit l'avocat ; tout cela ne dépend que de lady Glyde.

J'avais déjà fait demi-tour pour regagner ma chambre, mais le nom de Laura m'immobilisa. Je sais que ce n'était pas bien, de ma part, d'écouter, mais y a-t-il une femme sur terre qui pourrait régler ses actes sur le principe abstrait de l'honneur, quand ce principe lui propose une voie à suivre tandis que ses affections et l'intérêt de ceux qu'elle aime lui en proposent une autre ? Oui, je l'avoue, j'ai écouté ! Et si c'était à refaire, dussé-je coller mon oreille au trou de la serrure, je le referais.

– Vous comprenez bien, disait l'avocat. Elle doit donner sa signature en présence de témoins et dire en mettant son doigt sur le cachet : « Ceci est ma volonté ! » Si cette formalité est accomplie avant une semaine, tout s'arrangera. Sinon…

– Qu'entendez-vous par sinon ? a demandé vivement sir Percival. Si cette formalité doit se faire elle se fera, je vous le certifie, monsieur Merriman.

– Oui, oui, je sais, sir Percival. Mais il y a toujours une alternative dans une transaction, et nous, hommes de loi, aimons à la regarder en face. Si, par un concours de circonstances imprévues, l'arrangement ne se faisait pas, je pourrais peut-être obtenir des traites à trois mois. Mais voilà ! Comment pourrez-vous disposer de l'argent pour les payer à l'échéance ?

– Au diable les traites ! s'est écrié sir Percival. L'argent doit être obtenu en une fois et je l'obtiendrai ! Prenez un verre de vin avant de partir, Merriman.

– Merci, sir Percival, mais je n'ai pas un moment à perdre si je veux avoir mon train. Écrivez-moi dès que l'affaire sera conclue et n'oubliez pas les témoins surtout.

– Naturellement ! Le dog-cart est devant la porte, mon cocher va vous conduire… Benjamin ! Allez ventre à terre jusqu'à la gare. Si Mr Merriman manque son train, vous perdrez votre place. Tenez-vous bien, monsieur Merriman, et comptez sur le diable pour protéger un de ses sujets !

Sur cette étrange bénédiction, le baronnet rentra dans la bibliothèque.

Je n'avais pas entendu grand-chose de la conversation, mais suffisamment pour être inquiète. Ce qui était arrivé, c'était à n'en pas douter une affaire d'argent, et sir Percival comptait sur sa femme pour le tirer de ce mauvais pas. L'idée de savoir Laura mêlée à tout cela me contrariant au plus haut point, j'ai remis à plus tard ma promenade et me suis directement rendue dans sa chambre, afin de la mettre sans tarder au courant de ce que j'avais appris.

Elle m'a écoutée avec un tel calme que j'en ai conclu qu'elle en savait long sur les embarras d'argent de son mari.

– Je l'ai craint, m'a-t-elle dit, lorsqu'on nous a appris qu'un visiteur était venu en notre absence, sans laisser son nom.

– Qui était-ce, Laura ?

– Quelqu'un qui avait sans doute de sérieux droits à réclamer quelque chose à sir Percival.

– Saurais-tu quelque chose sur la nature de ces réclamations ?

– Non, rien.

– Dis-moi, Laura, tu ne signeras rien sans l'avoir lu auparavant, n'est-ce pas ?

– Certainement non, Marian. Tout ce que je puis faire honnêtement pour l'aider, je le ferai, chérie, afin que notre existence à toutes deux, ici, soit aussi agréable que possible. Mais je ne signerai jamais aveuglément un papier dont nous pourrions rougir un jour. N'en parlons plus, veux-tu ? Je vois que tu as ton chapeau… Si nous allions faire un tour ?

Tandis que nous cherchions un endroit ombragé, nous avons

aperçu le comte Fosco qui se promenait lentement sur le gazon en plein soleil. Il portait un chapeau de paille à large bord orné d'un ruban violet ; une blouse bleue brodée de blanc recouvrait son énorme torse et était serrée à la taille par une large ceinture en cuir écarlate. Un ample pantalon, orné des mêmes broderies blanches, lui descendait jusqu'aux chevilles et il portait aux pieds des mules en maroquin pourpre. D'une voix sonore, il chantait l'air de Figaro du *Barbier de Séville* en s'accompagnant sur une mandoline, dont il jouait avec d'extraordinaires moulinets des bras, et en dodelinant de la tête d'un air extatique. Il nous a saluées de loin avec l'élégance et la grâce de Figaro lui-même à vingt ans.

– Crois-moi, Laura, il connaît mieux que nous les ennuis d'argent de ton mari, lui dis-je en désignant le comte à qui nous rendions de loin son salut.

– Qu'est-ce qui te fait penser cela ?

– Comment aurait-il su autrement que Mr Merriman était l'avocat de sir Percival ? D'autre part, quand nous avons quitté la salle à manger, il m'a dit d'un air entendu, et sans que je lui aie rien demandé, que quelque chose s'était passé. Crois-moi, il en sait beaucoup plus que nous.

– Ne le questionne surtout pas, Marian, et ne le mets pas dans nos confidences !

– Que t'a-t-il dit ou fait pour que tu le détestes tant, Laura ?

– Rien, Marian. Au contraire, il a été très attentionné pour moi durant le voyage et il a pris plusieurs fois ma défense contre sir Percival. Peut-être est-ce parce qu'il a plus d'influence que moi sur celui-ci que mon orgueil s'en trouve blessé, ou peut-être est-ce parce qu'il doit intervenir trop souvent en ma faveur auprès de mon mari ? Je ne sais au juste… mais je ne l'aime pas.

Le reste de la journée s'est déroulé sans incident. Le comte et moi avons joué aux échecs. Il m'a poliment laissée gagner les deux premières parties, mais quand il a vu que je voyais clair dans son manège, il s'est confondu en excuses et, pour la troisième partie, m'a faite échec et mat en dix minutes. Sir Percival n'a fait aucune allusion à la visite de Mr Merriman. Quoi qu'il en soit, cette visite – à moins que ce ne soit autre chose – avait produit sur lui un effet tout à fait bénéfique, puisqu'il est redevenu subitement tel que nous l'avions connu à Limmeridge, attentif et prévenant avec sa femme. Cela n'a échappé à personne, pas même à la glaciale Mrs Fosco qui le regardait, surprise. Pour ma part, je ne sais que trop ce que ce manège cache et Laura s'en est douté comme moi. Le comte Fosco aussi, j'en suis sûre. Plus d'une fois, j'ai surpris sir Percival qui guettait un signe d'assentiment de la part de son ami.

17 juin. – Journée mouvementée. J'espère ne pas avoir à ajouter qu'elle a amené son lot de désastres.

Pas plus qu'hier soir sir Percival n'a dit un mot au petit déjeuner de ce mystérieux « arrangement » (comme l'appelle l'avocat) qui plane au-dessus de nos têtes. Mais une heure après, il a fait irruption dans la pièce où Laura et moi, déjà coiffées pour sortir, attendions la comtesse. Il s'est enquis du comte Fosco.

– Nous l'attendons d'une minute à l'autre, ai-je répondu.

– En fait, a continué sir Percival en arpentant le salon d'une démarche nerveuse, j'aurais besoin qu'il me rejoigne avec sa femme dans la bibliothèque pour une petite affaire de famille... Laura, j'aurais également besoin que vous soyez là.

Puis, remarquant que nous avions mis nos chapeaux, il nous a demandé :

– Mais vous sortiez peut-être ?

– Nous pensions aller tous au lac ce matin, a répondu Laura, mais si vous avez un autre projet à nous proposer...

– Non, non ! a-t-il répondu vivement. Mes projets peuvent attendre cet après-midi... Excellente idée que d'aller au lac, je vous accompagne avec plaisir !

Il n'y avait pas à s'y tromper : ses façons autant que ses paroles exprimaient un empressement inusité à se plier aux projets des autres avant de mettre les siens à exécution. Il était de toute évidence soulagé d'avoir trouvé une excuse pour remettre à plus tard l'affaire dont il venait de parler.

A ce moment, le comte et la comtesse nous ont rejoints. Elle portait l'inévitable nécessaire servant à fabriquer les cigarettes de son mari, tandis que lui-même, vêtu de sa blouse et de son chapeau de paille, avait dans les bras sa petite pagode avec ses chères souris blanches, auxquelles il envoyait des sourires ravis et irrésistibles.

– Avec votre permission, j'emmènerai ma petite famille, mes chères et tendres petites souris ; je ne voudrais pas les laisser seules à la merci de tous ces chiens qui rôdent autour de la maison.

Nous nous sommes mis en route. Quand nous sommes arrivés à la sapinière, sir Percival s'est éloigné de nous. Il ne peut jamais s'empêcher, en promenade, de s'écarter ainsi de ses compagnons ; il emprunte un chemin différent et s'amuse à tailler des baguettes dont il se fait des cannes. Cette occupation semble le distraire, même si, dès qu'il s'est servi une fois d'une nouvelle canne, il s'empresse de l'abandonner pour en fabriquer une autre.

Il nous a rejoints près du vieux hangar. C'est alors qu'il a lancé la conversation qui va suivre. Cette conversation est pleine d'importance pour moi, dans la mesure où elle m'a fortement incitée à reconsidérer la confiance que j'accordais jusqu'alors au comte Fosco et à me méfier dorénavant de l'influence qu'il peut exercer sur moi.

Nous nous sommes tous installés à l'intérieur du hangar, à l'exception de sir Percival qui est resté dehors, parachevant sa nouvelle canne à l'aide d'un couteau de poche. Laura a pris son ouvrage de broderie, la comtesse Fosco s'est mise à rouler ses cigarettes ; quant à moi, comme d'habitude, je ne faisais rien. Mes mains ont toujours été et seront toujours aussi maladroites que celles d'un homme. Le comte s'était installé tant bien que mal sur un des sièges rustiques, beaucoup trop petit pour lui, et se balançait, le dos appuyé contre la cloison qui craquait sous son poids. Il avait posé sa pagode sur ses genoux et en avait ouvert la porte pour laisser les souris lui grimper dessus comme d'habitude. Ces petites bêtes ont beau avoir l'air charmantes et inoffensives, les voir ainsi déambuler en liberté sur un être humain me met très mal à l'aise. Elles m'inspirent une sorte de répulsion ; je ne peux m'empêcher de songer à ces misérables prisonniers qui croupissent dans des donjons obscurs et dont les cadavres sont la proie des rats.

Le temps était nuageux et venteux ; les ombres qui se jouaient sur le lac rendaient le spectacle lugubre et sinistre.

– Dire qu'il existe des gens pour trouver cela pittoresque ! a dit sir Percival, pointant de son bâton presque terminé le panorama sauvage qui s'étendait devant nous. Moi, je déclare que c'est une tache dans la propriété d'un gentleman. Au temps de mon grand-père, le lac venait jusqu'ici, et voyez maintenant ! Je voudrais le drainer et y faire des plantations. Mon régisseur, un idiot superstitieux, prétend que le lac possède un mauvais sort comme la mer Morte. Qu'en pensez-vous, Fosco ? Cela ne semble-t-il pas être un endroit rêvé pour un meurtre ?

– Mon bon Percival ! s'est exclamé le comte. Qu'avez-vous fait de votre solide bon sens anglais ? L'eau est trop peu profonde pour cacher le cadavre et le sable garderait la trace des pas du meurtrier. C'est au contraire le plus mauvais endroit que je connaisse pour un meurtre.

– Farceur ! Vous savez bien ce que je veux dire, a rétorqué sir Percival, toujours occupé à sculpter son bâton. Le lieu désert… lugubre… Mais à quoi bon vous expliquer si vous ne comprenez pas !

– Et pourquoi pas ? a demandé alors le comte, puisque l'explication peut être donnée en deux mots. Si un imbécile voulait commettre un meurtre, il choisirait votre lac sans hésiter. Mais ce serait le dernier endroit que choisirait un homme intelligent. N'est-ce pas ce que vous voulez dire ? La voilà votre explication ! Il n'y a plus rien à ajouter, n'est-ce pas ? Avec la bénédiction du comte Fosco !

Laura avait les yeux fixés sur le comte. Son visage exprimait trop clairement l'antipathie qu'il lui inspirait, mais il était si occupé par ses souris qu'il ne le remarqua pas.

– Je suis désolée que la vue du lac soit jointe à une pensée aussi horrible que celle d'un meurtre, a-t-elle déclaré. Et si le comte Fosco désire diviser les meurtriers en différentes catégories, je pense qu'il a mal choisi ses expressions. En les traitant d'imbéciles, il fait preuve d'une indulgence qu'ils ne méritent pas, et en les traitant de gens intelligents, il se contredit. J'ai toujours entendu affirmer que les hommes réellement intelligents avaient horreur du crime, et ne pouvaient être que des gens sages et bons.

– Chère madame ! a répondu le comte. Vos sentiments vous honorent et je les ai déjà vus notés en tête des cahiers d'écriture. Ma petite canaille blanche, voici une leçon de morale pour toi. Une souris vraiment intelligente est une souris vraiment bonne. Dis bien cela à tes compagnes et ne ronge plus les barreaux de ta cage à l'avenir.

– Il est facile de tourner tout en ridicule, s'est obstinée Laura, mais vous auriez plus de difficultés à me donner un exemple d'homme intelligent ayant été un grand criminel, comte Fosco.

Celui-ci a haussé les épaules en souriant aimablement à Laura.

– Parfaitement juste, car le crime d'un imbécile est celui que l'on découvre. Celui d'un homme intelligent ne se découvre jamais. Si je pouvais vous citer un exemple, c'est qu'il ne s'agirait plus d'un homme intelligent. Chère lady Glyde, votre bon sens anglais a eu raison de moi. On dirait que cette fois-ci, c'est moi qui suis échec et mat, n'est-ce pas, Miss Halcombe ?

– Gardez vos positions, Laura, a lancé sir Percival dans un ricanement, et dites-lui que les crimes entraînent leur propre châtiment. Voilà encore une morale de cahier d'écriture, pour vous, Fosco, infernal blagueur ! Les crimes entraînent leur propre châtiment.

– Je crois que c'est parfaitement vrai, a dit Laura avec calme.

Sir Percival a éclaté d'un rire si violent et si sarcastique que nous avons tous sursauté, et le comte plus que les autres.

– Je le crois aussi, ai-je répété pour soutenir Laura.

Sir Percival qui avait paru si amusé de la réflexion de sa femme a semblé tout à coup furibond de la mienne. Il a rageusement frappé le sol de sa canne et s'est éloigné.

– Pauvre cher Percival ! s'est exclamé le comte, il est victime du spleen anglais ! Mais, chère Miss Halcombe, chère lady Glyde, croyez-vous vraiment que les crimes entraînent leur propre châtiment ? Et vous, mon ange, a-t-il ajouté en se tournant vers sa femme, le croyez-vous aussi ?

– J'attends qu'on me l'enseigne avant de donner mon avis devant les hommes mieux informés que moi, a répondu la comtesse en nous lançant à Laura et à moi un regard plein de reproche.

– Vraiment, comtesse ? ai-je répliqué. Je me souviens pourtant du temps où vous réclamiez le droit pour les femmes d'émettre librement leurs opinions !

– Que pensez-vous de la question, comte ? a repris la comtesse en m'ignorant et en continuant à rouler ses cigarettes.

De ses doigts boudinés, le comte a caressé l'une de ses bestioles avant de donner sa réponse.

– C'est étonnant comme la société se console facilement de ses pires manquements au devoir par de simples mots. Le système qu'elle a mis en place pour la découverte des crimes est pitoyablement inefficace, et pourtant, il suffit qu'on produise quelque épigramme expliquant que tout cela fonctionne à merveille pour que tout le monde se trouve abusé. Ainsi les crimes entraîneraient leur propre châtiment ?

Demandez aux enquêteurs qui officient dans les grandes villes si cela est vrai, lady Glyde. Demandez aux compagnies d'assurances, Miss Halcombe. Lisez les journaux. Parmi les cas dont il est fait mention, n'y a-t-il pas des cadavres dont le meurtrier n'est jamais découvert ? Multipliez les affaires dont on parle par celles dont on ne parle pas, et les cadavres qu'on a retrouvés par ceux qui n'ont pas été découverts. Et qu'obtenez-vous ? Ceci : on démasque les criminels stupides, jamais ceux qui sont intelligents. Découvrir un crime, qu'est-ce au juste ? Un concours d'intelligence entre la police et le coupable. Quand le meurtrier est un idiot ignorant, la police gagne neuf fois sur dix, mais quand le criminel est un être intelligent, rusé, éduqué, la police perd presque toujours. Quand elle a gagné, on en parle avec éclat, mais on passe sous silence toutes les fois où elle a perdu. Et c'est à partir de cela que vous bâtissez votre chère morale. Le crime entraîne son propre châtiment, dites-vous ? Oui, ceux dont vous avez connaissance, mais les autres ?

– Diablement vrai et très bien exprimé ! s'est écriée une voix à la porte du hangar.

Sir Percival semblait avoir retrouvé sa bonne humeur.

– Il y a peut-être du vrai dans cela, ai-je repris, et c'est peut-être très bien exprimé, mais je me demande pourquoi le comte Fosco célèbre avec tant de joie la victoire du criminel sur la société ! Et pourquoi vous, sir Percival, vous le soutenez !

– Vous avez entendu, Fosco ? Je vous conseille de faire la paix avec ces dames en leur déclarant que la vertu est une belle chose. Vous aurez plus de succès auprès d'elles, je vous l'assure, s'est esclaffé sir Percival.

Le comte s'est mis à rire, lui aussi. Effrayées par les secousses de son estomac, deux des souris ont surgi de son gilet pour se réfugier dans leur cage.

– Je ne demande pas mieux que les dames m'expliquent ce qu'est au juste la vertu, car elles savent ce que c'est et moi pas !

– Vous l'entendez ! a fait sir Percival. N'est-il pas horrible ?

– C'est vrai, reprit le comte. Je suis un citoyen du monde, et j'ai rencontré au cours de mes voyages tant de vertus différentes que j'aurais du mal à dire aujourd'hui laquelle est la bonne. La vertu est une chose en Angleterre, c'en est une autre en Chine… Et toi, chère petite souris, quelle est ta conception de la vertu ? Un homme qui te cajole et te nourrit ? Cela a au moins le mérite d'être clair.

– Attendez une minute, comte, l'ai-je interrompu. Il est évident que nous avons en Angleterre une vertu indiscutable, qui manque totalement en Chine. Les Chinois tuent des milliers de gens innocents sous des prétextes futiles. Nous, en Angleterre, nous n'agissons pas de la sorte, car nous avons horreur du sang inutilement versé.

– Absolument vrai, Marian, a fait Laura, et très bien exprimé !

– Permettez au comte de terminer son exposé, a coupé la comtesse Fosco d'un air revêche. Vous verrez, jeunes dames, qu'il ne parle jamais sans avoir de bonnes raisons.

– Merci, mon ange ! Voulez-vous un bonbon ? a répondu le comte en sortant une petite boîte de sa poche et en l'ouvrant pour la poser sur la table. Chocolats à la vanille. Hommage de Fosco à la charmante société.

– Continuez, comte, je vous prie, a insisté sa femme. Faites-moi le plaisir de répondre à Miss Halcombe.

– On ne peut pas répondre à Miss Halcombe, a fait remarquer notre Italien avec son exquise politesse ; je veux dire… au sujet de ce qu'elle avance pour le moment. Bien sûr ! Elle a raison ! Un Anglais tient en horreur les crimes des Chinois. Plus qu'aucun homme au monde il est prompt à découvrir les fautes de son voisin alors qu'il ne voit pas les siennes ! La paille et la poutre… Mais est-il tellement plus vertueux que les gens qu'il condamne ? La société anglaise, Miss Halcombe, est plus souvent la complice du crime que son ennemie. Mais si ! Le crime dans ce pays est pareil qu'ailleurs ; tantôt il peut être le meilleur ami d'un homme, tantôt son pire ennemi. Est-ce que le plus grand des vauriens ne fait pas quelque bien à sa femme et à ses enfants ? Plus grand sera son crime, plus grande sera la sympathie et la commisération que vous éprouverez pour sa malheureuse famille. Bien plus, cela peut aussi lui profiter à lui-même : avez-vous remarqué qu'on prête bien plus facilement aux dilapidateurs d'argent qu'aux gens honnêtes qui ne quémandent que très rarement et qu'en cas d'absolue nécessité ? Dans le premier cas, les amis habitués ne se posent pas de questions ; dans le second cas, ils sont surpris et ils hésitent. Et la prison où M. Canaille finira ses vieux jours est-elle en définitive moins confortable que l'hospice où échouera M. Honnêteté après des années de labeur ? Quand M. le Philanthrope veut soulager la misère, c'est dans les prisons qu'il se rend, là où croupit le crime, ce n'est pas dans les masures ni dans les taudis, où croupit la vertu. Quel est le poète anglais qui a gagné la compassion universelle, celui qui inspire spontanément des écrits et des tableaux pathétiques ? Ce charmant jeune homme qui a commencé sa carrière par des contrefaçons et l'a terminée sur un suicide – votre cher, romantique et passionnant Chatterton. Qui, d'après vous, de ces deux couturières qui ne mangent pas à leur faim s'en tire le mieux ? Celle qui est honnête et résiste à la tentation où celle qui y succombe et se met à voler ? Vous savez tous que pour cette dernière, le vol est un premier pas vers la fortune. Son cas va émouvoir toute l'Angleterre charitable qui voudra lui porter assistance… elle rompt l'un des commandements et la voilà sauvée, alors qu'elle serait morte de faim en le respectant… Viens ici ma jolie souris blanche. Ah ! Presto ! Et hop ! Te voici transformée en respectable lady. Tiens-toi tranquille dans ma paume, et écoute ce que j'ai à te dire. Tu épouses l'homme sans le sou dont tu es amoureuse. La moitié de tes amis te plaint, l'autre te blâme. A présent, au contraire, tu te vends pour de l'argent à un homme dont tu n'as que faire, et là, tous tes amis se réjouissent pour toi, un prêtre bénit le plus odieux des marchés humains, et s'invite ensuite, tout sourire, à ta table pour te narguer. Ah ! Presto ! Et hop ! Te voici redevenue souris blanche. Si tu étais restée plus longtemps une lady, il m'aurait fallu te dire encore que la société tient le crime en horreur… et alors, ma toute belle, qu'aurais-tu pensé, toi qui as des yeux pour voir et des oreilles pour écouter… Vous me trouvez un bien mauvais homme, lady Glyde, n'est-ce pas ? Mais, voyez-vous, je dis tout haut ce que les autres ne font que penser tout bas. Je dévoile le squelette sous la chair replète… A ce propos, je vais remuer mon propre embonpoint avant de descendre encore plus bas dans votre estime. Je vais aller me promener un peu… Chères amies, comme dirait votre excellent Sheridan, je vous quitte en vous laissant mon âme.

Se levant, il a déposé la cage sur la table en comptant ses souris.

– Une, deux, trois, quatre… Ah ! s'est-il écrié avec horreur, au nom du Ciel ! où est la cinquième, la plus jeune, la plus jolie, ma toute petite !

Ni Laura ni moi n'étions d'humeur à nous amuser. Le cynisme du comte venait de nous révéler un côté inattendu de son caractère. Mais il était impossible de ne pas rire devant la détresse de ce gros homme, causée par une si petite souris ! La comtesse s'était levée pour sortir et laisser le champ libre à son mari dans ses recherches, et nous l'avons imitée.

Nous n'avions pas fait trois pas que le comte avait déjà découvert la bestiole, sous le banc que nous occupions. Il s'est penché pour la ramasser et s'est soudainement immobilisé, à quatre pattes, les yeux fixés sur un point du plancher. Quand il s'est relevé, sa main tremblait tellement qu'il a eu du mal à remettre la souris dans sa cage. Son visage était blême.

– Percival ! a-t-il dit dans un murmure. Percival, venez ici !

Ce dernier ne nous prêtait plus aucune attention depuis dix minutes au moins. Il était entièrement absorbé à tracer des dessins dans le sable, du bout de sa canne.

– Qu'y a-t-il encore ? a-t-il fait, en rentrant d'un air las dans le hangar.

– Ne voyez-vous rien là, sous la chaise, lui a demandé le comte, en le saisissant d'une main par l'épaule et en lui désignant, de l'autre, un point sous le banc ?

– Je vois du sable et un peu de boue.

– Ce n'est pas de la boue, Percival, c'est du sang !

Laura, qui avait entendu ces derniers mots, m'a regardée, effrayée.

– Sottises, chérie ! lui ai-je dit. Rien de terrible. Ce n'est que le sang d'un pauvre petit chien blessé.

Tous se sont tournés vers moi, stupéfaits.

– Comment le savez-vous ? a demandé sir Percival, parlant le premier.

– Parce que je l'ai trouvé ici mourant, le jour de votre retour. La pauvre bête avait reçu un coup de fusil de votre garde.

– A qui appartenait ce chien ? a encore demandé sir Percival. Était-ce un des miens ?

– Avez-vous essayé de sauver la malheureuse créature ? a enchaîné Laura. Oh ! Je suis sûre que vous avez dû essayer.

– A qui appartenait ce chien ? a répété sir Percival. Un des miens ?

– Non.

– Alors, à qui ? Est-ce que la gouvernante le sait ?

Les paroles de la gouvernante, qui m'avait fait part du désir de Mrs Catherick qu'on taise sa visite, m'ont fait hésiter. Mais je m'étais trop avancée pour reculer, et me taire n'aurait fait qu'éveiller les soupçons.

– Oui, ai-je enfin répondu. La gouvernante le savait. C'était le chien de Mrs Catherick.

A ce nom, sir Percival, qui était resté dans le hangar auprès du comte Fosco, a violemment écarté celui-ci et s'est approché tout près de moi.

– Et comment la gouvernante a-t-elle pu savoir que ce chien appartenait à Mrs Catherick ?

– Parce que Mrs Catherick l'avait amené avec elle, ai-je répondu calmement.

– Amené avec elle ? Mais où ça ?

– Ici !

– Que diable venait-elle faire ici ?

Trouvant que sir Percival devenait grossier, plus encore dans le ton que dans les paroles qu'il employait, je lui ai tourné le dos sans répondre pour lui montrer ce que je pensais de son attitude. Le comte s'en est aperçu et, mettant le bras sur son épaule, lui a dit d'une voix doucereuse :

– Doucement, mon cher Percival, doucement !

Celui-ci nous a jeté un regard de colère, puis s'est tourné vers moi et, à ma grande surprise, s'est excusé.

– Je vous demande pardon, Miss Halcombe, je suis un peu irritable ces derniers temps. Auriez-vous l'obligeance de me dire si vous savez ce que désirait Mrs Catherick ? Quand est-elle venue et qui a-t-elle vu à part la gouvernante ?

– Personne, à ma connaissance.

Le comte est de nouveau intervenu :

– Dans ce cas, pourquoi ne pas interroger la gouvernante ? Remontons à la source.

– Vous avez raison, a répondu sir Percival. C'est évidemment elle qu'il faut questionner. Suis-je bête de ne pas l'avoir compris tout seul !

Sur ces mots, il nous a quittés pour se diriger vers la maison.

Lorsqu'il a été parti, j'ai mieux compris l'intervention du comte, qui m'avait d'abord intriguée. Ce dernier s'est mis à m'assaillir de questions sur Mrs Catherick et les raisons de sa visite – ce qu'il aurait pu difficilement faire en présence de son ami. J'ai répondu aussi succinctement que possible, bien décidée à ne pas trop me confier à lui. Mais Laura, sans le savoir, l'aidait à apprendre de moi tout ce qu'il désirait connaître ; elle aussi avait entrepris de me poser toutes sortes de questions auxquelles j'étais bien obligée de répondre, si je ne voulais pas avoir l'air à ses yeux d'être complice des secrets de sir Percival. Si bien qu'au bout de dix minutes, le comte Fosco en savait autant que moi sur Mrs Catherick et sur Anne, ainsi que sur la façon étrange dont Mr Hartright avait fait la connaissance de la jeune fille.

J'ai été étonnée de la façon dont il réagissait à ces informations. Malgré son intimité avec sir Percival et la connaissance qu'il semble avoir de ses affaires privées, il est clair qu'il ignorait tout, jusqu'ici, de l'histoire d'Anne Catherick. Le mystère qui plane encore sur cette malheureuse me paraît donc à présent doublement suspect, puisque j'ai la certitude absolue qu'il cache la clef de toute cette affaire même à son ami le plus proche. Il était impossible de se tromper sur la curiosité grandissante du comte au fur et à mesure qu'il buvait littéralement mes paroles. Il existe plusieurs sortes de curiosité, mais celle-ci à n'en pas douter ne reflétait qu'un immense étonnement.

En parlant, nous étions revenus vers la maison. Le dog-cart de sir Percival attendait devant la porte, prêt à partir. S'il fallait en croire les apparences, l'entretien que sir Percival venait d'avoir avec la gouvernante s'était conclu par une décision importante.

– Un bien beau cheval, mon ami, a dit le comte au garçon d'écurie. Vous prenez la route ?

– Pas moi, monsieur, a répondu le garçon en montrant ses vêtements d'écurie et en se demandant sans doute si cet étranger les prenait pour sa livrée. Pas moi, monsieur, mon maître part seul.

– Ah, vraiment ? Il conduit donc lui-même ? Il veut peut-être fatiguer ce beau cheval ?

– Je ne sais pas, monsieur. Ce cheval, monsieur, est une jument, l'animal le plus courageux de nos écuries. Elle s'appelle Molly Brown, monsieur, et elle court jusqu'à ce qu'elle tombe de fatigue. Pour les courtes distances, sir Percival prend d'habitude Isaac d'York.

– Et pour les longues courses, il prend la courageuse Molly Brown ?

– Oui, monsieur.

– Déduction logique, Miss Halcombe, a fait le comte en se retournant vers moi. Sir Percival va faire une longue course aujourd'hui.

Je n'ai pas répondu. J'étais occupée à tirer mes propres conclusions de certaines choses que m'avait dites la gouvernante et de celles que je voyais à présent, et je n'avais aucune envie d'en faire part au comte Fosco.

Quand il s'était trouvé dans le Cumberland, me disais-je, sir Percival avait fait à pied un long trajet pour aller prendre des nouvelles d'Anne chez le fermier de Todd's Corner ; à présent qu'il était dans le Hampshire, il partait pour une longue course à cheval. Pour aller s'enquérir d'Anne chez Mrs Catherick, à Welmingham ?

Nous sommes rentrés dans la maison. Dans le hall, nous sommes tombés sur le baronnet qui sortait de la bibliothèque. Il avait l'air pressé, pâle et un peu anxieux, mais il a fait preuve envers nous de la plus parfaite politesse.

– Je m'excuse d'être obligé de vous quitter, a-t-il commencé, une affaire urgente… Je serai de retour demain, mais auparavant j'aurais voulu régler cette petite formalité dont je vous ai parlé ce matin. Voulez-vous venir dans la bibliothèque, Laura ? Cela ne prendra qu'une minute. Comtesse, puis-je également abuser de votre temps ? Vous aussi, Fosco. Il me faut deux témoins pour une signature, rien de plus. Entrons et finissons-en.

Il leur a tenu la porte de la bibliothèque ouverte et l'a doucement refermée derrière lui quand ils se sont tous trouvés à l'intérieur.

Je suis restée quelque temps seule au milieu du hall, le cœur battant, rongée par l'inquiétude. Enfin, je me suis décidée à gagner ma chambre.

IV

17 juin. – Au moment où j'arrivais devant ma porte, j'ai entendu la voix de sir Percival qui me rappelait.

– Il faut que je vous demande de redescendre, Miss Halcombe, a-t-il dit, c'est à cause de Fosco. Pour une raison stupide, il objecte à ce que sa femme serve de témoin. Je dois vous demander de nous rejoindre dans la bibliothèque.

J'ai suivi sir Percival dans la pièce. Laura se tenait debout près de la table, triturant nerveusement son chapeau. Mrs Fosco, assise à côté d'elle, toujours imperturbable, contemplait son mari à l'autre bout de la bibliothèque, occupé à ôter les feuilles mortes des fleurs qui garnissaient la fenêtre. Quand je suis entrée, il s'est avancé vers moi pour me fournir quelques explications.

– Mille pardons, Miss Halcombe, mais vous savez quelle réputations vos compatriotes font aux Italiens. Il paraît que nous sommes roublards et méfiants. Eh bien, je ne vaux pas mieux que cela : je suis un Italien roublard et méfiant. C'est bien votre avis, n'est-ce pas ? Et en tant que tel, je m'oppose à ce que ma femme et moi soyons témoins tous les deux de la signature de lady Glyde.

– Objection absurde ! a grogné sir Percival. Je lui ai expliqué que la loi anglaise l'autorisait tout à fait.

– Possible ! La loi anglaise peut-être, mais pas la conscience de Fosco, a déclaré le comte en étalant ses gros doigts sur sa poitrine et en saluant gravement comme s'il voulait présenter sa conscience à l'assemblée. J'ignore quel document lady Glyde doit signer et je ne désire pas le savoir. Mais l'avenir peut obliger sir Percival à devoir faire appel à ses témoins et il est souhaitable que ceux-ci soient indépendants les uns des autres. Or, cela ne peut être si ma femme est témoin en même temps que moi, parce qu'elle et moi n'avons qu'une seule et même opinion, qui est mon opinion. Je ne veux pas qu'on me reproche un jour d'avoir fait pression sur Mrs Fosco, ce qui annulerait son témoignage. C'est dans l'intérêt de sir Percival que je propose donc que les témoins soient vous, Miss Halcombe, en tant que sœur de lady Glyde, et moi, en tant qu'ami de sir Percival. Je suis un peu jésuite peut-être, mais j'espère que vous voudrez bien seulement sourire de mes scrupules d'Italien roublard et méfiant.

Ce disant, il s'est incliné et a reculé de deux pas, se retirant avec sa conscience. Les scrupules du comte pouvaient être honorables, mais quelque chose dans la manière dont il les avait exprimés ne faisait qu'accroître ma réticence à être mêlée à cette affaire. Seul mon souci pour Laura pouvait me décider à accepter et l'angoisse que je voyais peinte sur son visage enleva mes dernières hésitations.

– Vous pouvez compter sur moi, ai-je répondu, si, de mon côté, je ne trouve aucune raison d'avoir des scrupules.

Sir Percival m'a regardée en fronçant les sourcils, comme s'il voulait me répliquer quelque chose ; mais, au même moment, son attention a été attirée par la comtesse qui, sur un ordre de son mari, se levait pour sortir.

– Restez, je vous en prie, lui a dit sir Percival.

La comtesse Fosco a de nouveau regardé son mari, en quête d'un ordre, a une nouvelle fois compris ce qu'il attendait d'elle, et a déclaré qu'elle préférait se retirer, ce qu'elle a fait d'un pas décidé. Le comte a allumé une cigarette, puis est retourné à ses fleurs, s'appliquant à envoyer des bouffées de fumée sur les feuilles afin de tuer chaque insecte qu'il y voyait.

Pendant ce temps, sir Percival s'était dirigé vers une petite armoire. Il l'a ouverte et en a sorti un parchemin plié qu'il a placé sur la table devant sa femme. Le dépliant à demi, il a gardé la main posée sur le haut de la feuille. La partie visible était vierge. Laura et moi nous sommes regardées. Elle était pâle mais paraissait sûre d'elle-même.

Sir Percival a trempé la plume dans l'encrier et l'a tendue à Laura.

– Signez ici, a-t-il dit en désignant le bas du parchemin. Fosco et Miss Halcombe signeront ensuite. Allons, Fosco, on n'est pas témoin d'une signature en contemplant la nature et en soufflant sur des fleurs !

Le comte a jeté sa cigarette et s'est approché de la table, les mains coincées dans la ceinture qui retenait sa blouse et le regard fixé sur le visage de sir Percival. Laura, la plume dans la main, a également regardé son mari. Celui-ci, qui n'avait pas lâché son parchemin, me regardait quant à lui avec une expression sinistre qui lui donnait davantage l'air d'un prisonnier devant son juge que d'un gentleman dans sa propre demeure.

– Signez ici ! a-t-il répété en se tournant brusquement vers Laura.

– Que dois-je signer ? a-t-elle demandé calmement.

– Je n'ai pas le temps de vous expliquer. Le dog-cart est à la porte et je dois partir. D'ailleurs, vous ne pourriez comprendre : c'est une pure formalité et c'est bourré de mots techniques. Allons, signez et finissons-en !

– Il me semble, sir Percival, que je dois savoir de quoi il s'agit avant de signer, non ?

– Balivernes ! Les femmes ne connaissent rien en affaires, vous n'y comprendriez rien !

– Eh bien, essayons quand même. Lorsque Mr Gilmore me proposait une affaire, il me l'expliquait toujours auparavant… et je comprenais.

– Évidemment ! Mr Gilmore était votre serviteur, il était obligé de vous l'expliquer. Moi, je suis votre mari et je n'ai pas ce devoir. Combien de temps comptez-vous encore me faire attendre ? Je suis pressé, vous dis-je ! Le dog-cart m'attend. Voulez-vous signer, oui ou non ?

Elle avait toujours la plume dans la main mais ne paraissait pas décidée à s'en servir.

– Si ma signature me rend responsable, je veux savoir de quoi.

Il a saisi le parchemin et en a frappé violemment la table.

– Mais dites-le donc ! Vous qui avez la réputation de dire toujours la vérité ! Peu importe Miss Halcombe, peu importe Fosco, dites que vous n'avez pas confiance en moi !

Le comte a retiré une main de sa ceinture et l'a posée sur l'épaule de sir Percival, mais celui-ci s'en est dégagé avec impatience.

– Contrôlez votre sacré caractère, Percival ! a insisté le comte. Lady Glyde a raison.

– Raison ? Une femme qui se méfie de son mari ?

– C'est injuste et méchant de m'accuser de méfiance, sir Percival, a dit Laura ; demandez à Marian si je n'ai pas le droit de désirer savoir à quoi je m'engage avant de signer.

– Je n'ai pas besoin de l'avis de Miss Halcombe, a rétorqué sir Percival avec grossièreté, elle n'a rien à voir dans cette affaire !

Je n'avais rien dit jusqu'alors et j'aurais préféré continuer à me taire. Mais Laura m'a lancé un tel regard de détresse et la mauvaise foi de son mari était si flagrante que je n'avais pas d'autre choix que de donner mon opinion.

– Excusez-moi, sir Percival, mais en tant que témoin, j'estime que j'ai quelque chose à voir dans l'affaire. La demande de ma sœur est tout à fait régulière, et, pour ma part, je ne prendrai pas la responsabilité de garantir sa signature si elle ne connaît pas le document que vous désirez lui faire signer.

– Voilà une déclaration assez nette, ma parole ! s'est écrié sir Percival furibond. La prochaine fois que vous vous inviterez chez un homme, Miss Halcombe, je vous recommande de le remercier de son hospitalité en prenant le parti de sa femme contre lui, en vous mêlant de ce qui ne vous regarde pas !

J'ai bondi sur mes pieds comme s'il m'avait giflée. Si j'avais été un homme, je lui aurais cassé la figure sous son propre toit et j'aurais quitté la maison pour ne jamais y remettre les pieds. Mais je n'étais qu'une femme… et j'aimais sa femme de tout mon cœur.

Dieu merci, cet amour m'aida. Je me suis rassise sans dire un mot. Elle savait ce que j'endurais et combien je me maîtrisais. Elle s'est précipitée vers moi, des larmes plein les yeux.

– Oh Marian ! Si maman était encore en vie, elle n'en aurait pas plus fait pour moi.

– Revenez ici et signez ! a crié sir Percival.

– Dois-je le faire, Marian ? m'a demandé Laura à l'oreille.

– Non, chérie. Le droit est pour vous : ne signez rien sans lire.

– Revenez ici et signez !

Le comte, qui avait tout observé en silence, s'est interposé encore une fois.

– Percival, a-t-il dit. Si vous oubliez que vous vous adressez à des dames, moi je m'en souviens.

Sir Percival l'a regardé avec colère, tandis que le comte appuyait fortement sa main sur son épaule, en répétant avec fermeté :

– Soyez assez bon pour ne pas l'oublier, Percival.

Ils se sont toisés, puis sir Percival s'est dégagé lentement de la main de fer qui pesait sur lui et, tel un animal dompté, il a détourné les yeux et a parlé d'une voix sourde. On aurait dit un animal dompté plutôt qu'un homme faisant amende honorable.

– Je ne désire offenser personne, mais l'entêtement de ma femme ferait perdre patience à un saint. Je lui dis que ce n'est qu'une formalité, que veut-elle de plus ? Pensez ce que vous voulez, mais j'estime qu'une femme n'a pas à se méfier de son mari. Encore une fois, lady Glyde, voulez-vous signer ce parchemin ?

Laura est retournée vers la table et a repris la plume.

– Je signerai avec plaisir si vous me traitez comme un être raisonnable. Peu importe le sacrifice que vous me demandez, s'il n'affecte que moi et n'entraîne aucun mal…

– Qui parle de sacrifice ? a explosé sir Percival de nouveau hors de lui.

– Je voulais simplement dire que je ne refuserai aucune concession que je puisse faire honorablement. Si j'ai des scrupules à signer aveuglément, pourquoi me jugez-vous avec autant de sévérité ? Il m'est pénible de constater que vous avez été beaucoup plus indulgent pour les scrupules du comte Fosco.

Cette allusion innocente et naturelle à l'extraordinaire ascendant du comte sur son mari ne fit qu'accroître la rage de sir Percival.

– Scrupules ! a-t-il vociféré. Vos scrupules, vraiment ! Il est un peu tard pour en avoir ! Je croyais que vous aviez surmonté ce genre de faiblesse en faisant de la nécessité de m'épouser une vertu !

Au moment où il prononçait ces mots, Laura a laissé retomber la plume et l'a regardé avec une expression que je ne lui avais encore jamais vue, puis lui a tourné le dos. Les paroles brutales que lui avait lancées son mari devaient avoir un sens caché, elles insinuaient quelque chose d'insultant que je ne saisissais pas très bien et qui visiblement avait touché Laura au plus profond d'elle-même.

Le comte s'en est aperçu comme moi. Au moment où je quittais ma chaise pour m'approcher de Laura, je l'ai entendu murmurer à sir Percival :

– Espèce d'idiot !

Laura s'est dirigée vers la porte, mais sir Percival l'a rappelée de nouveau.

– Alors, vous refusez absolument de signer ? a-t-il demandé d'une voix altérée qui montrait qu'il avait conscience d'être allé trop loin.

– Après ce que vous venez de me dire, a répondu Laura avec froideur, je refuse de signer avant d'avoir lu chaque ligne de ce document. Viens, Marian, nous sommes déjà restées trop longtemps ici.

– Un moment ! a lancé le comte, avant que sir Percival ait eu le temps de répliquer. Un moment je vous en prie, lady Glyde.

Laura était prête à quitter la pièce sans faire attention à lui, mais je l'ai arrêtée en lui disant tout bas :

– Ne te fais pas un ennemi du comte, pour l'amour du Ciel !

J'ai refermé la porte et nous sommes restées debout, à attendre. Sir Percival, assis devant la table, le coude sur le parchemin, avait la tête appuyée dans ses mains, tandis que le comte se tenait debout entre lui et nous, maître de la situation, comme il semblait l'être de toute chose.

– Lady Glyde, excusez-moi si j'ose faire une suggestion, et croyez bien que c'est avec le plus profond respect et la plus grande amitié que je m'adresse à la maîtresse de cette maison.

Puis, se tournant vers sir Percival, il lui a demandé :

– Est-il absolument nécessaire que cet acte soit signé aujourd'hui ?

– Selon mes désirs et mes projets, oui, mais vous voyez bien que cette considération n'influence pas lady Glyde.

– Répondez directement à ma question, voulez-vous ? La signature peut-elle être remise à demain, oui ou non ?

– Oui, à la rigueur, si vous le voulez.

– Alors, qu'attendez-vous pour partir, mon ami ?

Sir Percival a froncé les sourcils et lâché un juron.

– Je n'aime pas beaucoup le ton que vous prenez avec moi, Fosco. Je ne le supporterais de personne d'autre.

– Je ne fais que vous conseiller pour votre bien, a répondu le comte avec un sourire où perçait un soupçon de mépris. Prenez votre temps, et laissez lady Glyde réfléchir. Avez-vous oublié que votre dog-cart vous attend à la porte ? Mon ton vous surprend ? C'est parce que c'est celui d'un homme qui sait se conduire et garder son sang-froid. Peut-on compter les bons avis que je vous ai toujours donnés ? Avez-vous jamais eu à regretter mes conseils ? Je vous mets au défi de me trouver un exemple. Croyez-moi, allez faire votre course. Nous reparlerons de tout cela à votre retour.

Sir Percival a regardé sa montre d'un air hésitant, visiblement partagé entre le désir d'entreprendre son voyage mystérieux et celui d'obtenir la signature de Laura. Il a fini par se lever.

– Il est facile d'avoir raison quand je n'ai pas le temps de répondre. Je m'en vais, Fosco, je suis votre conseil ; non que j'en aie besoin ou qu'il me paraisse bon, mais je ne puis plus rester ici !

Puis, s'adressant à sa femme :

– Si vous ne me donnez pas votre signature demain…

Le reste de la phrase s'est perdu dans le bruit de l'armoire qu'il refermait à clef, après y avoir replacé le document. Il a pris son chapeau et ses gants et s'est dirigé vers la porte. Laura et moi nous sommes écartées pour le laisser passer.

– Demain, souvenez-vous…

Nous avons attendu qu'il se soit éloigné. Le comte s'est approché de nous.

– Vous l'avez vu dans un de ses plus mauvais jours, Miss Halcombe. Moi qui suis son vieil ami, j'ai honte pour lui et je vous promets que demain il ne recommencera plus.

Laura a serré mon bras de façon significative. Il lui était pénible, sous son propre toit, de devoir recevoir les excuses d'un ami de son mari, concernant la conduite de ce dernier. J'ai remercié le comte et l'ai entraînée dehors. Oui ! je l'ai véritablement remercié ! Car je sentais que, par caprice ou par intérêt, il tenait à ce que je reste à Blackwater Park, et je savais que, sans son influence, après ce qui s'était passé entre sir Percival et moi, je n'avais aucune chance de demeurer ici. Son influence ! son influence que je redoutais plus que tout au monde était ce qui, dans ce moment pénible, me rattachait pourtant à Laura…

Nous avons entendu les roues du dog-cart grincer sur le gravier. Sir Percival était parti.

– Où va-t-il ? a murmuré Laura. J'ai peur de tout. Sais-tu, toi, où il va ?

Après la scène qu'elle venait de vivre, je n'avais aucune envie de lui faire part de mes soupçons.

– Comment pourrais-je connaître ses secrets ? ai-je répondu, évasive.

– Je me demande si la gouvernante le sait.

– Certainement pas. Elle n'en sait pas plus que nous.

– Laura a secoué la tête d'un air dubitatif.

– Mais la gouvernante ne t'a-t-elle pas dit qu'on avait vu Anne Catherick dans les environs. Penses-tu qu'il est parti à sa recherche ?

– Laura, je préfère ne pas songer à tout cela, et il me semble que tu devrais faire comme moi. Viens dans ma chambre te reposer un moment.

Nous nous sommes installées près de la fenêtre ouverte, pour humer la douceur de l'été.

– J'ai honte, Marian chérie, quand je pense à ce que tu as dû supporter pour moi tout à l'heure ! Oh, ma chérie ! si tu savais combien cela me fait mal !

– Chut ! Ne dis pas ça. Que m'importe ma vanité quand c'est ton bonheur qui est en jeu ?

– Tu as entendu ce qu'il m'a dit ? a-t-elle continué avec colère. Tu as entendu mais tu n'as pas compris. Tu ne sais pas pourquoi j'ai lâché la plume et pourquoi je lui ai tourné le dos, n'est-ce pas ? Marian, il y a tant de choses que je ne t'ai pas dites ! Je ne voulais pas te faire de peine. Tu ne sais pas comme il m'a traitée, et pourtant tu dois t'en douter après ce que tu as vu. Tu l'as entendu parler de mes scrupules, Marian, et sur quel ton ! Tu l'as entendu parler de ma vertu en l'épousant.

Elle avait prononcé cette dernière tirade en arpentant la chambre d'un air agité. Elle s'est rassise, le visage en feu et les mains contractées sur ses genoux.

– Je ne peux rien dire pour l'instant, je risquerais d'éclater en sanglots. Plus tard, Marian, je te raconterai tout, mais pas maintenant… j'ai un tel mal de tête, chérie, mal, mal, mal. Où sont tes sels ? Et toi ? J'aurais dû signer, comme il me le demandait. Je crois que je le ferai demain, car maintenant que tu as pris mon parti contre lui, c'est à toi qu'il ferait de violents reproches, si je refusais encore… Ah ! si au moins nous avions un ami pour nous aider !

Elle a soupiré avec amertume. J'ai compris qu'elle songeait à Hartright, je l'ai compris d'autant mieux que ses dernières paroles m'y avaient moi-même fait penser. Six mois à peine après son mariage, nous en étions déjà à avoir besoin de l'aide qu'il nous avait offerte en partant !

– Nous devons prendre nos responsabilités et envisager la situation calmement. Tâchons de faire ce qu'il y a de mieux.

D'après les paroles de l'avocat de sir Percival et ce que Laura savait des embarras financiers de son mari, il était facile d'en déduire que le contrat à signer avait pour objet un emprunt d'argent, et que la signature de Laura était absolument nécessaire.

Pour ce qui concernait la nature exacte de cet acte et la manière dont il engageait Laura, cela relevait de questions qui nous dépassaient. J'avais pourtant la conviction que cette transaction devait être malhonnête et frauduleuse, non pas parce que sir Percival avait refusé de nous donner la moindre explication – car ce refus pouvait uniquement provenir de son caractère tyrannique –, mais bien à cause du changement qui s'était opéré entre le sir Percival de Limmeridge House, aimable, poli, galant, et le sir Percival de Blackwater Park, brutal et grossier. Sa délicatesse subtile, sa politesse cérémonieuse qui avaient tant séduit le tempérament vieux jeu de Mr Gilmore, sa modestie vis-à-vis de Laura, sa simplicité envers moi, sa modération avec Mr Fairlie, toutes ces attitudes n'étaient que des masques sous lesquels l'homme se révélait mesquin, rude et perfide. Il se dévoilait à présent qu'il avait obtenu ce qu'il voulait, et dans la bibliothèque il venait de se montrer sous son véritable jour. Je ne dirai rien de la peine que j'en éprouvais pour Laura, car c'est au-delà des mots, mais ma décision était prise : j'étais décidée, après cet incident, à empêcher coûte que coûte que Laura signe avant d'avoir pris connaissance du document.

Pour cela, il fallait absolument que nous puissions produire le lendemain une objection solide – fondée juridiquement – à cette signature. Peut-être ainsi aurions- nous une chance de faire fléchir sir Percival et de lui faire comprendre que nous avions beau être des femmes, nous étions capables de gérer nos affaires aussi bien que lui.

Après avoir réfléchi, j'ai décidé d'écrire au seul homme honnête en qui nous pouvions avoir confiance et qui pourrait nous apporter une aide discrète, dans la situation critique où nous nous trouvions. Il s'agissait de Mr Kyrle, l'associé de Mr Gilmore, qui s'occupait seul de l'étude à présent que notre vieil ami avait quitté Londres pour prendre un repos forcé. J'ai dit à Laura que Mr Gilmore m'avait assurée de la discrétion, de l'intégrité et de la compétence de son associé, et que, si elle n'y voyait pas d'inconvénient, j'allais lui écrire.

Ma lettre lui exposait, brièvement et sans formules de politesse superflues, toute la situation et demandait un conseil aussi clair que possible par retour du courrier. J'étais en train d'écrire l'adresse quand Laura a soulevé un obstacle auquel, toute à ma rédaction, je n'avais pas songé :

– Comment pourrons-nous recevoir la réponse à temps ? Ta lettre ne sera pas distribuée à Londres avant demain matin, et la réponse ne nous parviendra qu'après-demain.

La seule manière de surmonter cette difficulté était que la réponse nous parvienne par porteur spécial. J'ai donc ajouté un post-scriptum à cet effet, priant Mr Kyrle de m'envoyer la réponse par un messager qui prendrait le train de onze heures du matin et serait ainsi à Blackwater Park au plus tard à deux heures de l'après-midi. Il avait pour consigne de me faire demander en personne, et de me remettre la lettre en main propre.

– Au cas où sir Percival reviendrait avant deux heures, ai-je dit à

Laura, la meilleure chose à faire pour toi est de partir avec un livre ou ton ouvrage dans le parc toute la matinée, et de ne revenir qu'après l'arrivée du messager. Moi, j'attendrai celui-ci, afin qu'il n'y ait pas d'erreur possible. Voilà qui devrait nous éviter de mauvaises surprises. Et maintenant, descendons, afin de ne pas attirer l'attention.

– L'attention de qui ? De qui pourrions-nous attirer l'attention à présent que sir Percival est parti ? Veux-tu parler du comte Fosco ?

– Peut-être, Laura.

– Tu commences à le détester autant que moi, Marian.

– Non, pas vraiment. L'antipathie est toujours plus ou moins associée au mépris, et rien ne m'inspire du mépris chez le comte.

– Aurais-tu peur de lui ?

– Peut-être, un peu.

– Tu as peur de lui, après l'attitude qu'il vient de prendre en notre faveur ?

– Oui. Je me méfie davantage de son amabilité que des colères de sir Percival. Souviens-toi de ce que je t'ai dit dans la bibliothèque, Laura, ne te fais pas un ennemi du comte !

Nous sommes descendues. Laura est entrée au salon, tandis que je me dirigeais vers le sac postal pendu à un mur du hall. La porte donnant sur le parc était ouverte et j'ai vu le comte et la comtesse qui m'observaient.

Cette dernière est accourue vers moi et m'a demandé si je pouvais lui accorder quelques minutes d'entretien. Plutôt étonnée, j'ai déposé ma lettre dans le sac et l'ai suivie. Me prenant par le bras avec une familiarité inaccoutumée, elle m'a entraînée non pas vers une pièce où nous serions tranquilles mais vers le gazon qui entourait le vivier devant la maison.

Le comte s'est incliné avec un sourire pour nous laisser passer et est rentré aussitôt en poussant la porte du hall derrière lui sans la fermer totalement.

Je m'attendais à recevoir une confidence extraordinaire de la comtesse ; aussi quelle n'a pas été ma surprise quand j'ai constaté qu'elle se bornait à m'exprimer sa sympathie. Son mari l'avait mise au courant de la scène de la bibliothèque, lui avait dit les manières grossières que sir Percival avait eues envers moi. Elle en était tellement choquée qu'elle était bien décidée à quitter la maison, en guise de protestation, si une chose pareille se reproduisait encore. Elle en avait parlé au comte qui approuvait totalement sa décision et elle espérait que je l'approuverais aussi.

Je trouvai cette démarche fort étrange venant d'une personne aussi réservée, surtout après les paroles qu'elle et moi avions échangées le matin même, dans le hangar, mais la moindre des politesses m'obligeait quand même à la remercier. Ayant répondu comme il le fallait et jugeant que le sujet était épuisé, j'ai voulu rentrer, mais elle m'en a empêchée. Voilà que cette femme silencieuse se mettait à présent à me persécuter de sa conversation. Pendant plus d'une demi-heure elle m'a débité, tandis que nous ne cessions de tourner autour du bassin, les plus grandes banalités sur la vie de couple, sir Percival et Laura, son propre bonheur, la façon dont feu Mr Fairlie s'était comporté avec elle au moment de son testament, et ainsi de suite. J'étais excédée ! S'en est-elle aperçue ? Je l'ignore. Mais à un moment, elle s'est brusquement interrompue et, après avoir jeté un coup d'œil rapide vers la porte du hall, elle a lâché mon bras et est redevenue glaciale.

En rentrant, je me suis trouvée nez à nez avec le comte, au moment où il déposait une lettre dans le sac postal. Après avoir refermé le sac, il m'a demandé où j'avais laissé sa femme et est parti la rejoindre. Il avait l'air si calme et si modeste que je me suis demandé s'il était malade.

Ce qui m'a poussée ensuite à me précipiter sur le sac postal, à en ressortir ma lettre, avec une vague honte, pour la relire une dernière fois, ce qui m'a poussée, après l'avoir lue, à cacheter l'enveloppe, relève d'une impulsion secrète que je ne saurais expliquer. Les femmes, comme chacun sait, agissent souvent de manière impulsive et c'est sans doute ce qui explique pourquoi je me suis comportée ainsi.

Quoi qu'il en soit, j'ai pu me féliciter d'avoir fermé l'enveloppe alors que j'étais encore dans ma chambre… Je l'avais humectée, comme l'on fait d'ordinaire, en appuyant ensuite sur le papier. Cela ne faisait pas trois quarts d'heure, et pourtant, en y glissant un doigt à présent, j'ai vu l'enveloppe s'ouvrir immédiatement. Ne l'avais-je pas suffisamment humectée ? La colle avait-elle un défaut ? Ou alors… Non ! Je ne voulais pas croire à une chose si ignominieuse. J'en frémis encore à l'écrire !

Je redoute demain. Je dois absolument garder mon calme. Il me faut observer deux précautions essentielles : rester en bonne intelligence avec le comte et être sur le qui-vive lorsque le messager arrivera avec la réponse.

V

17 juin. – Au dîner, le comte s'est montré aussi brillant que d'ordinaire. On aurait dit qu'il avait à cœur de nous faire oublier l'épisode désagréable de l'après-midi. Il nous a amusées par le récit de ses voyages dont il a rapporté quantité d'anecdotes et au cours desquels il a rencontré des gens passionnants. Il nous a également fait l'aveu de sa jeunesse mouvementée dans une petite ville italienne, quand il écrivait des histoires à l'eau de rose pour un journal local. Il était tellement brillant et tellement inattendu dans ce qu'il racontait que Laura et moi l'écoutions vraiment avec autant d'attention et – aussi inconcevable que cela puisse sembler – autant d'admiration que la comtesse elle-même. Les femmes peuvent résister à l'amour d'un homme, à sa célébrité, à son argent, mais elles sont vaincues dès lors qu'il sait leur parler.

Après le dîner, le comte s'est retiré modestement dans la bibliothèque, nous laissant sur l'excellente impression qu'il avait produite. Laura a proposé une promenade dans le parc. La politesse voulait que nous invitions la comtesse à se joindre à nous, mais elle devait avoir des ordres et s'est excusée.

– Le comte aura sûrement besoin de cigarettes, a-t-elle dit, et moi seule peux satisfaire son désir.

Elle avait à dire cela presque une lueur dans ses yeux froids, car l'idée qu'elle était un maillon indispensable entre son maître et le tabac la remplissait de fierté.

Laura et moi sommes donc sorties seules. L'air était suffocant, les fleurs se fanaient tristement et la terre était desséchée. Le soleil se couchait derrière les grands arbres immobiles. Sous peu, sans doute, il allait se mettre à pleuvoir.

– De quel côté allons-nous ? ai-je demandé.

– Vers le lac, Marian.

– Tu as l'air de beaucoup aimer ce sinistre lac, n'est-ce pas ?

– Non, pas le lac, mais ce qui l'entoure. La bruyère, le sable et les sapins sont les seules choses, ici, qui me rappellent Limmeridge House. Mais allons ailleurs si tu préfères.

– Je n'ai aucune promenade favorite à Blackwater Park, chérie. Allons au lac. Peut-être y trouverons-nous un peu d'air frais.

Nous avons traversé la sapinière en silence. La moiteur de l'air nous étouffait, et c'est avec soulagement que nous nous sommes assises, pour nous reposer, dans le vieux hangar.

Un brouillard blanchâtre planait sur le lac et les cimes des arbres situés de l'autre côté formaient comme une forêt flottant sur les nuages. Le sol semblait s'enfoncer sans fin dans la brume. Le silence était tragique ; pas une feuille ne bougeait, pas un oiseau ne chantait ; même les grenouilles se taisaient.

– Quel paysage désolé et mélancolique, a dit Laura d'un air pensif ; mais c'est le seul endroit où nous sommes sûres d'être seules.

Elle parlait calmement, le regard perdu dans le vague. Elle avait l'air si préoccupée qu'elle ne semblait pas ressentir la tristesse lugubre qui se dégageait de ce lieu.

– Je t'ai promis de te dire la vérité sur ma vie conjugale, Marian, et de ne pas te faire attendre plus longtemps. C'est le premier secret que j'aie jamais eu pour toi mais ce sera le dernier. Si je me suis tue, je te l'ai dit, c'était pour ne pas te faire de peine, et aussi, peut-être, par fierté. Que veux-tu, il est pénible pour une femme de devoir reconnaître que l'homme à qui elle a donné toute sa vie est justement celui qui apprécie le moins ce don. Si tu étais mariée, et surtout si tu étais heureuse en ménage, tu comprendrais ce qu'aucune femme sans époux, même avec la meilleure volonté du monde, ne peut comprendre.

Que pouvais-je répondre ? Je lui ai simplement pris la main avec tendresse.

– Combien de fois t'ai-je entendue te moquer de ce que tu appelais ta pauvreté, et te réjouir de ma richesse ? Oh, Marian ! ce n'est pas drôle ! Bénis cette pauvreté, car elle te laisse indépendante et t'épargne le sort qui m'est réservé.

Tristes paroles dans la bouche d'une jeune mariée ! Tristes dans leur vérité sans fard. Les quelques jours que nous venions de passer tous ensemble à Blackwater Park disaient trop bien pour quelle raison sir Percival l'avait épousée.

– Tu ne dois pas te chagriner si je te dis que j'ai été tout de suite déçue. Une seule anecdote te fera comprendre aussi bien que de longs discours la façon dont il m'a toujours traitée. C'était un jour, à Rome ; nous étions allés à cheval voir la tombe de Cecilia Metella. Le ciel était beau et pur, les ruines antiques avaient un air grandiose. La pensée qu'un mari avait autrefois élevé ce monument par amour pour sa femme disparue me rendait plus tendre envers celui qui était mon époux.

» – Construiriez-vous une tombe comme celle-là pour moi, Percival, si je venais à mourir ? lui ai-je demandé, émue. Avant notre mariage, vous me disiez m'aimer tendrement et maintenant…

» Je me suis tue, Marian, car il ne m'écoutait pas. J'ai abaissé ma voilette pour cacher les pleurs qui me montaient aux yeux malgré moi.

» Je croyais qu'il n'avait pas entendu ma question mais, en m'aidant à remonter à cheval, il m'a dit d'un ton sarcastique :

» – Si je construis une tombe pour vous, ce sera avec votre argent. Je me demande si Cecilia Metella a payé la sienne elle-même !

» Je n'ai pas répondu ; j'avais le cœur gros et je pleurais.

» – Vous êtes toutes les mêmes, vous autres femmes ! Il vous faut toujours des compliments. Soit, je me sens justement très bien disposé ce matin. Considérez donc que le compliment est fait !

» Les hommes se rendent-ils compte du mal qu'ils peuvent faire ? Pleurer encore m'aurait fait du bien, mais devant son mépris, mes larmes se sont arrêtées de couler, mon cœur s'est durci et, depuis ce jour-là, Marian, jamais plus je ne me suis empêchée de penser à Hartright. C'est le souvenir des jours heureux que j'ai connus grâce à lui qui me soutient et me réconforte. Qu'ai-je d'autre pour me soutenir ? Je sais que c'est mal, ma chérie, mais tu n'étais pas près de moi. N'ai-je aucune excuse ?

J'ai dû détourner mon visage du sien.

– Ne me le demande pas ! ai-je répondu. Ai-je souffert ce que tu as souffert ? Quel droit ai-je de décider ce qui est bien ou mal !

– Je songeais à lui, a-t-elle continué en se rapprochant de moi, quand Percival m'abandonnait, le soir, pour rejoindre ses amis de théâtre. Je songeais à ce qu'aurait été ma vie si j'avais été pauvre et avais eu le bonheur de devenir sa femme. Je me voyais en simple robe de percale, travaillant en l'attendant. Je l'aimais d'autant plus que je devais travailler pour lui. Puis il rentrait fatigué et je lui servais les plats qu'il préférait, et j'étais si heureuse ! Oh ! j'espère qu'il n'est pas assez malheureux pour se souvenir de moi comme je me souviens de lui !

En disant ces paroles, sa voix était devenue douce et tendre, son visage avait repris sa beauté, ses yeux avaient retrouvé leur éclat. On aurait dit qu'elle ne regardait plus la sombre étendue de Blackwater Park, mais les collines familières du Cumberland, qui lui seraient soudain apparues sous le ciel menaçant.

– Ne parle plus jamais de Walter ! ai-je dit vivement. Oh, Laura ! Épargne-nous à toutes deux cette douleur ravivée !

Elle s'est levée et m'a regardée avec tendresse :

– Je préfère ne plus jamais en parler plutôt que de te chagriner, Marian.

– C'est pour ton bien que je parle ainsi, Laura. Si ton mari t'entendait…

– Cela ne le surprendrait pas.

Elle m'avait fait cette étrange réponse avec un calme et une froideur glaçants. Ce brusque changement de ton m'a étonnée.

– Cela ne le surprendrait pas ? Laura, fais attention à ce que tu dis, tu me fais peur !

– C'est pourtant vrai, Marian. C'est ce que j'ai voulu te dire tout à l'heure, quand nous étions dans ta chambre. Mon seul secret, quand je lui ai ouvert mon cœur à Limmeridge, était un secret bien inoffensif, tu l'as toi-même dit. La seule chose que je lui avais tue était son nom, et il l'a découvert.

J'étais incapable de répondre. Ses derniers mots venaient d'anéantir le peu d'espoir qu'il me restait.

– Cela s'est passé à Rome, a-t-elle continué sur le même ton calme et détaché. Nous étions allés à une petite soirée offerte aux Anglais par des amis de sir Percival, Mr et Mrs Markland. Cette dernière avait la réputation d'être un peintre émérite et, à la demande de quelques invités, elle nous a montré ses œuvres. La façon dont je tournai mes compliments, d'ailleurs sincères, l'a surprise, et elle m'a demandé si je dessinais aussi.

» – Autrefois, je dessinais un peu, ai-je répondu, mais j'ai complètement abandonné depuis mon mariage.

» – Si vous aimez le dessin, vous devez recommencer, et dans ce cas je pourrai vous recommander un professeur.

» J'ai essayé de détourner la conversation, mais Mrs Markland a insisté.

» – J'ai eu toutes sortes de maîtres de dessin, mais le meilleur de tous était sans conteste un certain Mr Hartright. C'est un jeune homme réservé et plein de tact, je crois que vous l'aimeriez.

» Songe à l'effet que m'ont fait ces paroles, Marian ! J'ai fait tout ce que j'ai pu pour garder mon sang-froid, feignant de regarder les albums ; mais lorsque j'ai levé les yeux, j'ai vu le regard de mon mari fixé sur moi.

» – Excellente idée, a-t-il dit, d'un ton ironique. Nous irons trouver Mr Hartright dès notre retour en Angleterre. Je suis sûr que lady Glyde l'aimera beaucoup !

» J'ai rougi. Nous sommes rentrés de bonne heure à l'hôtel. Dans la voiture, Percival ne m'a pas dit un mot mais, une fois dans notre petit salon, il a fermé la porte à clef et m'a poussée vers une chaise.

» – Depuis le matin où, à Limmeridge, vous m'avez fait votre audacieuse confession, j'ai désiré connaître le nom de l'homme que vous aviez aimé. Je l'ai lu sur votre visage, ce soir. C'était donc Hartright, votre maître de dessin ! Vous vous en repentirez et lui aussi, jusqu'à la fin de vos jours ! Maintenant, allez vous coucher et rêvez de lui si vous voulez… avec les marques de mon fouet sur son épaule.

» Depuis lors, chaque fois qu'il est en colère, il fait allusion, sur un ton sarcastique, à la confession que j'ai faite devant toi, Marian, et pas moyen qu'il se taise ! Voilà… quand il s'emportera encore, tu comprendras maintenant pourquoi il me dit que je l'ai épousé en faisant de la nécessité une vertu ! Oh, Marian ! Arrête ! Tu me fais mal !

Je l'avais prise dans mes bras, et l'étreignais de toute la force de mon remords. Oui, de mon remords ! Le visage blême de Hartright, quand je lui avais dis ces mots cruels dans le pavillon d'été de Limmeridge, se dressait devant mes yeux, comme un reproche muet, intolérable. C'est ma main qui avait éloigné, pas à pas, l'homme que ma sœur aimait, loin de ses amis et de son pays. Je m'étais dressée entre ces deux jeunes cœurs pour les séparer à jamais, et devant moi gisaient leurs deux vies gâchées. C'est moi qui avais fait cela, et je l'avais fait pour sir Percival Glyde.

Pour sir Percival Glyde.

Je l'ai entendue qui me parlait, et j'ai compris au son de sa voix qu'elle tentait de me réconforter, moi qui n'aurais mérité que ses reproches silencieux ! Combien de temps s'est-il écoulé avant que je recouvre mes esprits ? Je ne sais. J'ai senti qu'elle m'embrassait. J'ai ouvert les yeux sur la surface sombre du lac.

– Il se fait tard, et il va faire noir sous les sapins. Marian, il va faire si noir ! a-t-elle répété en me secouant le bras.

– Donne-moi encore une minute pour me reprendre, Laura, rien qu'une minute.

J'avais peur de croiser son regard et j'ai gardé les yeux rivés sur le lac. Il était effectivement tard. La cime des arbres se noyait dans les ténèbres qui commençaient à nous envelopper. Le brouillard avançait vers nous. Le silence était plus profond que jamais, mais il ne paraissait plus horrible. Seul me touchait son mystère solennel.

– Nous sommes loin de la maison, a-t-elle murmuré, apeurée. Rentrons, Marian !

Puis elle s'est arrêtée brusquement.

– Regarde ! Là-bas ! a-t-elle crié en se mettant à trembler violemment. Ne vois-tu rien ? Regarde !

– Où ?

– Là-bas. En bas.

Du doigt elle me montrait une ombre qui se déplaçait lentement dans le brouillard, de l'autre côté du lac. L'ombre s'est arrêtée un instant, enveloppée de brume blanchâtre, puis a disparu, lentement.

Dans l'état d'énervement où nous nous trouvions toutes les deux, nous avons dû attendre quelques instants avant de nous mettre en marche.

– Était-ce un homme ou une femme ? a demandé Laura.

– Je ne sais pas.

– Qu'en dirais-tu ?

– On aurait dit une femme.

– Tu es sûre que ce n'était pas un homme portant un long manteau ?

– Peut-être. Il est difficile de bien distinguer dans l'obscurité…

– Attends, Marian ! J'ai peur… je ne vois même pas le chemin. Si cette ombre nous suivait ?

– Mais non, Laura ! Il ne faut pas avoir peur. Le lac n'est pas très loin du village et tout le monde peut venir s'y promener. Que nous n'ayons encore vu personne avant ce soir, voilà ce qui est étonnant.

Nous nous trouvions dans le bois de sapins où l'obscurité était telle qu'on ne voyait plus à un pas devant nous. J'ai pris le bras de Laura et nous avons marché aussi vite que possible.

– Chut ! a-t-elle murmuré en s'arrêtant brusquement, j'ai entendu des pas derrière nous !

– Ce sont des feuilles mortes ou des branches cassées, ai-je dit pour la rassurer.

– Nous sommes en plein été, Marian, et il n'y a pas un souffle de vent. Écoute !

Il m'a semblé aussi entendre des pas qui nous suivaient.

– Qu'importe ! ai-je répondu en l'entraînant. Avançons. Dans un instant, nous serons en vue de la maison.

Nous avons accéléré le pas. Laura était hors d'haleine et nous avons dû nous arrêter pour qu'elle reprenne son souffle alors que nous arrivions en vue des premières lueurs de la maison. Comme nous allions repartir, elle m'a de nouveau retenue par le bras et m'a fait signe d'écouter. Derrière nous, un profond et douloureux soupir s'est élevé de derrière les arbres.

– Qui est là ? ai-je crié.

Pas de réponse.

– Qui est là ?

Silence. Puis nous avons entendu des pas légers, légers, de plus en plus légers, qui s'éloignaient dans la nuit.

Nous avons traversé en courant la pelouse qui s'ouvrait devant nous, jusqu'à la porte de la maison. Dans le hall, Laura m'a regardée, le visage blême et les yeux hagards.

– Je suis à moitié morte de peur, a-t-elle dit. Qui cela pouvait-il être ?

– Nous essaierons de le savoir demain, chérie, mais en attendant, n'en parle à personne.

– Pourquoi ?

– Parce que le silence est sûr et que nous avons besoin de sécurité dans cette maison.

J'ai envoyé Laura immédiatement dans sa chambre, puis j'ai attendu quelques minutes avant d'ôter mon chapeau et d'entrer le plus naturellement du monde dans la bibliothèque sous prétexte d'y chercher un livre, mais en réalité pour y mener ma petite enquête.

Le comte, installé confortablement dans un fauteuil, lisait, la cravate défaite et le col de sa chemise entrouvert. A ses côtés, comme une enfant bien sage, la comtesse roulait ses cigarettes. Il était clair que ni l'un ni l'autre n'avait pu se trouver dehors et être rentré en vitesse avant nous. Je savais ce que je voulais savoir.

Le comte s'est mis debout, manifestement confus, et s'est empressé de renouer sa cravate.

– Je vous en prie, ne vous dérangez pas pour moi, je venais juste chercher un livre.

– Tous les malheureux hommes de ma corpulence souffrent de la chaleur, a-t-il dit en s'éventant gravement. Je voudrais être à la place de ma charmante femme qui est aussi fraîche, en ce moment, qu'un poisson dans le vivier.

Cette comparaison saugrenue a fait quelque peu sortir la comtesse de sa réserve :

– Je n'ai jamais trop chaud, a-t-elle déclaré avec la modestie d'une femme contrainte d'avouer l'une de ses qualités.

– Êtes-vous sortie avec lady Glyde, ce soir ? m'a demandé le comte, pendant que je feignais de chercher un livre sur les rayonnages.

– Oui, nous avons été prendre un peu l'air.

– Ah ! De quel côté ?

– Du côté du lac. Nous nous sommes assises dans le vieux hangar.

– Ah ! Vous êtes allées jusqu'au hangar ?

En d'autres circonstances, sa curiosité m'aurait agacée. Mais ce soir, elle m'apportait bien la preuve que ni lui ni sa femme n'avaient rien à voir avec la mystérieuse apparition du lac.

– Je suppose que vous n'avez pas eu de nouvelles aventures, ce soir ? Je veux dire pas d'autre chien blessé ?

Il me fixait de son regard gris. J'étais irrésistiblement attirée par la lueur qui s'en dégageait, mais ne pouvais m'empêcher d'en éprouver un certain malaise. J'ai eu l'impression, comme toutes les fois qu'il me regardait ainsi, qu'il pouvait lire dans mes pensées.

– Non, ai-je répondu brièvement. Aucune aventure ni aucune découverte.

J'ai voulu me détacher de son regard et quitter la pièce. Mais, aussi étrange que cela puisse paraître, je crois bien que c'est la comtesse qui m'a permis de le faire, en s'adressant à son mari :

– Comte, dois-je vous rappeler que Miss Halcombe est debout ?

Tandis que le comte s'empressait pour m'avancer un siège, j'ai profité de l'occasion, l'ai remercié, me suis excusée et suis sortie.

Une heure plus tard, quand la femme de chambre de Laura s'est présentée dans sa chambre, j'ai orienté la conversation sur la façon dont le personnel avait passé la soirée.

– Est-ce que vous souffrez beaucoup de la chaleur à l'office ?

– Non, Miss Halcombe, pas tant que ça.

– Vous avez dû faire une promenade, non ?

– Eh bien, certains d'entre nous ont voulu y aller, mais la cuisinière a eu l'idée de sortir sa chaise dans la cour, devant la porte de la cuisine et, à la réflexion, tout le monde l'a imitée.

Restait la gouvernante.

– Mrs Michelson est-elle déjà au lit ?

– Je ne crois pas, Miss Halcombe. Mrs Michelson serait plutôt du genre à se lever à cette heure-ci qu'à aller se coucher, a répondu la fille avec un sourire.

– Que voulez-vous dire ? Mrs Michelson a-t-elle gardé le lit aujourd'hui ?

– Non, pas tout à fait, mais elle a passé la soirée à dormir sur son canapé.

Ces informations, ajoutées à ce que j'avais appris dans la bibliothèque, menaient à la conclusion que ni la comtesse, ni son mari, ni aucun des domestiques n'était l'ombre du lac. Les pas que nous avions entendus derrière nous n'appartenaient à personne de la maisonnée.

Qui était-ce ?

Impossible à dire. Je ne parvenais même pas à savoir s'il s'agissait d'un homme ou d'une femme. Simplement, il me semblait avoir vu une silhouette de femme.

VI

18 juin. – J'ai passé une très mauvaise nuit, hantée par le remords. Tout ce que m'avait raconté Laura dans le hangar me revenait en tête. N'y tenant plus j'ai fini par allumer ma chandelle pour relire dans mon journal les passages concernant cette époque et comprendre quel rôle j'avais véritablement joué dans cette histoire, me demandant sans cesse si j'aurais pu faire autrement. Je m'en suis trouvée un peu apaisée, car il m'est apparu que, tout en ayant agi sans rien savoir de ce que je sais aujourd'hui, j'ai agi pour le mieux. Pleurer, en général, me fait du mal, mais pas cette nuit ; je crois au contraire que cela m'a soulagée. Je me suis levée ce matin sereine et plus résolue que jamais. Plus rien de ce que sir Percival pourra dire ou faire ne m'atteindra désormais. Pour l'amour de Laura, je supporterai toutes les humiliations et toutes les menaces !

Un petit incident qui a vivement contrarié Laura nous a empêchées, elle et moi, de nous préoccuper plus longtemps au sujet de la mystérieuse silhouette du lac. Elle a égaré la petite broche dont je lui avais fait cadeau la veille de son mariage. Comme elle la portait hier soir quand nous sommes sorties, il est probable qu'elle l'a perdue soit dans le hangar soit sur le chemin du retour. Les domestiques sont partis la chercher mais ils n'ont rien trouvé, et Laura a donc décidé d'y aller elle-même. C'est une excuse toute trouvée à son absence, si sir Percival revient avant que j'aie reçu la réponse de Mr Kyrle.

Une heure vient de sonner et je me demande si je fais bien d'attendre l'arrivée du messager ici ou s'il vaudrait mieux que j'aille l'attendre à l'entrée de la propriété.

La méfiance que j'éprouve envers tous les habitants de cette maison me pousse à adopter la seconde solution. Le comte est dans la salle à manger. Il y a dix minutes, alors que je remontais dans ma chambre, je l'ai entendu qui apprenait des tours à ses canaris : « Debout sur mon doigt, mon mignon ! Allez ! Hop ! Un, deux trois… Hop, hop, hop ! » Les bestioles gazouillaient avec extase et le comte leur répondait en sifflant, comme s'il se prenait pour un oiseau. J'ai laissé ma porte ouverte et je l'entends encore. Si je ne veux pas que l'on me voie sortir, c'est le moment ou jamais.

4 heures. – Les trois heures qui viennent de s'écouler ont changé complètement le cours des événements. Je n'ose affirmer si c'est pour le meilleur ou pour le pire.

Tâchons de reprendre où nous en étions restés. Je suis donc partie me poster près de la grille, pour attendre le messager. Personne dans les escaliers. Du hall j'ai entendu, venant de la salle à manger, les vocalises du comte. Mais en traversant la cour j'ai croisé la comtesse Fosco, en train de se livrer à son exercice favori : faire le tour du vivier. J'ai ralenti le pas pour ne pas avoir l'air pressée ; j'ai même été jusqu'à m'arrêter pour lui demander, par prudence, si elle comptait se promener avant le déjeuner. Elle m'a souri le plus amicalement du monde et m'a répondu qu'elle préférait rester près de la maison. Sur ce elle est rentrée, en refermant la porte derrière elle.

En moins d'un quart d'heure, j'avais atteint la loge du concierge. Le chemin qui part de celle-ci pour rejoindre la grand-route fait deux angles droits. Entre ces deux tournants il est bordé de hautes haies vives, si bien qu'on ne peut l'apercevoir ni de la loge ni de la route. Pendant une vingtaine de minutes je l'ai arpenté sans rien voir arriver. Enfin, j'ai aperçu un fiacre en provenance de la gare ; je lui ai fait signe d'arrêter. Un homme à l'allure respectable a mis sa tête à la portière pour voir ce dont il s'agissait.

– Je m'excuse, monsieur, mais n'allez-vous pas à Blackwater Park ?

– Si, madame.

– Avec une lettre ?

– Oui, une lettre pour Miss Halcombe, madame.

– Vous pouvez me la remettre, je suis Miss Halcombe.

L'homme a soulevé son chapeau, est sorti de la voiture et m'a remis le pli.

Avant de détruire l'original pour plus de sécurité, j'en recopie ici le contenu :

Chère madame,

Votre lettre m'a causé une grande inquiétude et je vais tâcher d'y répondre aussi clairement et aussi brièvement que possible.

Considérant le récit que vous me faites vous-même et ce que je connais de la situation de lady Glyde d'après son contrat de mariage, j'en arrive – pour mon plus grand regret – à la déduction que sir

Percival désire faire un emprunt sur les vingt mille livres de la fortune de lady Glyde. Il désire que celle-ci partage la responsabilité de l'acte, afin qu'elle ne puisse rien lui reprocher plus tard. Je ne vois aucune autre explication.

Si lady Glyde signait un tel acte, les dépositaires de sa fortune pourraient avancer librement à sir Percival la somme qu'il désirerait sur les vingt mille livres. Si ce prêt n'était pas remboursé et si lady Glyde avait des enfants, la fortune de ceux-ci s'en trouverait amputée d'autant. En résumé, et si lady Glyde ne possède aucun élément permettant d'infirmer cette thèse, cette transaction constituerait un acte frauduleux vis-à-vis de ses éventuels descendants.

Dans ces circonstances graves, je conseille à lady Glyde de déclarer qu'elle désire me soumettre l'acte avant de le signer. Aucune objection ne peut être faite si cette transaction est honorable, puisque, dans ce cas, il est certain que je l'approuverai.

En vous assurant de mon dévouement sincère, je reste, madame, votre fidèle serviteur,

William KYRLE.

Je lus cette lettre avec soulagement, car elle donnait à Laura une excuse valable pour se soustraire à la signature. Le messager attendait que j'aie fini ma lecture pour recevoir ses instructions.

– Voulez-vous dire que j'ai très bien compris et que je remercie beaucoup ! Il n'y a rien d'autre à communiquer pour l'instant.

J'avais à peine prononcé ces mots et je tenais encore la lettre ouverte que devant moi, venant de la grand-route, a surgi le comte Fosco, presque sorti de terre.

La brutalité de son apparition dans le dernier endroit sur terre où je m'attendais à le voir m'a prise complètement par surprise. Le messager m'a saluée avant de remonter dans le fiacre, mais j'étais tellement troublée que je lui ai à peine rendu son salut. La pensée que j'étais découverte – et par le comte Fosco qui plus est – me pétrifiait.

– Vous rentriez, Miss Halcombe ? m'a-t-il demandé de l'air le plus naturel du monde et sans paraître remarquer le fiacre qui s'en allait.

J'ai repris mes esprits pour lui faire un vague signe de tête.

– Eh bien, moi aussi. Me permettez-vous de vous accompagner ? Prenez mon bras, je vous prie. Vous paraissez surprise de me voir.

J'ai pris son bras, pensant avant tout à ne pas m'en faire un ennemi.

– Oui vraiment, vous paraissez surprise…

– C'est que j'ai cru vous entendre jouer avec vos oiseaux quand je suis sortie, comte, ai-je répondu aussi calmement que possible.

– Certainement, Miss Halcombe. Mais mes enfants ailés sont aussi capricieux que les autres enfants. Ce matin, ils étaient dans un de leurs mauvais jours, et puis ma femme m'a dit vous avoir vue partir seule en promenade. C'est ce que vous lui avez dit, n'est-ce pas ?

– C'est exact.

– Alors voyez-vous, Miss Halcombe, la tentation de vous rejoindre a été trop forte. A mon âge, on peut avouer ces choses-là, n'est-ce pas ? Après tout, même la compagnie d'un gros vieux comme Fosco vaut mieux que pas de compagnie du tout… Je m'étais trompé de chemin et je revenais tout déçu, mais je vous trouve… Mon vœu le plus cher – oserai-je vous le dire ? – est réalisé !

Il a sorti ce discours d'une traite et avec une incroyable volubilité, ce qui m'a permis de reprendre mon sang-froid. Comme il ne faisait aucune allusion à la lettre que je tenais en main ni au fiacre, j'ai eu l'impression que cette discrétion suspecte était la preuve qu'il avait découvert ma démarche auprès de l'avocat en faveur de Laura, et cela par des moyens peu avouables. J'étais certaine aussi que, connaissant la manière dont je venais de recevoir la réponse de Mr Kyrle, il en savait assez pour le moment, et qu'il ne cherchait plus qu'à endormir les soupçons que je pouvais avoir. J'ai été assez sage pour ne pas le décevoir en lui donnant quelque explication plausible, et assez femme pour laisser ma main sur son bras, malgré toute la crainte et la répulsion qu'il m'inspirait.

En arrivant devant la maison, nous avons vu le dog-cart que le groom ramenait à l'écurie. Sir Percival venait d'arriver et il s'est avancé à notre rencontre. Quels qu'aient été les résultats de son voyage, ils ne lui avaient visiblement pas rendu sa bonne humeur.

– Ah ! En voilà déjà deux de retour ! Que veut dire cette maison abandonnée ? Où est lady Glyde ?

Je lui ai expliqué qu'elle était partie dans la sapinière à la recherche d'une broche qu'elle avait perdue.

– Broche ou pas broche, a-t-il grommelé, je lui conseille de ne pas oublier notre rendez-vous dans la bibliothèque. Je l'attends dans une demi-heure !

Comme je dégageais mon bras et montais les marches du perron, le comte s'est incliné avec galanterie, puis, s'adressant au maître de céans, il lui a dit gaiement :

– Dites-moi, Percival, avez-vous fait une promenade agréable ? La pauvre Molly Brown n'est pas trop fatiguée ?

– Que Molly Brown et la promenade aillent au diable ! Je désire mon déjeuner !

– Et moi, je désire d'abord vous parler cinq minutes, a répondu le comte. Juste une petite conversation, là, sur la pelouse.

– Et à propos de quoi ?

– Au sujet d'une affaire qui vous concerne tout particulièrement.

J'avais suffisamment traîné pour entendre la question et la réponse, et voir sir Percival se caler les poings sur les hanches d'un air boudeur et hésitant.

– Si vous désirez de nouveau m'assommer avec vos scrupules infernaux, je préfère mon déjeuner, Fosco !

– Allons, venez ; je dois vous parler, s'est entêté le comte qui ne semblait pas affecté par l'attitude désagréable de son ami.

Sir Percival a descendu le perron et le comte l'a pris par le bras pour l'entraîner un peu plus loin. L'« affaire », je n'avais aucun doute là-dessus, devait être cette histoire de signature. Ils devaient sûrement parler de Laura et de moi. Mon inquiétude était à son comble. Il était de la première importance que je puisse entendre ce qu'ils se disaient et cela m'était complètement impossible !

Je me suis mise à parcourir la maison de long en large, la lettre de Mr Kyrle dans mon corsage (je n'aurais même pas osé, tant je me méfiais de tout à présent, la mettre sous clef), jusqu'à ce que mon énervement soit à son comble. N'ayant aucune nouvelle de Laura, j'ai résolu d'aller à sa rencontre. Mais les épreuves par lesquelles j'étais passée depuis le matin et l'épouvantable chaleur qu'il faisait avaient épuisé mes forces ; j'ai essayé de sortir, mais j'ai dû rebrousser chemin pour m'allonger au salon, sur un divan.

Je commençais à peine à me remettre que la porte s'est ouverte doucement et que le comte est entré.

– Mille pardons, Miss Halcombe, mais je me permets de vous déranger car je suis porteur de bonnes nouvelles. Sir Percival, qui est très versatile comme vous le savez, a changé d'avis et la signature du contrat est remise à plus tard. C'est un grand soulagement pour nous tous, je crois. Présentez, je vous prie, mes félicitations et mes respects à lady Glyde, en lui annonçant cette agréable décision.

Avant que je sois remise de ma surprise, il avait disparu. Il ne faisait aucun doute que c'était encore son influence qui était à l'origine de tout cela. Sachant que j'avais écrit à Mr Kyrle et que celui-ci m'avait déjà répondu, il avait fait en sorte que son ami change d'avis.

Toutes ces idées se bousculaient dans ma tête, mais mon esprit semblait touché lui aussi par la fatigue qui avait envahi mon corps et j'étais incapable d'en tirer la moindre conclusion quant à ce que cela signifiait pour le présent et pour le futur. J'ai voulu de nouveau me lever pour aller retrouver Laura, mais la tête me tournait et j'ai senti mes jambes se dérober sous moi. J'ai dû retourner m'étendre.

Le plus grand calme régnait dans la maison ; on n'entendait que le bourdonnement des insectes, par la fenêtre ouverte. Sombrant bientôt dans une torpeur à mi-chemin entre la veille – j'avais conscience de reposer – et le sommeil – j'aurais été incapable de dire ce qui se passait autour de moi –, mon esprit enfiévré s'est libéré de mon corps fourbu ; il s'est empli de visions, et j'ai vu apparaître en songe Walter Hartright. Je n'avais pas pensé à lui de toute la journée – Laura n'avait pas fait devant moi la moindre allusion à lui – et pourtant je l'ai vu aussi nettement que si les jours anciens étaient revenus, et que, tous les deux, nous fussions de nouveau à Limmeridge House.

Il m'est apparu au milieu d'une foule d'hommes dont je ne pouvais distinguer les visages. Tous étaient étendus sur les marches d'un temple en ruine. D'immenses arbres tropicaux aux troncs étouffés par les lianes et d'affreuses idoles de pierre grimaçant à travers les branches entouraient le temple et jetaient des ombres lugubres sur les malheureux dont les corps gisaient devant le temple. De blanches vapeurs s'élevaient du sol et retombaient sur eux en semant la mort. Prise de peur et de pitié pour Walter, je faisais un effort surhumain pour parler et le suppliais de s'échapper. « Revenez, revenez ! Souvenez-vous de la promesse que vous lui avez faite et que vous m'avez faite à moi aussi ! Revenez avant que la peste vous tue ! » Le visage empreint d'un calme serein, il me regardait. « Je reviendrai, disait-il, mais il faut attendre. La nuit où j'ai rencontré la femme égarée sur la grand-route a scellé mon destin. Je serai l'instrument d'un dessein encore caché. Ici, perdu dans la forêt sauvage, ou là, rentré dans mon pays natal, je continue à suivre la route obscure qui me conduit, et qui vous conduit, vous et votre sœur que nous chérissons tous deux, vers le jugement de Dieu et la fin inévitable. Attendez et regardez. La peste qui fauche les autres m'épargnera. »

Puis je l'ai vu de nouveau. Il était dans la forêt, et ses infortunés compagnons étaient à présent très peu nombreux. Le temple et les idoles avaient disparu ; à leur place, on apercevait entre les arbres de petits hommes à la mine sombre, effrayante, armés d'arcs et de flèches. Une fois encore, j'ai tremblé pour Walter. Je lui ai crié de faire attention. Une fois encore, il s'est tourné vers moi, le visage impassible : « Un pas de plus, dit-il, sur la route obscure. Attendez et regardez. Les flèches qui blessent les autres m'épargneront. »

J'ai eu encore une troisième apparition. Il était sur l'épave d'un navire – échoué près du rivage d'une île déserte. Les barques mises à la mer emportaient les autres passagers vers la terre ; lui restait seul et allait sombrer avec le navire. Je lui ai crié de sauter dans la dernière barque, de faire un ultime effort pour survivre. Il était toujours aussi calme et me regardait en parlant de sa voix inaltérée : « Une autre étape du voyage… Attendez et regardez. La mer qui peut engloutir les autres m'épargnera. »

Je l'ai vu pour la dernière fois, agenouillé près d'une tombe de marbre blanc. L'ombre d'une femme voilée se dressait de dessous la lourde dalle et s'immobilisait à ses côtés. Sur ses traits, le calme extraordinaire avait fait place à l'expression d'un chagrin, mais il parlait avec la même effroyable certitude. « De plus en plus sombre, mais toujours en avant ! La mort prend ceux qui sont bons, jeunes et beaux… mais elle m'épargne. La peste qui se répand, les flèches qui transpercent, la mer qui engloutit, la trombe qui se referme sur l'amour et l'espoir sont les étapes de mon voyage, et me rapprochent toujours plus de la fin. »

Mon cœur était chaviré d'effroi et de chagrin. Les ténèbres ont enveloppé le pèlerin agenouillé près de la tombe en marbre ; elles ont enveloppé la silhouette voilée à ses côtés ; elles ont enveloppé l'esprit ensommeillé qui les contemplait… Je n'ai plus rien vu, plus rien entendu.

J'ai été réveillée par une main qui se posait sur mon épaule. C'était

Laura. Elle était assise près de moi, le visage rouge et une expression d'affolement dans le regard.

– Qu'est-il arrivé ? Laura. Qu'as-tu vu ?

– Marian ! L'ombre du lac… les pas derrière nous, hier soir… Je l'ai vue… je lui ai parlé !

– Mais de qui s'agit-il, pour l'amour du Ciel ?

– D'Anne Catherick !

J'étais si bouleversée par l'expression de Laura et par le rêve que je venais de faire que je suis restée interdite en entendant prononcer ce nom. Pétrifiée, je l'ai regardée en silence.

Laura, trop préoccupée de ce qui lui était arrivé, n'a pas remarqué l'émoi qu'elle avait provoqué en moi.

– J'ai vu Anne Catherick, je lui ai parlé. Oh, Marian ! J'ai tant de choses à te raconter ! Mais pas ici… Viens dans ma chambre !

Me prenant par la main, elle m'a entraînée dans son boudoir, dont elle a fermé la porte à clef. A l'exception de sa femme de chambre, personne ne pouvait venir nous déranger.

Quoique encore un peu abasourdie, je commençais à comprendre que les difficultés que je redoutais pour elle et pour moi depuis si longtemps étaient enfin là et que l'étau se resserrait autour de nous. C'était une pensée obscure que je n'aurais pas su exprimer, tant ma confusion était grande.

– Anne Catherick ! Anne Catherick…, répétais-je.

Laura m'a fait asseoir dans un fauteuil et m'a montré son corsage où brillait la broche. Dans mon trouble, je n'avais pas encore remarqué le bijou. Mais cet objet réel, que l'on pouvait voir et toucher, me ramenait progressivement à la réalité et m'aidait à remettre de l'ordre dans mon esprit.

– Où l'as-tu trouvée ?

– C'est elle qui l'a trouvée, Marian.

– Où ?

– Dans le hangar. Mais par où vais-je commencer ? Comment vais-je tout me rappeler ? Elle m'a parlé d'une façon si étrange… elle semblait si malade… et elle m'a quittée si brusquement !

Sous le coup de l'émotion elle avait élevé la voix. La méfiance qui m'habitait depuis des jours et des nuits m'a incitée à la prévenir :

– Parle bas, Laura chérie, la fenêtre est ouverte et donne sur un sentier du jardin. Calme-toi. Commence depuis le début, et raconte-moi dans le détail tout ce qui s'est passé.

– Dois-je fermer la fenêtre ?

– Non, mais parle plus doucement. N'oublie pas qu'Anne Catherick est un sujet dangereux sous le toit de ton mari. Où l'as-tu vue ?

– Au hangar, Marian. Tout le long du chemin qui y conduit, j'avais examiné le sol avec soin pour retrouver ma broche, mais en vain. Arrivée au hangar, je me suis mise à genoux afin de regarder sur le plancher lorsque j'ai entendu une voix derrière moi qui murmurait : « Miss Fairlie ! » J'étais plus surprise qu'effrayée d'entendre prononcer mon cher vieux nom de jeune fille que je croyais ne plus jamais entendre. La voix était douce et bonne. Je me suis retournée brusquement et j'ai vu devant moi une jeune femme que je ne connaissais pas.

– Comment était-elle vêtue ?

– Elle portait une jolie robe blanche sur laquelle était jeté un vieux châle foncé. Son chapeau de paille brune était aussi misérable que le châle. J'ai été étonnée du contraste entre la robe, si fraîche, et le reste de ses vêtements, et elle s'en est aperçue.

» – Ne regardez ni mon châle ni mon chapeau, a-t-elle dit d'une voix saccadée. Lorsque je ne puis porter du blanc, je mets n'importe quoi. Ne regardez que ma robe, d'elle je ne suis pas honteuse.

» Étrange, ne trouves-tu pas ? Avant que j'aie pu la rassurer elle m'a tendu la broche. J'étais si heureuse que je me suis avancée pour la remercier.

» – Êtes-vous assez reconnaissante pour m'accorder une petite faveur ? m'a-t-elle demandé.

» – Certainement, tout ce que vous désirez ! ai-je répondu.

» – Alors, laissez-moi épingler moi-même votre broche, puisque je l'ai trouvée.

» Sa requête était si inattendue, Marian, et faite avec tant d'ardeur que j'ai eu un mouvement de recul.

» – Ah ! a-t-elle dit tristement. Votre mère me l'aurait permis, elle !

» Il y avait tant de reproches dans sa voix et dans son regard que je me suis sentie honteuse de ma méfiance. Je lui ai pris la main et l'ai posée sur mon corsage.

» – Attachez-la, s'il vous plaît… Vous avez connu ma mère ? Il y a longtemps ? Vous ai-je déjà vue ?

» La main qui épinglait la broche s'est arrêtée net.

» – Ne vous souvenez-vous pas d'un beau jour d'été à Limmeridge ? m'a-t-elle demandé. Votre mère conduisait à l'école deux petites filles qu'elle tenait par la main. Moi, je m'en souviens, je n'ai cessé d'y penser depuis tout ce temps ! Vous étiez l'une de ces petites filles et j'étais l'autre. La jolie et intelligente Miss Fairlie et la pauvre et sotte Anne Catherick étaient plus proches alors qu'elles ne le sont aujourd'hui.

– En entendant son nom, Laura, t'es-tu souvenue d'elle ?

– Oui, je me suis en effet souvenue que tu m'avais parlé d'elle, à Limmeridge, et de notre ressemblance.

– Et qu'est-ce qui t'a fait t'en souvenir ?

– C'est elle. Tandis qu'elle était tout près et que je la regardais, j'ai compris brusquement que nous étions pareilles ! Son visage était pâle et fatigué, mais j'ai été frappée de me dire qu'on aurait dit le mien après une longue maladie ! Cette découverte m'a tellement bouleversée – je ne sais pas pourquoi – que, pendant un moment, j'ai été incapable d'articuler une parole.

– Ton silence a-t-il eu l'air de la blesser ?

– J'en ai peur, car elle a repris d'une voix lointaine :

» – Vous n'avez ni le visage, ni le cœur de votre mère. Elle était bonne et son cœur était celui d'un ange, Miss Fairlie !

» – J'ai beaucoup d'affection pour vous, même si je l'exprime mal, ai-je repris doucement. Mais dites-moi, pourquoi continuez-vous à m'appeler Miss Fairlie ?

» – Parce que j'aime le nom de Fairlie et déteste celui de Glyde, a-t-elle répondu avec violence, tandis qu'une expression de folie haineuse passait dans ses yeux.

» – Je pensais simplement que vous n'étiez pas au courant, ai-je expliqué, me rappelant la terrible lettre qu'elle m'avait écrite à Limmeridge, et cherchant à la calmer.

» – Ignorer votre mariage ! a-t-elle répliqué en se détournant et en soupirant avec amertume. Alors que c'est à cause de cela que je suis ici ! Je suis ici pour obtenir votre pardon, avant d'aller rejoindre votre mère dans la tombe !

» Elle s'est encore éloignée jusqu'à sortir du hangar. Elle a fait quelques pas dehors puis est revenue vers moi, s'arrêtant sur le seuil.

» – M'avez-vous vue hier soir près du lac ? M'avez-vous entendue marcher derrière vous dans le bois ? Il y a des jours que j'attends pour vous parler, Miss Fairlie, à vous seule… et pour cela, j'ai quitté la seule amie que j'avais au monde, j'ai risqué d'être reprise et enfermée de nouveau à l'asile… rien que pour vous, Miss Fairlie, rien que pour vous !

» Elle m'effrayait, Marian, mais en même temps j'avais pitié d'elle, et j'ai eu le courage de lui demander de s'asseoir près de moi.

– A-t-elle accepté ?

– Non. Elle a secoué la tête et a déclaré qu'elle devait veiller à ce que personne ne nous surprenne. Tant qu'a duré notre conversation, elle n'a pas bougé, appuyée au chambranle, tantôt se penchant vers moi, tantôt sortant la tête pour scruter les alentours.

» – J'étais ici hier. Je vous ai entendues parler, vous et votre compagne, de votre mari, et dire que vous n'aviez aucun moyen d'obtenir sa confiance, de l'empêcher de vous insulter. Ah ! je ne comprenais que trop ce que cela signifiait ! Pourquoi, mon Dieu, vous ai-je laissée l'épouser ? Par peur ! Oh ! cette terrible et misérable peur ! s'est-elle écriée en cachant son visage dans son pauvre châle.

» Je commençais à craindre qu'elle ne puisse plus maîtriser son désespoir, et j'ai tenté de la calmer.

» – Calmez-vous… Qu'auriez-vous pu faire pour empêcher mon mariage ?

» Elle m'a regardée d'un air hagard.

» – J'aurais dû avoir le courage de venir vous trouver à Limmeridge. J'aurais dû surmonter ma peur lorsque j'ai su qu'il allait venir chez vous. J'aurais dû vous avertir et vous sauver avant qu'il soit trop tard. Je n'ai osé écrire que cette lettre qui a fait plus de mal que de bien ! Oh ! cette peur, cette misérable peur !

En prononçant ces mots pour la seconde fois, elle s'était de nouveau caché le visage dans son châle. Oh, Marian ! C'était si horrible de la voir ainsi, si terrible de l'entendre !

– Laura, tu lui as sûrement demandé pourquoi elle avait tellement peur ?

– Oui.

– Et alors ?

– Elle m'a répondu en me demandant si je n'aurais pas eu peur moi-même d'un homme qui m'aurait fait enfermer et qui n'aurait pas hésité à le faire encore.

» – Et maintenant, lui ai-je demandé à mon tour, avez-vous toujours peur ? Vous ne seriez pas ici si vous aviez encore peur.

» – Non, je n'ai plus peur à présent.

» Je lui ai demandé pourquoi.

» – Vous ne devinez pas ? a-t-elle fait en s'approchant de moi.

» J'ai secoué la tête.

» – Regardez-moi, Miss Fairlie !

» Je lui ai dit alors qu'elle me faisait de la peine, qu'elle paraissait malheureuse et malade.

» – Malade ! a-t-elle répété en souriant pour la première fois. Je suis mourante ! Pourquoi aurais-je encore peur de lui ? Croyez-vous que je retrouverai votre mère au Ciel et qu'elle me pardonnera si je répare tout le mal que j'ai fait ?

» J'étais si bouleversée, Marian, que je n'ai pas pu lui répondre.

» – Cette pensée ne m'a pas quittée, a-t-elle continué, tout le temps que je me suis cachée, par crainte de votre mari, tout le temps que j'ai été malade. C'est ce qui m'a conduite ici. Je viens réparer tout le mal que j'ai fait.

» Je l'ai suppliée de m'expliquer ce qu'elle voulait dire, mais elle m'a regardée fixement en disant tout bas :

» – Pourrai-je réparer le mal ? Vous avez des amis qui vous défendront… si vous connaissez son secret, il aura peur de vous et n'osera plus vous traiter comme il m'a traitée… Il vous traitera avec bonté… grâce à moi…

» Elle s'est arrêtée tout à coup alors que j'attendais la suite avec impatience.

– Tu as essayé de la faire parler ?

– Oui, mais elle s'est de nouveau écartée de moi, s'est appuyée contre le chambranle de la porte et a ajouté avec exaltation :

» – Oh ! si je pouvais au moins être enterrée près de votre mère !… et me réveiller avec elle au cours de la résurrection !…

» C'était horrible de l'entendre, Marian, et je tremblais de tous mes membres.

» – Mais il n'y a pas d'espoir que je repose sous la croix de marbre blanc que j'ai lavée de mes mains et rendue si pure, si blanche ! a-t-elle continué. Hélas, non ! Aucun espoir pour une pauvre étrangère comme moi. C'est Dieu qui dans sa miséricorde me conduira près d'elle, là où n'arrivent pas les vilaines âmes, là où reposent ceux qui ont souffert… C'est Dieu qui m'y conduira, ce ne sont pas les hommes !

» Elle s'est arrêtée en laissant échapper un terrible soupir. Son visage était décomposé. On aurait dit qu'elle réfléchissait ou s'efforçait de réfléchir.

» – Que disais-je ? m'a-t-elle demandé après un temps. Quand je pense à votre mère, Miss Fairlie, j'oublie tout !

» J'ai tâché aussi doucement que possible de lui rappeler ses paroles.

» – Ah, oui ! je me souviens ! Vous ne pouvez empêcher votre mari de vous insulter… Je dois vous dire la chose pour laquelle je suis venue ici… ! Je dois réparer le mal que je vous ai fait en ne parlant pas plus tôt…

» – Qu'avez-vous donc à me dire ?

» – Un secret, un secret qui terrifie votre mari. Je l'ai menacé un jour de le dévoiler et je l'ai effrayé. Vous ferez la même chose…

» Puis, d'un air hagard, elle a continué tandis que son visage s'assombrissait et qu'elle gesticulait en tous sens :

» – Ma mère connaît le secret. Ce secret a gâché la moitié de sa vie. Un jour, quand j'ai été assez grande, elle me l'a révélé… Le lendemain, votre mari…

– Oh, Laura ! que t'a-t-elle dit à propos de ton mari ?

– Elle s'est tue, Marian, au moment où…

– A-t-elle dit autre chose ?

– Elle s'est mise à écouter attentivement, a mis un doigt sur ses lèvres et a murmuré : « Chut ! Chut ! » Puis elle s'est éloignée lentement.

– Tu l'as suivie, n'est-ce pas ?

– Au moment où je m'apprêtais à le faire, elle est réapparue soudainement à la porte.

» – Le secret ! l'ai-je implorée. Ne partez pas ! Dites-moi le secret !

» Elle m'a pris le bras et, me regardant d'un air affolé, elle a dit dans un souffle :

» – Pas maintenant, nous ne sommes pas seules, nous sommes surveillées. Venez ici demain à la même heure, seule… N'oubliez pas… seule !

» Me repoussant alors avec violence, elle s'est enfuie en courant.

– Oh, Laura, Laura ! encore une chance de perdue ! Si j'avais été près de vous, elle ne nous aurait pas échappé ! Par où s'est-elle enfuie ?

– Par la gauche, là où le bois est le plus épais.

– L'as-tu suivie ? As-tu essayé de la rattraper ?

– Comment aurais-je pu, Marian ! J'étais si terrifiée !

– Mais quand tu es sortie, que s'est-il passé ?

– Je suis revenue au plus vite pour tout te raconter.

– As-tu vu ou entendu quelqu'un dans la sapinière ?

– Non. Tout avait l'air calme quand je suis passée.

J'ai réfléchi un instant.

Cette personne qui était censée les surveiller, était-elle réelle ou était-ce un effet de l'imagination d'Anne Catherick ? Comment le savoir ? La seule chose certaine était que nous avions perdu la jeune fille une seconde fois, alors que nous tenions la clef du mystère. Il ne nous restait qu'un espoir : qu'elle vienne au rendez-vous, le lendemain.

– Es-tu sûre de m'avoir tout dit, Laura ?

– Je crois que oui, Marian. Je n'ai pas ta mémoire, mais Anne Catherick m'a tellement impressionnée que je pense n'avoir rien oublié.

– Ma chérie, chaque petite chose a son importance. Réfléchis bien. N'a-t-elle pas fait, par hasard, allusion à l'endroit où elle habite en ce moment ?

– Non, je ne me souviens pas.

– N'a-t-elle pas parlé d'une compagne ou d'une amie – une certaine Mrs Clements ?

– Si ! En effet, j'oubliais… Elle m'a dit que Mrs Clements aurait voulu l'accompagner sur les bords du lac, qu'elle l'avait suppliée en vain de ne pas s'y aventurer seule.

– Est-ce tout ce qu'elle a dit à propos de Mrs Clements ?

– Oui.

– Et elle ne t'a pas expliqué où elle était allée en quittant Todd's Corner ?

– Non, je suis sûre que non.

– Ni où elle avait vécu depuis ? Ni de quoi elle souffrait ?

– Non, pas un mot… Oh, Marian ! que dois-je faire ? Je ne sais plus. Conseille-moi !

– Va sans faute au rendez-vous de demain, chérie, car ton bonheur dépend peut-être de ce qu'elle te dira. Mais cette fois-ci, tu ne dois pas y aller seule. Personne ne pourra me voir, mais je resterai à portée de voix, pour le cas où il arriverait quelque chose. Anne Catherick a échappé à Walter Hartright et elle t'a échappé, mais elle ne m'échappera pas, à moi !

Laura me scrutait avec attention.

– Tu crois vraiment, n'est-ce pas, à l'existence de ce secret dont mon mari redoute tellement la découverte ? Si ce n'était pourtant qu'une invention de cette pauvre femme ? Peut-être a-t-elle imaginé tout cela simplement pour me revoir et pour me parler, par nostalgie du passé. Elle semblait si étrange que j'ai du mal à lui faire confiance, pas toi ?

– Je ne sais pas, Laura, mais j'ai des yeux pour remarquer le comportement de ton mari. En rapprochant ses actes des paroles d'Anne Catherick, je conclus qu'il doit y avoir un secret.

Ne voulant pas en dire plus long, je me suis levée pour sortir. J'étais hantée par des pensées que je n'aurais pu lui cacher plus longtemps et qu'il aurait été dangereux pour elle de connaître. Je restais sous l'emprise de mon cauchemar, et le récit de Laura ne faisait qu'augmenter mon effroi. Je pressentais des choses effroyables qui nous menaçaient, je voyais se dessiner dans la tourmente qui nous environnait ce dessein caché dont m'avait parlé Hartright en rêve. Je le revoyais, lors de nos adieux à Limmeridge ; je le revoyais tel qu'il m'était apparu en songe, et je commençais à me demander à mon tour vers quel abîme les événements nous entraînaient.

Abandonnant Laura, je suis sortie pour inspecter les abords de la maison, car la façon dont Anne Catherick s'était enfuie me donnait l'envie de savoir à quoi le comte Fosco occupait son après-midi, et me laissait penser que sir Percival n'avait pas obtenu tout ce qu'il désirait de son petit voyage.

Ne les ayant pas trouvés à l'extérieur, j'ai exploré les pièces du rez-de-chaussée, qui étaient toutes désertes. J'ai regagné le hall et suis montée pour rejoindre Laura. Comme je traversais le corridor, j'ai vu la porte de la comtesse s'ouvrir. Je lui ai demandé si elle savait où avaient disparu ces messieurs. Elle m'a répondu qu'il y avait plus d'une heure que le comte, avec sa galanterie coutumière, l'avait prévenue qu'il partait faire une grande promenade à pied avec sir Percival.

Une grande promenade à pied ! Cela m'a semblé bizarre, car cela n'était assurément pas dans leurs habitudes. Sir Percival n'aimait que les promenades à cheval ; quant au comte, il ne s'éloignait jamais de la maison, sinon lorsque le désir lui prenait de me tenir compagnie.

En retrouvant Laura, je me suis aperçue qu'elle avait l'esprit tout occupé de la signature dont, bouleversées toutes les deux par sa rencontre avec Anne Catherick, nous avions oublié de parler. Elle m'a immédiatement fait part de sa surprise de ne pas avoir été convoquée dans la bibliothèque.

– Sois tranquille à ce propos, lui ai-je dit. Pour le moment en tout cas, car sir Percival a changé d'avis : la signature de l'acte est remise à plus tard.

– Remise à plus tard ? Qui te l'a dit ?

– Le comte Fosco ; et je pense que c'est grâce à lui que ton mari a pris cette soudaine décision.

– Est-ce possible, Marian ? Si, comme nous le supposons, ma signature doit permettre à sir Percival d'entrer en possession d'une certaine somme dont il a un besoin urgent, comment peut-il différer la chose ?

– Je crois, Laura, que nous possédons certains éléments qui nous permettent de le comprendre. Aurais-tu oublié la conversation que j'ai surprise entre sir Percival et son avocat, dans le hall ?

– Non, certes. Mais je ne vois pas…

– Moi si. L'avocat a parlé d'une alternative : ou bien tu donnais ta signature, ou bien il obtenait des traites à trois mois et gagnait du temps. C'est à cette solution que sir Percival s'est en définitive rallié, et nous pouvons espérer n'être plus mêlées, pour quelque temps du moins, à ses difficultés pécuniaires.

– Oh, Marian ! c'est trop beau pour être vrai !

En consultant mon journal, je me suis aperçue que mes souvenirs étaient exacts. Cela a été pour Laura et pour moi un grand soulagement. Dans l'incertitude qui est la nôtre, il est de la plus grande importance que nous puissions nous reposer sur la régularité avec laquelle je note tout et sur l'infaillibilité de ma mémoire. Laura le sent aussi bien que moi, même si cela semble dérisoire et si j'ai un peu honte d'en parler ici. Mais puisque cela peut nous apporter quelque réconfort… Nous devons être bien malheureuses pour que la seule idée que ma mémoire ne me trompe pas nous apparaisse comme un bienfait du Ciel !

La cloche du dîner a sonné. Juste à ce moment-là sir Percival et le comte sont rentrés de leur promenade. Nous avons entendu le maître tempêter après les domestiques qui avaient cinq minutes de retard, et l'hôte du maître intercéder en leur faveur, comme à l'accoutumée, en plaidant pour la patience et la paix.

. . . .

Le dîner et la soirée se sont passés sans incident, mais certains détails dans le comportement de sir Percival et du comte me tourmentent encore et je me suis retirée pleine d'appréhension sur ce qu'Anne Catherick peut nous apporter demain.

J'en sais assez aujourd'hui pour affirmer sans l'ombre d'un doute que l'aspect de sir Percival qui est le plus éloigné de ce qu'il est en réalité est son côté poli, et que c'est par conséquent le plus dangereux. La longue promenade avec son ami semblait l'avoir particulièrement bien disposé à l'égard de sa femme. A la plus grande surprise de Laura et pour ma plus grande inquiétude, il s'est mis à l'appeler par son prénom, lui a demandé si elle avait eu de récentes nouvelles de son oncle, quand elle comptait inviter la bonne Mrs Vesey à Blackwater Park, et lui a prodigué mille autres attentions rappelant son odieuse comédie de Limmeridge avant le mariage. Cela ne présageait rien de bon, mais les choses sont devenues pires encore quand, après le dîner, il a feint de s'assoupir sur l'un des divans du salon, nous épiant Laura et moi, derrière ses paupières mi-closes, en s'imaginant que nous ne nous doutions de rien. Pas un instant je n'ai douté qu'il fût allé à Welmingham, chez Mrs Catherick, mais maintenant je crains bien qu'il n'y soit pas allé en vain et qu'il y ait appris ce qu'il voulait savoir. Si je savais où trouver Anne, je me lèverais demain avec le soleil et j'irais l'avertir.

Tandis que sir Percival se présentait à nous sous un jour qu'hélas ! je connaissais trop bien, le comportement du comte ce soir n'a pas laissé de me surprendre, au contraire. Il m'a donné l'occasion de découvrir qu'il était un grand sentimental, et pas de manière feinte mais très sincèrement.

Il s'est comporté avec calme et modestie toute la soirée, ayant dans la voix certaines inflexions qui trahissaient sa sensibilité. Il avait revêtu (comme s'il voulait faire coïncider son apparence extérieure avec les dispositions de son âme) ce magnifique gilet de soie gris-vert brodé de fils d'argent que nous lui avions déjà vu en une autre occasion. Il semblait nous parler, à Laura et à moi, avec tendresse et admiration ; quand sa femme le remerciait des attentions qu'il avait eues pour elle, il s'empressait de lui serrer la main sous la table et il est même allé jusqu'à lui porter un toast : « A votre santé et à votre bonheur, mon ange ! » a-t-il lancé en papillonnant des yeux. Il a très peu mangé, et chaque fois que sir Percival s'avisait de le moquer il le regardait avec bienveillance en riant : « Mon bon Percival ! » Après le dîner, il a pris Laura par la main et lui a demandé si elle serait assez bonne pour lui jouer quelque chose. N'en revenant pas, Laura s'est exécutée tandis qu'il prenait place à côté du piano, la tête rêveusement inclinée près du pupitre et les doigts battant délicatement la mesure. Il s'est montré un véritable amateur et a félicité Laura pour son talent, non pas à la façon enthousiaste et un peu naïve du pauvre Hartright, mais en homme qui connaît les secrets de la composition et les difficultés de l'interprétation. Comme la nuit tombait, il a supplié qu'on ne gâche pas la beauté des dernières lueurs du jour en allumant déjà les lampes, puis, de cette démarche silencieuse que je déteste, il s'est approché de la fenêtre près de laquelle je me tenais en retrait – précisément pour l'éviter –, pour me demander de soutenir sa requête. Ah ! si l'une d'entre elles avait seulement pu le brûler vif à ce moment précis, je serais allée moi-même la chercher à la cuisine !

– Je suis sûr que vous appréciez le crépuscule sur la campagne anglaise. Je l'adore ! C'est le moment où je me sens éperdu d'admiration pour toute grandeur et toute noblesse, le moment où le souffle des cieux descend nous purifier ! La nature a tant de charmes et tant de douceurs ! Mais je suis un vieil homme obèse, et ces mots qui couleraient divinement de vos lèvres, Miss Halcombe, semblent s'échapper de la mienne comme des crapauds. C'est terrible d'avoir l'air ainsi ridicule quand on est ému, comme si mon âme me ressemblait, qu'elle fût vieille et laide. Regardez, très chère, regardez cette lumière qui vient mourir sur les arbres. Pénètre-t-elle jusque dans votre cœur ?

Il a marqué une pause, m'a regardée et s'est mis à réciter les fameux vers de Dante sur le crépuscule, avec des accents si tendres et si mélodieux qu'ils en augmentaient encore la beauté.

– Bah ! a-t-il fait brusquement alors que les dernières syllabes italiennes venaient de mourir sur ses lèvres, je ne suis qu'un vieux fou qui ennuie tout le monde. Refermons la fenêtre de nos cœurs et revenons à la réalité. Percival ! Va pour les lampes ! Lady Glyde… Miss Halcombe… Eleanor, très chère… laquelle d'entre vous aurait la bonté d'être ma partenaire aux dominos ?

Il s'adressait à nous trois, mais c'est vers Laura que ses regards se portaient.

Elle savait comme moi qu'il fallait avoir peur de l'offenser et elle a accepté sa proposition. C'était plus que je n'aurais moi-même pu en faire alors ; je crois qu'aucun prétexte n'aurait pu me faire asseoir à la même table que lui. J'avais l'impression qu'à la faveur du crépuscule ses yeux avaient plongé jusqu'au tréfonds de mon âme ; tous mes nerfs résonnaient encore du son de sa voix. Le terrible effroi de mon cauchemar qui était revenu me hanter à différents moments de la soirée m'oppressait à présent d'une manière intolérable. J'ai revu la tombe de marbre et la femme voilée surgissant à côté de Hartright. La pensée de Laura a jailli de mon cœur comme une source d'eau amère. Je lui ai pris la main comme elle se dirigeait vers la table de jeu, et l'ai pressée contre mes lèvres comme si la nuit devait à jamais nous séparer. Tous m'ont regardée avec le plus grand étonnement. Je me suis précipitée dehors pour me cacher dans l'obscurité, pour me cacher d'eux comme de moi-même.

Nous nous sommes séparés ce soir plus tard qu'à l'accoutumée. Vers minuit le silence de cette nuit estivale a été brisé par la plainte mélancolique du vent dans les arbres. Nous avons soudainement ressenti ce frémissement de l'atmosphère. Le comte qui était en train d'allumer ma chandelle a levé un doigt prophétique :

– Écoutez ! Il y aura du changement demain…

VII

19 juin. – Après ce qui s'était passé hier, je m'attendais au pire. Et la journée n'est pas encore terminée que déjà le pire est arrivé.

Ayant calculé qu'Anne Catherick avait dû se trouver hier vers deux heures et demie près du hangar, nous avons décidé que Laura ne ferait qu'une courte apparition au déjeuner, profitant du premier prétexte venu pour se retirer en me laissant seule derrière pour sauver les apparences. Je m'arrangerais pour la rejoindre ensuite le plus vite possible. De la sorte, si aucun obstacle ne surgissait devant nous, elle serait capable d'être au rendez-vous à l'heure dite ; quant à moi, je pourrais me dissimuler dans la sapinière avant que trois heures aient sonné.

Le changement de temps qu'avait laissé présager la brise de la nuit dernière est arrivé ce matin. Toute la matinée, il est tombé une pluie torrentielle. A midi cependant, le ciel s'est éclairci et le soleil a fait sa réapparition, promettant un bel après-midi.

J'étais particulièrement inquiète sur la manière dont sir Percival et le comte entendaient occuper leur matinée, mais le fait que sir Percival se soit brusquement levé de table à peine son petit déjeuner avalé, et qu'il soit sorti sous la pluie battante sans nous dire ni où il allait ni quand il comptait rentrer n'a fait qu'accroître mon angoisse.

Le comte a passé la matinée tranquillement à l'intérieur, d'abord dans la bibliothèque, puis au salon où il s'est mis à pianoter quelques bribes de mélodies. A en juger par les apparences, il était encore dans une phase sentimentale, silencieux et les nerfs à fleur de peau, soupirant d'un air languide (comme seuls peuvent le faire les gros hommes) à la moindre occasion.

Au déjeuner, sir Percival n'était pas encore rentré, et le comte a donc pris la place du maître de maison. Il a dévoré à lui seul la plus grosse partie de la tarte aux fruits, recouverte d'une énorme louche de crème, et n'a pas manqué de nous expliquer la portée de son geste dès qu'il a eu fini.

– Le goût des sucreries est l'apanage des femmes et des enfants, mais j'adore partager ce plaisir innocent avec eux. C'est un autre lien qui nous unit, mesdames.

Laura a quitté la table au bout de dix minutes, comme convenu. Je me serais volontiers levée pour l'accompagner, mais d'une part cela n'aurait pas manqué d'éveiller les soupçons, et d'autre part, si jamais Anne Catherick nous apercevait toutes les deux ensemble, nous risquions de perdre définitivement sa confiance.

J'ai donc attendu aussi patiemment que j'ai pu jusqu'à ce que le domestique vienne débarrasser. Lorsque j'ai quitté la salle à manger, il n'y avait aucun signe, ni dedans ni dehors, du retour de sir Percival. J'ai laissé le comte Fosco occupé à offrir du bout des lèvres un sucre à son affreux perroquet, tandis que Mrs Fosco contemplait son mari et l'oiseau comme si c'était la première fois qu'elle les voyait. En me dirigeant vers la sapinière, j'ai soigneusement veillé à ne pas pouvoir être aperçue par les fenêtres de la salle à manger. Personne ne m'a vue et personne ne m'a suivie. A ma montre, il était trois heures moins le quart.

Dès que j'ai été sous les arbres, j'ai hâté le pas jusqu'à ce que je sois arrivée à mi-chemin de la sapinière. Là, je me suis remise à marcher avec prudence; mais je n'ai vu ni n'ai entendu personne. Même silence lorsque je me suis approchée du hangar; pas le moindre signe d'une présence humaine. Après l'avoir contourné par-derrière, je me suis avancée jusqu'à la porte : le hangar était vide.

– Laura ! Laura ! ai-je appelé, d'abord assez bas puis de plus en plus fort, mais sans recevoir aucune réponse.

Mon cœur s'est mis à battre violemment mais je me suis résolue à chercher le moindre indice qui pourrait m'indiquer si Laura était passée par ici ou non. Rien ne me laissait penser qu'elle avait pu entrer dans le hangar mais, à l'extérieur, j'ai aperçu la trace de ses souliers dans le sable. A mieux regarder, j'ai constaté qu'il s'agissait en réalité de deux types d'empreintes; les unes avaient une largeur qui les attribuait à des pas d'homme; quant aux autres, en mettant mes propres pas par-dessus, j'ai pu m'assurer qu'il s'agissait bien de celles de Laura. Ces traces se brouillaient aux abords du hangar et, tout contre les planches de celui-ci, un petit trou récemment fait dans le sable a attiré mes regards. Mais je ne m'y suis pas autrement arrêtée, toute à ma hâte de suivre les traces des pas pour voir où elles pourraient me conduire.

Partant sur la gauche du hangar, elles m'ont menée pendant une assez longue distance jusqu'à une étendue sablonneuse où elles disparaissaient. Cela signifiait certainement qu'à cet endroit les deux personnes avaient pénétré dans la sapinière. C'est ce que j'ai fait à mon tour, sans d'abord trouver de chemin, puis en en découvrant un qui semblait s'avancer vers le village. Au bout d'un moment, j'ai croisé un second sentier étroit et broussailleux. Comme j'hésitais sur la direction à prendre, mon regard s'est trouvé attiré par quelques franges de châle retenues par les ronces : elles provenaient du châle de Laura. J'ai donc suivi ce sentier qui m'a amenée, à mon grand soulagement, à l'arrière de la maison. J'ai immédiatement pensé que, pour une raison quelconque, Laura avait dû revenir avant que je l'aie rejointe, et je suis rentrée dans la cour de l'office où je suis tombée sur Mrs Michelson, la gouvernante.

– Savez-vous si lady Glyde est déjà rentrée de sa promenade ? lui ai-je demandé.

– Milady vient de rentrer avec sir Percival, Miss Halcombe, mais je crains qu'il ne soit arrivé quelque chose d'affreux…

– Pas un accident ? me suis-je écriée, affolée.

– Non, non ! Grâce à Dieu, pas d'accident ! Mais milady est montée dans sa chambre en pleurant et sir Percival a donné à Fanny son congé immédiat.

Fanny, une brave fille, était la femme de chambre dévouée de Laura depuis des années. C'était aujourd'hui la seule personne sur la dévotion et la fidélité de laquelle nous pouvions compter dans cette maison.

– Où est-elle ?

– Dans ma chambre, Miss Halcombe, car la pauvre fille est dans tous ses états, et je lui ai dit de venir se remettre un peu.

Je me suis précipitée dans la chambre de Mrs Michelson où j'ai trouvé Fanny dans un coin, sanglotant âprement. Elle ne put me donner aucune explication sur son renvoi brutal. Sir Percival lui avait fait remettre un mois de gages en dédommagement, sans lui fournir aucune explication et sans lui faire le moindre reproche sur sa conduite. On lui interdisait de dire au revoir à sa maîtresse et elle devait quitter les lieux au plus vite.

Après avoir calmé de mon mieux la pauvre fille, je lui ai demandé où elle comptait loger cette nuit. Elle m'a répondu qu'elle avait l'intention d'aller à la petite auberge du village dont la patronne était connue des domestiques. En partant le lendemain de bonne heure, elle atteindrait Limmeridge sans devoir loger à Londres. J'ai compris tout de suite que le départ de Fanny me fournissait un moyen sûr de communiquer avec Londres et Limmeridge House. Je lui ai donc assuré que nous ne l'abandonnerions pas et que, ce soir même, je viendrais la revoir à l'auberge. Sur ce, je me suis dirigée vers la chambre de Laura. La porte de l'antichambre qui la précédait était fermée à clef et j'ai dû tambouriner de toutes mes forces. La grosse servante que j'avais vue le soir de mon arrivée à Blackwater et qui m'avait tant exaspérée au moment où j'avais ramené le chien est apparue, l'air bourru. J'avais appris qu'elle se nommait Margaret Porcher, et qu'elle était la plus désagréable de tous les domestiques.

– Eh bien ? Que faites-vous là ? Vous ne voyez donc pas que je veux entrer ?

– Oui, mais vous ne pouvez pas ! a-t-elle répondu avec un de ses ricanements.

– Comment osez-vous me parler de la sorte ? Reculez tout de suite !

Elle a écarté ses gros bras rougeauds avec l'intention de me barrer le passage.

– Ce sont les ordres du maître !

J'ai dû faire un gros effort sur moi-même pour ne pas lui répliquer, puisque l'affaire ne dépendait pas d'elle. Lui tournant brusquement le dos, j'ai descendu l'escalier quatre à quatre, à la recherche de sir Percival. Ma résolution de toujours garder mon sang-froid devant n'importe quelle attitude de sir Percival n'était plus qu'un souvenir, je l'avoue non sans honte ! Mais j'éprouvais presque du soulagement, après tout ce que j'avais subi dans cette maison, à laisser éclater ma colère.

Le salon et la salle à manger étaient déserts. Je suis alors entrée en trombe dans la bibliothèque, où j'ai trouvé sir Percival en compagnie du comte et de la comtesse Fosco. Comme j'entrais, j'ai entendu le comte lui dire d'une voix ferme :

– Non, mille fois non !

Je me suis dirigée droit sur sir Percival et l'ai regardé dans les yeux.

– Dois-je comprendre que l'appartement de votre femme est devenu une prison, sir Percival, et que le geôlier en est cette Margaret Porcher ?

– Exactement, vous avez parfaitement compris. Et prenez garde que mon geôlier n'ait une double tâche à remplir bientôt... et que votre chambre ne devienne elle aussi une prison !

– Prenez garde vous-même à la façon dont vous traitez votre femme et me menacez ! ai-je explosé. Il existe des lois en Angleterre pour protéger les femmes... Si vous touchez un cheveu de la tête de Laura, si vous osez attenter à ma liberté, advienne que pourra, mais je ferai appel à ces lois !

Sans me répondre, il s'est tourné vers le comte :

– Que vous disais-je tout à l'heure et que me répondiez-vous ?

– Ce que je vous ai déjà dit : non et non !

Malgré toute ma colère, je me suis rendu compte que ses yeux gris et pénétrants étaient fixés sur moi. Puis, lentement, il les a détournés pour jeter un regard significatif à sa femme. Celle-ci s'est immédiatement approchée de moi et s'est adressée à sir Percival sur un ton glacial.

– Voulez-vous m'écouter un instant, sir Percival ? Je vous remercie de votre hospitalité, mais je ne puis l'accepter plus longtemps. Je ne reste jamais dans une maison où les dames sont traitées comme l'ont été aujourd'hui votre femme et Miss Halcombe.

Sir Percival a reculé d'un pas en la regardant fixement. La déclaration de la comtesse – dont il savait parfaitement qu'elle ne l'aurait jamais faite sans l'assentiment du comte – semblait le pétrifier de surprise. Le comte quant à lui, un peu en retrait, regardait sa femme avec une admiration non dissimulée.

– Elle est sublime ! s'est-il exclamé en s'approchant d'elle et en lui offrant le bras. Je suis à vos ordres, Eleanor, et à ceux de Miss Halcombe, si elle me fait l'honneur d'accepter mes services.

– Sacrebleu ! Mais que voulez-vous dire ? s'est écrié sir Percival, blême, tandis que le comte faisait mine de se diriger vers la porte.

– Ordinairement, je veux dire ce que je dis, mais cette fois je veux dire ce que ma femme dit, a répondu l'impénétrable Italien. Pour une fois, nous avons interverti les rôles et l'opinion de la comtesse Fosco est la mienne.

Chiffonnant nerveusement le papier qu'il tenait à la main, sir Percival s'est posté devant la porte.

– Faites comme il vous plaira ! a-t-il proféré en écumant de rage. Faites comme il vous plaira... et vous verrez ce qu'il en adviendra !

Sur ces paroles, il a quitté la pièce.

Mrs Fosco a jeté à son mari un regard interrogateur :

– Il est parti bien précipitamment. Qu'est-ce que cela signifie ?

– Cela signifie que nous avons maté le plus mauvais caractère d'Angleterre, a répondu calmement le comte. Cela signifie, Miss Halcombe, que cette impardonnable insulte ne se renouvellera plus et que lady Glyde est libre. Permettez-moi de vous exprimer ma profonde admiration pour votre conduite et votre courage dans une telle épreuve !

– Mes sincères félicitations, a hasardé la comtesse.

– Mes sincères félicitations, a répété son mari.

L'énergie que m'avait donnée ma colère était brusquement retombée, je me sentais accablée par l'angoisse de savoir comment se portait Laura et d'apprendre ce qui s'était passé près du hangar à bateaux. Malgré mon impatience, je me suis efforcée de répondre au comte et à sa femme, mais les mots se sont étouffés dans ma gorge. Le souffle court, je ne pouvais ôter mes yeux de la porte. Le comte s'en est aperçu et a quitté la pièce. Au même moment, j'ai entendu le pas lourd de sir Percival dans l'escalier, puis les deux hommes qui échangeaient quelques propos à voix basse. La comtesse était en train de me répéter, de son ton le plus paisible et le plus conventionnel, qu'elle se réjouissait pour nous tous de la conduite de sir Percival qui ne les obligeait pas, elle et son mari, à quitter Blackwater Park, quand la porte s'est ouverte de nouveau et que le comte est apparu.

– Miss Halcombe, je suis heureux de vous informer que lady Glyde est de nouveau maîtresse chez elle. J'ai pensé qu'il vous serait plus agréable d'apprendre cette nouvelle de ma bouche plutôt que de celle de sir Percival.

– Délicate attention ! a fait la comtesse, rendant à son mari l'admiration qu'il lui avait témoignée tantôt.

Ce dernier s'est incliné et a esquissé un léger sourire, comme s'il venait de recevoir un compliment poli de la part d'un étranger, puis il s'est effacé pour me laisser passer.

En traversant le hall, je suis passée devant sir Percival. Je l'ai entendu interpeller le comte qui se trouvait encore dans la bibliothèque :

– Qu'attendez-vous pour venir me parler, Fosco ?

– Je désire d'abord reprendre mes esprits, Percival, a répondu la voix de l'autre. Je vous verrai plus tard, cher ami, plus tard !

J'ai couru dans le corridor jusque chez Laura. Dans ma hâte et mon agitation, j'ai laissé la porte de l'antichambre ouverte, mais j'ai pris soin de refermer celle de la chambre.

Laura était assise à sa table, le front appuyé dans les mains, l'air las. En me voyant, elle a poussé un cri de joie.

– Comment es-tu parvenue à entrer, Marian ? Ce n'est pas sir Percival qui t'a donné la permission…

– Grâce au comte, évidemment ! ai-je répondu avec impatience. Qui d'autre a de l'influence dans cette maison…

Elle m'a arrêtée avec un geste de dégoût.

– Ne me parle pas de lui ! C'est l'homme le plus vil que je connaisse ! C'est un misérable espion !…

Avant que j'aie eu le temps d'ajouter quoi que ce soit, nous avons entendu le froissement d'une robe de soie dans l'antichambre et l'on a frappé à la porte. La comtesse est apparue, tenant mon mouchoir à la main.

– Vous l'avez laissé tomber dans l'escalier, Miss Halcombe, a-t-elle dit en me le tendant, et je vous l'ai rapporté en passant.

Son visage naturellement pâle était devenu livide, ses mains tremblaient et ses yeux ne semblaient pas me voir mais regardaient Laura d'un air féroce. Elle avait dû écouter notre conversation avant de frapper ! Je l'ai compris à sa pâleur et aux regards qu'elle lançait à Laura. Elle a fait demi-tour en silence et s'est éloignée lentement. J'ai aussitôt refermé la porte.

– Oh, Laura ! Je crois bien que nous maudirons toute notre vie le jour où tu as traité le comte d'espion !

– Tu en aurais fait autant, Marian, si tu savais ce que je sais. Anne Catherick avait raison, quelqu'un nous surveillait, hier, et c'était…

– En es-tu certaine ?

– Absolument, Marian ! Il était chargé par sir Percival de nous espionner et, d'après les renseignements qu'il lui a donnés, mon mari lui-même nous a guettées, Anne Catherick et moi, pendant toute la matinée.

– L'avez-vous vue ?

– Non, elle s'est protégée en restant à distance. Quand je suis arrivée au hangar, cet après-midi, elle n'y était pas. Ne la voyant pas venir, je me promenais de long en large en réfléchissant, quand mon regard a été attiré, juste devant le hangar, par des marques sur le sol. Je me suis agenouillée pour les examiner et j'ai vu qu'il s'agissait de lettres tracées dans le sable. Elles disaient : REGARDEZ.

– Et tu as gratté le sable à cet endroit et creusé un petit trou ?

– Comment le sais-tu ?

– Je l'ai vu quand je t'ai suivie au hangar.

– Oui, c'est cela. J'ai gratté le sable et j'ai trouvé un papier sur lequel était écrit quelque chose et qui portait les initiales d'Anne Catherick.

– Où est-il ?

– Sir Percival me l'a pris.

– Peux-tu te rappeler ce qu'il y avait écrit dessus ?

– En substance, oui, Marian, car c'était très court. Toi, tu t'en serais souvenue mot à mot.

– Essaie donc de me dire ce qu'il disait.

Je recopie ici le message, tel que Laura me l'a rapporté :

J'ai été vue avec vous hier par un gros homme, et j'ai dû me sauver pour qu'il ne me rattrape pas. J'ai réussi à le semer dans les bois. Je ne peux courir le risque de revenir aujourd'hui à la même heure. J'écris ce billet, et je l'enfouis dans le sable, à six heures, ce matin. Lorsque nous reparlerons du secret de votre misérable mari, nous devrons le faire en sécurité ou pas du tout. Prenez patience, je vous promets de revenir bientôt.

A. C.

Le « gros homme » dont parlait Anne Catherick (et Laura était sûre des termes qu'elle avait employés) ne laissait aucun doute sur l'identité de celui qui les avait espionnées. Je me souvenais parfaitement que, en présence du comte, la veille, j'avais dit à sir Percival que Laura était partie vers le lac, à la recherche de sa broche. Il l'avait probablement suivie là-bas, peut-être dans l'intention de lui apprendre la décision de sir Percival au sujet de la signature et ainsi de la tranquilliser. Anne Catherick avait dû le voir au moment où il sortait de la sapinière, et la façon brusque dont elle avait quitté Laura avait sans doute incité le comte à la suivre. Il n'avait en tout cas pas pu entendre leur conversation, car compte tenu de la distance à laquelle le lac se trouve de la maison et de l'heure à laquelle il avait lui-même quitté le salon, il était évident qu'il était parvenu trop tard. Après être parvenue à cette conclusion, je me suis de nouveau préoccupée de sir Percival.

– Comment se fait-il que tu n'aies plus le billet ? Qu'as-tu fait après l'avoir trouvé dans le sable ?

– Après l'avoir rapidement parcouru, je suis rentrée dans le hangar avec l'intention de le relire attentivement. Tandis que je lisais, une ombre s'est profilée dans la porte et sir Percival est apparu.

– Tu as essayé de cacher la lettre ?

– Oui, mais il m'en a empêchée : « Inutile de cacher ce papier, a-t-il dit, je l'ai lu avant vous. » Incapable de réagir, je l'ai regardé, sans un mot. « Comprenez-vous ce que je vous dis ? Je l'ai déterré, il y a environ deux heures, puis je l'ai remis à sa place, afin de vous prendre en flagrant délit. Vous avez vu Anne Catherick hier. Je ne suis pas encore parvenu à l'attraper, elle, mais je vous ai, vous. Donnez-moi cette lettre ! » Il s'est approché de moi – j'étais seule avec lui, Marian, que pouvais-je faire ? – et je lui ai donné la lettre.

– Qu'a-t-il dit alors ?

– D'abord, il n'a rien dit. Il m'a prise par le bras et m'a forcée à sortir du hangar. Il regardait tout autour… On aurait dit qu'il avait peur de quelque chose. Puis il a enfoncé ses ongles dans ma chair et m'a murmuré : « Que vous a dit Anne Catherick hier ? Je veux tout savoir ! »

– Tu le lui as dit ?

– Il me meurtrissait le bras, Marian, et j'étais seule avec lui.

– Voit-on encore les traces de ses doigts, Laura ? Montre-moi ton bras.

– Pourquoi ?

– Parce que la patience a des limites et qu'il est temps d'agir. Cette marque est une arme dont je pourrais avoir besoin pour te défendre un jour ! Fais-moi voir !

– Oh, Marian ! Je t'en supplie, n'en parlons plus ! Cela ne me fait plus mal !

– Laisse-moi voir !

Elle m'a montré son bras. J'en aurais pleuré, rugi de colère…

L'homme est parfois pire que la bête. Je me sentais tout à coup capable de le... Mon Dieu ! sa femme ne pouvait imaginer quelles pensées me traversaient la tête. Dans son innocence et sa candeur, l'adorable créature a cru que j'avais peur pour elle, que j'avais mal pour elle.

– Ce n'est pas grave, Marian, je t'assure !

– Pour ton bien, chérie, je vais tâcher de me calmer... Mais, dis-moi, lui as-tu tout raconté ?

– Oui, Marian, j'étais seule avec lui et j'ai dû tout lui dire.

– A-t-il fait une réflexion quand tu as eu fini ?

– Il m'a regardée avec une expression sarcastique : « Je veux savoir le reste, a-t-il dit, entendez-vous, le reste ! » J'ai eu beau lui jurer que je lui avais tout dit, il ne voulait pas me croire. « Je vous forcerai bien à le dire à la maison, si je n'y arrive pas ici. » Sur ce, il m'a entraînée vers un chemin détourné, là où il n'y avait aucun danger que nous te rencontrions. Il s'est tu jusqu'à ce que nous soyons en vue de la maison. Là, il s'est arrêté : « Je vous donne une dernière chance : avez-vous changé d'avis et voulez-vous parler ? » Je ne pouvais que répéter mes paroles. Il a maudit mon entêtement et m'a traînée jusqu'à l'office. « Inutile de me mentir ! Je sais que vous ne m'avez pas tout dit... Je vous ferai avouer par la force s'il le faut... et votre sœur aussi ! Finies les cachotteries ! Vous ne comploterez plus ensemble avant de m'avoir dit la vérité. Je vous ferai surveiller à toute heure du jour et de la nuit ! » Il n'écoutait rien de ce que je pouvais lui dire. Il m'a emmenée directement dans mon appartement, malgré mes protestations et mes larmes. Il a congédié la pauvre Fanny qui se trouvait là : « Je ne vous laisserai pas tremper dans cette conspiration. Vous allez partir immédiatement, et si votre maîtresse désire une autre femme de chambre, c'est moi qui la choisirai. » Puis, m'ayant poussée dans la chambre, il m'a enfermée à clef. Il avait l'air d'un vrai fou, Marian. Oh ! si vous l'aviez vu !

– Je m'en rends compte, Laura ! Il est fou, en effet... fou de terreur à cause de sa mauvaise conscience. Tout ce que tu viens de me dire me confirme dans l'idée qu'Anne Catherick était sur le point, hier, de te révéler un secret qui pourrait causer la perte de ton mari, et il est persuadé que tu l'as découvert. Rien de ce que tu pourras dire ou faire ne le fera faire changer d'avis. Je ne dis pas cela pour t'effrayer, chérie, mais il faut ouvrir les yeux. Tu dois me laisser agir pour te protéger tant qu'il est encore temps. Le comte a obtenu que je te voie aujourd'hui, mais, par sa volonté aussi, tout peut être changé demain. Sir Percival a déjà renvoyé Fanny qui t'était entièrement dévouée pour la remplacer par cette stupide femme qui ne vaut pas mieux qu'un méchant chien de garde. Dieu sait ce qu'il peut faire ensuite, si nous n'agissons pas.

– Que pouvons-nous faire, Marian ? Oh ! si seulement nous pouvions fuir cette maison pour toujours !

– Écoute-moi, Laura, et aie confiance en moi. Il ne peut rien t'arriver tant que je suis là.

– Je te fais confiance. Mais n'oublie pas non plus cette pauvre Fanny. Elle aussi a besoin d'aide.

– Je ne l'oublie pas. Je l'ai vue avant de venir ici et je me suis arrangée pour la rencontrer ce soir. Je compte écrire deux lettres que je vais porter ce soir à l'auberge, pour les confier à Fanny ; elles seront plus en sécurité que dans le sac postal.

– Des lettres ?

– Deux lettres. Je vais d'abord écrire à l'associé de Mr Gilmore, qui a offert de nous aider. J'en sais assez en matière de loi pour savoir qu'un rustre ne peut impunément maltraiter une femme. Je ne dirai rien d'Anne Catherick, car nous n'en savons pas assez, mais, crois-moi, je vais l'avertir de la violence que tu as subie !

– Mais pense au scandale, Marian !

– Je compte justement sur le scandale ! Sir Percival a plus de raisons que vous de le redouter ! Seule la crainte du scandale peut l'amener à changer d'attitude.

Je m'étais levée en parlant, mais Laura refusait que je la quitte.

– Il va être furieux, m'a-t-elle dit, et notre position ici n'en sera que plus dangereuse !

Je savais qu'elle disait vrai mais je ne voulais pas lui montrer à quel point elle avait raison. Dans notre situation, il n'y avait plus pour nous d'autre solution que de risquer le pire. Je le lui ai expliqué, aussi prudemment que possible. Elle a soupiré, mais n'a fait aucune objection. Elle s'est contentée de me demander à qui d'autre je voulais écrire.

– A Mr Fairlie. Ton oncle est ton parent mâle le plus proche, et il est ton tuteur. Il est de son devoir d'intervenir.

Elle a secoué tristement la tête.

– Oh ! je sais, il est égoïste, faible, superficiel, ai-je repris, mais ce n'est pas sir Percival Glyde et il n'a pas comme ami le comte Fosco ! Je n'attends rien de sa bonté ni des sentiments qu'il pourrait éprouver pour toi ou pour moi, mais il fera beaucoup pour protéger sa tranquillité. Laisse-moi le persuader que son intervention lui évitera des ennuis, du scandale, des responsabilités, et tu le verras réagir… pour lui… Je sais comment il faut le prendre, Laura, j'ai quelque expérience en la matière.

– Si tu pouvais seulement le persuader de nous laisser revenir à Limmeridge House pendant un petit temps, Marian ! Je crois que cela me rendrait aussi heureuse que je l'étais avant mon mariage.

Ce souhait m'a suggéré une idée nouvelle. N'était-il pas possible de mettre sir Percival devant cette alternative : ou bien le menacer de faire agir la loi en faveur de sa femme, ou bien obtenir qu'il se sépare de Laura pendant quelque temps, sous prétexte d'une visite à son oncle ? Il était fort peu probable qu'il consente à cette dernière solution. Et pourtant, ne sachant que faire d'autre, j'ai décidé de tout tenter en ce sens.

– Je vais faire part de ton désir à ton oncle, Laura, et je prendrai également l'avis de l'avocat à ce sujet.

Je me suis de nouveau levée, et de nouveau Laura a essayé de me retenir.

– Oh ! Ne me laisse pas seule, Marian ! Écris tes lettres ici, je t'en prie !

J'aurais tant voulu céder. Mais cela faisait trop longtemps que nous étions ensemble. Si je voulais avoir une chance de la revoir, il ne fallait pas exciter les soupçons. Il était grand temps pour moi de redescendre, l'air détendu et le plus détaché possible. C'est ce que j'ai expliqué à Laura.

– Avant une heure, je serai de retour, chérie. Le pire est derrière nous pour aujourd'hui. Sois tranquille.

– Marian, est-ce que la porte ferme à clef ?

– Oui. Enferme-toi et n'ouvre à personne avant mon retour.

Je l'ai embrassée et je suis sortie, rassurée quand j'ai entendu le bruit de sa clef dans la serrure.

VIII

19 juin. – En entendant le bruit de la clef à l'intérieur de la chambre de Laura, je me suis dit qu'il vaudrait mieux que je ferme également la porte de ma chambre pendant que je ne m'y trouvais pas et que je garde soigneusement la clef sur moi. Mon journal se trouvait rangé dans le tiroir de mon bureau mais le reste de mes affaires était éparpillé sur la table. Il y avait là, entre autres, mon cachet, orné de deux colombes, et quelques feuilles de papier buvard sur lesquelles s'étaient imprimées les dernières lignes que j'avais tracées hier soir dans mon journal. N'ayant plus confiance en rien ni en personne, je me suis mis dans la tête que cela pouvait être dangereux et que même le tiroir ne constituait pas une protection suffisante.

Il ne semblait pas qu'on soit entré dans ma chambre en mon absence. Personne n'avait l'air d'avoir touché à mon matériel d'écriture que les domestiques avaient ordre de ne pas déranger. Le seul détail qui m'a frappée, c'est mon cachet, soigneusement rangé dans le plumier, avec les plumes et la cire. Je n'ai pas l'habitude, dois-je avouer à ma grande honte, de le ranger de la sorte, et je n'avais aucun souvenir de l'avoir fait cette fois-là. Mais comme je n'avais pas souvenir non plus de l'avoir posé ailleurs, je ne me suis pas tracassée outre mesure, et j'ai pensé que j'avais dû le ranger machinalement. J'ai fermé la porte à clef et suis descendue.

Mrs Fosco était seule dans le hall en train d'examiner attentivement le baromètre.

– Il descend encore ! Nous allons encore avoir de la pluie, j'en ai bien peur.

Son visage avait repris sa froideur naturelle, mais le doigt qui désignait le baromètre tremblait encore.

Avait-elle déjà eu le temps de prévenir son mari des paroles de Laura ? J'en avais la quasi-certitude et en redoutais d'autant plus les conséquences que celles-ci ne m'apparaissaient pas clairement. A de multiples petites mesquineries que seules les femmes peuvent percevoir, j'avais constaté que la comtesse, en dépit de ses manières polies, n'avait pas pardonné à sa nièce le fameux legs de dix mille livres, et je redoutais les conséquences de son ressentiment. J'ai donc décidé d'en avoir le cœur net et de faire tout ce qui était en mon pouvoir pour que soit pardonnée l'offense qu'avait pu lui faire Laura.

– Puis-je m'en remettre à votre bonté, comtesse, pour me permettre d'aborder un sujet extrêmement pénible ?

Elle a croisé les mains devant elle et a incliné la tête solennellement, sans dire un mot.

– Lorsque vous avez été assez aimable pour me rapporter mon mouchoir, ai-je commencé, je crains que vous n'ayez entendu les mots un peu violents de Laura. J'espère que vous n'y avez attaché aucune importance et que vous ne les avez pas répétés au comte Fosco ?

– Je n'y ai attaché aucune importance, a-t-elle répondu d'un ton aigre. Mais je n'ai aucun secret pour mon mari, et comme il m'a vue contrariée, il était de mon devoir de lui faire part de la cause de ma contrariété. Aussi, je dois vous avertir que je lui ai effectivement répété ce que j'ai entendu.

Je m'attendais hélas ! à cette réponse, et pourtant un frisson m'a parcouru l'échine.

– Puis-je vous prier, comtesse, vous et votre mari, de songer dans quelle situation se trouve ma sœur et quel état d'esprit est le sien ? Elle a parlé sous le coup des violences que lui a fait subir son mari et elle n'était plus elle-même. Puis-je espérer qu'elle sera pardonnée ?

– Certainement ! a fait la douce voix du comte derrière moi.

Il était sorti de la bibliothèque sans un bruit, un livre sous le bras.

– Lady Glyde m'a fait une injure que je déplore, mais que je pardonne. N'en parlons plus, Miss Halcombe ! Tâchons de tout oublier.

– Vous êtes très bon, vous me soulagez…

Je n'ai pu achever ma phrase. Il me fixait de ses yeux perçants et me souriait de son sourire fourbe et dangereux. Deviner sa duplicité et sentir en même temps que je m'abaissais devant ce couple dans le but de me concilier sa bienveillance, voilà qui me troublait affreusement.

– Je vous supplie de ne pas insister, Miss Halcombe, reprit-il. Je suis réellement offensé que vous ayez jugé nécessaire d'en dire autant !

Sur cette ultime politesse, il a pris ma main – oh ! comme je me méprisais ! Quel faible réconfort me donnait la pensée que j'endurais cela pour l'amour de Laura ! –, il a pris ma main pour y poser ses lèvres pleines de fiel. Jamais je n'avais ressenti comme alors à quel point il me dégoûtait. Son geste me glaçait les sangs comme s'il s'était agi du pire outrage qu'un homme puisse faire à une femme. Et pourtant j'ai masqué mon dégoût, j'ai essayé de sourire, moi qui naguère abhorrait le mensonge chez les autres femmes, j'ai été aussi fausse que les pires d'entre elles, aussi fausse que le Judas qui venait de baiser ma main.

Je n'aurais pu feindre plus longtemps – et c'est la seule idée qui me rend un peu de ma propre estime – s'il avait continué à me regarder comme il le faisait. La jalousie féroce de sa femme est venue à mon secours et l'a obligé à détacher son attention de moi. Elle avait des éclairs dans les yeux et, les joues en feu – ce qui la faisait paraître plus jeune que son âge –, elle s'est écriée :

– Comte ! Vos galanteries d'étranger ne sont pas appréciées des Anglaises !

– Pardonnez-moi, mon ange ! Mais vous, la plus aimée et la meilleure des Anglaises, vous les appréciez !

Et, calmement, laissant retomber ma main, il a pris celle de sa femme qu'il a portée à ses lèvres.

Je suis remontée me réfugier dans ma chambre. Si j'avais eu alors le loisir de penser, mes pensées auraient été bien amères. Mais, heureusement pour ce qui me restait de sang-froid et de courage, il me fallait tout de suite passer à l'action. Il me fallait écrire mes deux lettres, à l'avocat et à Mr Fairlie, et je me suis aussitôt mise à la tâche.

Je n'avais guère l'embarras du choix sur ce qu'il nous restait de ressources. Il ne me fallait dans l'immédiat compter que sur moi-même. Sir Percival n'avait dans le voisinage aucune relation susceptible de m'aider. Il était en mauvais termes avec la plupart des familles de son rang vivant dans les environs. Laura et moi n'avions ni père ni frère qui auraient pu prendre notre défense. Il n'y avait pas d'autre solution, donc, que d'écrire ces deux lettres, à moins de tenter le pire en nous enfuyant de Blackwater Park. Seul un péril majeur et imminent pouvait justifier une telle fuite. Il fallait d'abord tenter les lettres, et je les ai écrites.

Je n'ai rien dit à l'avocat au sujet d'Anne Catherick. Le mystère qui l'entourait était tel que cela n'aurait rien apporté à l'homme de loi. Je suis restée très vague sur ce qui avait pu motiver les brutalités de sir Percival (il pouvait fort bien imaginer qu'il s'agissait d'une histoire d'argent) et me suis contentée de lui demander s'il existait un recours légal pour permettre à Laura de quitter Blackwater Park, au cas où son mari s'opposerait à notre séjour à Limmeridge. Je lui précisais également que j'écrivais avec le plein accord de Laura et le pressais d'agir au plus vite.

J'ai ensuite écrit à Mr Fairlie, de la manière dont je l'avais dit à Laura et qui était la plus susceptible de le faire réagir. Je lui ai joint une copie de ma lettre à l'avocat de façon qu'il voie que l'affaire était sérieuse, et je lui ai expliqué que notre retour à Limmeridge était le seul compromis qui éviterait à Laura de courir un grand danger et lui épargnerait à lui de multiples tracas.

Quand les deux lettres ont été scellées, je les ai prises avec moi et me suis rendue chez Laura.

– Personne ne t'a dérangée, chérie ?

– Non, Marian, personne n'a frappé, mais j'ai entendu quelqu'un dans l'antichambre.

– Un homme ou une femme ?

– Une femme. J'ai entendu le froissement de sa robe.

– Un froissement de soie ?

– Oui, en effet, comme de la soie.

La comtesse était évidemment venue rôder par ici. Seule, elle était bien inoffensive, mais manipulée par son mari, elle devenait formidablement dangereuse.

– Et le bruit de cette robe ? Où l'as-tu entendu ensuite ?

– Vers ta chambre.

Je n'avais pour ma part rien entendu, trop absorbée par l'écriture de mes lettres, la plume crissant nerveusement sur le papier. Mais elle n'avait certainement pas manqué d'entendre ces crissements de plume, raison supplémentaire, s'il en était besoin, pour ne pas se fier au sac postal.

– Nouveaux dangers… nouveaux dangers…, a soupiré Laura en me voyant songeuse.

– Non, chérie, juste quelques difficultés… Je pensais au moyen de remettre mes lettres en sécurité entre les mains de Fanny.

– Alors tu les as vraiment écrites ? Oh Marian ! je t'en prie, s'il te plaît, ne prends pas de risques !

– N'aie pas peur ! Voyons… Quelle heure est-il ?

Il était six heures moins le quart. J'avais le temps d'aller jusqu'à l'auberge et d'être rentrée avant le dîner. Si je ne partais pas maintenant, je n'aurais pas d'autre occasion de pouvoir quitter la maison sans être vue.

– Referme ta porte, Laura, et ne t'en fais pas pour moi. Si l'on me demande, dis que je suis allée faire une promenade.

– Quand seras-tu de retour ?

– Avant le dîner, sans faute. Courage, chérie ! Demain, à cette heure-ci, tu auras pour te protéger un homme intelligent et dévoué. L'associé de Mr Gilmore est à présent notre meilleur ami, après Mr Gilmore lui-même.

Une fois la porte refermée, j'ai songé qu'il valait mieux ne pas m'habiller pour sortir avant de m'être assurée de ce qui se passait au rez-de-chaussée et avant de savoir si sir Percival se trouvait à l'intérieur de la maison.

Le gazouillis des canaris venant de la bibliothèque et l'odeur de tabac qui filtrait sous la porte m'ont appris que le comte s'y trouvait. Je ne savais pas si sir Percival était dans la maison ou non. En jetant un œil, j'ai constaté à ma grande stupéfaction qu'il était en train d'offrir à la gouvernante une démonstration de la docilité de ses petites bêtes. Il avait dû la prier tout spécialement d'assister au spectacle, car elle n'entrait jamais de son propre chef dans cette pièce. Les moindres gestes de cet homme, j'en étais persuadée, cachaient une intention. Qu'avait-il en tête à présent ?

Ce n'était pas le moment de se perdre en conjectures. Je me suis mise en quête de la comtesse, que j'ai trouvée occupée à tourner autour du vivier, selon son habitude. Je me demandais comment elle allait m'accueillir après le mouvement de jalousie dont j'avais été la cause, une heure à peine auparavant. Mais son mari l'avait sans doute calmée, car elle m'a parlé avec sa politesse coutumière. Mon seul but en lui adressant la parole était de découvrir où était sir Percival. Je me suis arrangée pour faire indirectement allusion à lui et elle a fini par m'apprendre qu'il était parti.

– Quel cheval a-t-il pris ? ai-je demandé d'un ton détaché.

– Aucun ! Il est parti à pied afin de poursuivre ses recherches au sujet de cette Anne Catherick. Il semble soucieux de la retrouver. A propos, savez-vous si elle est dangereusement folle, Miss Halcombe ?

– Je l'ignore, comtesse.

– Vous rentrez ?

– Oui, je crois qu'il est presque l'heure de s'habiller pour le dîner.

Nous sommes rentrées toutes les deux. La comtesse s'est engouffrée dans la bibliothèque et a refermé la porte derrière elle. J'en ai profité pour prendre mon manteau et mon chapeau. Il n'y avait pas une minute à perdre si je voulais rejoindre Fanny et être rentrée pour le dîner.

En retraversant le hall, j'ai constaté que les canaris s'étaient tus. Pas le temps de mener mon enquête à ce sujet. Je me suis assurée que la voie était libre, puis je suis sortie, les deux lettres au fond de ma poche.

Je m'étais préparée à rencontrer sir Percival entre la maison et le village ; mais, tant que je me trouvais seule avec lui, j'étais certaine de ne pas perdre ma présence d'esprit. Une femme qui sait se maîtriser n'a rien à craindre d'un homme incapable d'en faire autant. Sir Percival, en comparaison du comte, ne me faisait pas peur. Et savoir où il était allé me tranquillisait plutôt. Tant qu'il ne songeait qu'à retrouver Anne Catherick, Laura et moi pouvions respirer un peu. Pour notre bien à toutes trois, j'espérais de tout mon cœur qu'Anne lui échapperait encore.

Je marchais aussi vite que la chaleur me le permettait, me retournant de temps à autre pour m'assurer que je n'étais pas suivie. Je n'ai vu de tout le trajet qu'une lourde charrette vide dont les roues grinçaient horriblement. Comme je m'arrêtais à un moment pour la laisser passer – car la route était étroite et bordée d'arbres touffus –, il m'a semblé voir les pieds d'un homme marchant derrière, alors que le charretier se trouvait devant conduisant ses chevaux. Je suppose que mon impression était fausse, puisque après le passage de la charrette la route est apparue déserte.

J'ai atteint l'auberge sans avoir rencontré ni sir Percival ni personne d'autre. A ma grande satisfaction, j'ai constaté que la logeuse avait accueilli Fanny avec toute la gentillesse possible. On lui avait fourni une petite chambre sous les combles. Rien qu'à me voir, elle s'est remise à pleurer, se lamentant d'avoir ainsi été jetée à la rue comme une criminelle alors qu'elle n'avait rien à se reprocher.

– Soyez forte, Fanny, votre maîtresse et moi-même resterons toujours vos amies, et nous allons veiller à ce qu'il ne vous arrive rien de mal. A présent, écoutez-moi. Je n'ai pas beaucoup de temps et je vais vous charger d'une mission de confiance. Voici deux lettres que vous allez garder sur vous. Celle avec le timbre, vous la mettrez à la poste en arrivant à Londres, demain ; l'autre, vous la remettrez vous-même à Mr Fairlie dès votre arrivée à Limmeridge. Ne les confiez à personne ; elles sont de la plus grande importance pour votre maîtresse.

Fanny mit les deux lettres dans son corsage en me disant :

– Elles resteront là jusqu'à ce que j'aie exécuté vos ordres, miss, comptez sur moi.

– Ne manquez surtout pas votre train demain matin et dites à la gouvernante de Limmeridge House que vous êtes à mon service jusqu'à ce que lady Glyde puisse vous reprendre. Nous nous reverrons bientôt. Allons, courage et ne manquez pas votre train de sept heures !

– Merci, miss, merci de tout cœur. Cela me redonne du courage de vous entendre parler ainsi. Voulez-vous présenter mes respects à ma maîtresse et lui dire que je suis désolée d'avoir laissé tout mon ouvrage… Mon Dieu ! Et qui va l'habiller pour le dîner ? Oh ! ça me brise le cœur d'y penser…

Je suis rentrée à la maison un quart d'heure avant le dîner, juste à temps pour me préparer et dire un mot à Laura.

– Les lettres sont entre les mains de Fanny ! ai-je murmuré à sa porte. Descendez-vous pour dîner ?

– Oh, non ! Pas pour tout l'or du monde !

– S'est-il passé quelque chose ? Quelqu'un est-il venu ?

– Oui, sir Percival, il y a un instant.

– Est-il entré ?

– Non, il m'a effrayée en donnant un violent coup de poing sur la porte. J'ai demandé qui était là. « Vous le savez parfaitement, a-t-il répondu. Avez-vous réfléchi et êtes-vous décidée à me dire la vérité ? Je vous forcerai à la dire tôt ou tard ! Dites-moi où est Anne Catherick ! » Je lui ai répondu que je l'ignorais mais il n'a rien voulu entendre : « Je ne vous crois pas. Je briserai votre entêtement par n'importe quel moyen ! » Et il est parti là-dessus, Marian, il y a à peine cinq minutes.

Anne était encore sauvée pour aujourd'hui !

– Tu descends, Marian ? reviens me voir ce soir.

– Oui, oui, ne te tourmente pas si je suis un peu en retard. Je ne dois leur fournir aucun prétexte de se vexer.

La cloche du dîner a sonné et je me suis précipitée en bas.

Sir Percival a offert le bras à la comtesse pour passer dans la salle à manger et le comte m'a présenté le sien. Il paraissait avoir très chaud et n'était pas habillé avec le soin habituel. M'avait-il suivie sans avoir eu le temps de se remettre ou souffrait-il tout simplement de la chaleur un peu plus que de coutume ? Quoi qu'il en soit, il a semblé préoccupé pendant tout le dîner. Il est resté presque aussi silencieux que sir Percival lui-même, et j'ai surpris à plusieurs reprises des coups d'œil anxieux qu'il lançait à sa femme. La seule chose dont il semblait s'acquitter à merveille et sans faillir était la politesse dont il faisait preuve à mon égard, comme à l'accoutumée. Quel que soit son dessein, il a adopté, depuis son arrivée ici, une ligne de conduite bien définie : des façons polies envers moi, respectueuses envers Laura et, envers sir Percival, une fermeté qui triomphe toujours des colères inopportunes de ce dernier. Je l'ai compris dès qu'il est intervenu en notre faveur dans la bibliothèque, au moment de la signature, et cela m'est confirmé aujourd'hui.

Quand la comtesse s'est levée pour quitter la table, le comte l'a imitée pour nous accompagner au salon.

– Pourquoi diable partez-vous ? C'est à vous que je parle, Fosco.

– Je m'en vais parce que j'ai assez bu et assez mangé. Soyez assez bon pour excuser mes manières d'étranger : je sors de table avec les dames.

– Balivernes ! Un autre verre de vin ne vous fera aucun mal ! Rasseyez-vous comme un Anglais et bavardons !

– Pas pour le moment, Percival, pas pour le moment ! Plus tard dans la soirée, je vous prie.

– Aimable façon de faire envers un maître de maison ! a murmuré sir Percival, maussade.

Plus d'une fois au cours du dîner j'avais remarqué qu'il avait regardé le comte, mal à l'aise, et qu'à chaque fois ce dernier avait évité son regard. Rapprochant cela de la réticence du comte à rester assis avec sir Percival, je me suis souvenue qu'en une occasion déjà celui-ci avait souhaité qu'ils aient un entretien privé et que son ami avait refusé. Il était visible que sir Percival avait d'importantes questions à discuter, questions que le comte jugeait sans doute quant à lui fort dangereuses.

Comme nous passions tous les trois au salon, j'ai constaté que la remarque de sir Percival semblait laisser le comte parfaitement indifférent. Il s'est assis avec nous, puis est ressorti dans le hall, avant de rentrer de nouveau, le sac postal dans les bras. Il était huit heures, heure à laquelle les lettres sont d'ordinaire expédiées vers la gare.

– Pas de lettre pour la poste, Miss Halcombe ? a-t-il demandé en me tendant le sac.

La comtesse, qui versait le thé, s'est interrompue pour écouter ma réponse.

– Non, comte, merci, pas de lettre aujourd'hui.

Ayant remis le sac au domestique, il s'est assis au piano et nous a joué une romance napolitaine, « La mia Carolina », deux fois de suite. Sa femme qui d'ordinaire effectue toute chose avec une lenteur compassée a littéralement englouti son thé, aussi vite que j'aurais pu le faire moi-même, et s'est retirée aussitôt en silence.

Je me suis levée pour la suivre, me méfiant de ce qu'elle pouvait faire si elle rencontrait Laura et ne tenant pas, d'autre part, à rester seule avec son mari. Mais le comte m'a retenue en me priant de lui verser une autre tasse de thé. J'ai de nouveau essayé de m'échapper après la lui avoir tendue mais, tout en se réinstallant au piano, il m'a demandé, mon avis sur une question musicale qui à l'entendre engageait l'honneur de son pays.

C'est en vain que j'ai protesté de ma totale ignorance de la musique et de mon manque absolu de goût, il a persisté de plus belle. Les Anglais et les Allemands, s'indignait-il, étaient toujours à se moquer des Italiens sous prétexte qu'ils étaient incapables de composer et de goûter aucun genre de musique élevée. Nous autres, Anglais, parlions sans cesse de nos oratorios, et les Allemands de leurs symphonies. Oubliaient-ils son compatriote, l'immortel Rossini ? Qu'était-ce donc que *Moïse en Égypte*, sinon un oratorio sublime qui fut joué sur une scène de théâtre au lieu d'être chanté dans une salle de concert ? Qu'était-ce donc que l'ouverture de *Guillaume Tell*, sinon une symphonie sous un autre nom ? Avais-je jamais entendu le *Moïse ?* Que je songe à cet air, et à celui-ci, à celui-ci encore… et je lui dirais si l'homme avait jamais rien composé de plus grandiose ?

Sans attendre un mot de réponse, et sans me quitter des yeux à aucun moment, il s'était mis à marteler le piano, chantant avec un fervent enthousiasme. Il s'interrompait de temps à autre pour m'annoncer d'un air très fier le titre des différents airs :

– « Chœur des Égyptiens dans les ténèbres », Miss Halcombe !… « Récitatif de Moïse apportant les Tables de la Loi »… « Prière des Israélites au passage de la mer Rouge »… Ah ! Ah ! N'est-ce pas sacré ? N'est-ce pas sublime ?

Le piano tremblait sous son jeu puissant ; sur la table, les tasses à thé s'entrechoquaient.

Il y avait quelque chose de terrible, de diabolique, dans le plaisir délirant qu'il prenait à jouer et à chanter, dans l'air triomphant avec lequel il m'observait tandis que je reculais de plus en plus vers la porte.

C'est à sir Percival que j'ai dû mon salut. Il a ouvert la porte dans un geste de colère pour demander ce que signifiait ce bruit infernal. Le comte s'est levé immédiatement en s'écriant :

– Oh ! Sir Percival arrive, le charme est rompu ! La muse nous abandonne, et moi, le vieil et gros ménestrel, je m'en vais à l'air libre exprimer mon enthousiasme.

Et il s'est précipité vers le jardin en chantant encore le « Récitatif de Moïse ». J'ai entendu sir Percival l'appeler en vain par la fenêtre : il faisait la sourde oreille. La conversation que sir Percival désirait était à nouveau remise à plus tard. Il fallait attendre le bon plaisir du comte.

Il m'avait retenu au salon pendant plus d'une demi-heure après le départ de sa femme. Où était-elle passée et qu'avait-elle fait pendant tout ce temps ?

Je n'ai rien découvert en montant, et Laura n'avait rien entendu de son côté. Personne n'était venue la déranger, aucun froissement de robe dans l'antichambre.

Il était neuf heures moins vingt. Je suis allée chercher mon journal, puis suis revenue m'asseoir auprès de Laura. Nous sommes restées ensemble ; tantôt j'écrivais, tantôt je m'interrompais pour bavarder avec elle. Vers dix heures, je me suis levée et lui ai souhaité bonne nuit. Je lui ai promis de venir la voir dès demain matin et elle s'est enfermée à double tour.

Il me restait quelques lignes à écrire. J'ai donc résolu de ne faire qu'une brève apparition au salon, de m'excuser et de me retirer une heure plus tôt que d'habitude.

Ils étaient tous les trois en bas. Sir Percival bâillait dans un fauteuil, le comte lisait et la comtesse, cramoisie, s'éventait avec vigueur. Elle semblait pour la première fois souffrir de la chaleur.

– Je crains que vous ne vous sentiez pas très bien, comtesse, lui ai-je dit.

– Ce que je m'apprêtais à vous dire, a-t-elle répondu. Vous êtes si pâle, ma chère !

Ma chère ! C'était bien la première fois qu'elle m'appelait aussi familièrement, et avec une telle insolence dans la voix.

– J'ai la migraine, ai-je fait, très froide.

– Ah, vraiment ? Manque d'exercice, je suppose ! Vous auriez dû faire une promenade avant le dîner, cela vous aurait fait du bien !

Elle avait insisté lourdement sur le mot « promenade ». M'avait-elle vue sortir ? Peu importe, à présent que les lettres étaient en sécurité dans les mains de Fanny.

– Venez fumer un cigare, Fosco, est intervenu sir Percival en se levant.

– Avec plaisir, quand ces dames seront montées chez elles, cher ami !

– Excusez-moi, comtesse, dis-je, si je donne l'exemple ce soir ; le seul remède pour mon mal de tête est d'aller me mettre au lit.

Elle m'a regardée avec le même sourire narquois, en me disant bonsoir. Sir Percival, trop occupé à fixer la comtesse, ne m'a même pas saluée : visiblement, il était impatient de la voir s'en aller à son tour. Mais elle ne se levait pas encore. Le comte souriait derrière son livre. C'était la comtesse, cette fois, qui retardait la conversation entre les deux amis.

IX

19 juin. – Me voici en sécurité dans ma chambre. J'ouvre mon journal pour y coucher les derniers événements de la journée qu'il me reste à raconter.

Pendant dix minutes, je suis restée sans rien faire, la plume à la main, à me remémorer tout ce qui s'est produit au cours des douze dernières heures. Quand je me suis enfin mise à écrire, j'ai éprouvé un mal que je n'avais jamais éprouvé auparavant à fixer mon esprit sur son sujet. Mes pensées ne cessaient de revenir à sir Percival et au comte et à cette entrevue qui avait été retardée toute la journée et qui, en ce moment, se déroulait enfin, en pleine nuit.

Sentant bien que je n'arriverais à rien dans cet état, j'ai pris le parti de fermer mon journal pour le reprendre un peu plus tard. Je suis passée dans mon boudoir, en prenant soin de refermer derrière moi la porte de communication avec ma chambre, afin d'éviter qu'un courant d'air ne provoque un accident en soufflant la chandelle. La fenêtre du boudoir était grande ouverte, et je m'y suis accoudée un moment pour écouter la nuit. C'était une nuit calme et profonde, sans lune et sans étoiles. L'atmosphère était moite. j'ai passé une main à l'extérieur : non, il ne pleuvait pas encore.

Je suis restée ainsi, le regard perdu dans l'obscurité, pendant un quart d'heure, à ne rien entendre, sinon de temps à autre la voix lointaine d'un des domestiques ou une porte claquant à l'office. Me sentant lasse, j'étais sur le point de me retirer pour aller me coucher lorsqu'une odeur de tabac est montée jusqu'à moi. Intriguée, j'ai scruté les ténèbres et j'ai vu se déplacer sous ma fenêtre un petit rond lumineux qui s'est arrêté exactement en dessous de la fenêtre de ma chambre à coucher où ma bougie était toujours allumée. La lueur est restée immobile un moment puis est revenue en arrière. C'est alors que j'ai vu qu'elle rejoignait une seconde lueur, plus large que la première. Sachant qui fumait des cigares et qui fumait des cigarettes, j'en ai conclu que la première lueur appartenait au comte qui s'était approché de la fenêtre de ma chambre et qui, ensuite, avait rejoint sir Percival. Tous deux avaient dû marcher sur le gazon, sinon j'aurais certainement entendu au moins le pas lourd de sir Percival (celui du comte étant fort léger, j'aurais fort pu ne pas le percevoir même sur le gravier).

Je suis restée à la fenêtre, certaine de ne pouvoir être vue, mon boudoir n'étant pas éclairé.

– Qu'y a-t-il encore ? a demandé sir Percival à voix basse. Pourquoi ne rentrez-vous pas ?

– Je désire d'abord voir disparaître la lumière de cette fenêtre, a répondu le comte doucement..

– En quoi vous gêne-t-elle ?

– Cela prouve qu'elle n'est pas encore couchée. Elle est assez intelligente pour se douter de quelque chose et assez audacieuse pour descendre et venir écouter. Patience, Percival, patience !

– Quelles sottises ! Vous parlez toujours de patience !

– Je vais vous dire autre chose, si vous le désirez. Mon bon ami, vous êtes sur le bord d'un précipice et, si je vous laisse encore faire une gaffe vis-à-vis des femmes, je vous assure, parole d'honneur, qu'elles vous pousseront au fond !

– Que diable voulez-vous dire ?

– Je vous l'expliquerai quand cette lumière sera éteinte et que j'aurai inspecté toutes les chambres contiguës à la bibliothèque, la cage d'escalier y comprise.

Ils se sont éloignés lentement et le reste de leur conversation m'a échappé. Cela n'avait plus d'importance, le peu que j'en avais surpris m'avait décidée à être à la hauteur de l'intelligence et du courage que m'attribuait le comte. Avant que les deux petites lueurs soient hors de vue, j'avais déjà décidé que quelqu'un devait entendre l'entretien qu'allaient avoir ces deux hommes, et que ce quelqu'un, ce serait moi. J'avais juste besoin d'un motif assez puissant pour me donner du courage et pour être en paix avec ma conscience. Ce motif, je l'avais : c'étaient l'honneur de Laura, son bonheur, sa vie même qui dépendaient ce soir de mes oreilles et de ma mémoire.

J'avais entendu le comte mentionner les pièces jouxtant la bibliothèque : c'est donc dans cette dernière qu'aurait lieu son entretien avec sir Percival. Comme j'en arrivais à cette conclusion, il m'est soudainement venu une idée me permettant d'assister à leur conversation sans avoir à courir le risque de descendre au rez-de-chaussée. J'ai déjà eu l'occasion d'évoquer la véranda sur laquelle ouvrent toutes les pièces à ce niveau, grâce à des portes-fenêtres qui s'élèvent jusqu'à la corniche. Le toit de la véranda est plat. Il court sous les fenêtres des chambres, à quelque trois pieds en contrebas. Il est garni d'une rangée de pots de fleurs, assez espacés les uns des autres, alignés le long d'une balustrade qui prévient leur chute. J'avais dans l'idée de me glisser sur ce toit où je m'accroupirais derrière les pots de fleurs. Si ces messieurs, selon leur habitude, mettaient leur fauteuil près de la fenêtre ouverte pour fumer à leur aise, je ne perdrais pas un mot de leur conversation.

(Tout le monde sait qu'une discussion assez longue ne peut jamais se tenir à voix basse.) Si, au contraire, ils se tenaient à l'intérieur, il me faudrait alors m'aventurer en bas, avec tous les risques que cela comportait. J'avais beau être aussi déterminée que je l'étais, j'espérais de tout mon cœur ne pas avoir à en arriver là. Après tout, mon courage n'était qu'un courage de femme et la perspective de me trouver en pleine nuit nez à nez avec sir Percival et le comte me faisait presque défaillir d'avance.

Je suis donc retournée doucement dans ma chambre pour étudier le toit. Pour toutes sortes de raisons, il était indispensable que je change de tenue. J'ai commencé par ôter ma robe en soie, car le moindre froissement d'étoffe aurait pu me trahir. Puis j'ai troqué ma lingerie blanche contre un vieux jupon de flanelle sombre et un manteau foncé dont j'ai rabattu le capuchon. Ainsi vêtue, et en tenant mes vêtements bien serrés contre moi, je pouvais me faufiler n'importe où, ce qui était loin d'être le cas quand j'avais sur moi ma tenue de ville. Or il était primordial que je puisse bouger sans faire le moindre bruit et sans risquer de renverser l'un des pots de fleurs.

J'ai déposé les allumettes près du bougeoir avant d'éteindre la bougie. Je suis retournée dans mon boudoir dont j'ai fermé la porte (tout comme celle de ma chambre), puis j'ai enjambé la fenêtre avec précaution, pour me risquer sur le toit. Mes deux pièces se trouvent à l'extrémité de la nouvelle aile dans laquelle nous logeons tous, et il m'a fallu passer cinq fenêtres avant de me trouver au-dessus de la bibliothèque. La première était celle d'une pièce inoccupée, la seconde et la troisième donnaient sur l'appartement de Laura, la quatrième sur la chambre de sir Percival et la cinquième sur celle de la comtesse Fosco. Les autres, devant lesquelles je n'avais pas à passer, étaient celles de l'appartement du comte.

Il faisait très sombre et pas un bruit ne se faisait entendre. Seule la chambre de la comtesse, qui se trouvait précisément au-dessus de la bibliothèque était encore éclairée ! Mais il était trop tard pour reculer, et je n'avais pas le temps d'attendre ! Je m'en remis à ma chance, à ma prudence, et à l'obscurité. « Pour l'amour de Laura », me suis-je murmuré à moi-même en m'aventurant le long de la corniche.

J'ai dépassé la pièce vide ; à chaque pas que je faisais, je testais du pied la solidité du toit avant de m'avancer. J'ai dépassé ensuite les fenêtres de Laura (« Que Dieu la protège, cette nuit ! »), puis celle de sir Percival. Alors je me suis arrêtée un instant avant de m'agenouiller pour avancer à quatre pattes sous la fenêtre éclairée. En progressant, je me suis aperçue que le store était baissé et que seule la partie supérieure de la fenêtre était ouverte. Soudain, j'ai vu l'ombre de la comtesse se détacher sur l'écran clair que formait le store, puis repasser lentement. Elle ne m'avait certainement pas entendue approcher, sinon elle se serait arrêtée devant la fenêtre, si même elle n'avait pas eu assez de courage pour l'ouvrir et regarder au-dehors.

Avec mille précautions, je suis donc parvenue sans bruit au-dessus de la bibliothèque. Je me suis assise tant bien que mal entre les pots de fleurs, et j'ai attendu. Sur ma gauche, les feuilles parfumées me caressaient le visage, tandis que j'inclinais ma tête contre la balustrade.

La première chose que j'ai entendue, ce sont des claquements de portes ; d'abord celle du hall, puis celles des deux autres pièces qui donnaient sur la bibliothèque et que le comte avait voulu examiner. La première chose que j'ai vue, c'est la lueur d'une cigarette qui a scintillé dans la nuit, s'est dirigée vers la fenêtre de ma chambre, puis, de nouveau, vers la porte-fenêtre de la bibliothèque.

– Allez-vous enfin rester tranquille, sacrebleu ! a grogné sir Percival.

– Ouf ! ce qu'il fait chaud ! a fait le comte en soufflant pesamment.

Puis j'ai entendu le grincement des fauteuils que l'on traînait près de la fenêtre, ce bruit béni qui m'annonçait qu'ils ne dérogeraient pas à leurs habitudes. La chance était avec moi ! L'horloge a sonné minuit moins le quart. J'ai entendu la comtesse lâcher un bâillement et son ombre s'est une nouvelle fois profilée derrière le store.

Le comte et sir Percival avaient entamé leur conversation, un peu plus bas que d'ordinaire, mais toujours de manière audible. Au début, dans la situation étrange et périlleuse où je me trouvais et angoissée au plus haut point par la lumière qui brillait toujours à la fenêtre de la comtesse, j'ai eu le plus grand mal à fixer mon attention sur ce qu'ils se disaient. J'ai d'abord perçu le thème général de leur conversation.

Le comte expliquait que seule la fenêtre de sa femme était encore éclairée, qu'il avait exploré toutes les pièces du rez-de-chaussée et qu'ils pouvaient à présent parler sans crainte d'être entendus. Au lieu de lui répondre, sir Percival a reproché à son ami de l'avoir fait attendre toute la journée sans raison aucune. L'autre a répliqué qu'il avait eu à s'inquiéter d'autres choses et que d'ailleurs il était préférable de s'expliquer la nuit, quand personne ne pouvait interrompre ou entendre leur conversation.

– Nous sommes à un moment critique de nos affaires, Percival, et, si nous devons prendre des dispositions pour l'avenir, c'est ce soir que nous devons le faire.

C'est la première phrase que mon esprit a été capable de saisir dans toute sa signification. A partir de là, je n'ai pas perdu une miette des propos qu'ils ont échangés :

– Critique ? a répété sir Percival en ricanant. Pire que cela, vous voulez dire !

– Je m'en doutais. Mais, avant de me mettre au courant de ce que j'ignore, résumons la situation que je connais, voulez-vous ? Voyons au moins si j'ai raison sur ce qui s'est passé, avant de nous engager sur ce qui est encore à venir.

– Attendez ! Je vais chercher du cognac et de l'eau, d'abord… Vous en prenez ?

– Non merci… Pour moi, rien que de l'eau fraîche et du sucre, avec plaisir. *Eau sucrée* [1], mon ami, rien d'autre.

– De l'eau sucrée ! A votre âge ! Tenez ! Faites donc votre stupide mélange. Vous autres, étrangers, vous êtes bien tous les mêmes…

– Maintenant, Percival, je vais exposer clairement la situation, telle qu'elle m'apparaît, et vous me direz si j'ai vu juste. Nous sommes arrivés du continent tous deux avec des affaires très embrouillées…

– Abrégeons ! J'avais besoin de plusieurs milliers de livres et vous de quelques centaines. Voilà !

– Oui, Percival, comme vous le dites si bien avec votre langage carré, vous aviez besoin de plusieurs milliers de livres, et moi de quelques centaines ! Et le seul moyen de nous procurer cet argent était d'avoir recours à la fortune de votre femme. Et que vous ai-je dit au sujet de votre femme, pendant notre voyage de retour ? Et que vous ai-je de nouveau répété quand nous sommes arrivés ici, et quand j'ai pu constater à quel type de femme nous avions affaire avec Miss Halcombe ?

– Qu'en sais-je, moi ? Vous n'arrêtez pas de parler…

1. En français dans le texte.

– Je vous ai dit exactement ceci : le genre humain n'a découvert jusqu'ici que deux façons de procéder avec les femmes. Ou vous les battez – moyen très répandu chez les rustres et les gens mal éduqués, mais fort peu raffiné pour un gentleman de votre espèce –, ou vous les matez par la douceur sans céder à leurs provocations. C'est un moyen plus long et plus difficile que le précédent, mais tout aussi efficace. Cela marche avec les chiens, avec les enfants… et avec les femmes, qui ne sont rien d'autre que d'anciennes enfants. La fermeté d'un maître a toujours raison des chiens, des enfants et des femmes. Il suffit de ne pas se laisser ébranler ! C'est ce que je vous ai dit, quand vous avez voulu obtenir l'argent de votre femme ! C'est ce que je vous ai dit en présence de Miss Halcombe, la sœur de votre femme ! Mais vous n'avez pas voulu m'écouter ! À aucun moment ! Elles n'ont cessé de vous provoquer, et vous vous êtes laissé faire. Avec votre fichu caractère, vous avez perdu la signature du contrat, perdu l'argent dont vous aviez besoin immédiatement, et donné à Miss Halcombe des raisons d'écrire à son avocat, une première fois d'abord…

– Une première fois ? A-t-elle encore écrit ?

– Oui, aujourd'hui.

Une chaise est tombée bruyamment sur le plancher, comme si on l'avait renversée d'un geste brusque.

La colère de sir Percival m'a véritablement sauvée à ce moment précis. En effet, en entendant la révélation du comte, j'ai sursauté si violemment que j'ai fait craquer le toit, mais le bruit a été masqué par celui de la chaise. Le comte m'avait-il suivi à l'auberge ? Avait-il conclu que j'avais donné mes lettres à Fanny, lorsque je lui avais dit que je n'en avais pas pour le sac postal ? Mais surtout, comment savait-il ce que les lettres contenaient, alors que je les avais remises personnellement à Fanny ?

– Remerciez votre bonne étoile, a repris le comte, qui a placé près de vous un homme pour réparer les bêtises que vous faites. Remerciez votre bonne étoile que je vous aie empêché d'enfermer Miss Halcombe comme vous aviez enfermé votre femme. Où avez-vous les yeux ? Ne voyez-vous donc pas que Miss Halcombe a l'énergie et le courage de notre sexe ? Avec une femme comme elle pour alliée, je braverais le monde entier, mais avec elle comme ennemie, je marche sur des œufs, moi, Fosco, qui suis pourtant aussi rusé que le diable lui-même, comme vous me l'avez dit cent fois ! Et cette noble créature – je bois à sa santé ! –, cette héroïque créature, forte de l'amour qu'elle a voué à sa sœur, qui se tient ferme comme un roc entre nous et votre pauvre, jolie et frêle petite femme blonde, cette femme merveilleuse que j'admire de toute mon âme, quoique je sois obligé de la combattre pour nos intérêts, cette femme, vous l'avez poussée à bout. Comme si elle ne valait guère mieux que le reste de son sexe ! Percival, Percival ! vous méritiez d'échouer et vous avez échoué.

Il y a eu un long silence. Je recopie les paroles de cet odieux personnage pour pouvoir m'en souvenir, pour pouvoir un jour, je l'espère, les lui ressortir en sa présence, pour pouvoir les lui faire ravaler !

C'est sir Percival qui a repris la parole.

– Oui, oui ! Fanfaronnez tant que vous voulez, mais la difficulté d'argent n'est pas la seule. Vous seriez plus sévère avec ces femmes si vous saviez tout ce que je sais !

– Nous nous occuperons de cette seconde difficulté en temps voulu, a fait le comte. Vous pouvez vous duper vous-même, si cela vous amuse, Percival, mais moi vous ne me duperez pas. La question d'argent, avant tout ! Avez-vous compris maintenant que vous avez tout gâté par votre sale caractère ! Ou bien dois-je encore vous le démontrer ? fanfaronner encore un peu, comme vous le dites si bien ?

– Ah ! Il vous est facile de vous en prendre à moi ! Mais dire ce qu'il faut faire, c'est plus difficile, n'est-ce pas ?

– Croyez-vous ? Eh bien ! voilà : à partir de ce soir, vous me laissez agir seul. Je m'adresse à un Anglais plein de bon sens, n'est-ce pas ? Alors, Percival, qu'en pensez-vous ?

– Que proposez-vous dans ce cas ?

– Répondez-moi d'abord : êtes-vous d'accord pour me laisser la direction des opérations ?

– Mettons que oui ; et alors ?

– Quelques questions, pour commencer. Je dois voir ce que les circonstances peuvent me dicter et, pour cela, il me faut savoir ce que sont exactement les circonstances. Il n'y a pas une minute à perdre. Je vous ai dit que Miss Halcombe avait écrit une seconde fois à son avocat.

– Comment l'avez-vous su ? Que vous a-t-elle dit ?

– S'il me fallait vous expliquer cela, je n'en aurais jamais fini. Il suffit que je l'ai découvert ; c'est d'ailleurs ce qui m'a empêché de vous accorder plus tôt cet entretien, cela a été loin d'être simple… A présent, laissez-moi me rafraîchir la mémoire au sujet de vos affaires. Voilà un bout de temps que nous n'en avons pas discuté. En l'absence de la signature de votre femme, vous avez pu obtenir de l'argent grâce à des traites à trois mois, tout cela à un taux qui fait se dresser sur ma tête les pauvres cheveux qui me restent ! A l'échéance, n'y a-t-il pas d'autres moyens de les payer que de recourir à votre femme ?

– Aucun.

– Comment ? Vous n'avez même plus d'argent en banque ?

– A peine quelques centaines de livres… alors qu'il m'en faudrait des milliers.

– Et vous n'avez aucun titre sur lequel vous pourriez emprunter ?

– Pas un !

– Quels sont vos revenus depuis votre mariage ?

– L'intérêt des vingt mille livres. A peine de quoi payer les dépenses courantes !

– Qu'espérez-vous encore de votre femme ?

– Trois mille livres par an, à la mort de son oncle.

– Jolie fortune, Percival ! Et quel genre d'homme est cet oncle ? Agé ?

– Entre deux âges.

– Un bon vivant ? Marié ?… Non, sinon ma femme me l'aurait dit.

– Bien sûr que non, il n'est pas marié. Si c'était le cas, et s'il avait des descendants mâles, lady Glyde ne serait plus son héritière directe. C'est une sorte de maniaque, un drôle d'égoïste qui fatigue tout le monde avec ses problèmes de santé.

– Ce genre d'homme, Percival, vit longtemps et se marie quand on s'y attend le moins. Je ne parie pas grand-chose sur les trois mille livres. Ne vous revient-il rien d'autre par votre femme ?

– Rien

– Absolument rien ?

– Absolument rien… sauf si elle meurt.

– Ah, ah ! si elle meurt !

Nouveau silence. Le comte s'est levé pour faire quelques pas dehors. J'ai entendu ses pas sur le gravier.

– La pluie a fini par arriver enfin ! l'ai-je entendu dire.

Il pleuvait, en effet ! L'état de mes vêtements indiquait même qu'il pleuvait depuis un bon bout de temps déjà.

Le comte est revenu s'asseoir sous la véranda ; j'ai entendu son siège craquer sous son poids.

– Alors, Percival, au cas où lady Glyde mourrait, qu'obtiendriez-vous ?

– Si elle ne laisse aucun enfant…

– Est-ce probable ?

– C'est tout à fait probable…

– Alors ?

– Alors, j'hériterai des vingt mille livres.

– Directement ?

– Directement !

Ils se sont de nouveau tus. A ce moment, la comtesse s'est postée une troisième fois devant sa fenêtre. Et cette fois-ci, elle s'est arrêtée assez longuement. J'ai même vu qu'elle soulevait un coin du store pour scruter l'obscurité. J'ai vu apparaître son visage blanc qui regardait dans ma direction. Par bonheur, la pluie qui battait les vitres l'a empêchée de m'apercevoir, emmitouflée dans mon manteau et recroquevillée entre les pots de fleurs. Je l'ai simplement entendue murmurer « Encore la pluie ! », puis elle a lâché le store.

Au-dessous, la conversation continuait. Le comte avait repris :

– Percival, tenez-vous à votre femme ?

– Fosco ! Quelle question inconvenante !

– J'ai l'habitude d'aller droit au but. Répondez !

– Pourquoi diable me regardez-vous ainsi ?

– Vous ne voulez pas répondre ? Soit. Mettons que votre femme meure avant la fin de l'été…

– Assez, Fosco !

– Mettons que votre femme meure…

– Assez, vous dis-je !

– Dans ce cas, vous recevriez tout de suite vingt mille livres et vous perdriez…

– Je perdrais la chance des trois mille livres par an !

– Chance lointaine… aléatoire, Percival !… Et vous avez besoin d'argent immédiatement. Dans votre situation, le gain est certain… la perte est douteuse…

– Parlez pour vous autant que pour moi, Fosco. Une partie de l'argent que je dois a été empruntée pour vous et, qui plus est, si ma femme meurt, ce sont dix mille livres qui glissent dans la poche de la vôtre ! Auriez-vous oublié, par hasard, le legs qui doit revenir à la comtesse ? Ne me regardez pas ainsi ! Avec vos belles phrases, vous me faites frissonner jusqu'à la moelle.

– La moelle ? C'est donc ainsi que vous appelez la conscience en Angleterre ? Je parle de la mort de votre femme comme d'une éventualité. Qu'y a-t-il de mal à cela ? Les vertueux hommes de loi qui concoctent vos contrats et vos testaments regardent en face la mort de leurs clients. Vous font-ils frissonner jusqu'à la moelle ? Alors, pourquoi serait-ce mon cas ? C'est mon affaire ce soir d'éclaircir la situation. Si votre femme vit vous payez ces traites avec sa signature… Si elle meurt, vous les payez avec sa mort…

Tandis qu'il prononçait ces mots, la lumière s'est éteinte dans la chambre de la comtesse et tout l'étage s'est trouvé plongé dans l'obscurité.

– Élucubrations, a grogné sir Percival. A vous entendre, on dirait que la signature de ma femme est déjà sur le papier !

– Vous m'avez laissé carte blanche, a rétorqué le comte, et j'ai presque trois mois devant moi. Laissez-moi faire et n'en parlons plus. Quand vous aurez payé vos dettes, nous reparlerons de mes « élucubrations », comme vous dites… Et maintenant, Percival, je suis à votre disposition si vous désirez me consulter au sujet de la seconde difficulté dont vous avez parlé, et qui est venue s'ajouter à nos ennuis précédents. Cela semble vous mettre dans un état… je vous reconnais à peine. Je vous écoute, mon ami, et excusez-moi, si je heurte votre bon goût national en me préparant une seconde mixture d'eau sucrée.

– C'est bien beau de devoir parler, a commencé sir Percival sur un ton soudainement radouci, mais je ne sais par où commencer.

– Puis-je vous aider ? Dois-je mettre un nom sur vos ennuis personnels ? Que penseriez-vous… d'Anne Catherick ?

– Écoutez, Fosco, nous nous connaissons depuis longtemps et si vous m'avez une ou deux fois déjà aidé de vos conseils, j'ai de mon côté fait ce que j'ai pu pour vous tirer d'embarras dans les questions d'argent. Nous avons l'un et l'autre agi en véritables amis, mais cela n'empêche pas que nous ayons chacun nos secrets, n'est-ce pas ?

– Vous avez eu un secret pour moi, Percival. Il y a un cadavre dans votre placard, ici à Blackwater Park, qui semble vous avoir fait perdre la tête, ces derniers jours.

– Peut-être. Mais s'il ne vous concerne pas, ne cherchez pas à savoir ce dont il s'agit.

– Ai-je l'air de chercher à le savoir ?

– Oui, assurément !

– Admettons, admettons ! C'est qu'alors ma figure ne sait pas mentir, elle. Quelle infinie vertu doit se trouver chez un homme de mon âge, dont les traits n'ont pas encore perdu l'habitude de dire la vérité ! Allons, Glyde ! Soyons francs l'un envers l'autre. C'est votre secret qui est venu me trouver, non l'inverse. Supposons qu'effectivement je sois curieux : me demandez-vous, comme à un vieil ami, de respecter votre secret et de ne pas chercher à le découvrir ?

– Oui, c'est exactement cela.

– Alors, ma curiosité se tait ; elle s'évanouit sur-le-champ.

– Vraiment ?

– Vous en doutez ?

– Je connais, Fosco, votre manière détournée d'arriver à vos fins, et je ne suis pas tellement sûr que finalement vous ne me tirerez pas les vers du nez.

Il y a eu un nouveau bruit de chaise, et la verrière de la véranda a tremblé : le comte s'était brusquement levé, bouillant d'indignation.

– Percival ! Percival ! s'est-il écrié avec véhémence. Me connaissez-vous aussi mal que cela ? Est-ce tout ce que vous avez retenu de mon caractère ? Je suis un homme comme on n'en fait plus ! Capable des actions les plus éclatantes, quand la chance m'est donnée de les accomplir ! Malheureusement, au cours de ma vie, j'ai eu très peu de ces occasions… Ma conception de l'amitié est sublime ! Est-ce ma faute, si j'ai deviné que vous aviez un secret ? Et si je vous avoue que je suis curieux, quelle est mon intention, à votre avis ? Mais vous, les Anglais, vous n'allez jamais au fond des choses ! C'est pour vous prouver l'empire que j'ai sur moi-même ! Si cela me plaisait, je pourrais vous arracher votre secret en un rien de temps – vous le savez aussi bien que moi ! Mais vous venez de faire appel à mon amitié, et les devoirs de l'amitié sont sacrés pour moi ! Voilà ce que j'en fais de ma curiosité : je la piétine ! La noblesse de mes sentiments m'élève bien au-dessus d'elle ! Ils l'emportent sur ma curiosité. En moi, ce sont les sentiments élevés qui l'emportent, Percival ! Reconnaissez-le, Percival, et prenez-en de la graine ! Ah, Percival ! Serrons-nous la main ! Je vous pardonne…

Sa voix avait faibli comme il prononçait les derniers mots… On aurait dit qu'il pleurait !

Sir Percival a tenté de s'excuser, mais le comte, magnanime, n'a rien voulu entendre.

– Non ! a-t-il fait. Lorsque mes amis m'ont blessé, je sais leur pardonner sans qu'ils me fassent d'excuses. Dites-moi, avez-vous besoin de mon aide ?

– Oui, diablement.

– Et vous pouvez me la demander sans vous compromettre ?

– Il me semble.

– Alors ?

– Eh bien ! Je vous ai dit aujourd'hui que j'avais tout fait pour retrouver Anne Catherick… en vain…

– Oui ?

– Fosco ! Je suis un homme perdu si je ne la retrouve pas !

– Ah ! Est-ce si grave que cela, Percival ?

Un faisceau lumineux a éclairé la véranda. Le comte avait attrapé une lampe à l'intérieur de la pièce pour mieux voir le visage de son ami.

– Ah oui ! Cette fois-ci votre visage aussi dit la vérité. C'est grave… Aussi grave que la question d'argent ?

– Plus grave, Fosco, aussi vrai que je suis assis là. Beaucoup plus grave.

La lumière a disparu et la conversation a continué.

– Je vous ai montré la lettre qu'Anne Catherick avait cachée dans le sable à l'intention de ma femme. Elle ne se vante pas, Fosco, elle connaît le secret.

– Parlez le moins possible du secret en ma présence, Percival… L'a-t-elle appris de votre bouche ?

– Non, de celle de sa mère.

– Deux femmes qui connaissent votre vie privée ! Mauvais, très mauvais cela, Percival ! J'ai une question, cependant, avant que vous en disiez plus. Le motif qui vous a fait enfermer cette fille m'est maintenant parfaitement compréhensible, mais je ne saisis pas très bien la façon dont elle a pu s'échapper. Suspectez-vous les personnes chargées de la surveiller d'avoir volontairement fermé les yeux sur sa fuite, sur l'ordre de quelqu'un qui y aurait eu intérêt contre vous ?

– Non, c'était une de leurs malades les plus soumises et, comme des idiots, ils lui faisaient confiance. Elle est juste assez folle pour être enfermée, et juste assez saine d'esprit pour causer ma perte si elle reste en liberté… Pouvez-vous comprendre cela ?

– Parfaitement. Maintenant Percival, venons-en au fait, et je vous dirai ce qu'il faut faire. Où est le danger immédiat en ce qui vous concerne ?

– Anne Catherick est dans le voisinage. Elle communique avec lady Glyde, là est tout le danger. Quoi qu'en dise ma femme, la lettre trouvée dans le sable dit assez clairement qu'elle a déjà dû lui confier le secret.

– Un moment, Percival. Si lady Glyde le connaît, elle sait aussi qu'il peut vous compromettre. Puisqu'elle est votre femme, son intérêt n'est-il pas de se taire ?

– Ce serait son intérêt si elle tenait à moi, mais elle en aime un autre et je suis un obstacle à son amour. Elle l'aimait avant de m'épouser, un vulgaire vagabond, maître de dessin, un certain Hartright.

– Cher ami ! Qu'y a-t-il d'extraordinaire à cela ? Quel homme peut se vanter d'avoir été le premier dans le cœur d'une femme ? De toute ma vie, je peux me vanter de n'avoir jamais rencontré de numéro un. Quelques numéros deux, rarement ; des numéros trois, quatre, cinq, le plus souvent ! Jamais de numéro un !

– Attendez ! Je ne vous ai pas tout dit. Qui croyez-vous qui ait aidé Anne Catherick à échapper aux gens de l'asile ? Hartright. Qui l'a retrouvée dans le Cumberland ? Hartright. Les deux fois, ils se sont parlé en tête-à-tête… Taisez-vous, ne m'interrompez pas encore ! Le coquin est aussi épris de ma femme qu'elle l'est de lui. Il sait le secret et elle le sait aussi. Qu'ils se rencontrent et c'est la fin pour moi !

– Doucement, Percival, doucement ! N'avez-vous pas confiance en la vertu de lady Glyde ?

– Je n'ai confiance que dans son argent ! Ne voyez-vous pas ce qui peut se passer ? Seule, elle est inoffensive, mais avec ce Hartright…

– Bien sûr, bien sûr… Et où se trouve ce Mr Hartright ?

– A l'étranger. Et s'il tient à sa peau, je lui conseille vivement de ne pas rentrer !

– Êtes-vous certain qu'il soit à l'étranger ?

– Absolument certain ! Je l'ai fait surveiller depuis son départ du Cumberland jusqu'au jour où il s'est embarqué. Oh ! j'ai pris toutes les précautions possibles, croyez-moi ! Je suis allé à la ferme où Anne Catherick avait passé quelques jours, près de Limmeridge. Elle ne leur avait rien dit. J'ai fait écrire à sa mère une lettre pour Miss Halcombe, par laquelle elle affirmait que j'avais uniquement voulu le bien de sa fille en la faisant interner. J'ai dépensé une fortune sans parvenir à retrouver sa trace, et voilà qu'elle réapparaît pour me glisser encore une fois entre les mains sur mon propre domaine ! Comment puis-je savoir à qui elle peut parler ? Ce coquin de Hartright peut, à mon insu, rentrer au pays, et se servir d'elle, dès demain, pour…

– Pas lui, Percival ! Tant que je suis là et que cette femme rôde dans les parages, je m'engage à l'attraper avant qu'elle puisse voir Mr Hartright, quand bien même il prendrait à ce dernier la fantaisie de rentrer en Angleterre. Bien, bien, bien… La première chose à faire est donc de retrouver Anne Catherick. Pour le reste ne vous en faites pas. Votre femme est ici, à votre merci, et Miss Halcombe est inséparable de sa sœur, donc à votre merci également. Quant à Mr Hartright, il est à l'étranger. Ne nous préoccupons donc que de l'invisible Anne Catherick. Vous avez mené votre enquête ?

– Oui, j'ai été voir sa mère, j'ai fouillé le village, mais en vain.

– Peut-on compter sur sa mère ?

– Oui.

– Elle vous a déjà trahi une fois.

– Elle ne le fera plus !

– Pourquoi ? Y a-t-elle intérêt personnellement ?

– Oui, très personnellement.

– Tant mieux pour vous, Percival ! Ne vous découragez pas. Nos affaires d'argent, je vous l'ai dit, me laissent largement le temps de m'occuper de ce petit problème. Dès demain, je vais me mettre à la recherche de cette Anne Catherick. Ah ! une dernière question avant d'aller au lit…

– Oui ?

– Voilà. Quand je suis allé au hangar à bateaux pour informer lady Glyde que la signature était remise à plus tard, je suis tombée sur une femme à l'allure étrange qui prenait congé de votre femme.

Malheureusement, je n'ai pu la voir d'assez près. De quoi a-t-elle l'air ?

– De quoi ! De qui, voulez-vous dire ! C'est le portrait vivant de ma femme !

Nouveau bruit de chaise et nouveau choc contre la verrière. Le comte, cette fois, avait bondi de stupeur sur ses pieds.

– Que me dites-vous !

– Imaginez ma femme après une longue maladie… et l'esprit un peu dérangé, et vous aurez devant vos yeux Anne Catherick.

– Sont-elles parentes ?

– Pas le moins du monde.

– Et cependant on dirait des jumelles ?

– Et cependant on dirait des jumelles. Pourquoi riez-vous ?

Le comte, d'abord, n'a rien répondu, tout entier à son rire silencieux et étouffé.

– Pourquoi riez-vous ? a répété sir Percival.

– Peut-être à cause des pensées qui me traversent l'esprit, mon cher ami ! Je ne suis pas italien pour rien !… Allez ! Je reconnaîtrai sans problème Anne Catherick quand je la verrai. C'est assez pour cette nuit. Tranquillisez-vous, Percival. Dormez, mon enfant, du sommeil du juste, et voyons ce que je pourrai faire quand le jour se lèvera. J'ai ma petite idée, ici, dans ma grosse tête. Je retrouverai Anne Catherick et vous paierez vos créances, vous en avez ma parole ! Ne suis-je pas un ami admirable ? Digne de ces prêts d'argent que vous avez eu la délicatesse de me rappeler tout à l'heure ? A l'avenir, je vous prie, ne blessez plus mes sentiments ! Reconnaissez-les, Percival, et prenez-en de la graine ! Je vous pardonne encore… Et je vous serre la main… Bonne nuit !

Ils se sont tus. La porte de la bibliothèque a claqué et j'ai entendu sir Percival fixer les barres de fer aux volets. Il n'avait pas cessé de pleuvoir. J'étais trempée jusqu'aux os et tremblais de tous mes membres, toute courbaturée. Quand j'ai essayé de me lever, la douleur a été telle qu'il m'a fallu attendre un moment. Puis j'ai réussi à me mettre à genoux. Je me suis glissée contre le mur au moment où la fenêtre du comte s'éclairait soudainement. N'écoutant que mon courage, les yeux rivés à la fenêtre, j'ai commencé à longer la façade de la maison, pas à pas.

Au moment où j'atteignais la rambarde de ma fenêtre, l'horloge a sonné une heure et quart. Personne ne m'a vue ni entendue rentrer.

X

20 juin, 8 heures du matin. – Dans un ciel sans nuages, le soleil brille avec éclat. Je ne me suis pas couchée et, de cette fenêtre où hier soir j'observais la nuit, je contemple le jour lumineux.

Je compte les heures qui se sont écoulées depuis mon escapade sur le toit, et ces heures me paraissent des semaines. C'était cette nuit et j'ai l'impression qu'une éternité a passé depuis que, rentrant éreintée et trempée dans ma chambre, je suis tombée évanouie sur le plancher.

Je ne sais quand je me suis finalement réveillée. Je sais à peine quand je suis sortie de ma torpeur pour me traîner jusqu'à ma chambre, où j'ai allumé ma chandelle à la recherche de vêtements secs. Je ne parviens même pas à me rappeler quand le froid a fait place à la fièvre. Sans doute avant le lever du soleil. Oui, l'horloge sonnait trois heures… Je m'en souviens à cause de la brusque acuité que m'a donnée cette fièvre. Je me souviens d'avoir décidé de rester parfaitement calme, d'attendre patiemment mon heure pour enlever Laura de cet horrible endroit en toute sécurité. Je me souviens d'avoir pensé que les paroles qu'avaient échangées ces deux hommes nous fournissaient non seulement un motif de quitter cette maison mais aussi une arme pour nous défendre d'eux. Je me souviens de l'impulsion soudaine qui m'a poussée à vouloir tout consigner dans mon journal, tant que je gardais encore en mémoire les moindres détails de la conversation. Oui, je me souviens parfaitement de tout cela… je suis venue ici avec mon journal avant le lever du soleil, je me suis assise devant la fenêtre grande ouverte pour avoir un peu d'air… et je n'ai pas cessé d'écrire… de plus en plus vite, le feu aux joues, de plus en plus lucide… alors que toute la maisonnée était endormie ! Oui, je m'en souviens ! J'ai commencé à écrire à la lumière de ma chandelle et puis le soleil s'est levé… sur la page précédente… un nouveau jour…

Pourquoi suis-je encore assise à cette table ? Je tourmente mes yeux brûlants et ma tête douloureuse à écrire toujours plus… Pourquoi ne vais-je pas m'allonger pour dormir un peu ? Le sommeil peut-être ferait tomber la fièvre…

Non. Car j'ai peur. Une peur plus intense que toutes celles que je connais. J'ai peur de cette tête qui bourdonne, peur de ces frissons et de ces bourdonnements qui m'envahissent, peur de ne plus avoir la force de me relever si je me couche.

Oh ! Cette pluie ! Cette horrible pluie qui m'a glacée jusqu'aux os !

. . . .

9 heures du matin. – Est-ce neuf heures qui viennent de sonner, ou huit heures ? Neuf heures, je crois. Les frissons ont repris, de la tête aux pieds. Me suis-je endormie ? Je ne sais plus rien.

Mon Dieu ! Vais-je être malade ?

Malade, juste maintenant !

Ma tête… j'ai peur… je peux encore écrire mais les lignes dansent les unes sur les autres. Laura… je peux écrire son nom… je le vois… huit heures ou neuf heures ?…

J'ai froid ! tellement froid… Oh ! cette maudite pluie… et cette horloge qui sonne… quelle heure est-il… elle résonne dans ma tête…

[A cet endroit le journal de Marian Halcombe devient illisible. Les quelques lignes qui suivent contiennent des fragments de mots, brouillés de taches d'encre. Il semble que les deux dernières lettres tracées soient un L et un A, les deux premières lettres du prénom de lady Glyde. Sur la page suivante, le journal reprend. L'écriture a changé. C'est une écriture d'homme, large et ronde, composée d'une main ferme. La date mentionnée est celle du 21 juin.]

POST-SCRIPTUM D'UN AMI SINCÈRE.

La maladie de notre excellente amie, Miss Halcombe, m'a procuré un plaisir intellectuel inattendu.

Je fais allusion à la lecture de ce passionnant journal, que je viens de terminer.

Une centaine de pages en vérité, et la main sur le cœur, je peux affirmer que toutes m'ont charmé, ravi au plus haut point.

Pour un homme qui possède ma sensibilité, c'est un véritable bonheur de le dire !

Quelle femme admirable !

Je veux parler de Miss Halcombe.

Quelle entreprise !

Je veux parler du journal.

Oui ! Ces pages sont stupéfiantes. Le tact que je trouve ici, la discrétion, le rare courage, la mémoire phénoménale, le talent d'observation, la grâce du style, les émois tout féminins, tout cela ne fait qu'accroître mon admiration pour cette créature sublime, pour la divine Marian ! Mon portrait, par exemple, est un pur chef-d'œuvre. Quelle impression j'ai dû produire sur cette femme, pour qu'elle me dépeigne avec tant de force et de conviction. Je regrette que nos intérêts soient opposés, car, dans d'autres circonstances, nous nous serions admirablement complétés.

Et les sentiments qui m'animent au moment où j'écris ces lignes me disent à quel point je dis la vérité. Ces sentiments m'exaltent, m'élèvent au-dessus de toute considération personnelle. Je témoigne avec le désintéressement le plus absolu de la grandeur du stratagème qu'elle a inventé pour surprendre la conversation que j'ai eue avec sir Percival, comme je témoigne de l'extraordinaire vérité de ce qu'elle en a rapporté dans ces pages.

Ces sentiments m'ont poussé à offrir au docteur qui la veille mes vastes connaissances en médecine, et toute mon expérience du magnétisme. Le misérable a hélas ! refusé mes services.

Ces sentiments, enfin, me dictent ces lignes, reconnaissantes, compatissantes, paternelles. Je referme maintenant ce journal. Mon sens de la propriété m'incite à le replacer (par l'intermédiaire de ma femme) à sa place, sur la table de son auteur. Les événements m'en éloignent. Les circonstances m'obligent à me tourner vers de plus importantes questions. De vastes succès ouvrent leurs perspectives devant mes yeux. J'avance vers mon destin avec une sérénité qui m'effraie moi-même, non sans avoir d'abord déposé l'hommage de mon respect et de mon admiration aux pieds de Miss Halcombe.

Je formule des vœux pour son rétablissement.

Je lui adresse toutes mes condoléances pour l'échec inévitable de tous les plans qu'elle a formés pour le bien de sa sœur. Mais, en même temps, je la prie de croire que je ne me servirai pas des renseignements que j'ai trouvés dans son journal pour contribuer à cet échec. La conduite que j'avais envisagée dans cette affaire n'est en rien modifiée. Ces pages ont simplement éveillé en moi les sensibilités les plus délicates de ma nature, c'est tout.

Et une personne aussi sensible que moi me comprendra parfaitement. Et elle me pardonnera.

Miss Halcombe est aussi sensible que moi.

Dans cette assurance, je signe

FOSCO.

RÉCIT DE FREDERICK FAIRLIE, ESQ., DE LIMMERIDGE HOUSE [1]

C'est le grand malheur de ma vie que personne ne consente à me laisser vivre en paix.

Qu'ai-je fait pour mériter d'être pareillement dérangé ? J'ai beau demander, personne ne me répond ; et personne ne me laisse tranquille. Parents, amis, étrangers, tous se sont donné le mot pour me tracasser. Qu'ai-je fait ? Je me pose la question, comme je la pose à Louis, mon domestique, cinquante fois par jour. Qu'ai-je donc fait ? Qui peut le dire !

Le comble : on me demande maintenant d'écrire ce récit ! Comme si un homme dans un état nerveux tel que le mien en était capable ! Lorsque je risque une telle objection, on me répond que, ayant été le témoin de graves événements qui concernent ma nièce, je suis la personne toute désignée pour les raconter. Et l'on me menace des pires ennuis si je ne m'y résigne pas ! Il n'est guère besoin de me menacer ainsi. Accablé par les ennuis de santé et les soucis familiers, je suis incapable de la moindre résistance. Il suffit d'insister pour que je cède sur l'instant. Je vais donc (contre mon gré) tâcher de me souvenir de ce que je peux, et de l'écrire (tout autant contre mon gré) ; ce dont je ne pourrai me rappeler, Louis s'en rappellera et l'écrira pour moi. C'est un âne et je suis un invalide : le résultat va être joli ! Quelle humiliation !

1. La manière dont furent obtenus les témoignages de Mr Fairlie et des personnes qui lui succèdent dans ce récit fait l'objet d'une explication qui prend place dans la troisième époque.

On me demande de me souvenir des dates. Grands dieux ! Je ne m'en suis jamais souvenu, comment pourrait-il en être autrement aujourd'hui ?

J'ai interrogé Louis. Il n'est pas si stupide que je l'avais supposé. Il se souvient de la date des événements, cependant que je me souviens du nom de la personne qu'ils concernent. Cela se passait vers la mi-juin ou le début de juillet et le nom de la personne en question (un nom d'ailleurs parfaitement vulgaire selon mon opinion) est Fanny.

A la fin de juin, donc, ou au début de juillet, je me trouvais souffrant comme à mon habitude et me consacrais à ma collection d'objets d'art, que j'ai rassemblée afin de faire progresser le goût des barbares qui peuplent mon voisinage. J'avais donc autour de moi mes photographies, médailles, dessins et autres merveilles que j'ai l'intention, un de ces jours, de présenter à l'institut de Carlisle. On pourrait supposer qu'un homme qui se consacre de la sorte à une tâche de la plus haute importance pour ses compatriotes serait la dernière personne sur terre à devoir être dérangée pour de mesquines histoires de famille. Eh bien ! il n'en est rien ! Pour ce qui me concerne en tout cas.

Je me proposais donc de couler une matinée tranquille au milieu de mes collections, quand naturellement Louis vint me déranger. Je pestai mes grands dieux qu'il se fût permis d'entrer sans que je l'eusse sonné et, devant sa mine renfrognée alors que j'attendais une explication, je n'ai pu m'empêcher, moi qui ne jure jamais, de jurer une seconde fois.

J'ai observé que ce genre de sorties a la faculté de ramener immédiatement les gens de basse extraction à la raison. C'est ce qui se produisit avec Louis qui, abandonnant son air renfrogné, m'informa qu'une jeune personne désirait me voir. Il ne put s'empêcher d'ajouter sur ce ton bavard qui est le propre des domestiques que la jeune personne en question se nommait Fanny.

– Qui est Fanny ?

– La femme de chambre de lady Glyde, monsieur.

– Et que me veut la femme de chambre de lady Glyde ?

– Vous remettre une lettre, monsieur…

– Prenez-la !

– Elle refuse de la donner à personne d'autre que vous, monsieur.

– De qui est cette lettre ?

– De Miss Halcombe, monsieur.

Devant ce nom, je m'inclinai, car je ne lutte jamais contre Miss Halcombe ; cela m'évite du bruit. Chère Marian !

– Faites-la entrer, Louis… Attendez ! Est-ce qu'au moins ses souliers ne craquent pas ?

J'avais absolument besoin de le savoir, car les souliers qui craquent me rendent invariablement malade pour la journée. Je consentais bien à recevoir cette jeune personne, mais il était hors de question qu'elle me torture avec ses souliers. Il y a une limite à ce qu'un homme peut supporter.

Louis m'assura que l'on pouvait faire confiance à ses souliers et la fit entrer. Est-il besoin de dire qu'elle exprima son embarras en gardant la bouche fermée et en respirant bruyamment par le nez ? Je pense que ce genre de détail est totalement superflu pour ceux qui connaissent la psychologie des femmes du peuple.

Que je lui fasse justice cependant : ses souliers ne craquaient pas. Mais pourquoi faut-il que les jeunes femmes de chambre aient toujours les mains moites, un gros nez, et des joues rouges ? Et pourquoi ont-elles toutes le même visage ingrat ? Je n'ai pas moi-même le courage de me lancer à fond dans ce genre d'interrogations ; j'en appelle aux spécialistes pour qu'ils me le disent.

– Vous avez une lettre de Miss Halcombe pour moi ? Déposez-la sur la table, s'il vous plaît, sans rien déranger surtout. Comment va Miss Halcombe ?

– Très bien, merci, monsieur.

– Et lady Glyde ?

Elle ne répondit pas, mais son visage se congestionna et devint humide, me sembla-t-il, autour des yeux. Larmes ou transpiration ? Louis, que je viens juste de consulter à ce propos, pense qu'il s'agissait de larmes. Ils sont du même monde et je pense qu'il sait de quoi il parle. Admettons donc que c'était des larmes.

Sauf dans les œuvres d'art, je déteste les larmes. Scientifiquement, elles se résument à des sécrétions. Je veux bien comprendre que les sécrétions puissent avoir une vertu physiologique, mais je ne vois pas quel peut être leur intérêt d'un point de vue purement sentimental. Dans la mesure où mes propres sécrétions sont le signe d'une mauvaise santé, j'ai sans doute quelque préjugé à leur égard, mais il n'importe :

je tâchai, en la circonstance, d'adopter le comportement le plus adapté ; je fermai les yeux et demandai à Louis :

– Tâchez de savoir ce qui se passe.

Louis y mit du sien et la jeune personne également. Ils avaient l'air si mal à l'aise tous les deux que, je dois l'avouer, ils m'amusèrent beaucoup. A tel point que l'idée m'est venue de les faire revenir tous les deux chaque fois que je me sentirais déprimé. Je viens d'en parler à Louis mais, bizarrement, cela n'a pas eu l'air de lui plaire. Pauvre garçon !

J'espère que l'on n'attend pas de moi que je rapporte ici les explications que la jeune personne donna de ses larmes, telles qu'elles me furent transmises dans l'anglais de mon domestique suisse. C'est tout à fait impossible. J'exprimerai donc mon propre sentiment sur la question, et que l'on s'en contente.

La jeune personne commença donc par expliquer qu'elle avait été renvoyée du service de sa maîtresse par son patron. (Notez au passage l'inconséquence de cette femme de chambre : était-ce ma faute si elle avait été chassée ?) Elle avait alors été coucher à l'auberge (je ne suis pas tenancier d'auberge, pourquoi me raconter tout cela ?) où Miss Halcombe lui avait apporté deux lettres importantes, l'une pour moi et l'autre pour un gentleman de Londres (je ne suis pas un gentleman de Londres, qu'il aille donc se faire pendre !) Elle avait précautionneusement caché les lettres dans son corsage (je déteste ce genre de détail). Très triste, elle n'avait même pas eu le courage de manger jusqu'à l'heure de se coucher ; pourtant, vers neuf heures, l'idée lui était venue tout à coup de se faire une tasse de thé. (Suis-je donc responsable de ces hésitations vulgaires qui commencent par un gros chagrin et se terminent par une tasse de thé ?) Au moment précis où elle « réchauffait la théière » (c'est ainsi, selon Louis, qu'elle s'est exprimée en des termes dont il m'a proposé de m'expliquer le sens, ce que, par principe, j'ai refusé), à ce moment précis, donc, la porte s'était ouverte. « Les bras lui en étaient tombés » (ce sont encore ses propres mots, que cette fois-ci Louis fut incapable d'interpréter), car madame la comtesse venait de faire son apparition. Et il me brûle la bouche d'avoir à rapporter ici le titre de noblesse dont la femme de chambre de ma nièce affubla ma sœur ; cette dernière n'est qu'une créature fatigante qui a épousé un étranger. Donc, pour résumer : la porte s'était ouverte, madame la comtesse avait fait son apparition et la jeune personne avait eu les bras qui lui en étaient tombés. Histoire remarquable, s'il en est !

Il faut absolument que je me repose un peu avant de continuer. Après avoir fermé les yeux pendant quelques minutes, et quand Louis m'aura tamponné les tempes d'un peu d'eau de Cologne, je serai en mesure de reprendre.

Madame la comtesse donc…

Non, je pourrais poursuivre mais je souffre de rester assis. Je vais m'allonger de nouveau et dicterai la suite. Louis a un accent épouvantable, mais il connaît notre langue et sait l'écrire. Quel soulagement !

Madame la comtesse expliqua sa venue en disant qu'elle apportait encore quelques messages que Miss Halcombe, dans sa hâte, avait oubliés. La jeune personne attendit donc, anxieuse, que madame la comtesse les lui délivrât, mais celle-ci semblait vouloir attendre que Fanny eût bu son thé. (Voilà bien qui ressemble à mon épuisante sœur !) Madame la comtesse se montra extrêmement prévenante et gentille (ce qui ne ressemble plus du tout à ma sœur) : « Je suis sûre, déclara-t-elle, que ce thé vous fera le plus grand bien. Nous parlerons de ces messages après. Voyez, je vais le préparer moi-même et en prendre une tasse avec vous. » Telles furent ses paroles, que me rapporta la jeune personne. Donc, la comtesse insista et poussa la feinte humilité, avec une ostentation ridicule, jusqu'à partager le thé avec la femme de chambre. Celle-ci but donc, consciente, semble-t-il, du moment solennel qu'elle était en train de vivre, puisqu'elle s'évanouit, ce qui ne lui était jamais arrivé de sa vie. A ce moment de son récit elle se remit à pleurer. C'est en tout cas ce dont se souvient Louis, car, pour moi, je n'en sais rien. L'effort d'écouter étant déjà bien assez grand pour moi, j'avais fermé les yeux.

Où en étais-je ? Ah, oui ! Elle s'était évanouie après avoir bu son thé, détail qui eût pu m'intéresser si j'étais médecin mais qui, en l'occurrence, ne fit que m'ennuyer davantage. Quand elle s'était réveillée, la comtesse avait disparu, mais la propriétaire de l'auberge était auprès d'elle. Celle-ci lui expliqua que la visiteuse n'avait pu rester plus longtemps à l'auberge, car il se faisait tard. Se retrouvant seule, Fanny avait tâté son corsage (toujours cette allusion déplaisante !) et y avait trouvé les deux lettres en sécurité, quoique curieusement froissées. Après une mauvaise nuit, elle était partie pour Londres où, dès son arrivée, elle avait mis une des lettres à la poste selon les ordres de Miss Halcombe. Ensuite, elle avait pris le train pour Limmeridge et m'apportait la seconde lettre. Tout cela était la vérité. La pauvre fille disait n'avoir rien à se reprocher mais éprouvait malgré tout un sentiment de doute désagréable et ne savait plus trop que faire. Louis pense qu'à ce moment les sécrétions ont redoublé. C'est possible, mais ce qui est plus important, c'est que c'est également à ce moment-là que, ma patience étant à bout, j'ouvris les yeux pour intervenir.

– Peut-on savoir ce qui vous arrive ? demandai-je.

L'inconséquente femme de chambre de ma nièce sursauta mais resta silencieuse.

– Tâchez de comprendre, Louis. Et traduisez-moi.

Louis s'exécuta et me traduisit. Ce qui revient à dire qu'il y eut un nouvel échange entre eux, encore plus confus que le précédent, et encore plus amusant. Quand j'eus fini de me divertir, j'exerçai mon intelligence, ce qui me permit de comprendre les doutes qui rongeaient la jeune personne.

Je compris qu'elle s'inquiétait à cause des messages que la comtesse aurait dû lui délivrer. Elle craignait que ces messages ne fussent de la plus haute importance pour les intérêts de lady Glyde ! Si elle n'avait pas tant craint de rencontrer sir Percival, elle serait retournée à Blackwater Park la nuit même ; mais Miss Halcombe lui avait expressément recommandé de prendre le train du matin, et elle ne pouvait se permettre de demeurer un jour de plus à l'auberge le lendemain. Elle redoutait qu'à cause de son évanouissement sa maîtresse l'accusât de négligence, et elle me demandait humblement si je lui conseillais d'écrire à Miss Halcombe, en lui expliquant l'incident et en lui présentant ses excuses, afin de la prier d'envoyer sous pli les messages en question, s'il n'était pas trop tard.

Je n'ai pas à demander que l'on m'excuse pour cet interminable paragraphe, verbeux au possible : les ordres sont les ordres et j'écris ce que l'on m'a demandé d'écrire. Certaines personnes semblent en effet plus intéressées par ce que me dit ce jour-là la femme de chambre de ma nièce que par ce que je pus lui répondre. Étrange perversité…

– Je vous serais grandement reconnaissante, monsieur, si vous me conseilliez sur ce que je dois faire, me dit la jeune personne.

– Laissez les choses où elles en sont, répondis-je, usant d'une expression qui s'adaptait au parler de mon interlocutrice. Je laisse toujours les choses où elles en sont… Est-ce tout ?

– Si vous pensez, monsieur, que je prendrais, en écrivant, une trop grande liberté, naturellement, je n'écrirai pas. Mais je tiens à servir ma maîtresse aussi fidèlement que possible et…

Les gens du peuple ne savent jamais s'arrêter et prendre congé au bon moment. Il leur faut toujours l'aide de ceux qui leur sont supérieurs. Je décidai de l'aider à sortir, ce que je fis grâce à deux mots admirablement choisis : « Au revoir. »

Soudain, quelque chose craqua sur la personne de cette drôle de fille. Louis qui la regardait (ce qui n'était pas mon cas) dit que c'est en saluant qu'elle se mit à craquer. Bizarre… Était-ce ses souliers ? son corset ? ses os ? Louis pense que c'était son corset. N'est-ce pas extraordinaire !

Après m'être reposé un instant, ce dont j'avais réellement besoin, je lus la lettre de Marian. Si j'avais deviné ce qu'elle contenait, je ne me serais pas aventuré à l'ouvrir. Mais, dans mon innocence, je lus la lettre. Elle me rendit malade pour le reste de la journée.

Je suis par nature d'un caractère aimable et arrangeant – je me soumets au désir des autres et ne me froisse de rien. Pourtant, comme j'ai déjà eu l'occasion de le dire, ma résistance a des limites. Quand je reposai la lettre de Marian, je me sentis, à juste titre, un homme outragé. A ce titre, j'aimerais faire ici une remarque, que je ne me permettrais pas de faire si elle n'avait un rapport avec l'affaire sérieuse qui nous occupe.

Rien, à mon avis, ne met mieux en lumière l'odieux égoïsme humain que la manière dont les gens mariés traitent les célibataires, et ce dans toutes les classes de la société. Si, faisant preuve de délicatesse et d'abnégation, vous avez refusé de créer à votre tour une famille qui vînt s'ajouter à une population déjà trop nombreuse, alors votre sort est d'être considéré par vos amis mariés – qui, eux, n'ont pas eu cette délicatesse ni cette abnégation – comme le réceptacle de tous leurs ennuis conjugaux et l'ami intime de leurs enfants. Maris et femmes parlent des soucis qu'apporte le mariage, mais ce sont les vieux garçons et les vieilles filles qui supportent ces soucis. Prenez mon cas, par exemple : j'eus assez de jugement pour rester célibataire alors que mon pauvre frère Philip, en homme égoïste, s'était marié. A sa mort, que fait-il ? Eh bien il me laisse sa fille ! C'est une charmante enfant, oui, mais c'est aussi une terrible responsabilité. Pourquoi me la met-il sur les épaules ? Parce que je suis tenu, en tant que célibataire au bon cœur, de me dévouer à ceux de ma famille qui ont fondé un foyer. Soit. Je m'arrange au mieux de cette responsabilité, j'arrive, après des difficultés et tracas de toutes sortes, à ce que ma nièce épouse l'homme que son père avait choisi pour elle. La bonne entente ne règne guère longtemps dans ce ménage, et s'ensuivent toutes les pénibles conséquences que l'on peut imaginer. Que fait-elle alors ? Elle me les fait supporter à moi. Pourquoi à moi ? Mais, encore une fois, parce que je suis tenu, en tant que célibataire généreux, de me dévouer aux gens de ma famille qui ont fondé un foyer. Pauvres célibataires ! Pauvre nature humaine !

Inutile de dire ici de quelles menaces était lourde la lettre de Marian. Tout le monde me menace. Toutes les malédictions allaient tomber sur ma pauvre tête si je ne donnais pas immédiatement asile à ma nièce et à son malheur.

J'ai expliqué plus haut que j'avais choisi de m'incliner généralement devant les volontés de la chère Marian, pour éviter tout vacarme inutile. Mais cette fois-ci, l'inconséquence de sa requête me fit hésiter. Si j'offrais l'hospitalité à lady Glyde, qui me certifiait que sir Percival ne viendrait pas me réclamer sa femme avec colère ? Devant la perspective de ce terrible imbroglio, je décidai de suivre ce que me dictait mon bon sens et j'écrivis donc à Marian qu'avant de prendre une décision à ce sujet je désirais qu'elle-même (puisque aucun mari ne pourrait venir la réclamer) vînt seule en discuter avec moi. Si elle pouvait apaiser mes craintes, je l'assurais que, dans ce cas, je recevrais Laura avec le plus grand plaisir, mais pas autrement.

Je me doutais bien que cette lettre aurait pour effet de faire arriver une Marian indignée et faisant claquer les portes. Mais, n'eussé-je pas écrit dans ce sens, j'aurais sans doute vu faire irruption chez moi, après un jour ou deux, un sir Percival très irrité, et qui aurait également fait claquer les portes. Or, à choisir, je préférais la fureur de Marian et ses claquements de portes, auxquels j'étais habitué. En conséquence j'envoyai ma réponse par retour du courrier, espérant au moins gagner quelques jours de tranquillité. Pauvre de moi ! Qu'allais-je imaginer là !

Quand je sombre dans la prostration (ai-je mentionné que la lettre de Marian m'avait plongé dans la plus grande prostration ?), il me faut toujours quelques jours pour me remettre. J'avais la folie d'espérer trois jours de calme. Évidemment, je ne les eus pas.

Le matin du troisième jour, le courrier m'apporta une lettre tout à fait impertinente, émanant d'un personnage qui m'était totalement inconnu. Il se disait le remplaçant de ce vieil entêté de Gilmore et m'informait qu'il avait reçu, par la poste, une lettre dont l'adresse était de la main de Miss Halcombe mais qui, à sa grande surprise, ne contenait qu'une feuille de papier blanc. La chose lui paraissant suspecte (son esprit d'homme de loi avait tout de suite pensé à une substitution de document), il avait sur-le-champ écrit à Miss Halcombe mais n'avait reçu aucune réponse. Au lieu d'agir en homme raisonnable et d'attendre simplement en laissant les choses suivre leur cours, il avait eu l'idée absurde de venir me tracasser en me demandant si j'étais au courant de quoi que ce soit. Que diable pouvais-je savoir ? Préférait-il que nous fussions deux à être contrariés ? Je lui répondis en ce sens par une lettre cinglante ; au vrai, je n'avais plus écrit de lettre aussi cinglante depuis celle que j'avais envoyée à Mr Hartright – individu pénible s'il en était – pour lui accorder son congé.

Ma lettre produisit son effet : je n'entendis plus parler de l'avocat.

Cela n'avait finalement rien de surprenant. Mais ce qui l'était plus c'est que je ne reçus aucune réponse de Marian et que rien ne semblait annoncer son arrivée. Ce silence me fit un bien incroyable. Il était infiniment plaisant de pouvoir se dire, comme je le faisais, que mes connaissances mariées s'étaient réconciliées. Cinq jours de tranquillité absolue, de solitude divine me remirent presque d'aplomb. Le sixième jour, je me sentais d'attaque pour convoquer mon photographe afin qu'il continuât sa tâche sur mes précieuses collections, vouée comme je l'ai expliqué à améliorer le goût de mon voisinage barbare. Je venais de le faire installer dans son atelier et j'avais sorti mes médailles quand Louis fit son apparition, une carte à la main.

– Si c'est encore une jeune personne, je ne veux pas la voir, dis-je en prenant la carte. Dans mon état de santé, les jeunes personnes me sont formellement déconseillées.

– Cette fois-ci, c'est un gentleman, monsieur.

Un gentleman, bien sûr, était une autre histoire. Je pris la carte.

Dieu du Ciel ! Le mari étranger de mon épuisante sœur, le comte Fosco !

Ai-je besoin de préciser quelle fut ma première pensée quand je lus la carte ? Ma sœur ayant épousé un étranger, je ne pouvais imaginer qu'une chose : si le comte venait me voir, c'est qu'il avait besoin d'argent.

– Croyez-vous qu'il partirait si vous lui donniez cinq shillings, Louis ?

Louis parut choqué. A ma grande surprise, il me déclara que l'étranger qui avait épousé ma sœur était vêtu avec élégance et semblait rien moins que dans le besoin. Alors, je pensai qu'il avait sans doute, lui aussi, des ennuis matrimoniaux et qu'il venait, comme les autres, m'en faire supporter les conséquences.

– A-t-il mentionné la raison de sa visite ?

– Il a dit que, Miss Halcombe n'étant pas pour le moment en état de quitter Blackwater Park, il était venu à sa place.

De nouveaux ennuis, visiblement. Non pas concernant le comte, comme je l'avais cru, mais concernant Marian. Des ennuis tout de même… Mon Dieu !

– Faites-le entrer, dis-je, résigné.

A voir le comte, je fus réellement étonné. Il était si gros que je craignis qu'il ne fît trembler le plancher en marchant et qu'il ne renversât tous mes précieux objets d'art. Au contraire, il s'avança vers moi avec légèreté et délicatesse, vêtu d'un élégant costume d'été et arborant un large sourire. Je fus charmé, ce qui en dit long sur ma perspicacité, comme le montrera ce qui va suivre, mais, que voulez-vous, je suis un grand naïf !

– Permettez-moi de me présenter, monsieur, commença-t-il. Je viens de Blackwater Park, et, vous le savez peut-être, j'ai l'honneur et le bonheur d'être le mari de la comtesse Fosco ! Je vous prie surtout de ne pas me traiter en étranger, et je vous supplie de ne pas vous déranger pour moi ! Restez dans votre fauteuil, s'il vous plaît.

– Vous êtes très aimable, répondis-je. Et je voudrais être assez fort pour me lever. Prenez une chaise, je vous prie. Enchanté de vous voir à Limmeridge !

– Je crains que vous ne soyez un peu souffrant, aujourd'hui.

– Comme d'habitude. Je ne suis rien d'autre qu'un paquet de nerfs habillé de vêtements masculins… pour ressembler à un homme.

– J'ai beaucoup étudié dans ma vie, et notamment ce problème des nerfs, m'expliqua-t-il avec bienveillance. Puis-je vous donner un conseil, très simple, mais assurément le meilleur dans votre cas ? Permettez-moi de modifier la lumière de cette chambre.

– Bien volontiers, si vous voulez avoir la bonté de ne pas la laisser venir sur moi.

Il se dirigea vers la fenêtre. Quelle bienveillance, je le répète ! Quel contraste avec la visite que m'aurait faite Marian !

– La lumière, me dit-il sur ce ton confidentiel si apaisant pour un malade, est la chose essentielle. Elle stimule et nourrit, et vous ne pouvez pas plus vous en passer, monsieur, que si vous étiez une fleur. Voyez ! Ici, près de votre fauteuil, je ferme les volets… pour ne pas vous agresser. Là, où vous n'êtes pas, je lève le store et laisse entrer le soleil bienfaisant. Admettez au moins que ses rayons entrent dans votre chambre, si vous ne les supportez pas sur vous-même. La lumière, monsieur, nous est donnée par la Providence. Acceptez-la comme vous acceptez la Providence, avec quelques restrictions personnelles.

Je me laissai convaincre, tant par ses explications que par son amabilité.

– Vous me voyez confus, fit-il en retournant à sa place, vous me voyez confus, monsieur, ma parole d'honneur !

– Allons, allons ! Puis-je vous demander pourquoi ?

– Ah monsieur ! Puis-je, croyez-vous, entrer dans cette chambre où vous souffrez, dans cette chambre où je vous vois entouré de ces admirables objets d'art, sans comprendre immédiatement quel homme sensible et impressionnable vous êtes, quelles sympathies toutes ces belles choses éveillent en vous ?

Si j'avais eu la force de me soulever dans mon fauteuil, je me serais évidemment incliné en entendant mon visiteur s'exprimer de la sorte. Étant incapable d'un tel effort, je me contentai de sourire en guise de remerciement. Il fit de même ; nous nous comprenions parfaitement.

– Suivez-moi bien, reprit-il. Me voici, moi Fosco, homme d'une sensibilité exquise, devant vous qui êtes également un homme d'une sensibilité exquise. Eh bien puis-je, sans avoir honte, blesser vos sentiments en venant vous parler d'événements familiaux bien peu réjouissants ? Oui, monsieur, je suis vraiment confus !

C'est à ce moment, je crois, que je commençai à craindre que l'entretien ne prît un tour ennuyeux.

– Est-il absolument nécessaire d'aborder ces pénibles questions ? lui demandai-je. Comme on dit chez nous, ne peut-on pas les garder au chaud ?

Le comte soupira et hocha la tête d'un air grave, inquiétant.

– Je dois donc absolument vous écouter, n'est-ce pas ?

Il haussa les épaules (c'était le premier geste étranger qu'il faisait depuis qu'il était entré) et posa sur moi son regard pénétrant, de façon tout à fait désagréable. Mon instinct me prévint qu'il valait mieux que je ferme les yeux. Je fermai les yeux.

– Commencez doucement, fis-je. Quelqu'un est-il mort ?

– Mort ! s'écria le comte avec cette ardeur déplacée à laquelle on reconnaît bien les étrangers. Monsieur, votre flegme anglais m'épouvante ! Au nom du Ciel, qu'ai-je dit ou qu'ai-je fait qui ait pu vous faire supposer une aussi triste chose ?

– Acceptez mes excuses, je vous prie. Vous n'avez rien dit ni rien fait de tel, mais je me suis fait une règle de toujours prévoir le pire ! Cela me permet de m'y mieux préparer. Ravi – et combien soulagé ! –, croyez-le, d'apprendre que personne n'est mort ! Et personne n'est malade, au moins ?

Je rouvris les yeux et le regardai. Avait-il le teint aussi jaune quand il était entré, ou bien avait-il jauni brusquement ? Je serais incapable de le dire et je ne puis demander à Louis qui ne se trouvait pas dans la pièce à ce moment-là.

– Quelqu'un est-il malade ? demandai-je de nouveau, constatant que mon flegme anglais semblait toujours le troubler.

– Voilà justement, en partie, les mauvaises nouvelles que j'apporte, monsieur ; oui, quelqu'un est malade.

– Et c'est très grave, j'en suis sûr ! De qui s'agit-il ?

– A mon profond regret, il s'agit de Miss Halcombe. Mais peut-être y étiez-vous un peu préparé ? Peut-être, ne la voyant pas venir ni ne recevant d'elle aucune réponse, aviez-vous déjà craint qu'elle ne fût alitée ?

Peut-être en effet y avais-je pensé par une sorte d'attention affectueuse ; en tout cas, je n'avais pas le moindre souvenir de m'être laissé aller à formuler une telle hypothèse. Néanmoins, j'acquiesçai, afin qu'il eût une bonne opinion de moi. Marian, d'une constitution si robuste, et n'étant jamais malade, ne pouvait qu'avoir été victime d'un accident. Une chute de cheval ou une chute dans l'escalier – ou quelque chose de ce genre...

– Sérieux ? fis-je encore.

– Sérieux, sans aucun doute. Dangereux, je ne crois pas. Miss Halcombe a pris froid après être restée trop longtemps sous une pluie battante et maintenant elle a la fièvre.

A ce mot, prenant soudainement conscience que l'individu peu scrupuleux qui se trouvait en face de moi arrivait tout droit de Blackwater Park, je crus que j'allais défaillir sur place.

– Grand Dieu ! Et c'est contagieux ?

– Pas pour l'instant, répondit le comte, avec un calme détestable. Peut-être cela peut-il dégénérer en infection, mais ce n'était pas le cas quand j'ai quitté Blackwater Park. Je me sens profondément concerné par tout cela, monsieur, et je suis en contact étroit avec le médecin qui m'a assuré, vous pouvez m'en croire, que la fièvre n'était pas infectieuse.

Je pouvais l'en croire ! Jamais je n'avais été aussi loin de croire ainsi quelqu'un. Eût-il juré que je ne l'eusse pas cru. Il ressemblait à un indigène atteint par une épidémie ! J'imaginai le typhus rongeant son énorme corps et me le représentai qui succombait brutalement à la scarlatine sur mon propre tapis ! Dans les situations d'urgence, mon esprit se caractérise par sa promptitude. Immédiatement, je décidai de me débarrasser de lui.

– Vous excuserez un pauvre invalide, mais les longues conversations me fatiguent terriblement. Puis-je savoir exactement le but de votre visite ?

J'espérais sincèrement que cette dernière sortie le pousserait dans ses derniers retranchements et que, confus, il comprendrait, se répandrait en excuses et prendrait congé. Au contraire, cela sembla le visser davantage à sa chaise. Il devint encore plus compassé et me fixa de nouveau de son étrange regard en brandissant deux doigts menaçants. Que pouvais-je faire ? Je n'étais pas de taille à lutter contre lui. Imaginez ma situation, une situation proprement indicible !

– Les raisons de ma visite, reprit-il, se comptent sur mes doigts. Il y en a deux. D'abord, j'ai le regret de devoir témoigner devant vous du regrettable désaccord qui oppose sir Percival et lady Glyde. Je suis le plus vieil ami de sir Percival, je suis parent par alliance de lady Glyde, et j'ai été témoin de tout ce qui est arrivé à Blackwater Park. Fort de ces trois choses, je puis vous affirmer, à vous qui êtes le tuteur de lady Glyde, que, malheureusement, tout ce que vous a rapporté Miss Halcombe dans sa lettre est rigoureusement vrai. Et je puis confirmer que ce que vous a proposé cette admirable jeune dame est bien le seul remède qui vous épargnera l'horreur d'un scandale public. Une séparation temporaire entre les deux époux est la seule solution pacifique. Qu'ils s'éloignent l'un de l'autre pour le présent jusqu'à ce que leur querelle s'apaise ; pour moi, qui ai l'honneur de vous parler en ce moment, je tâcherai de ramener sir Percival à la raison. Lady Glyde est innocente, lady Glyde a subi un outrage, mais – suivez bien mon raisonnement – c'est précisément pourquoi sa présence sous le toit de son mari ne fait qu'envenimer les choses et, croyez-moi, j'ai honte de vous dire cela. Il n'y a que chez vous qu'elle puisse se trouver bien pour le moment. Je vous conjure de lui ouvrir votre porte.

Bien ! Ainsi donc une averse de grêle matrimoniale s'était abattue sur le sud de l'Angleterre, et j'étais invité, par un homme dévoré par les fièvres, à accepter que me tombe sur la tête, dans le nord de l'Angleterre, ma part de grêlons. Je voulus protester mais le comte, qui avait replié l'un de ses horribles doigts, me menaçait toujours du second et poursuivit sans autre forme de procès son impitoyable mise à mort :

– Suivez bien ma pensée, je vous prie. Je viens de vous faire part du premier objet de ma visite. La deuxième raison que j'ai d'être ici, c'est de me charger de ce que Miss Halcombe n'a pu faire elle-même à cause de sa maladie. Ma grande expérience du monde me vaut d'être consulté sur toutes les questions graves à Blackwater Park, et l'on m'a naturellement soumis, en ami, votre lettre à Miss Halcombe. J'ai cru comprendre – car nous nous comprenons fort bien, cher monsieur – les raisons qui vous poussaient à souhaiter la rencontrer seule avant de vous décider au sujet de lady Glyde. Vous êtes parfaitement avisé, cher monsieur, d'hésiter à recevoir la femme de sir Percival avant d'être sûr que celui-ci ne viendra pas la réclamer. Je sais qu'on ne peut espérer que des questions aussi délicates que celle-ci se règlent par écrit, et ma présence ici, alors que j'aurais tellement mieux à faire, en est la preuve. Mais, moi Fosco, moi qui connais sir Percival infiniment mieux que ne le connaît Miss Halcombe, je puis vous certifier sur l'honneur qu'il ne viendra pas rôder autour de votre maison tant que sa femme y sera. Ses affaires sont plutôt mauvaises pour le moment. Offrez-lui sa liberté, c'est-à-dire l'absence de lady Glyde, et il partira pour le continent, je vous le jure ! C'est clair comme de l'eau de roche, n'est-ce pas ? Bon ! Avez-vous d'autres questions à me poser ? Je suis ici pour vous répondre, monsieur. Demandez-moi ce que vous voulez, je vous prie.

Il avait déjà tant parlé et je le sentais si effroyablement capable de parler bien davantage encore, malgré tout ce que je pourrais faire pour l'en empêcher, que pour me protéger je déclinai son offre.

– Je vous remercie infiniment, mais mon état empire de minute en minute et me contraint à vous croire sur parole. Nous nous sommes compris, monsieur, et je vous suis très reconnaissant de tout ce que vous avez fait. Si ma santé s'améliore, peut-être aurons-nous une autre occasion de mieux faire connaissance…

Il se leva. Je crus qu'il allait enfin partir… Non ! Encore des bavardages tandis qu'il continuait à propager ses microbes dans ma chambre, oui, dans ma propre chambre !

– Une dernière chose, je vous prie, avant que je prenne congé. Permettez que je vous consulte encore sur une question urgente. On ne peut songer à attendre le rétablissement de Miss Halcombe pour faire venir lady Glyde à Limmeridge House. Miss Halcombe est admirablement veillée à Blackwater Park, grâce aux soins conjugués du médecin, de notre gouvernante et d'une excellente infirmière. Je réponds de leurs compétences et de leur dévotion. Mais laissez-moi vous dire que la maladie de sa sœur a, pendant ce temps, profondément affecté la santé et le moral de lady Glyde, ce qui fait qu'elle ne peut elle-même être d'aucun soutien auprès de notre pauvre malade. La tension entre elle et son mari ne fait qu'empirer. Si vous tardez à la recevoir ici, non seulement vous ne faites rien qui puisse hâter la guérison de Miss Halcombe mais en plus vous vous exposez, et nous exposez tous, à ce scandale que nous devons à tout prix éviter. De tout mon cœur, je vous conjure de ne pas prendre la responsabilité d'un tel risque et d'écrire immédiatement à lady Glyde que vous l'attendez. Faites votre devoir, avec affection et honneur. Quoi qu'il arrive dans le futur, personne ne pourra ainsi vous blâmer. Je vous parle en homme d'expérience, en ami avisé… Acceptez-vous, oui ou non ?

Je le regardai, conscient de sa stupéfiante assurance et bouillant d'envie de sonner Louis pour le faire jeter à la porte. Eh bien ! les regards que je lui jetai et qui pourtant en disaient long ne parurent pas lui faire la moindre impression ! Cet homme, évidemment, était né sans nerfs, sans nerfs !

– Vous hésitez ? reprit-il. Oui, je comprends ! Voyez comme je lis dans vos pensées ! Vous trouvez le voyage un peu fatigant pour votre nièce, depuis le Hampshire jusqu'ici. Elle n'a plus sa femme de chambre et aucun des domestiques de Blackwater Park n'est susceptible de l'accompagner. Vous pensez encore qu'il n'est pas question qu'elle descende seule à l'hôtel, à Londres. Mais c'est compter sans moi. Je peux lever ces objections. Suivez-moi bien, je vous prie, une dernière fois. Lors de mon retour en Angleterre avec sir Percival, j'avais l'intention de m'installer dans les environs de Londres. C'est désormais chose faite. J'ai loué, pour six mois, une petite maison meublée dans le quartier de St John's Wood. Gardez bien cela en tête, et écoutez ce que je propose concernant le voyage de lady Glyde. Elle fait le trajet jusqu'à Londres (ce qui n'est pas très long). A son arrivée, je vais moi-même la chercher à la gare et la conduis chez moi (c'est aussi chez sa tante) pour qu'elle s'y repose un peu. Puis je la raccompagne de nouveau à la gare pour qu'elle voyage jusqu'ici, où sa femme de chambre, qui est actuellement sous votre toit, vient l'accueillir à son tour à la gare. Vous voyez, tout est arrangé ! Son bien-être est respecté et vous faites votre devoir ! Allons, monsieur Fairlie, écrivez cette lettre ! Offrez donc votre hospitalité et votre affection à cette femme meurtrie dont je suis venu vous plaider la cause !

Il agitait vers moi son épouvantable main, il se frappait la poitrine –

ce nid de miasmes ! –, bref, il se prenait pour un orateur à la Chambre des communes. Il était grand temps d'agir, grand temps d'appeler Louis pour aérer la chambre et la désinfecter.

En cette heure grave, en cet instant crucial, il me vint une idée, une idée brillante qui, si j'ose dire, faisait d'une pierre deux coups. Je décidai d'accéder à l'odieuse requête du comte et d'écrire la lettre afin de me débarrasser au plus tôt de son éloquence épuisante et des histoires matrimoniales tout aussi épuisantes de ma nièce. Il n'y avait pas le moindre danger que l'invitation fût acceptée, car il n'était pas envisageable une seule seconde que Laura consentît à abandonner Marian, seule et malade à Blackwater Park. Eh oui ! je ne sais comment, mais ce petit détail semblait avoir échappé à la perspicacité du comte. La crainte qu'il ne s'en aperçût tout à coup si je lui en laissais le temps me communiqua une telle ardeur que je me redressai d'un bond sur mon fauteuil, me jetai littéralement sur ma plume et mon papier et rédigeai la lettre avec la diligence d'un clerc.

Bien chère Laura, venez dès que vous le désirez, et coupez la longueur du voyage en descendant pour une nuit chez votre tante Fosco à Londres. Navré d'apprendre la maladie de Marian.
Votre toujours affectionné

F. F.

Tendant ce mot au comte, je m'écroulai dans mon fauteuil.

– Excusez-moi, je n'en puis plus ! Déjeunez et reposez-vous en bas. Amitiés à tous. Sympathie, etc., etc. Au revoir !

Il débita encore tout un discours – on ne pouvait plus l'arrêter. Je fermai les yeux et tâchai d'en entendre le moins possible. Malgré moi, j'en entendis beaucoup trop encore. Mon loquace beau-frère se félicitait et me félicitait du résultat de notre entretien ; il parlait de nos goûts communs, de la façon admirable dont nous nous comprenions, il déplorait mon mauvais état de santé, s'offrait à me prescrire un remède, insistait enfin pour que je n'oubliasse pas ses recommandations sur l'importance de la lumière… Il acceptait mon invitation à déjeuner, me disait de m'attendre à voir arriver lady Glyde deux ou trois jours plus tard, me demandait la permission de se réjouir déjà de notre prochaine rencontre au lieu de se laisser attrister et de m'attrister par nos adieux du moment… Il ajouta encore bien d'autres choses dont je ne me souviens pas, si même je les ai écoutées alors, ce que je ne crois pas. Puis sa voix, peu à peu, s'éloigna, mais lui-même, malgré sa corpulence, je ne l'entendis pas sortir de la chambre. Il possédait au moins cette qualité négative de ne jamais faire de bruit en marchant. Je ne m'aperçus pas que la porte s'était ouverte, puis refermée – sinon quand, après un moment de silence, je rouvris lentement les yeux : il était parti !

Je sonnai Louis et me retirai dans ma salle de bains. Il me fallait de toute urgence un bain d'eau tiède parfumée au vinaigre, tandis que l'on procédait dans ma chambre aux indispensables fumigations pour chasser les microbes. Dieu merci, ces remèdes firent leur effet ; je me réveillai de ma sieste frais et dispos.

Mes premières questions furent pour le comte. En étions-nous débarrassés ? Oui, il était parti par le train de l'après-midi. Avait-il déjeuné et de quoi ? Exclusivement de tarte aux fruits, nappée de crème. Quel homme ! Quel appareil digestif !

Dois-je ajouter autre chose ? Je ne crois pas. J'ai dit tout ce que j'avais à dire. Les événements qui se sont déroulés ensuite n'ont pas eu lieu, Dieu merci, en ma présence, et personne ne pourra m'en faire porter le blâme. J'ai agi au mieux. Je ne suis pas responsable d'une calamité que personne n'aurait pu prévoir. J'en ai eu le cœur brisé, plus qu'aucun autre. Mon domestique, Louis, qui malgré sa bêtise m'est profondément attaché, pense que je ne m'en remettrai jamais. Il m'écoute lui dicter ceci en ce moment, mon mouchoir à la main. Je souhaite dire ici que ce n'est pas ma faute. Je suis un homme brisé. Que puis-je ajouter ?

RÉCIT D'ELIZA MICHELSON, GOUVERNANTE A BLACKWATER PARK

I

On m'a demandé de dire ce que je sais de la maladie de Miss Halcombe et des circonstances dans lesquelles lady Glyde a quitté Blackwater Park.

Mon témoignage, a-t-on ajouté, doit contribuer à établir toute la vérité. En tant que veuve d'un clergyman de l'Église d'Angleterre (seuls de malheureux revers de fortune m'ont conduite à devoir me placer comme gouvernante), je place la vérité au-dessus de toute autre considération. J'estime qu'il est de mon devoir d'accéder à cette requête, malgré la réticence dont j'aurais pu faire montre, dans un autre contexte, à être mêlée à des querelles familiales.

N'ayant pas tenu de journal des faits, il m'est difficile de les dater avec précision, mais il me semble ne pas me tromper en affirmant que Miss Halcombe tomba gravement malade vers la fin du mois de juin.

On déjeunait assez tard à Blackwater Park – jamais avant neuf heures et demie, parfois même à dix heures du matin. Le matin auquel je fais allusion, Miss Halcombe (qui d'habitude descendait toujours la première) ne parut pas au petit déjeuner. Après avoir attendu près d'un quart d'heure, les membres de la famille envoyèrent une domestique aux nouvelles. Celle-ci revint visiblement effrayée. Je me rendis aussitôt moi-même chez Miss Halcombe pour voir ce qui se passait. Je la trouvai marchant de long en large, une plume d'oie à la main, l'air égaré, et paraissant avoir une forte fièvre.

Lady Glyde (n'étant plus au service de sir Percival, il m'est permis d'appeler mon ancienne maîtresse par son nom au lieu de l'appeler

« milady »), qui m'avait suivie, fut tellement secouée en voyant sa sœur qu'elle ne me fut d'aucun secours. Le comte et la comtesse, qui arrivèrent eux aussi immédiatement, se montrèrent dévoués et serviables. La comtesse m'aida à remettre Miss Halcombe au lit, et le comte prépara tout de suite une potion et une lotion rafraîchissante à lui appliquer sur le front, en attendant l'arrivée du médecin. Nous lui appliquâmes la lotion, mais la malade refusa de prendre la potion. Sir Percival, de son côté, envoya quérir le docteur, Mr Dawson, de Oak Lodge.

Le Dr Dawson arriva moins d'une heure après. C'était un homme âgé et respectable, bien connu dans la région, et nous fûmes assez alarmés quand nous vîmes qu'il jugeait le cas sérieux.

Le comte se montra fort empressé auprès du Dr Dawson, à qui il fit part de ses propres impressions sur la malade. Le docteur, avec un total manque de courtoisie, demanda alors s'il avait affaire à un autre docteur et, ayant appris que son interlocuteur n'avait pas une connaissance professionnelle de la médecine, il répondit qu'il n'était pas dans ses habitudes de discuter avec des amateurs. Avec une patience toute chrétienne, le comte n'insista pas et quitta la chambre. Avant de sortir, il me dit à voix basse que, dans le cas où sa présence serait nécessaire, on le trouverait dans le hangar près du lac. Pourquoi devait-il aller là-bas ? Je l'ignore. Mais il ne rentra qu'à sept heures du soir, pour dîner. Était-ce par discrétion ? Cela lui ressemblerait tout à fait. C'est un homme tellement délicat !

Miss Halcombe passa une très mauvaise nuit ; vers le matin, au lieu de tomber, la fièvre monta encore. N'ayant pu trouver d'infirmière dans le voisinage, nous la veillâmes tour à tour, la comtesse et moi. Lady Glyde insista également pour rester au chevet de sa sœur, mais elle était bien trop nerveuse et de santé trop fragile pour supporter avec calme l'inquiétude que lui inspirait l'état de Miss Halcombe. Elle ne pouvait que se faire du mal sans être pour autant d'aucune utilité. Je n'ai jamais rencontré de jeune femme aussi gentille et aussi attentionnée qu'elle, mais elle passait son temps à pleurer et à exprimer son angoisse, deux bonnes raisons pour qu'elle ne vînt pas encombrer la chambre de la malade.

Sir Percival et le comte vinrent aux nouvelles dans la matinée. Le premier (attristé, je suppose, par le chagrin de sa femme et par la maladie de Miss Halcombe) paraissait inquiet, indécis. Le comte, au contraire, faisait preuve de calme et de sollicitude réfléchie. Il tenait son chapeau de paille d'une main et de l'autre un livre, et je l'entendis murmurer à sir Percival qu'il s'en allait étudier au bord du lac.

– Ne faisons pas de bruit dans la maison ! recommanda-t-il. Ne fumons plus à l'intérieur, mon ami, pendant que Miss Halcombe est malade. Allez de votre côté, et je vais du mien. Quand je dois étudier, j'aime être seul. A tout à l'heure, madame Michelson.

Sir Percival ne fut pas assez poli – peut-être, en vérité, devrais-je dire assez maître de soi – pour prendre congé de moi avec autant de civilité. Dans cette maison, seul le comte Fosco me traita toujours avec la dignité due à une dame ayant connu des revers de fortune. Ses manières étaient celles d'un véritable gentleman ; il se montrait plein d'attentions pour chacun, et même pour la jeune personne (du nom de Fanny) qui servait de femme de chambre à lady Glyde. Le jour où sir Percival la congédia, le comte, qui me montrait ses jolis petits canaris, parut inquiet à son sujet, me demanda ce qu'elle allait devenir, où elle se rendrait en quittant Blackwater Park, etc., etc. C'est à ce genre de délicates attentions que l'on reconnaît la naissance aristocratique. Je n'ai pas à m'excuser de cette digression, car c'est volontairement que je la fais ici, pour rendre justice à un homme que d'aucuns jugent, je le sais, avec sévérité. Un gentleman qui sait témoigner du respect à une dame en détresse et qui se montre plein d'attentions paternelles envers une humble domestique possède des principes et des sentiments qui sont trop nobles pour qu'on se permette de les critiquer. Il ne s'agit pas d'idées en l'air ; moi, je dis ce que j'ai vu. Je me fais une règle de ne pas juger afin de ne pas être jugée. L'un des sermons de mon époux chéri et regretté portait sur cette question. Je ne cesse de le relire – dans l'exemplaire que je possède de l'édition faite par souscription, dans les premiers jours de mon veuvage –, et chaque nouvelle lecture m'édifie davantage et m'apporte un bénéfice spirituel supplémentaire.

L'état de Miss Halcombe ne s'améliorait pas, et la seconde nuit fut plus mauvaise encore que la première. Le Dr Dawson faisait de fréquentes visites. La comtesse et moi tour à tour continuions de veiller la malade, et lady Glyde, en dépit de toutes nos protestations, ne voulait pas quitter sa sœur. « Ma place est auprès de Marian, ne cessait-elle de répéter. Malade ou bien portante, rien ne pourra m'en empêcher. »

Vers midi, je descendis pour vaquer à mes occupations ordinaires. Au bout d'une heure, je m'apprêtais à regagner la chambre de la malade quand je vis le comte qui rentrait (comme les jours précédents, il avait quitté la maison, tôt dans la matinée). Il traversa le hall, manifestement d'excellente humeur. A cet instant, sir Percival passa la tête par la porte de la bibliothèque et s'adressa au comte, l'air impatient :

– Où est-elle ? L'avez-vous trouvée ?

Le comte eut un sourire enchanté mais ne répondit pas. Sir Percival, m'apercevant, me regarda d'un air grossier.

– Venez ici, Fosco, dit-il en ouvrant la porte de la bibliothèque. Quand il y a des femmes dans une maison, on est toujours sûr d'en rencontrer une dans l'escalier !

– Mais, mon cher Percival, dit le comte, en me regardant avec bonté. Mrs Michelson a des devoirs en plus de son dévouement. Ayez la bonté de le reconnaître, comme je le fais ! Comment va la malade, chère madame ?

– Pas mieux, monsieur, je regrette de devoir le dire !

– Triste, bien triste ! Vous paraissez fatiguée, madame Michelson. Il est plus que temps que ma femme et vous soyez aidées dans vos rôles de gardes-malades. La comtesse doit justement se rendre à Londres demain, ou après-demain. Elle partira dans la matinée et sera de retour le soir ; elle ramènera une infirmière qui pourra vous soulager. C'est une personne que ma femme connaît et qui est parfaitement digne de confiance. Mais ne parlez pas d'elle au Dr Dawson, je vous prie, avant qu'elle soit arrivée. Il serait mal disposé envers toute infirmière introduite ici par moi. Une fois qu'il l'aura vue, il devra reconnaître sa valeur. Et lady Glyde pensera de même. Voulez-vous lui présenter mes respects, je vous prie ?

J'exprimai au comte ma gratitude pour son amabilité et son attention, mais sir Percival y coupa court en émettant, je suis au regret de le dire, l'un de ses jurons profanes et en rappelant son noble ami dans la bibliothèque.

Je remontai dans la chambre de Miss Halcombe. Nous sommes de pauvres créatures pécheresses et, quelle que soit la fermeté des principes auxquels se tient une femme, elle ne peut s'empêcher parfois de succomber à la tentation de la curiosité. Et je dois avouer qu'en cette occasion la curiosité eut raison de mes principes et que, à ma grande honte, je me demandai ce que pouvait bien signifier la question qu'avait posée sir Percival au comte, quand celui-ci était rentré dans le hall. Qui donc le comte aurait-il dû trouver au cours de ses promenades studieuses dans le parc ? Une femme probablement, à en croire la manière dont sir Percival avait posé sa question. Je ne soupçonnais le comte d'aucune inconvenance : je connaissais trop bien sa parfaite moralité. La seule question que je me posais était la suivante : « L'avait-il trouvée ? »

Mais reprenons. La nuit n'apporta encore aucune amélioration dans l'état de la malade, mais la journée du lendemain fut légèrement meilleure. Le surlendemain, la comtesse partit pour Londres sans dire à personne le but de son voyage ; son mari, toujours galant homme, l'accompagna à la gare.

Je me trouvai donc seule pour m'occuper de Miss Halcombe, avec de fortes probabilités, de surcroît, d'avoir à m'occuper de lady Glyde si elle persistait à vouloir veiller sa sœur.

Le seul événement notable de la journée fut une nouvelle rencontre, qui se passa plutôt mal, entre le docteur et le comte.

Ce dernier, lorsqu'il revint de la gare, monta dans le boudoir de Miss Halcombe pour s'enquérir de sa santé. Je laissai le Dr Dawson et lady Glyde au chevet de la malade pour aller le renseigner. Le comte me posa de nombreuses questions au sujet des symptômes de la maladie et du traitement prescrit par le médecin. Je lui répondis que l'on soignait Miss Halcombe à l'aide de purgatifs salins ; quant aux symptômes, ils se caractérisaient, entre les attaques de fièvre, par une faiblesse de plus en plus grande et un épuisement total. C'est alors que le Dr Dawson pénétra dans la pièce.

– Bonjour, docteur, fit le comte en s'avançant vers lui de la manière la plus courtoise mais avec une parfaite assurance. Je crains fort que vous ne trouviez guère d'amélioration aujourd'hui.

– Nette amélioration aujourd'hui, répondit le médecin.

– Vous persistez dans ce traitement affaiblissant ?

– Je continue un traitement justifié par ma longue expérience, monsieur.

– Permettez-moi de vous questionner au sujet de cette longue expérience. Je n'ai pas l'intention de vous donner le moindre avis, je cherche simplement à me renseigner. Comme vous vivez loin des grands centres médicaux – Londres ou Paris –, je voulais seulement savoir si vous connaissiez la nouvelle méthode qui consiste au contraire à fortifier la malade en lui administrant du brandy, de l'eau ammoniacale et de la quinine, afin de l'aider à combattre la fièvre ? Cette nouvelle hérésie médicale est-elle seulement parvenue jusqu'à vos oreilles ?

– Si un professionnel me faisait une semblable question, je lui répondrais avec plaisir, monsieur, mais vous n'êtes pas médecin, et je m'excuse de ne pas vous répondre.

Ayant reçu cette dure rebuffade, le comte, en bon chrétien qu'il était, s'empressa de tendre l'autre joue et répondit avec la plus grande cordialité : « Mes salutations, docteur Dawson. »

Si mon époux chéri et regretté avait eu le bonheur de rencontrer le comte sur cette terre, nul doute qu'il l'aurait infiniment apprécié !

La comtesse rentra par le dernier train, ramenant une infirmière. Cette personne s'appelait Mrs Rubelle. Son aspect extérieur assez frivole et son mauvais accent anglais me firent comprendre tout de suite qu'elle était étrangère.

J'ai toujours cultivé un sentiment d'indulgence envers les étrangers. Ils n'ont ni nos talents ni nos dons, et sont, pour la plupart, élevés dans l'erreur du papisme. J'ai également toujours eu pour principe, de même que mon mari avant moi (*cf.* le « Sermon XXIX », extrait des *Œuvres de feu le révérend Samuel Michelson, M. A.*), de ne faire aux autres ce que je n'aimerais que l'on me fît à moi-même. C'est pour ces deux raisons que je me garderai bien de mentionner ici que Mrs Rubelle, qui devait avoir dans les quarante ans, me frappa par sa petite taille, sa physionomie nerveuse et rusée, ses yeux gris et son teint très mat ; pas plus que je ne mentionnerai que sa robe, toute en soie noire, me parut bien trop coûteuse et bien trop raffinée pour une personne occupant sa position. Je n'aimerais pas qu'on pût dire de telles choses de moi ; aussi est-il de mon devoir de ne pas en parler à propos de Mrs Rubelle. Je me bornerai donc à préciser qu'elle se comportait avec la plus grande réserve et le plus grand calme, qu'elle regardait le plus souvent autour d'elle sans parler, ce qui pouvait aussi bien être un signe de modestie que la marque de sa méfiance par rapport à cet endroit nouveau où elle arrivait. Bien que je l'eusse invitée à partager mon souper, elle déclina l'invitation et ne dîna pas (ce qui est sans doute bizarre mais en aucun cas suspect, n'est-ce pas ?).

A la demande du comte (preuve supplémentaire de sa grande miséricorde), il fut décidé que l'infirmière n'entrerait en fonction que le lendemain matin, lorsque le Dr Dawson l'aurait vue, puis acceptée. Je veillai donc encore Miss Halcombe cette nuit-là. Lady Glyde, qui ne quittait pas le chevet de sa sœur, m'exprima la répugnance qu'elle éprouvait à voir arriver cette femme. Un tel manque d'indulgence envers une étrangère de la part de quelqu'un qui avait reçu l'éducation de lady Glyde me surprit. Je me permis de dire :

– Milady, nous ne devons pas être hâtifs dans les jugements que nous portons sur ceux qui nous sont inférieurs, surtout quand il s'agit d'étrangers.

Lady Glyde ne parut pas m'entendre. Elle se contenta de soupirer et de presser avec ferveur ses lèvres sur la main de Miss Halcombe. C'était bien une manière de faire avec une malade qui avait besoin de la plus absolue tranquillité ! Mais lady Glyde ignorait tout du métier de garde-malade, absolument tout, je suis au regret de le dire.

Le lendemain, Mrs Rubelle fut convoquée dans le boudoir afin d'être présentée au Dr Dawson.

Je laissai Miss Halcombe, assoupie, aux bons soins de lady Glyde, et rejoignit Mrs Rubelle pour tâcher de la rassurer à l'approche de l'examen qu'elle s'apprêtait à passer. Je ne crois pas qu'elle comprit ma démarche. Elle semblait tout à fait sûre que le Dr Dawson l'approuverait, et elle attendait, détendue, le début de l'entretien, humant avec un plaisir manifeste l'air frais qui entrait par la fenêtre. Certains eussent jugé sa conduite quelque peu impudente. Je me permets de dire qu'en ce qui me concerne j'eus la magnanimité de l'attribuer à une grande force de caractère.

Au lieu que le docteur se présentât à nous, c'est moi qu'on vint chercher, car il voulait me voir. Je jugeai cela plutôt étrange, mais Mrs Rubelle ne parut guère affectée de ce changement de programme.

Le Dr Dawson m'attendait dans la salle à manger.

– Alors, madame Michelson, la nouvelle infirmière ?

– Oui, monsieur ?

– Il paraît qu'elle a été ramenée de Londres par la femme de ce vieil Italien obèse qui se mêle de médecine. Cet homme est un charlatan, madame Michelson !

C'était très grossier et j'en fus évidemment choquée.

– Êtes-vous conscient, monsieur, que vous parlez d'un noble ?

– Pouah ! Ce n'est pas le premier charlatan qui possède des titres de noblesse ! Ils sont tous comtes, qu'ils aillent au diable !

– Il ne serait pas l'ami de sir Percival, monsieur, s'il n'appartenait pas à la meilleure noblesse, si l'on excepte bien entendu notre aristocratie, répondis-je.

– Fort bien, madame Michelson, appelez-le comme bon vous semble et revenons plutôt à notre infirmière. Je ne crois pas qu'elle me convienne.

– Sans l'avoir vue, monsieur ?

– Oui, sans l'avoir vue. C'est peut-être une remarquable infirmière, mais elle n'a pas été choisie par moi. Je l'ai dit à sir Percival, qui est ici le maître, mais il me déteste et m'a répondu que si j'avais choisi moi-même une infirmière, elle serait également venue de Londres, et que le moins que je pusse faire après le dérangement que s'était imposé la comtesse était de laisser Mrs Rubelle faire ses preuves. Je ne pouvais décemment pas refuser, et j'ai accepté à condition de pouvoir la renvoyer si elle ne me convenait pas. C'était mon droit en tant que médecin, et sir Percival s'est laissé convaincre. A présent, je compte sur vous, madame Michelson, pour la surveiller de près et ne pas lui laisser donner à Miss Halcombe d'autres médicaments que ceux que je prescris. Votre noble étranger meurt d'envie d'essayer ses remèdes de charlatan (y compris ses méthodes mesmériennes) sur ma patiente, et cette infirmière, introduite ici par sa femme, risque d'être trop prompte à vouloir l'y aider. Compris ? Fort bien. Nous pouvons monter à présent. Est-ce que l'infirmière est en haut ? Je vais lui dire un mot avant qu'elle entre dans la chambre de la malade.

Mrs Rubelle était toujours dans le boudoir, tranquillement accoudée à la fenêtre. Elle ne se laissa pas le moins du monde décontenancer par le regard scrutateur du docteur et par ses questions directes. Elle répondit à chacune avec calme dans son anglais approximatif, et bien qu'il cherchât à tout prix à la coincer, elle ne put être prise en défaut. C'était bien là la preuve de sa grande force de caractère, comme je l'ai déjà dit, et non d'une attitude impudente.

Nous passâmes dans la chambre.

Mrs Rubelle observa attentivement la malade, effleura du regard lady Glyde, remit un ou deux objets à leurs places, puis s'assit en silence dans un coin pour le cas où l'on aurait besoin d'elle. Lady Glyde avait l'air infiniment contrariée de la présence de l'infirmière. Personne ne disait mot, de peur de réveiller Miss Halcombe qui sommeillait. Seul le docteur s'enquit en chuchotant de la façon dont s'était passée la nuit. Quand je lui eus répondu qu'elle avait été comme les précédentes, il quitta la chambre, suivi de lady Glyde, qui souhaitait probablement l'entretenir de Mrs Rubelle. Pour ma part, j'avais déjà décidé que cette étrangère conserverait sa place dans cette maison. Elle semblait sensée et compétente, et je ne pouvais faire mieux qu'elle au chevet de notre malade.

Gardant en mémoire les recommandations du Dr Dawson, je surveillai attentivement ses faits et gestes pendant les cinq jours qui suivirent. Je faisais irruption dans la chambre silencieusement et à l'improviste, mais jamais je ne pus trouver à redire à son comportement. Lady Glyde, de son côté, qui l'épiait avec le même acharnement, n'eut pas à se plaindre d'elle. Jamais je ne la vis essayer de trafiquer les médicaments, jamais je ne la vis s'entretenir avec le comte. Elle soignait Miss Halcombe avec une discrétion et un soin indubitables. La pauvre demoiselle oscillait entre des périodes de torpeur, à la limite de l'évanouissement, et de forts accès de fièvre qui la faisaient délirer. Mrs Rubelle savait à chaque moment ce qu'il convenait de faire pour le bien de la malade. Il faut rendre à César ce qui lui appartient (même s'il est étranger), et je rends bien volontiers à Mrs Rubelle ce qui lui appartient. On aurait peut-être pu lui reprocher de ne parler jamais d'elle-même et de soigner sa malade sans vouloir écouter les conseils des autres, mais, à ces deux réserves près, c'était une excellente infirmière et elle ne nous donnait pas l'ombre d'une raison de nous plaindre d'elle.

L'événement suivant qui survint fut l'absence momentanée du comte qu'une affaire appelait à Londres. Il partit, me semble-t-il, au matin du quatrième jour qui suivit l'arrivée de Mrs Rubelle. En ma présence, il fit maintes recommandations à lady Glyde, au sujet de Miss Halcombe.

– Faites encore confiance au Dr Dawson pendant deux ou trois jours, dit-il. Mais si alors il n'y a décidément pas d'amélioration, demandez une consultation à un spécialiste de Londres ; cette mule de docteur devra bien l'accepter. Blessez les sentiments du Dr Dawson, mais sauvez Miss Halcombe ! Je vous parle en ce moment du fond du cœur !

Le comte s'était exprimé avec tact et gentillesse, mais lady Glyde, à bout de nerfs, avait l'air terrorisée. Elle tremblait de la tête aux pieds et le laissa partir sans un mot d'au revoir. Quand il eut disparu, elle se tourna vers moi :

– Oh ! madame Michelson, fit-elle, j'ai le cœur brisé quand je pense à ma sœur ! Et je n'ai personne qui pourrait me conseiller ! Croyez-vous que le médecin se trompe ? Il m'a dit lui-même ce matin que l'état de santé de ma sœur n'inspirait aucune crainte, et qu'il n'était pas nécessaire de faire venir un autre médecin.

– Malgré tout le respect que j'ai pour le Dr Dawson, répondis-je, à la place de milady je suivrais le conseil du comte.

Lady Glyde se détourna brusquement, avec un air de découragement, de détresse, que je ne m'expliquai pas.

– Suivre le conseil du comte ! murmura-t-elle. Dieu nous vienne en aide ! Le conseil du comte !...

Autant que je me souvienne, le comte resta absent près d'une semaine.

Sir Percival, désemparé par ce départ momentané, me semblait très abattu par la maladie et la morosité qui s'étaient abattues sur sa maison. Il ne cessait de sortir, de rentrer, pour s'enfuir tout aussitôt dans le parc. Il demandait des nouvelles de Miss Halcombe et se souciait de la santé fragile de sa femme avec beaucoup de prévenance. Il paraissait s'être amendé. Si, à ce moment-là, il avait eu à ses côtés un clergyman ami – un ami tel qu'il aurait pu en trouver un en la personne de mon époux chéri et regretté –, je crois que celui-ci eût pu lui faire du bien. L'expérience que j'ai acquise en la matière au cours des années bénies où j'ai été mariée fait que je me trompe rarement.

La comtesse restait la seule personne qui pût tenir compagnie en bas à sir Percival. Or elle ne semblait guère s'en soucier, à moins que ce ne fût lui qui ne fît attention à elle. Un étranger eût presque pu supposer qu'à présent qu'ils étaient seuls ils cherchaient à s'éviter, ce qui, bien évidemment, était inimaginable. Mais, quoi qu'il en soit, la comtesse prenait ses repas à des horaires particuliers et, le soir, remontait toujours dans la chambre de Miss Halcombe, bien que Mrs Rubelle n'eût guère besoin d'elle. Sir Percival dînait donc seul, et William, le domestique qui le servait à table, me fit un jour remarquer que, depuis qu'il en était ainsi, son maître mangeait moins et buvait davantage. Je n'attache pas la moindre importance aux remarques insolentes que peuvent faire les domestiques. Je marquai ma réprobation sur le moment, et tiens ici à l'exprimer de nouveau, pour que ce soit bien clair.

Au cours des jours qui suivirent, un léger mieux se manifesta dans l'état de Miss Halcombe, et le Dr Dawson se montra satisfait. Il regagna notre confiance. Lui-même semblait serein au sujet de sa patiente et il assura lady Glyde que s'il avait le moindre doute il enverrait quérir de sa propre initiative un spécialiste.

Seule la comtesse ne parut pas rassurée par les propos du médecin. Elle me dit en privé qu'elle ne se fiait pas au Dr Dawson et qu'elle attendait avec impatience l'avis de son mari qui devait revenir trois jours plus tard. Ils correspondaient régulièrement, même pendant d'aussi courtes absences, et formaient un couple exemplaire.

Dans la soirée du troisième jour, je constatai dans l'état de Miss Halcombe un changement qui m'inquiéta beaucoup. Cela n'avait pas échappé non plus à Mrs Rubelle, mais nous nous gardâmes de rien en dire à lady Glyde qui s'était endormie, épuisée par la fatigue et l'angoisse, sur le sofa du boudoir. Le Dr Dawson vint faire sa visite, un peu plus tard, à l'heure habituelle. Dès qu'il vit la malade, son visage s'altéra. Il demanda qu'on allât lui chercher sa trousse, que l'on préparât des désinfectants à brûler dans la chambre et qu'on lui dressât un lit dans la maison pour la nuit.

– La fièvre est-elle devenue infectieuse ? lui murmurai-je.

– Je le crains ; nous serons fixés demain matin.

Sur les ordres du Dr Dawson, lady Glyde fut laissée dans l'ignorance de cette aggravation ; l'entrée de la chambre lui fut interdite, compte tenu de sa propre faiblesse. Elle tenta de protester, il y eut une scène pénible, mais du haut de son autorité, le docteur eut gain de cause.

Le lendemain matin, vers onze heures, un domestique fut envoyé à Londres, porteur d'une lettre adressée à un spécialiste et avec mission de ramener celui-ci par le premier train. Une demi-heure après le départ du messager, le comte était de retour à Blackwater Park.

La comtesse prit la responsabilité de le mener immédiatement auprès de la malade. Je n'y voyais pour ma part aucun inconvénient. Le comte était un homme marié ; il était assez âgé pour être le père de Miss Halcombe et, de surcroît, il ne serait pas seul avec la malade, puisqu'une parente, la tante de lady Glyde, se trouverait là également. Le Dr Dawson protesta vivement cependant contre son intrusion, mais il était tellement inquiet qu'il ne se soucia guère de résister plus longtemps.

La pauvre Miss Halcombe ne reconnaissait plus personne et prenait ses amis pour ses ennemis. Lorsque le comte approcha de son lit, elle le fixa d'un regard exprimant une telle frayeur que je m'en souviendrai jusqu'à ma mort. Il s'assit près d'elle, lui prit le pouls, puis, après l'avoir regardée attentivement, il se retourna vers nous et jeta sur le Dr Dawson un regard si méprisant que ce dernier resta bouche bée, blême et immobile.

Le comte se tourna ensuite vers moi :

– Depuis combien de temps est-elle comme cela ?

Je lui répondis.

– Lady Glyde est-elle entrée dans la chambre ?

Je répondis de nouveau qu'elle n'était pas entrée. Le docteur le lui avait catégoriquement interdit.

– Est-ce que vous et Mrs Rubelle mesurez l'étendue du mal ?

Oui. Nous pensions que la fièvre était infectieuse… Il m'arrêta avant que j'eusse pu ajouter autre chose.

– C'est le typhus !

Le Dr Dawson, à qui notre conversation avait laissé le temps de reprendre contenance, intervint alors avec sa fermeté habituelle.

– Ce n'est pas le typhus ! Je n'admets pas cette intrusion, monsieur. Personne n'a le droit ici de faire un diagnostic, sinon moi. J'ai fait mon devoir selon mes compétences…

A cet instant, le comte l'interrompit, non par des mots mais en pointant un doigt vers le lit. Le Dr Dawson interpréta ce geste comme une mise en cause de ses compétences, et cela ne fit qu'augmenter sa colère.

– J'ai fait mon devoir selon mes compétences, répéta-t-il. J'ai demandé un médecin de Londres en consultation. Je discuterai avec lui et avec personne d'autre ! J'insiste pour que vous sortiez de cette chambre, monsieur.

– J'y suis entré par humanité. Et j'y rentrerai encore si un autre médecin n'arrive pas au plus vite. La fièvre a dégénéré en typhus à cause de votre traitement débilitant et, si cette pauvre jeune fille en meurt, j'irai témoigner en justice que vous en êtes le responsable !

Avant que le docteur eût pu répliquer, la porte du boudoir s'ouvrit, et lady Glyde parut.

– Je veux entrer, et j'entrerai, déclara-t-elle avec fermeté.

Au lieu de l'arrêter, le comte s'enfuit dans le boudoir, lui laissant le champ libre. Cet homme scrupuleux n'oubliait jamais rien ; mais sans doute, dans la surprise du moment, oublia-t-il le danger de contagion, et la nécessité de protéger lady Glyde.

A mon grand étonnement, le Dr Dawson eut plus de présence d'esprit. Il l'arrêta alors qu'elle venait de franchir le pas de la porte.

– Je suis sincèrement navré, mais la fièvre est peut-être infectieuse. Jusqu'à preuve du contraire, je vous prierai de ne plus entrer dans cette chambre.

Elle tenta de se débattre mais, brusquement, s'évanouit. La comtesse et moi la portâmes dans sa chambre. Le comte nous accompagna et attendit dans le corridor jusqu'à ce que je vinsse le prévenir que lady Glyde était revenue à elle. Elle m'envoyait chercher le Dr Dawson à qui elle voulait parler sur-le-champ. Ce dernier se rendit chez elle pour tâcher de la rassurer et la prévenir de l'arrivée prochaine du médecin de Londres.

Les heures qui suivirent s'écoulèrent avec une effroyable lenteur. Le comte et sir Percival s'étaient retirés au rez-de-chaussée et envoyaient de temps à autre quelqu'un prendre des nouvelles. Enfin, à notre grand soulagement, entre cinq et six heures, le spécialiste de Londres fut annoncé.

C'était un homme plus jeune que le Dr Dawson. Il avait l'air sérieux et sûr de lui. Je ne sais ce qu'il pensa du traitement qu'on avait administré à la malade, mais ce qui me frappa, c'est que, curieusement, il nous posa davantage de questions à Mrs Rubelle et à moi-même qu'au Dr Dawson. D'ailleurs, il ne parut pas prendre beaucoup d'intérêt à ce que pouvait lui dire ce dernier. Je commençais à croire que le comte avait vu juste, ce qui me fut confirmé par la question que le Dr Dawson lui posa au bout d'un moment :

– Quelle est votre opinion ?

– Typhus, répondit le médecin, typhus sans aucun doute.

Mrs Rubelle, notre impassible étrangère, joignit les mains devant elle et me regarda en souriant d'un sourire très significatif. Le comte n'aurait pas eu l'air plus satisfait s'il s'était trouvé dans la chambre, en entendant confirmer son propre diagnostic.

Après nous avoir fait ses recommandations pour la malade et nous avoir promis qu'il reviendrait d'ici à cinq jours, le médecin se retira pour dire un mot en particulier au Dr Dawson. Il lui était impossible, à ce stade de la maladie, de se prononcer sur les chances de guérison de Miss Halcombe.

Nous passâmes cinq jours d'angoisse

L'état de Miss Halcombe empirant de plus en plus, la comtesse Fosco et moi relayions tour à tour Mrs Rubelle pour prodiguer à la malade tous les soins nécessaires. Ce fut une période très éprouvante.

Lady Glyde (maintenue dans un état d'excitation perpétuelle par l'incertitude où elle était au sujet de la guérison de sa sœur) se remit très rapidement et fit preuve d'une volonté extraordinaire. Elle voulut venir dans la chambre de la malade deux ou trois fois par jour, afin de voir Miss Halcombe de ses propres yeux, mais promit de ne pas trop s'approcher du lit. A contrecœur, le Dr Dawson céda à sa requête, toute discussion étant manifestement impossible avec elle. Elle venait chaque jour et respectait sa promesse de ne pas s'approcher de la malade. Moi qui avais le souvenir de la terrible maladie de mon mari, je trouvais si pénible de voir à quel point elle était malheureuse que j'aime mieux ne pas m'étendre davantage sur le sujet. Je préfère mentionner ici que, Dieu merci, on n'eut plus à déplorer de nouvelle dispute entre le Dr Dawson et le comte. Celui-ci prenait des nouvelles par intermédiaire, et restait tout le temps en bas, avec sir Percival.

Le cinquième jour, le spécialiste revint et nous donna quelque espoir. Il ajouta qu'au dixième jour de la maladie on pourrait être enfin fixé, et il s'arrangea pour que sa troisième visite eût lieu à ce moment-là. Les cinq jours suivants s'écoulèrent comme les précédents, sauf que le comte partit une nouvelle fois pour Londres, où il demeura une journée entière.

Le dixième jour, la Providence voulut bien nous soulager de notre terrible angoisse. Le spécialiste nous assura avec certitude que tout danger était écarté. « Miss Halcombe n'a plus besoin de docteur à présent. Tout ce qu'il lui faut c'est du repos et beaucoup d'attention. Je vois qu'elle n'en manquera pas. » Tels furent ses propres mots. Ce soir-là, je lus le sermon de feu mon époux sur la guérison avec plus de joie et de bienfaits (spirituels, j'entends) que je n'en avais jamais éprouvé.

L'émotion que lui donna cette bonne nouvelle fut trop forte pour lady Glyde. Elle était trop faible pour supporter le contrecoup et dut bientôt s'aliter à son tour, dans un état de grande dépression. Le Dr Dawson ne put faire autrement que de lui ordonner à elle aussi un repos complet, suivi, si possible, d'un changement d'air. Par bonheur, son état n'était pas plus grave que cela, car, le lendemain du jour où elle s'alita, une autre altercation eut lieu entre le comte et le Dr Dawson, si sérieuse celle-ci que le docteur quitta la maison.

Je n'assistai pas à la dispute, mais je crus comprendre qu'elle portait sur la nourriture qui convenait à Miss Halcombe, pour lui permettre de reprendre des forces. A présent que sa patiente était sauvée, le Dr Dawson était moins que jamais prêt à laisser le comte se mêler de sa guérison ; le comte perdit à cette occasion (j'ignore pourquoi) le merveilleux sang-froid dont il avait fait preuve jusqu'alors, et se mit à reprocher au docteur, encore et encore, l'erreur de diagnostic qu'il avait commise en ne décelant pas le typhus. Le Dr Dawson fit appel à l'arbitrage de sir Percival, en menaçant de quitter Blackwater Park si le comte ne se tenait pas tranquille. Quoique courtoise, la réponse de sir Percival ne fit qu'envenimer la situation, et eut pour résultat le départ définitif du docteur. Le lendemain, il faisait parvenir ses honoraires.

Nous restions donc sans docteur. Et bien que la convalescence de Miss Halcombe ne nécessitât plus les soins continus d'un médecin – comme l'avait expliqué le spécialiste de Londres, l'attention d'une infirmière lui suffisait –, j'eusse préféré pouvoir prendre de temps à autre un avis autorisé, afin de prévenir toute rechute. Sir Percival ne semblait guère partager mon appréhension. Il me répondit qu'il serait toujours temps, si l'on constatait une rechute, de faire venir un nouveau médecin. En attendant, nous disposions des conseils du comte. D'ailleurs, ajouta-t-il, il n'était absolument pas nécessaire d'embêter Miss Halcombe, dans l'état de faiblesse où elle se trouvait, en lui imposant la présence d'un étranger. Sans doute tout cela était-il raisonnable, mais je demeurai anxieuse malgré tout. Par ailleurs je n'étais pas convaincue que taire à lady Glyde comme on le faisait le départ du Dr Dawson fût une bonne idée. Certes on lui mentait pour son bien – elle n'était pas en état de supporter de nouvelles causes d'anxiété –, mais on lui mentait tout de même, ce qui, pour une personne qui a mes principes, est une manière de faire douteuse.

Un autre événement, qui eut lieu le même jour et qui me prit complètement par surprise, ne fit qu'aggraver mon malaise.

J'avais été appelée par sir Percival dans la bibliothèque. Le comte, qui se trouvait avec lui quand j'entrai, se leva immédiatement et sortit, nous laissant seuls. Sir Percival me demanda poliment de prendre un siège et, à ma grande stupéfaction, me tint les propos suivants :

– Je désire vous faire part d'une décision que j'ai prise il y a quelque temps et dont je vous aurais parlé plus tôt si Miss Halcombe n'était pas tombée malade. J'ai des raisons de vouloir quitter Blackwater Park, tout en vous en laissant la charge, bien entendu. Aussitôt que lady Glyde et Miss Halcombe seront en état de voyager, elles doivent changer d'air. Mes amis, le comte et la comtesse Fosco, doivent nous quitter prochainement pour aller s'installer aux environs de Londres. Par souci d'économie, je ne souhaite pas ouvrir la maison à de nouveaux invités. Je ne vous fais aucun reproche, mais les dépenses ici sont trop lourdes pour mon budget. Pour faire bref, j'ai décidé de vendre les chevaux et de congédier le personnel. Vous savez que je ne fais jamais les choses à moitié : avant vingt-quatre heures, je désire que tous ceux qui sont inutiles ici soient partis !

J'étais pétrifiée de stupeur.

– Voulez-vous dire, sir Percival, que je dois renvoyer le personnel sans lui donner son mois de préavis ?

– Exactement ! Avant un mois, nous serons probablement tous partis, et je ne désire pas laisser les domestiques ici dans l'oisiveté, sans maître pour veiller sur eux.

– Mais en attendant, qui va faire la cuisine, sir Percival ?

– Margaret Porcher sait à peu près cuisiner ; gardez-la. Qu'ai-je besoin d'une cuisinière en titre si je ne reçois pas ?

– Mais la personne que vous venez de mentionner est la plus stupide de la maison, sir Percival…

– Gardez-la, vous dis-je, et faites venir quelqu'un du village pour le ménage. Je dois impérativement réduire mes dépenses domestiques, madame Michelson, et je ne vous ai pas fait venir pour que vous me fassiez vos objections. Je vous ai fait venir pour que vous appliquiez mes mesures d'économie. Renvoyez tous ces bons à rien, à l'exception de Porcher. Elle est bâtie comme un cheval, qu'elle travaille comme un cheval !

– Excusez-moi, sir Percival, si je me permets de vous faire remarquer que, si les domestiques partent demain sans préavis, on devra leur payer un mois de gages.

– Eh bien ! Qu'on les leur paie ! Cela coûtera moins cher qu'un mois de gloutonnerie à l'office !

Cette observation me blessa profondément. Mais j'avais trop de fierté pour vouloir me défendre de ce qui ressemblait à une mise en cause de mon intendance. Seules la charité chrétienne et l'idée d'abandonner lady Glyde et Miss Halcombe à leur sort m'empêchèrent de quitter, moi aussi, le service de sir Percival sur-le-champ. Je me levai. J'eusse baissé dans ma propre estime en poursuivant plus avant cet entretien.

– Après cette dernière remarque, sir Percival, je n'ai rien à ajouter. Vos ordres seront exécutés.

Sur ces mots, je m'inclinai avec un respect distant et quittai la pièce.

Les domestiques partirent le lendemain. Sir Percival se chargea lui-même de renvoyer les grooms et les garçons d'écurie qui furent envoyés à Londres avec tous les chevaux sauf un. Je demeurai seule avec Margaret Porcher et le jardinier, ce dernier vivant dans sa propre maisonnette et ayant été chargé de s'occuper de l'unique cheval qui restait à l'écurie.

Dans une maison déserte, avec la maîtresse de maison au lit, avec Miss Halcombe encore aussi faible qu'un nouveau-né et sans l'aide d'un médecin, il y avait de quoi perdre la tête. Je priai Dieu pour que les deux jeunes dames fussent rapidement en état de quitter Blackwater Park et que je pusse partir, moi aussi.

II

Sur ces entrefaites, il se produisit encore quelque chose qui, n'eussé-je était préservée par principe de toute faiblesse païenne, eût pu me rendre superstitieuse. Tandis que je commençais à pressentir qu'il se passait quelque chose d'anormal dans la famille, je dus quitter Blackwater Park. Il est vrai que mon absence ne devait être que de courte durée, mais je ne pus me retenir de l'interpréter comme une curieuse coïncidence.

Mon départ eut lieu dans les circonstances suivantes.

Deux jours après le départ du personnel, sir Percival me fit de nouveau appeler. L'insulte qu'il m'avait lancée ne m'empêcha pas – je suis heureuse de le faire remarquer – de rendre le bien pour le mal en me conformant à ses ordres avec autant de promptitude et de respect que d'ordinaire. Mais nous sommes tous pécheurs, et j'avoue qu'il me fallut durement combattre avec moi-même avant de pouvoir faire taire mes véritables sentiments. Mais, habituée à la discipline, je fis ce sacrifice. Je trouvai, comme précédemment, sir Percival installé avec le comte dans la bibliothèque. Mais cette fois-ci le comte ne bougea pas et assista donc à l'entretien.

Il s'agissait du changement d'air de ces dames. Sir Percival expliqua que toutes deux passeraient vraisemblablement l'automne à Limmeridge House (sur invitation de Frederick Fairlie, Esquire), dans le Cumberland. Mais auparavant, il estimait, ainsi que le comte Fosco, qu'un séjour à Torquay, réputé pour la douceur de son climat, leur ferait le plus grand bien. Il fallait donc trouver pour ces dames un logement convenable, leur procurant tout le confort possible. Toute la difficulté était de trouver une personne qui pût s'acquitter au mieux de cette mission de confiance. Et le comte, avec l'aval de sir Percival, proposait qu'on me confiât cette tâche et qu'on m'envoyât à Torquay en personne pour dénicher l'appartement.

Je ne vois pas ce qu'une personne dans ma position eût pu objecter à cette offre. Je me hasardai simplement à souligner qu'en mon absence il n'y aurait personne pour soigner les deux malades, si l'on exceptait Margaret Porcher. Mais sir Percival et le comte ne tinrent pas compte de ma remarque. Je suggérai ensuite que l'on pourrait écrire à Torquay, mais je m'entendis répondre qu'il était hors de question de réserver un logement sans l'avoir visité auparavant. On me précisa également que la comtesse (qui sans quoi aurait fait elle-même le voyage dans le Devonshire) ne pouvait pas songer à abandonner sa nièce dans l'état où elle se trouvait et que le comte et sir Percival avaient des affaires à régler ensemble, qui les retenaient à Blackwater Park. En clair, j'étais la seule sur qui l'on pût compter. Dans ces conditions, je ne pus rien faire d'autre que d'annoncer à sir Percival que je me tenais à la disposition de lady Glyde et de Miss Halcombe.

Il fut donc décidé que je partirais le lendemain, que je consacrerais un ou deux jours à mes recherches et que je reviendrais aussitôt après. Le comte m'avait mis sur papier la description idéale de l'appartement et sir Percival y avait ajouté un prix maximal.

En lisant la description du comte, je me rendis tout de suite compte qu'il était impossible de trouver dans aucune ville de la côte un logement qui y correspondît et que si, par chance, il en existait un, il n'y avait aucun espoir de l'obtenir aux conditions fixées par sir Percival. Je fis part de mon opinion aux deux gentlemen, mais sir Percival, là encore, ne voulut en tenir aucun compte. Je n'avais pas à discuter. Je ne dis plus rien, mais j'avais la ferme conviction que la mission que l'on m'avait confiée avait échoué avant même que j'eusse rien entrepris.

Avant de partir, je pris soin de m'assurer que Miss Halcombe se trouvait bien. Elle me parut encore terriblement anxieuse. Pourtant elle avait repris des forces, beaucoup plus rapidement que je ne m'y attendais. Elle était à présent capable d'envoyer à lady Glyde de petits mots affectueux dans lesquels elle lui disait qu'elle allait mieux et où elle priait sa sœur de ne pas trop se fatiguer. Je la confiai aux bons soins de Mrs Rubelle, toujours aussi imperturbable. J'allai ensuite frapper à la porte de lady Glyde, pour lui dire au revoir. Mais la comtesse, qui restait tout le temps auprès d'elle, me répondit qu'elle était encore trop faible pour me recevoir. Dans la voiture qui m'emmenait, je croisai dans l'allée sir Percival et le comte, qui se promenaient. Je les saluai et quittai donc Blackwater Park, laissant Margaret Porcher seule à l'office.

N'importe qui, à ma place, eût alors éprouvé comme moi le sentiment qu'il se passait quelque chose non seulement d'inaccoutumé mais d'assez suspect. Pourtant, je le répète, il me fallait partir puisqu'on me l'ordonnait.

Je revins après trois jours, mon voyage ayant été absolument inutile comme je l'avais prévu. Il n'y avait aucun logement dans toute la ville correspondant à la description du comte, et le prix qu'en proposait sir Percival était bien trop bas, quand bien même il s'en fût trouvé un. Lorsque j'en fis part à sir Percival, il semblait préoccupé par tout autre chose et ne parut pas se soucier de mon échec. Il n'ouvrit la bouche que pour m'avertir qu'un autre changement de taille était survenu à Blackwater Park pendant ma courte absence.

Le comte et la comtesse avaient quitté la propriété pour leur nouvelle résidence de St John's Wood. Naturellement, je ne fus pas informée des motifs d'un départ si précipité. Sir Percival me précisa seulement que le comte avait pris garde qu'on me transmît à mon retour ses meilleurs compliments. Comme je lui demandais qui s'était occupé de lady Glyde la comtesse une fois partie, il me répondit que Margaret était entièrement à son service et qu'une femme du village s'occupait des travaux de l'office.

Margaret Porcher ! Il y avait quelque chose d'inconvenant à ce que cette vulgaire domestique – elle n'était pas même femme de chambre ! – eût été désignée pour être auprès de lady Glyde. Je me précipitai à l'étage où je trouvai Margaret dans l'antichambre. Bien évidemment, lady Glyde, qui se sentait suffisamment vaillante ce matin-là pour se lever, n'avait pas réclamé ses services. Comme je lui demandais alors des nouvelles de Miss Halcombe, elle me fit une réponse si confuse et y mit tant de mauvaise grâce que je ne sus qu'en penser. Ne souhaitant pas répéter ma question et subir de sa part une nouvelle impertinence, je décidai qu'il convenait mieux à une personne de ma position de m'adresser directement à lady Glyde.

Je la trouvai plus en forme qu'à mon départ. Elle était toujours faible et très nerveuse, mais elle se levait seule à présent, et pouvait faire quelques pas dans sa chambre sans que cela l'épuisât. Elle s'inquiétait un peu d'être sans nouvelles depuis le matin de Miss Halcombe. Je pensai en mon for intérieur que Mrs Rubelle avait fait preuve là d'un manque d'attention coupable, mais gardai pour moi cette réflexion. Je tins compagnie à lady Glyde tandis qu'elle faisait sa toilette. Une fois qu'elle fut prête, nous nous dirigeâmes toutes les deux vers la chambre de Miss Halcombe.

Sir Percival nous attendait sur le palier.

– Où allez-vous ? demanda-t-il à lady Glyde.

– Chez Marian.

– Je vous épargnerai une déception en vous disant que vous ne la trouverez pas dans sa chambre.

– Pas dans sa chambre ?

– Non. Elle est partie hier matin avec le comte et la comtesse Fosco.

Lady Glyde blêmit en s'appuyant contre le mur. Elle n'était pas en état de subir un tel choc et fixait son mari d'un œil hagard. J'étais moi-même si bouleversée que je ne savais que faire. Je demandai à sir Percival s'il voulait réellement dire que Miss Halcombe était partie la veille.

– C'est exactement cela, répondit-il.

– Dans son état, sir Percival ! Et sans prévenir lady Glyde !

Je n'eus pas le temps de répondre que lady Glyde, qui avait recouvré un peu de ses esprits, prit la parole :

– C'est impossible ! s'écria-t-elle, avançant de quelques pas. Où était le Dr Dawson ? Où était-il quand Marian est partie ?

– Le docteur n'était pas là, et on n'avait guère besoin de lui. Il a quitté volontairement la maison, ce qui prouve bien que Miss Halcombe était suffisamment forte pour voyager. Cessez de me regarder ainsi ! Si vous ne me croyez pas, allez voir dans sa chambre. Allez voir dans toutes les chambres, si vous le voulez !

Elle le prit au mot, et je lui emboîtai le pas. Il n'y avait personne dans la chambre de Miss Halcombe que Margaret Porcher qui faisait du rangement. Les autres pièces que nous visitâmes tour à tour étaient désertes. Sir Percival attendait dans le corridor que nous eussions terminé notre inspection. Au moment où nous nous apprêtions, lady Glyde et moi, à sortir de la dernière chambre, elle me murmura à l'oreille :

– Ne partez pas, madame Michelson ! Pour l'amour de Dieu, ne me laissez pas !

Puis elle se dirigea vers son mari, sans me laisser le temps de lui répondre.

– Qu'est-ce que cela signifie, sir Percival ? Je vous prie de me le dire.

– Je vous l'ai dit, cela signifie que Miss Halcombe, s'est sentie assez forte hier matin pour se lever et s'habiller et qu'elle a voulu profiter du départ de Fosco pour l'accompagner à Londres.

– A Londres !

– Oui, avant de gagner Limmeridge.

Lady Glyde se tourna vers moi.

– Madame Michelson, vous qui avez vu Miss Halcombe, dites-moi sincèrement si elle vous paraissait en état de voyager.

– Pas selon moi, milady.

Ce fut au tour de sir Percival de se tourner vers moi.

– Avant votre départ, n'avez-vous pas dit à l'infirmière que Miss Halcombe avait l'air de se sentir bien mieux ?

– Je lui ai bien dit cela, monsieur.

Alors il regarda sa femme.

– Vous pouvez renvoyer dos à dos les opinions de Mrs Michelson ! Tâchez à présent de vous montrer raisonnable. Si elle n'avait pas été assez bien pour partir, pourquoi pensez-vous que nous l'eussions laissée faire ? Il y a trois personnes compétentes pour veiller sur elle : Fosco, votre tante et Mrs Rubelle, qui les a accompagnés pour cette seule raison. Ils lui ont même installé un lit dans la voiture au cas où elle se sentirait fatiguée, et aujourd'hui Fosco et Mrs Rubelle vont la conduire en personne dans le Cumberland…

– Mais pourquoi Marian est-elle partie en me laissant seule ici ? demanda lady Glyde en interrompant sir Percival.

– Parce que votre oncle ne veut pas vous recevoir avant d'avoir vu auparavant Miss Halcombe. Avez-vous oublié la lettre qu'il lui a écrite au début de sa maladie ? On vous l'a montrée et vous l'avez lue ; vous devriez vous en souvenir !

– Je m'en souviens.

– Dans ce cas, pourquoi êtes-vous surprise de son départ ? Vous voulez retourner à Limmeridge ; elle est donc allée voir votre oncle dans ce but précis.

Les yeux de la pauvre lady Glyde s'étaient emplis de larmes.

– Marian ne me quitte jamais sans me dire au revoir.

– Elle a voulu vous éviter autant qu'à elle ce moment pénible. Elle savait que vous tenteriez de l'empêcher de partir, elle savait que vous la rendriez malheureuse par vos pleurs. Est-ce tout ? Si vous avez encore d'autres questions à me poser, venez à la salle à manger. Toutes ces scènes me fatiguent, j'ai besoin d'un verre de vin.

Et il nous planta là.

La façon de faire de sir Percival m'étonnait et ne lui ressemblait pas. Il paraissait aussi troublé que sa femme. Je n'avais pas imaginé qu'il eût aussi peu de nerfs.

J'essayai de persuader lady Glyde de rentrer dans sa chambre, mais en vain : elle semblait paralysée par la terreur.

– Il est arrivé quelque chose à Marian ! s'écria-t-elle.

– Milady, pensez à l'étonnante énergie de Miss Halcombe. Elle est capable de supporter ce qu'aucune autre femme ne supporterait dans son état. Il n'a rien pu lui arriver, croyez-moi.

– Il faut que je la suive ! Je dois aller où elle est. Je dois savoir si elle est en vie et la voir de mes propres yeux. Venez, venez avec moi voir sir Percival.

J'hésitai, craignant que ma présence ne fût considérée comme une intrusion, mais elle me prit par le bras et me força à descendre avec elle. Lorsque j'ouvris la porte de la salle à manger, elle s'accrochait encore à moi de toutes ses faibles forces.

Sir Percival était assis devant une carafe de vin. Comme nous entrions, je le vis lever son verre et le vider d'un trait. Pour répondre au regard furieux qu'il me lançait, je tentai de m'excuser de mon intrusion, mais il m'interrompit brusquement :

– Croyez-vous qu'il y ait des secrets dans cette maison, madame Michelson ? Il n'y a rien à cacher, ni ici… ni ailleurs !

Après ces étranges paroles, prononcées d'une voix puissante et caverneuse, il se remplit un nouveau verre de vin, puis demanda à lady Glyde ce qu'elle attendait de lui.

– Si ma sœur est en état de voyager, je le suis aussi, dit-elle avec une fermeté nouvelle. Aussi je vous prie de me laisser partir par le train de cet après-midi, afin que je sois complètement rassurée au sujet de Marian.

– Il faut attendre demain; alors vous pourrez partir… sauf avis contraire. Mais je ne vois pas pourquoi un contrordre vous empêcherait de partir; je vais donc prévenir Fosco par le courrier de ce soir.

Il avait dit cela en levant son verre à la lumière, contemplant le vin qui s'y trouvait au lieu de regarder sa femme. En fait, pas une seule fois, au cours de leur conversation, il ne la regarda en face, ce que je trouvai très impoli pour un homme de son rang.

– Pourquoi prévenir le comte Fosco ? demanda lady Glyde, visiblement surprise d'une telle idée.

– Afin qu'il vienne vous chercher au train de midi et vous emmène loger chez votre tante à St John's Wood.

Sans comprendre pourquoi, je sentis la main de lady Glyde trembler sur mon bras tandis qu'elle répondait :

– Ce n'est pas nécessaire, je ne désire pas loger à Londres !

– Il le faut ! Vous ne pouvez en aucune façon faire le voyage jusque dans le Cumberland en une seule journée. Vous devez faire une halte à Londres, et je n'ai aucune envie que vous alliez à l'hôtel. Fosco a aimablement offert de vous héberger une nuit, et votre oncle a accepté. Tenez, voici sa lettre. J'ai oublié de vous la faire remettre ce matin. Lisez-la et voyez vous-même quelles sont les recommandations de Mr Fairlie.

Lady Glyde regarda la lettre, puis me la tendit.

– Lisez-la, me dit-elle. Je ne sais pas ce qui m'arrive, mais j'en suis incapable.

Il s'agissait d'un billet de quatre lignes, dont la sécheresse me frappa :

Bien chère Laura, venez dès que vous le désirez, et coupez la longueur du voyage en descendant pour une nuit chez votre tante Fosco à Londres. Navré d'apprendre la maladie de Marian.
Votre toujours affectionné

F. F.

– Je ne veux pas aller chez le comte ! s'écria lady Glyde alors que j'avais à peine achevé ma lecture. Je ne veux pas m'arrêter à Londres.

Sir Percival se versa encore un verre de vin. Ses gestes étaient si maladroits qu'il en renversa la moitié sur la table. « Ma vue me trahit », bougonna-t-il en reprenant son verre qu'une nouvelle fois il but d'un trait. Je commençais à craindre, à voir ses gestes et son regard, que l'alcool ne lui fût monté à la tête.

– Je vous en prie, n'écrivez pas au comte Fosco, répétait lady Glyde avec insistance.

– Et pourquoi ? Je voudrais le savoir vraiment ! explosa sir Percival. Où pouvez-vous être mieux logée que là où votre oncle vous le conseille, chez votre tante ? Demandez donc à Mrs Michelson !

En effet, cette solution me paraissait bien la meilleure, et je ne vois pas quelle objection j'eusse pu soulever. Autant je comprenais lady Glyde sur bien des points, autant je ne pouvais la suivre sur les préjugés qu'elle nourrissait à l'encontre du comte Fosco. Et vraiment, je n'avais décidément jamais rencontré de personne de son rang et de sa qualité qui eût l'esprit aussi étroit sur la question des étrangers. La colère de sir Percival ne paraissait pas lui faire plus d'effet que le billet de son oncle ; elle persistait à ne pas vouloir s'arrêter à Londres et suppliait toujours son mari de ne pas prévenir le comte.

– C'est assez ! fit sir Percival en nous tournant le dos de la manière la plus grossière. Si vous n'avez pas assez de bon sens pour comprendre ce qui est bien pour vous, les autres doivent décider à votre place. C'est décidé, et il n'y a plus rien à ajouter ! Vous ferez ce que Miss Halcombe a fait avant vous…

– Marian ? Vous voulez dire que Marian a logé chez le comte Fosco ?

– Parfaitement, chez le comte Fosco ! Elle y a fait étape hier soir et vous ferez comme elle et comme votre oncle vous l'a indiqué. Demain soir, vous vous arrêterez chez Fosco pour couper votre voyage. Et cessez de m'importuner ! Ne me faites pas regretter de vous laisser partir !

Il se leva et se dirigea vers la véranda.

– Que milady me pardonne, murmurai-je alors à lady Glyde, si je lui suggère de ne pas attendre que sir Percival revienne. J'ai bien peur qu'il n'ait abusé du vin.

Comme un automate, elle me suivit sans répondre. Quand nous fûmes remontées en haut, je fis tout ce qui était en mon pouvoir pour tâcher de la calmer. Je lui exposai que la lettre de Mr Fairlie devait l'inciter à se rallier à la solution qu'on lui proposait. Elle voulut bien l'admettre, mais cela ne l'empêcha pas de rester anxieuse au sujet de Miss Halcombe et de se montrer terrorisée à l'idée de devoir dormir chez le comte. Je jugeai alors qu'il était de mon devoir de protester contre la mauvaise opinion qu'elle avait du mari de sa tante.

– Milady, vous excuserez ma liberté, mais il est dit : « A leurs fruits, vous les reconnaîtrez. » Il me semble que l'inaltérable gentillesse et l'attention constante dont le comte à fait montre depuis le début de la maladie de Miss Halcombe méritent toute notre estime et notre confiance. Je crois même que le différend qui l'a opposé au Dr Dawson ne doit être mis que sur le compte de sa grande angoisse au sujet de votre sœur.

– De quel différend parlez-vous ? demanda lady Glyde, soudain intéressée.

Je lui rapportai les circonstances dans lesquelles nous avait quittés le docteur, les lui relatant avec d'autant plus de détails que je désapprouvais entièrement l'attitude mensongère de sir Percival qui n'avait rien voulu en dire à sa femme. Celle-ci resta interdite devant ce que je lui disais, visiblement très troublée par ce qu'elle venait d'apprendre.

– C'est encore pire que ce que je croyais, fit-elle en se mettant à marcher de long en large tout autour de la chambre avec fébrilité. Le comte savait que Mr Dawson ne consentirait jamais à ce que Marian effectuât ce voyage, et c'est délibérément qu'il l'a chassé de cette maison !

– Milady ! Milady, protestai-je.

– Madame Michelson ! continua-t-elle, bouillante de colère, jamais vous ne me ferez croire que ma sœur a logé chez cet homme de son plein gré. Je l'ai en telle horreur que rien de ce que sir Percival peut me dire ou de ce que mon oncle peut m'écrire ne pourrait me décider à dîner, à boire ou à dormir sous son toit, s'il ne dépendait que de moi. Et pourtant, pour rejoindre Marian, j'irais n'importe où, même chez lui !

Je crus bon de lui faire remarquer, à ce point, que, d'après l'explication de sir Percival, Miss Halcombe devait déjà être partie pour le Cumberland.

– Si seulement c'était vrai ! Mais j'ose à peine le croire et j'ai peur qu'elle ne soit encore chez lui. Si je me trompe et si réellement elle est déjà à Limmeridge, je suis résolue à ne pas aller chez le comte Fosco, demain soir. Mon ancienne gouvernante, ma chère Mrs Vesey – vous avez souvent entendu Miss Halcombe ou moi-même parler d'elle, n'est-ce pas ? –, habite aux environs de Londres. Je vais lui écrire que j'irai passer la nuit chez elle. Comment j'y arriverai, je n'en sais rien, pas plus que je ne sais comment j'échapperai au comte, mais je veux à tout prix l'éviter, si ma sœur est repartie pour le Cumberland. Le seul service que je vous demande, madame Michelson, est de veiller à ce que ma lettre à Mrs Vesey parte ce soir, en même temps que la lettre de sir Percival pour le comte Fosco. J'ai des raisons de n'avoir plus confiance dans le sac postal du hall. Voulez-vous garder mon secret, et me rendre ce service ? Ce sera peut-être la dernière faveur que je vous demanderai !

J'hésitai un peu, car la requête me semblait étrange et je craignais que les facultés de lady Glyde n'eussent été un peu ébranlées par toutes ces émotions, mais je finis par y consentir à mes risques et périls. Je pense que si la lettre n'avait pas été adressée à cette Mrs Vesey dont j'avais tant entendu parler mais à un étranger, j'eusse refusé. Mais je remercie Dieu – à la lumière des événements qui suivirent –, je remercie Dieu de m'avoir laissée accéder au désir de lady Glyde et à toutes les autres demandes qu'elle me fit au cours de cette dernière journée qu'elle passait à Blackwater Park. La lettre fut donc écrite et me fut remise en main propre, et je la portai directement ce soir-là jusqu'à la boîte aux lettres du village.

Nous n'entendîmes plus parler de sir Percival pour le reste de la journée.

Comme elle m'en avait priée, je dormis dans la chambre voisine de la sienne, en laissant la porte ouverte. Il y avait quelque chose de si affreux dans l'effrayant silence de cette maison déserte que j'étais moi-même bien contente de pouvoir profiter de sa compagnie. Elle veilla fort tard, lisant des lettres, puis les brûlant, ôtant de ses tiroirs certains objets auxquels elle tenait particulièrement, comme si, vraiment, elle croyait ne jamais revenir à Blackwater Park. Lorsque, enfin, elle se mit au lit, son sommeil fut agité ; dans ses cauchemars, elle éclata en sanglots à plusieurs reprises, avec tant de violence à un moment que cela la réveilla. Elle n'a pas jugé bon de me dire de quoi elle avait rêvé. Sans doute, dans ma situation, n'avais-je aucune raison d'attendre qu'elle le fît. Cela n'a plus d'importance à présent. J'étais simplement peinée pour elle, profondément peinée.

Le lendemain s'annonçait ensoleillé et doux. Après le petit déjeuner, sir Percival vint nous prévenir que la voiture serait devant la porte à midi moins le quart, soit vingt minutes avant le départ du train. Il informa lady Glyde qu'il était obligé de sortir, mais qu'il espérait être rentré avant son départ. Si par hasard un contretemps le retenait, je devais moi-même accompagner lady Glyde à la gare et veiller à ce qu'elle ne manquât pas son train. Comme il sortait de la chambre sans avoir levé les yeux sur elle, lady Glyde s'avança vers lui en lui tendant la main. Il avait expliqué tout cela de manière précipitée sans cesser de tourner en rond et sans jeter un seul regard vers sa femme, qui pourtant ne l'avait pas quitté des yeux. Quand il eut terminé, c'est elle qui prit la parole, en le retenant du bras, alors qu'il se dirigeait vers la porte.

– Je ne vous verrai plus, dit-elle en appuyant sur les mots. Ce sont nos adieux… peut-être pour toujours… Voulez-vous essayer de me pardonner, Percival, comme je vous pardonne du fond du cœur ?

Le visage de sir Percival devint livide et de grosses gouttes de sueur perlèrent sur son front.

– Je vais revenir avant votre départ, dit-il en se précipitant vers la porte, comme si les paroles qu'il venait d'entendre l'avaient terrifié.

Je n'avais jamais aimé sir Percival, mais la façon dont il quitta sa femme me rendit honteuse d'avoir mangé son pain et logé sous son toit. Je voulus dire à ma pauvre maîtresse quelques paroles de consolation chrétienne, mais ses traits avaient une telle expression, tandis qu'elle fixait du regard la porte par laquelle son mari était sorti, que je me tus.

A l'heure dite, la voiture était annoncée. Mais lady Glyde avait eu raison : sir Percival ne revint pas.

Ce qui était en train de se passer ne dépendait pas de moi ; pour autant je n'avais pas la conscience en paix.

– Est-ce librement que vous avez choisi de partir à Londres, milady ? lui demandai-je alors que nous franchissions le portail du domaine.

– J'irais n'importe où pour mettre un terme à la terrible angoisse que j'endure en ce moment.

Elle avait presque réussi à me communiquer ses craintes au sujet de Miss Halcombe. Je lui demandai de m'écrire un mot, à son arrivée à Londres, pour m'avertir que tout se passait bien.

– Très volontiers, madame Michelson, me répondit-elle.

– Milady, nous avons chacun notre croix à porter, crus-je bon d'ajouter, la voyant perdue dans ses pensées.

Elle ne répondit rien. Je marquai une pause puis ajoutai :

– Il me semble que vous avez mal dormi la nuit dernière ?

– Oui, très mal. D'horribles cauchemars.

– Vraiment ? repris-je, pensant qu'elle allait me parler de ses cauchemars.

Non. Elle se contenta de me poser une question :

– Vous avez bien mis la lettre pour Mrs Vesey vous-même dans la boîte aux lettres ?

– Oui, milady.

– Hier, sir Percival a bien dit que le comte Fosco m'attendrait à la gare, à Londres, n'est-ce pas ?

– Oui, milady.

Elle poussa un profond soupir puis se tut. Nous arrivâmes à la gare deux minutes à peine avant le départ du train. Le jardinier, qui nous avait conduites, se chargea des bagages tandis que je m'occupais du billet de lady Glyde. Le train était sur le point de partir quand je la rejoignis sur le quai. Elle me regarda d'une manière étrange et pressa sa main sur son cœur, comme prise d'une terreur subite.

– Si seulement vous veniez avec moi ! dit-elle en serrant convulsivement mon bras.

Si j'avais eu le temps, si j'avais éprouvé la veille ce que je ressentais alors, j'eusse pris mes dispositions pour l'accompagner, même si une telle décision m'obligeait à demander mon congé immédiat à sir Percival. Mais il était trop tard au moment où elle me suppliait, et elle le comprit d'elle-même, car elle ne répéta pas sa prière. Elle offrit au jardinier un cadeau pour ses enfants, puis, avant de monter dans le wagon, me serra une dernière fois la main, dans un geste plein d'affection.

– Je n'oublierai pas ce que vous avez fait pour ma sœur et pour moi, madame Michelson. Merci et que Dieu vous bénisse !

A l'entendre, j'eus les larmes aux yeux ; elle avait prononcé ces mots comme si elle me disait adieu pour toujours !

– Au revoir, milady, lui dis-je, en l'aidant à monter en voiture et en essayant de lui sourire. A bientôt, oui, à bientôt dans des temps meilleurs !

Je la vis qui secouait la tête. La porte s'était refermée, et elle passa la tête par la fenêtre pour me dire une dernière chose.

– Croyez-vous aux rêves ? J'ai fait des rêves affreux, la nuit dernière… Je n'en suis pas encore remise…

Le train s'ébranla avant que j'eusse répondu. Son pâle visage me regarda une dernière fois, plein de tristesse et de gravité. Elle agita la main, puis elle disparut.

Ce même jour, vers cinq heures de l'après-midi, mes tâches désormais fort lourdes m'ayant laissé quelques loisirs, je montai me recueillir dans ma chambre et puiser dans le volume de sermons de feu mon époux un peu de sérénité. Pour la première fois de ma vie, je ne parvins pas à me concentrer sur ces paroles pieuses et réconfortantes. J'en conclus que le départ de lady Glyde m'avait bien plus affectée que je ne le soupçonnais et j'abandonnai mon livre pour aller faire un tour au jardin. Sir Percival n'était pas encore rentré ; je serais donc tranquille.

En tournant à l'angle de la maison, quelle ne fut pas ma surprise d'apercevoir quelqu'un qui marchait devant moi. C'était une femme. Elle me tournait le dos et était occupée à cueillir des fleurs. Elle m'entendit arriver et se retourna.

Mon sang se figea dans mes veines. L'inconnue était Mrs Rubelle !

Tandis que je restais pétrifiée, elle s'avança vers moi d'un air calme, un bouquet de fleurs à la main.

– Qu'y a-t-il, madame ? me demanda-t-elle tranquillement.

– Vous ici ! m'exclamai-je. Vous n'êtes donc pas partie pour Londres ! Vous n'êtes pas dans le Cumberland !

Mrs Rubelle se pencha pour respirer ses fleurs, en esquissant un sourire de commisération.

– Bien sûr que non ! Je n'ai jamais quitté Blackwater Park.

Je pris ma respiration et m'armai de courage pour lui poser une autre question :

– Où est Miss Halcombe ?

Cette fois-ci, elle rit franchement :

– Miss Halcombe, madame, n'a pas non plus quitté Blackwater Park.

En entendant ces mots, je revis instantanément le moment où j'avais mis lady Glyde au train. Je n'avais rien à me reprocher mais je me dis néanmoins que j'eusse tout donné pour avoir su quatre heures plus tôt ce que je venais de découvrir.

Mrs Rubelle continuait à arranger son bouquet, attendant visiblement mes commentaires.

J'étais incapable de prononcer un mot. Je songeai au choc affreux que ressentirait lady Glyde en ne retrouvant pas sa sœur et cela me paralysait. Au bout d'un moment, Mrs Rubelle regarda par-dessus mon épaule.

– Voici sir Percival qui revient de sa promenade à cheval, l'entendis-je dire.

Je levai la tête et le vis s'avancer vers nous, fouettant sans pitié les fleurs sur son passage du bout de sa cravache. Lorsqu'il fut près de moi, il fit claquer sa cravache sur le cuir de sa botte et, à la vue de mon visage, partit d'un tel éclat de rire qu'il fit fuir les oiseaux qui se trouvaient à proximité.

– Eh bien, madame Michelson ? Vous avez enfin tout découvert ?

Comme je ne répondais pas, il s'adressa à Mrs Rubelle :

– Quand êtes-vous descendue au jardin ?

– Il y a à peine une heure, monsieur. Vous m'aviez dit que je pourrais reprendre ma liberté dès que lady Glyde serait partie.

– Parfait ! Je ne vous fais aucun reproche, je posais simplement la question.

Après une pause, il se tourna de nouveau vers moi :

– Vous ne pouvez le croire, n'est-ce pas ? me dit-il, railleur. Venez voir par vous-même.

Il nous entraîna vers le devant de la maison. Arrivé dans la cour, il me montra de sa cravache l'aile centrale, celle qui n'était pas habitée.

– Là ! Regardez le premier étage. Vous connaissez les anciennes chambres élisabéthaines, n'est-ce pas ? Eh bien, Miss Halcombe est douillettement installée dans l'une d'elles ! Madame Rubelle, vous avez vos clefs ? Conduisez donc Mrs Michelson, voulez-vous ? Ainsi, elle verra de ses propres yeux que, cette fois, nous ne l'avons pas trompée !

En l'entendant me parler sur ce ton, je recouvrai mes esprits. Si toute ma vie j'avais été élevée dans la soumission, je ne sais quelle eût été ma réaction ; mais j'avais été une lady et en avais gardé les principes. Je n'eus pas l'ombre d'une hésitation ; ma dignité et mon devoir envers lady Glyde m'empêchaient de rester une minute de plus au service d'un homme qui s'était ainsi joué de nous.

– Je voudrais d'abord vous dire un mot en particulier, sir Percival, si vous le permettez, lui dis-je. Je suivrai ensuite cette personne dans la chambre de Miss Halcombe.

Mrs Rubelle, que j'avais désignée d'un simple mouvement de tête, renifla ses fleurs avec insolence et s'en alla vers la maison.

– Eh bien ? demanda sir Percival avec humeur. Qu'y a-t-il encore ?

– Je désire vous faire savoir, monsieur, que je démissionne sur-le-champ de l'emploi que j'occupe à Blackwater Park.

C'est mot pour mot ce que je lui dis.

Enfonçant ses deux mains dans les poches de son veston, il me lança un regard noir.

– Et peut-on savoir pourquoi, je vous prie ?

– Ce n'est pas à moi d'émettre une opinion sur ce qui s'est passé dans cette maison, monsieur, et je ne désire offenser personne. Mais j'estime qu'il est de mon devoir, tant vis-à-vis de moi-même que de lady Glyde, de ne pas rester plus longtemps à votre service.

– C'est votre devoir sans doute d'avoir un air soupçonneux à mon égard ! cria-t-il violemment. Je vois clair dans votre jeu. Mon petit mensonge envers lady Glyde a bon dos ! J'ai agi pour son bien, il était nécessaire qu'elle changeât d'air et vous savez très bien qu'elle n'eût jamais consenti à partir en sachant que Miss Halcombe était encore ici. On lui a menti pour son bien, et je me fiche de ce que vous pouvez en penser ! Allez-vous-en si vous voulez, il existe des centaines de gouvernantes qui vous valent ! Vous pouvez tout raconter, mais gardez-vous de répandre de fausses rumeurs où il vous en cuira. Allez voir Miss Halcombe, et voyez si elle n'est pas aussi bien soignée de ce côté-là de la maison que de l'autre. Souvenez-vous des propres recommandations du docteur : lady Glyde avait besoin de changer d'air. Gardez bien cela en tête, et osez dire, ensuite, la moindre chose contre moi ou mes façons d'agir !

Il avait déclamé sa tirade sur le ton le plus menaçant qui soit, ne cessant d'aller et venir, battant l'air de sa cravache. Mais aucune de ses menaces ne pouvait me faire changer d'avis sur les mensonges qu'il avait proférés la veille en ma présence ni sur la trahison à laquelle il avait eu recours pour séparer lady Glyde de sa sœur, en l'envoyant à Londres alors qu'elle était submergée d'angoisse sur le sort de Miss Halcombe. Mais je me gardai de rien dire qui pût l'irriter davantage.

« Apaise sa colère par ta douceur », me dis-je en faisant taire mes sentiments pour lui répondre.

– Tant que j'ai été à votre service, sir Percival, j'espère n'avoir pas outrepassé mes droits en vous demandant des comptes sur votre comportement ; dès lors que j'aurai repris ma liberté, j'espère avoir encore la dignité de ne pas parler de ce qui ne me regarde pas…

– Quand désirez-vous partir ? m'interrompit-il brusquement. N'allez pas imaginer que je souhaite vous retenir ou que votre départ me contrarie.

– Je partirai le plus tôt possible, à votre convenance, sir Percival.

– Ma convenance n'a rien à voir là-dedans. Je pars en voyage demain matin et peux régler vos gages ce soir si vous le désirez. Mais si vous vous préoccupez de ce que l'on attend encore de vous, pensez plutôt à Miss Halcombe. Mrs Rubelle part aujourd'hui, elle doit être à Londres ce soir. Si vous partez maintenant, Miss Halcombe n'aura plus une âme pour s'occuper d'elle !

J'espère qu'il m'est inutile de préciser que je ne pouvais en aucun cas abandonner Miss Halcombe, dans la position où elle se trouvait. Après m'être assurée du départ de Mrs Rubelle et avoir obtenu de sir Percival la permission de faire revenir le Dr Dawson, je consentis à rester à Blackwater Park pendant quelque temps encore, jusqu'à ce que Miss Halcombe n'eût plus besoin de mes services. Il fut convenu que je préviendrais l'avocat de sir Percival huit jours avant mon départ, afin qu'il pût prendre ses dispositions pour me trouver une remplaçante. Tout cela fut réglé en peu de mots, sur quoi sir Percival tourna brusquement les talons pour aller rejoindre Mrs Rubelle. Cette dernière attendait sur le seuil, avec une parfaite indifférence, que je la suivisse dans la chambre de Miss Halcombe.

J'avais à peine fait quelques pas que sir Percival, qui était parti dans la direction opposée, se retourna soudain et me rappela :

– Pourquoi voulez-vous quitter mon service ? fit-il.

Cette question me parut si extraordinaire, après l'entretien que nous venions d'avoir, que je ne sus quoi répondre.

– S'il vous plaît ! J'ignore pourquoi vous partez ! reprit-il. Mais vous devrez, je suppose, donner une raison à ce départ lorsque vous entrerez dans une autre place. Alors, quelle raison donnerez-vous ? La dispersion de la famille, n'est-ce pas ?

– Pourquoi pas, monsieur ?

– Parfait ! C'est tout ce que je désirais savoir. Aux gens qui vous questionneront avant de vous engager, vous répondrez que vous êtes partie d'ici à cause de la dispersion de la famille !

Il s'éloigna de nouveau avant que j'eusse pu prononcer un mot. Il marchait rapidement vers le fond du parc. Ses manières étaient aussi surprenantes que son langage. J'avoue qu'il m'inquiétait.

Mrs Rubelle commençait à s'impatienter lorsque je la rejoignis.

– Enfin ! fit-elle dans un haussement d'épaules.

Par la partie habitée de la maison et après m'avoir fait monter l'escalier, elle me conduisit jusqu'au bout du corridor du premier étage, où elle ouvrit une porte qui donnait accès à l'autre aile. Nous empruntâmes la vieille galerie, puis elle s'arrêta devant la troisième chambre, me tendit la clef et me dit que Miss Halcombe se trouvait à l'intérieur. Avant d'entrer, je jugeai nécessaire de lui expliquer que, désormais, j'entendais m'occuper seule de Miss Halcombe.

– J'en suis fort heureuse, madame, car je n'ai qu'une hâte, c'est de m'en aller d'ici.

– Vous partez aujourd'hui ?

– Puisque vous voulez bien me remplacer, je serai partie dans une demi-heure. Sir Percival a bien voulu mettre à ma disposition la voiture et le jardinier, qui m'accompagnera à la gare. Mes bagages sont déjà prêts. Au revoir, madame.

Elle esquissa une rapide révérence et s'en alla en chantonnant, tenant toujours son bouquet à la main. Je suis heureuse de pouvoir dire que c'est la dernière fois que je vis Mrs Rubelle.

Lorsque j'entrai dans la chambre, Miss Halcombe dormait. Je la regardai avec anxiété, allongée dans le grand lit démodé et sévère, mais je dus constater qu'elle n'avait pas l'air en plus mauvaise forme que la dernière fois que je l'avais vue. Elle avait été bien soignée durant mon absence, il fallait le reconnaître. La chambre était sombre et poussiéreuse, mais la fenêtre grande ouverte, donnant sur une sinistre cour à l'arrière du bâtiment, laissait entrer l'air frais. L'endroit avait été rendu aussi confortable que possible. Toute la cruauté de sir Percival semblait s'être portée sur lady Glyde. Tout le mal que lui et Mrs Rubelle avaient infligé à Miss Halcombe avait été de la cacher ici.

Laissant sommeiller tranquillement Miss Halcombe, je redescendis chez le jardinier et lui demandai de passer chez le Dr Dawson, après avoir conduit Mrs Rubelle à la gare, pour le prier de ma part de faire une visite à Blackwater Park. Le docteur me fit répondre qu'il était un peu souffrant lui-même, mais qu'il tâcherait de venir le lendemain matin, si cela lui était possible.

Une fois son message délivré, le jardinier s'apprêtait à se retirer, mais je lui demandai de revenir avant la nuit, et de s'installer pour dormir dans l'une des chambres voisines de celle qu'occupait Miss Halcombe, de façon à être à portée de voix, pour le cas où j'aurais besoin de lui. Il comprit parfaitement que je n'eusse pas envie de rester seule dans ce bâtiment abandonné, et nous convînmes qu'il viendrait me rejoindre entre huit et neuf heures.

Il fut ponctuel et je ne peux que m'en réjouir, car, vers minuit, sir Percival devait nous offrir une nouvelle démonstration violente de son furieux caractère, et si le jardinier n'avait pas été là pour le calmer sur-le-champ, je n'ose imaginer ce qui eût pu se produire.

Pendant tout l'après-midi et toute la soirée, il n'avait cessé d'arpenter la maison et le parc, probablement sous l'emprise de la boisson. Alors que j'inspectais une dernière fois la vieille galerie avant d'aller me coucher, sa voix me parvint, colérique et excitée, de l'aile où se trouvaient ses appartements. Le jardinier descendit immédiatement voir ce qui se passait, tandis que je fermais la porte qui reliait les deux ailes pour éviter que Miss Halcombe n'entendît ses cris. Il s'écoula une bonne demi-heure avant que le jardinier revînt. Il me raconta qu'il avait trouvé son maître dans un état de nervosité folle – rien qui ressemblât à de l'ivresse, mais plutôt une sorte de panique irraisonnée, dont la cause était incompréhensible. Sir Percival allait et venait dans le hall, jurant avec véhémence qu'il ne resterait pas une minute de plus dans le cachot qu'était devenue pour lui sa propre maison et qu'il devait partir sur l'instant. Puis il avait ordonné au jardinier, avec force menaces et jurons, d'atteler la voiture. Au bout d'un quart d'heure, la voiture étant prête, sir Percival s'en était emparé, puis, fouettant les chevaux, il avait disparu dans la nuit, son visage ayant pris la couleur de la cendre sous le clair de lune. Le jardinier l'avait encore entendu hurler pour réveiller le concierge, afin qu'on lui ouvrît le portail. Après, il ne savait plus rien.

Le lendemain ou le jour suivant, je ne sais plus, le garçon d'écurie de l'auberge de Knowlesbury, localité voisine, ramena la voiture. Sir Percival s'y était arrêté avant de poursuivre son voyage par le train, vers une destination inconnue. Je ne devais plus rien apprendre de sir Percival ni de ses agissements ; j'ignore même, à l'heure où j'écris, s'il se trouve en Angleterre ou à l'étranger. Nous ne nous sommes plus rencontrés depuis qu'il s'enfuit dans la nuit comme un criminel, et je prie avec ferveur pour que plus jamais nous ne nous rencontrions.

Ici se termine le rôle que j'ai joué dans la triste histoire de cette famille.

On m'a fait savoir que les détails concernant le réveil de Miss Halcombe et ce qui se passa lorsqu'elle me trouva à son chevet n'ont pas leur place ici. Je me bornerai à dire qu'elle m'apprit ne pas savoir comment elle avait été transportée dans cette partie de la maison. Elle devait être profondément endormie alors, mais elle ignorait si son sommeil était naturel ou si on l'avait droguée. En mon absence et en l'absence de tous les domestiques à l'exception de Margaret Porcher (laquelle avait passé son temps à boire, manger et dormir), il n'avait guère été difficile de la faire déménager en secret. On avait doté la chambre de tout ce dont Mrs Rubelle pouvait avoir besoin pendant ses quelques jours de captivité forcée avec la malade. L'infirmière avait éludé toutes les questions que lui avait posées Miss Halcombe mais, cela mis à part, elle s'était fort bien occupée d'elle. La seule chose dont je puisse la blâmer aujourd'hui en conscience est de s'être prêtée à cette conspiration.

Je n'ai pas, me dit-on (et j'en suis bien aise), à raconter comment Miss Halcombe réagit en apprenant le départ de lady Glyde, puis la nouvelle plus affreuse encore qui nous parvint peu après. Dans les deux cas, je pris toutes les précautions pour préparer doucement la pauvre demoiselle ; le Dr Dawson m'aida de ses conseils mais dans la dernière circonstance seulement, sa mauvaise santé l'ayant empêché de venir à Blackwater Park aussi tôt qu'il me l'avait promis. Ce fut une période douloureuse, et il me coûte encore aujourd'hui d'y penser ! Je tentai de consoler et de réconforter Miss Halcombe, lui rappelant sa foi en Dieu et faisant appel à tout son courage. Je ne la quittai pas avant qu'elle ne fût complètement rétablie et capable de voyager. Ce fut le même train qui nous emporta toutes deux loin de cette lugubre demeure. A Londres nous nous séparâmes, avec infiniment de tristesse. Miss Halcombe partait pour Limmeridge, dans le Cumberland ; quant à moi, une parente m'attendait à Islington.

Il me reste quelques lignes à ajouter avant d'achever mon triste témoignage. C'est mon sens du devoir qui me les dicte.

Tout d'abord, je voudrais redire ici ma conviction que nul blâme, quel qu'il soit, ne doit peser sur l'attitude du comte Fosco dans les événements que je viens de rapporter. J'ai appris que les plus lourds soupçons pèsent sur lui, mais ils n'entachent pas l'absolue certitude que j'ai de son innocence. S'il a aidé sir Percival à m'envoyer à Torquay, c'est parce qu'on l'avait trompé lui-même et, en tant qu'étranger, il n'en est pas responsable. Sans doute est-ce lui qui amena Mrs Rubelle à Blackwater Park, mais est-ce sa faute si cette dernière se montra suffisamment vile pour comploter comme elle le fit ? Il ne peut que le déplorer lui-même. Je proteste le plus haut possible contre les calomnies dont est ignominieusement victime le noble comte Fosco.

Ensuite, je désire que l'on sache combien je regrette de ne pouvoir préciser le jour exact où lady Glyde quitta Blackwater Park pour Londres. Cette date, me dit-on, est de la plus grande importance dans cette histoire ; j'ai fouillé en vain ma mémoire. Je puis seulement dire que nous devions être dans les derniers jours de juillet. Chacun sait quelles difficultés il y a à se souvenir d'une date après longtemps. Ce me fut d'autant plus dur si l'on songe aux événements terribles et troublants qui marquèrent toute cette période. Je regrette aujourd'hui du fond du cœur de n'avoir pas tenu de journal. Je regrette du fond du cœur que ma mémoire des dates ne soit pas aussi précise ni aussi claire que le souvenir que j'ai du visage de la malheureuse, la dernière fois que je la vis, à la fenêtre de son wagon.

SUITE DE L'HISTOIRE SELON DIFFÉRENTS POINTS DE VUE

CE QUE RACONTE HESTER PINHORN, CUISINIÈRE AU SERVICE DU COMTE FOSCO

(Témoignage pris sous sa dictée)

Je suis désolée de dire que je ne sais ni lire ni écrire, ayant dû travailler toute ma vie. Mais je suis une honnête femme et je sais que c'est un péché de mentir et je veux dire tout ce que je sais. Je demande au monsieur qui écrit sous ma dictée de bien vouloir corriger mon langage et d'excuser les fautes que je peux faire en parlant, car je n'ai pas reçu d'éducation.

L'été dernier, je me trouvai sans travail, pour une raison indépendante de ma volonté. J'entendis parler d'une place de cuisinière, au numéro 5 de Forest Road à St John's Wood. Je fus engagée à l'essai. Mon maître s'appelait Fosco. Ma maîtresse était une lady anglaise. Ils étaient comte et comtesse. Il y avait une femme de chambre à leur service. Elle n'était ni très ordonnée ni très soigneuse, mais c'était une bonne fille. Elle et moi formions tout le personnel de la maison.

Mon maître et ma maîtresse qui venaient de s'installer nous annoncèrent rapidement qu'ils attendaient de la visite.

Il s'agissait de la nièce de milady, et on lui prépara la chambre du fond, au premier étage. Milady m'informa que lady Glyde (c'était le nom de sa nièce) était de faible santé et que, par conséquent, je devrais soigner particulièrement ma cuisine, car ladite nièce n'était pas très bien portante. Je ne me souviens pas du jour exact de l'arrivée de lady Glyde (je n'ai jamais su me rappeler les dates, à part les dimanches où je ne travaille pas), tout ce que je sais c'est qu'elle nous donna une belle frayeur. Je ne l'entendis pas arriver car j'étais occupée à l'office, mais c'est mon maître qui la ramena dans l'après-midi. La servante leur ouvrit la porte et les fit entrer avant de redescendre à la cuisine. Elle était à peine là que nous entendîmes un terrible vacarme au-dessus, et que la sonnette se mit à tinter sans arrêt, avec la voix de milady qui appelait à l'aide.

Nous nous précipitâmes et nous vîmes la nouvelle arrivée étendue sur un canapé, le visage blême, les mains jointes avec frénésie et la tête penchée de côté. Milady expliqua qu'elle avait été prise d'une frayeur inexplicable et qu'elle avait maintenant des convulsions. Comme j'étais celle qui connaissait le mieux le voisinage, je courus chercher un médecin. Le plus proche se trouvait au cabinet Goodricke's and Garth's, qui avait bonne réputation. Je trouvai là le Dr Goodricke qui vint avec moi.

Il lui fallut un peu de temps avant de pouvoir faire quelque chose. Les crises de la malheureuse ne voulaient pas cesser et il fallut attendre qu'elle se fût calmée. Alors, nous pûmes la mettre au lit. Le Dr Goodricke retourna chez lui pour chercher sa trousse et des médicaments, puis revint au bout d'un quart d'heure. Il rapportait avec les remèdes un drôle de petit appareil en acajou qui ressemblait à une trompette. Il l'appuya sur le cœur de la dame et écouta avec attention.

Quand il eut fini, il dit à milady qui se trouvait dans la chambre :

– Le cas est très sérieux, il faut prévenir tout de suite la famille !

Milady demanda :

– Est-ce le cœur ?

– Oui, répondit-il. Maladie de cœur très grave !

Il lui expliqua ce qu'il pensait réellement du cas, mais je ne suis pas assez intelligente et je n'ai pas très bien compris ce qu'il disait. Tout ce que je sais, c'est qu'à la fin il lui dit qu'il ne pensait pas que ni lui ni aucun médecin ne pouvait la sauver.

Milady prit la nouvelle beaucoup plus calmement que mon maître. C'était un gros homme assez bizarre, qui avait une ribambelle d'oiseaux et une ribambelle de souris blanches, à qui il s'adressait comme si c'étaient des enfants dignement baptisés. Ce qui arrivait semblait l'affecter terriblement. « Ah ! Pauvre lady Glyde, pauvre chère lady Glyde ! » ne cessait-il de répéter en faisant de ses grosses mains des gestes désespérés qui étaient ceux d'un acteur plutôt que ceux d'un gentleman. Pour une question que ma maîtresse posait au docteur au sujet de la guérison de sa nièce, mon maître en posait au moins cinquante ! En fait, il était très pénible avec nous. Il finit par se calmer et descendit dans ce qu'il appelait le jardin pour y cueillir un petit bouquet de fleurs qu'il me chargea de mettre dans la chambre de la malade. Comme si cela pouvait servir à quelque chose ! Je pense qu'il avait dû un peu perdre la tête à ce moment-là, mais, dans le fond, ce n'était pas un mauvais maître. Il savait être poli et cajoleur ; je l'aimais beaucoup plus que milady, une femme dure comme je n'en ai jamais connu.

Vers la soirée, la dame reprit connaissance. Les convulsions l'avaient tant épuisée qu'elle ne remuait pas et regardait autour d'elle sans dire un mot. Elle devait être jolie quand elle n'était pas malade, avec ses cheveux dorés et ses grands yeux bleus. Elle passa une nuit très agitée, d'après ce que nous dit milady qui la veilla toute seule. Je suis juste retournée une fois dans la chambre, avant de me coucher, pour voir si l'on n'avait pas besoin de moi. La malade était en train de se parler à elle-même, avec des mots sans queue ni tête. On aurait dit qu'elle cherchait à appeler quelqu'un qui n'était pas là. Je ne compris pas bien le nom, et puis mon maître vint encore me déranger en frappant à la porte pour poser toutes ses questions et apporter un autre de ses stupides bouquets de fleurs.

Lorsque je frappai à la porte, le lendemain matin, lady Glyde dormait et paraissait épuisée. Le Dr Goodricke vint avec le Dr Garth, son confrère, en consultation. Ils posèrent beaucoup de questions à milady sur la santé générale de la malade, et, comme ils demandaient si elle avait beaucoup souffert moralement, je me souviens que milady répondit oui. Le Dr Goodricke regarda le Dr Garth et hocha la tête ; le Dr Garth regarda le Dr Goodricke et hocha la tête, comme s'ils pensaient tous les deux que le mal de lady Glyde résultait de sa souffrance morale. Elle avait l'air si misérable, pauvre créature !

A la fin de la matinée, quand elle se réveilla, elle sembla soudainement aller mieux. Mais on ne me permit pas d'aller la voir, ni à la femme de chambre, d'ailleurs, car elle ne devait pas être dérangée par la présence d'étrangers. C'est mon maître qui me dit qu'elle allait mieux. Il avait l'air de très bonne humeur.

– Madame la cuisinière, me dit-il du jardin, par la fenêtre de la cuisine. Lady Glyde se remet. Je me sens tout rasséréné et je vais aller me dégourdir les jambes. Puis-je vous rapporter quelque chose du marché ? Que faites-vous donc là ? Une délicieuse tarte pour le dîner ?

Croustillante, s'il vous plaît, bien croustillante et qui fonde dans la bouche !

Il était comme ça ! Il avait plus de soixante ans et adorait les pâtisseries comme un enfant. Pensez donc !

Le docteur revint vers midi, et constata l'amélioration de l'état de lady Glyde. Il nous recommanda de ne pas lui parler, et de ne pas la faire parler si cela n'était pas strictement nécessaire. Elle avait besoin d'un repos complet, ajouta-t-il, et elle devait dormir le plus possible. Mais le Dr Goodricke était loin d'être aussi rassuré que mon maître. Il nous prévint qu'il repasserait à cinq heures de l'après-midi et partit sans rien dire d'autre.

Vers cinq heures, justement (monsieur n'était pas encore rentré), la sonnette de la chambre tinta violemment, et je vis milady se précipiter sur le palier pour me demander d'aller en vitesse chercher le docteur. Elle me dit de le prévenir que lady Glyde avait eu une nouvelle syncope. J'avais déjà mis mon bonnet et mon châle quand le Dr Goodricke arriva, ainsi qu'il l'avait promis.

Je le fis entrer et l'accompagnai en haut.

– Lady Glyde paraissait beaucoup mieux, lui expliqua milady ; elle était éveillée et regardait tout autour d'elle, les yeux un peu vagues, quand soudain je l'ai entendue pousser une sorte de cri, puis elle s'est évanouie.

Le médecin s'approcha du lit, regarda la malade d'un air extrêmement grave, et posa la main sur son cœur.

– Elle n'est pas morte ? demanda milady qui s'était mise à trembler de tous ses membres.

– Si. Elle est morte, répondit le médecin. Je craignais en effet que cela n'arrivât subitement lorsque j'ai eu ausculté son cœur, hier soir.

Milady s'était éloignée du lit tandis qu'il parlait, tremblant de plus en plus.

– Morte ! Si soudainement ! Si vite !... Que va dire le comte ? murmura-t-elle.

Le Dr Goodricke lui conseilla de quitter la chambre pour se calmer un peu.

– Vous avez veillé toute la nuit, madame, vos nerfs sont ébranlés. Cette personne restera ici jusqu'à ce que j'aie fait le nécessaire, dit-il en me désignant.

Milady obéit.

– Je dois préparer le comte, fit-elle, je dois prudemment le préparer.

Puis elle sortit sans avoir cessé de trembler.

– Votre maître est un étranger, n'est-ce pas ? me demanda le médecin. Connaît-il les formalités à remplir en cas de décès ?

– Je ne peux pas vous dire avec certitude, monsieur, répondis-je, mais je ne crois pas.

Le docteur réfléchit une minute, puis il ajouta :

– Je ne m'occupe pas de cela d'ordinaire, mais, dans ce cas-ci, il vaut peut-être mieux que je fasse la déclaration moi-même. Veuillez, s'il vous plaît, en avertir votre maître.

– Bien, monsieur, fis-je. Je suis sûre qu'il vous sera reconnaissant de vous occuper de tout cela.

– Pouvez-vous rester dans cette chambre jusqu'à ce que je fasse venir quelqu'un ?

– Certainement, monsieur. Je vais rester avec la pauvre dame. J'imagine qu'on ne pouvait pas faire plus que ce qu'on a fait, n'est-ce pas ?

– Non, rien de plus. Elle a dû souffrir terriblement avant que je l'aie vue. Quand je suis arrivé, il était trop tard ; son cas était désespéré.

– Mon Dieu ! On en arrive tous là un jour ou l'autre, ne croyez-vous pas ?

Il ne répondit pas. Je crois qu'il n'avait pas envie de parler. Il me salua, puis sortit.

Je restai dans la chambre jusqu'à l'arrivée de la personne dont avait parlé le Dr Goodricke. C'était une femme à l'air respectable, une dénommée Jane Gould. Elle ne fit aucune remarque, sauf pour dire qu'elle savait ce que l'on attendait d'elle ; elle n'en était pas à son premier mort.

Quant à la façon dont mon maître reçut la nouvelle, je ne saurais le dire car je n'étais pas présente. Lorsque je le revis, il semblait anéanti. Il était assis, prostré, dans un coin, ses grosses mains sur ses petits genoux, la tête pendante, le regard perdu dans le vide. Il semblait plus effrayé que chagriné par ce qui venait d'arriver.

Milady s'occupa d'organiser les funérailles. Elles durent coûter une fortune, en particulier le cercueil, qui était superbe. Le mari étant à l'étranger, nous dit-on, il n'assista pas à l'enterrement. Mais milady (qui était sa tante) s'arrangea pour que la malheureuse fût enterrée chez elle (dans le Cumberland, je crois) auprès de sa mère. Tout se déroula parfaitement et magnifiquement, je dois le dire, et mon maître accompagna le convoi dans le Cumberland. Il était très élégant dans ses habits de grand deuil; son visage était empreint de gravité et il marchait avec beaucoup de noblesse.

En conclusion, aux questions qui m'ont été posées, je réponds :

1) Que ni la femme de chambre ni moi n'avons vu le comte donner lui-même aucun médicament à lady Glyde;

2) Que jamais, à ma connaissance, il ne s'est trouvé seul dans la chambre de la malade;

3) Que j'ignore la cause de la frayeur subite qui, comme me l'a rapporté milady, fit s'évanouir lady Glyde le jour de son arrivée. On ne nous a rien dit, ni à la femme de chambre ni à moi-même.

Le témoignage ci-dessus a été lu en ma présence. Je n'ai rien à y ajouter ni à y modifier. Sur ma foi de chrétienne, je le certifie exact.

Hester PINHORN

CE QUE RACONTE LE MÉDECIN

En présence de l'officier d'état civil du district où s'est produit le décès, je soussigné, docteur Goodricke, certifie avoir soigné lady Glyde, âgée de vingt et un ans. Ma dernière visite remonte au jeudi 25 juillet 1850, date du décès, qui s'est produit au numéro 5 de Forest Road, St John's Wood. La mort a été provoquée par une rupture d'anévrisme. L'ancienneté de la maladie n'a pas été déterminée.

Alfred GOODRICKE,
Professeur
Membre de la Société royale de chirurgie
Diplômé de la Société de Pharmacie.
12, Croydon Garden, St John's Wood.

CE QUE RACONTE JANE GOULD

Je suis la personne envoyée par le Dr Goodricke pour procéder à l'ensevelissement de la jeune femme dont le décès a été notifié dans le certificat ci-dessus. Je trouvai le corps veillé par une domestique, Hester Pinhorn, et le préparai pour la mise en bière. Le cercueil fut refermé en ma présence. C'est après, seulement, que l'on me réglât ce qui m'était dû et que je quittai la maison. Toute personne désirant s'informer de ma bonne moralité peut s'adresser au Dr Goodricke. Il pourra certifier que j'ai dit la vérité.

Jane GOULD

CE QUE RACONTE LA PIERRE TOMBALE

A la mémoire de Laura,
lady Glyde,
épouse de sir Percival Glyde, baronnet,
résidant à Blackwater Park, Hampshire,
et fille de feu Philip Fairlie, Esq.,
de Limmeridge,
décédé en cette paroisse.
Née le 27 mars 1829,
mariée le 22 décembre 1849,
morte le 25 juillet 1850.

SECOND RÉCIT DE WALTER HARTRIGHT

Au début de l'été 1850, ce qu'il restait de mes compagnons et moi-même quittâmes les forêts sauvages de l'Amérique centrale pour rentrer au pays. Nous gagnâmes la côte, pour embarquer vers l'Angleterre. Notre navire fit naufrage dans le golfe du Mexique. C'était la troisième fois que j'échappais miraculeusement à la mort. Les fièvres, les Indiens, la noyade – tous trois m'approchèrent, tous trois me manquèrent.

Les survivants du naufrage furent recueillis par un navire américain qui faisait route vers Liverpool. Nous accostâmes le 13 octobre 1850 en fin d'après-midi, et je gagnai Londres le soir même

Ces pages n'ont pas pour objet d'être le récit de mes aventures et des dangers que je traversai, loin de ma patrie. On sait les raisons qui me conduisirent à quitter ma terre natale et mes amis pour partir à l'aventure. De cet exil volontaire, je revins, j'ose l'espérer et le croire, un autre homme. Cette nouvelle vie m'avait transformé. La rude école du danger m'avait enseigné la force, la résolution et la confiance en soi. J'étais parti pour fuir mon avenir ; je rentrais pour le regarder en face, comme doit le faire un homme.

Pour regarder en face ces sentiments qu'il me faudrait faire taire, je le savais. J'avais rompu avec la part la plus amère de mon passé, mais pas avec le souvenir que mon cœur conservait de la tristesse et de la douceur des jours anciens. Je n'avais pas oublié la plus grande déception de ma vie, j'avais seulement appris à vivre avec. Laura Fairlie occupait toutes mes pensées quand je quittai l'Europe. Elle occupait encore toutes mes pensées sur le navire qui me ramenait et quand je vis le radieux matin se lever sur l'Angleterre.

En traçant ces lettres d'un nom ancien, mon cœur se transporte vers mon ancien amour. Je parle d'elle encore comme de Laura Fairlie. Il m'est impossible de penser à elle ou de l'évoquer sous le nom de son mari.

Je n'ajouterai rien d'autre pour justifier ma seconde intervention dans le cours de ce récit. Si j'en ai le courage, je peux à présent écrire ce que j'ai à dire.

Mes premières pensées furent pour ma mère et ma sœur. Je crus bon de les préparer à nos retrouvailles, après une aussi longue absence pendant laquelle elles étaient restées sans nouvelles. Aussi envoyai-je aux premières heures de la matinée une lettre annonçant mon arrivée à Hampstead.

J'étais chez ma mère une heure après la lettre. Après les premières effusions de joie, je perçus sur son visage le signe que quelque chose lui pesait sur le cœur. Il y avait plus que de l'amour dans le regard qu'elle posait tendrement sur moi, il y avait de la tristesse, une douce pitié qui bientôt m'emplit d'anxiété. Nous n'avions pas de secrets l'un pour l'autre. Elle savait comment mes espoirs avaient été ruinés, elle savait pourquoi j'étais parti. Je m'apprêtais à lui demander si Miss Halcombe avait écrit, si elle avait envoyé quelque nouvelle de sa sœur, mais son regard m'ôta tout courage. Je ne pus que lui dire :

– Vous avez quelque chose à m'annonçer.

Ma sœur, qui était assise avec nous, se leva soudainement, sans un mot ; elle se leva et quitta la pièce.

Ma mère vint s'asseoir sur le sofa près de moi et m'entoura le cou de ses deux bras en pleurant :

– Walter ! murmura-t-elle. Walter, mon cher enfant ! Votre peine est la mienne. Oh, mon enfant ! mon enfant ! Moi, du moins, je vous reste !

Je m'effondrai sur sa poitrine. Ces seuls mots m'avaient tout appris.

Trois jours s'étaient écoulés depuis mon retour, nous étions au matin du 16 octobre.

J'étais resté avec ma mère et ma sœur, m'efforçant de ne pas assombrir la joie de mon retour comme elle avait été assombrie pour moi. J'avais fait tout ce qu'un homme peut faire après un tel choc pour me résigner à mon sort et accueillir dans mon cœur le chagrin, mais en en chassant le désespoir. Mais ce fut en vain. Les larmes ne rafraîchissaient plus mes yeux brûlants, et ni la tendresse de ma sœur ni l'amour de ma mère ne pouvaient m'apporter l'apaisement.

Ce matin-là, je leur ouvris mon cœur. Je pus leur dire enfin ce qui me brûlait les lèvres depuis l'instant où ma mère m'avait appris sa mort :

– Laissez-moi partir seul un moment. Je serai plus fort, lorsque j'aurai revu les lieux où je l'ai connue et que j'aurai été m'incliner sur sa tombe.

Je partis donc en voyage, en voyage vers la tombe de Laura Fairlie.

C'est par un calme après-midi d'automne que je m'arrêtai à la petite gare déserte et que je refis lentement le chemin dont je me souvenais si bien. Le pâle soleil d'octobre brillait à peine à travers les nuages blancs et la température était douce. De la nature paisible émanait la tristesse de l'année finissante.

J'atteignis la lande, montai au sommet de la colline et contemplai de loin la maison et le parc familiers de Limmeridge House. Les routes nouvelles que j'avais parcourues, les impressions que j'avais reçues au cours des derniers mois, les dangers que j'avais traversés, rien de tout cela n'existait plus. J'avais la sensation que c'était hier que j'avais quitté Laura, si malheureux, et je m'attendais presque à la voir venir à ma rencontre, vêtue de sa robe légère, son petit cahier de croquis à la main.

Ô mort ! maudit soit ton dard ! Ô tombeau ! maudite soit ta victoire !

Je descendis la pente menant à l'église, je revis le porche où, anxieux, j'avais attendu la Dame en blanc, le petit ruisseau descendant parmi les collines et coulant le long du champ des morts, puis, là-bas, la croix de marbre blanc surmontant la tombe où reposaient la mère et la fille, côte à côte.

Je m'approchai lentement de la tombe en m'inclinant devant cette pierre sacrée, vouée à la noblesse et à la bonté, vouée à la vénération et au chagrin.

Je m'arrêtai devant la stèle qui soutenait la croix. Devant moi, fraîchement gravées dans la pierre, se détachaient les sombres et douloureuses lettres qui disaient l'histoire de sa vie et de sa mort. Je ne pus lire plus loin que son nom : « A la mémoire de Laura… »

Les tendres yeux bleus emplis de larmes, la tête s'inclinant avec douceur, les mots d'adieu qui avec innocence m'imploraient de la laisser… Oh ! quels souvenirs plus heureux que celui-ci ! ces souvenirs que j'avais emportés avec moi, et qu'aujourd'hui je ramenais devant sa tombe !

Une fois encore, j'essayai de lire l'épitaphe. Je vis en bas la date de sa mort, et au-dessus…

Au-dessus, il y avait un nom, un nom qui venait troubler mon souvenir. Je passai de l'autre côté de la stèle, là où il n'y avait rien à déchiffrer, aucun signe mauvais pour s'interposer entre elle et moi.

Je m'agenouillai. J'appuyai mes mains, j'appuyai ma tête contre la large pierre blanche et fermai mes yeux douloureux pour ne plus voir le monde autour de moi, pour ne plus voir la lumière du ciel. Je la laissai revenir vers moi. Ô mon amour ! mon amour ! Mon cœur peut te parler à présent ! C'est hier que nous nous sommes quittés, hier, quand ta main a effleuré la mienne, hier, quand mes yeux t'ont regardée pour la dernière fois. Mon amour ! mon amour !

Le temps avait coulé, le silence enveloppait tout de sa nuit.

Le frémissement de l'air sur l'herbe du cimetière parvint jusqu'à mes oreilles. Je l'entendis, de plus en plus net, de plus en plus proche… des pas… Ils s'arrêtèrent.

Je levai la tête.

Le soleil descendait sur les collines, les nuages avaient disparu, et la lumière du crépuscule baignait doucement la paisible vallée des morts.

Devant moi, dans le cimetière, se tenaient dans la pâle lumière deux femmes. Elles regardaient vers la tombe ; c'est moi qu'elles regardaient.

Deux.

Elles firent quelques pas, puis s'arrêtèrent encore. Leurs voiles me masquaient leurs visages. Au moment où elles s'arrêtèrent, l'une d'entre elles souleva son voile. Dans le soir finissant, je reconnus Marian Halcombe.

Changée, si changée qu'on l'aurait dite ployant sous le poids des ans ! Les yeux égarés me fixant avec une étrange terreur, le visage atrocement ravagé. Comme si l'on y avait inscrit au tison la peur et la douleur.

A mon tour, je m'avançai. Elle se tenait immobile et ne prononçait pas un mot. L'autre femme, toujours voilée, laissa échapper un faible cri. Soudain, j'eus l'impression que la vie m'abandonnait et je me mis à trembler de tout mon corps, à trembler d'épouvante.

La femme voilée s'écarta de sa compagne pour s'approcher lentement de moi. Restée seule, Marian Halcombe se mit à parler. C'était sa voix, je la reconnaissais, elle n'avait pas changé.

– Mon rêve ! Mon rêve ! l'entendis-je murmurer dans l'angoissant silence qui nous entourait.

Elle se jeta à genoux et éleva ses mains vers le ciel !

– Ô Père ! Donnez-lui force et courage ! Ô Père ! Aidez-le dans cette heure cruelle !

L'autre femme s'approchait lentement. Je la regardai, et, de cet instant, je ne vis plus qu'elle.

La voix qui priait pour moi s'atténua, presque jusqu'à disparaître, puis je l'entendis s'élever soudainement, s'élever vers moi pleine de peur, pour me crier désespérément de m'enfuir.

Mais la femme voilée avait pris possession de mon corps et de mon esprit. Nous nous tenions face à face, la tombe seule nous séparait… Elle s'était approchée de la stèle. Sa robe frôla l'épitaphe.

La voix s'était rapprochée, de plus en plus forte, de plus en plus fervente.

– Cachez votre visage ! Ne la regardez pas ! Oh ! Pour l'amour de Dieu, épargnez-lui…

La femme souleva son voile.

A la mémoire de Laura, lady Glyde…

Laura, lady Glyde, se tenait devant l'épitaphe. Elle me regardait par-dessus la tombe.

TROISIÈME ÉPOQUE

SUITE DU RÉCIT DE WALTER HARTRIGHT

I

J'entame une nouvelle page, pour reprendre mon récit une semaine plus tard.

Ce qui se produisit dans l'intervalle ne sera pas raconté. Mon cœur chavire, mon esprit se perd dans les ténèbres et la confusion quand je veux y penser. Cela ne doit pas être s'il me faut servir de guide au lecteur. Cela ne doit pas être si la clef qui permet de sortir du labyrinthe de cette histoire se trouve entre mes mains.

Une vie dont le cours est brutalement changé – des buts qui n'existaient pas, des espoirs, des craintes, des combats, des intérêts, des sacrifices qui prennent brusquement et pour toujours une nouvelle direction –, telle est la perspective qui s'ouvre aujourd'hui devant moi, comme l'étendue qui se révèle à celui qui a atteint le sommet d'une montagne. J'ai abandonné mon récit dans l'ombre paisible de la petite église de Limmeridge, je le reprends, une semaine plus tard, dans la tourmente oppressante d'une rue de Londres.

Cette rue est située dans un quartier populaire de Londres. Au rez-de-chaussée de l'une des maisons se trouve la boutique d'un petit marchand de journaux ; au premier et au second étage, on trouve des meublés à bon marché.

J'ai loué ces deux étages modestes sous un nom d'emprunt. J'occupe le second, composé d'un bureau et d'une chambre à coucher ; au premier vivent sous le même nom d'emprunt deux femmes – présentées comme mes sœurs. Je gagne notre pain quotidien en dessinant pour deux ou trois périodiques de moindre réputation. Mes sœurs sont censées m'aider en effectuant quelques travaux de couture. Notre misérable gîte, l'humilité de notre gagne-pain, notre prétendue parenté et notre nom d'emprunt doivent nous permettre de nous fondre dans la jungle londonienne. Nous ne faisons plus partie des gens dont la vie s'étale au grand jour et est connue de tous. Je ne suis qu'un obscur, un sans-grade, sans maître ni ami. Marian Halcombe n'est plus que ma sœur aînée qui s'occupe elle-même de l'entretien de notre intérieur. Nous sommes aussi, aux yeux des autres, les dupes en même temps que les complices d'une terrible imposture, puisqu'il semble que nous soyons devenus les complices de la folie d'Anne Catherick, laquelle prétend prendre le nom, la place, la personnalité de feu lady Glyde.

Telle est notre situation actuelle. Tels sont les traits sous lesquels nous apparaîtrons désormais tous trois dans ce récit, pendant bien des pages.

Aux yeux de la raison et de la loi, selon le témoignage des parents, amis et relations, Laura, lady Glyde, repose avec sa mère dans le cimetière de Limmeridge. Arrachée de la liste des vivants, la fille de Philip Fairlie et la femme de sir Percival Glyde vit encore pour sa sœur et pour moi ; pour le reste du monde, elle est morte. Elle est morte pour son oncle qui l'a reniée, morte pour les domestiques qui n'ont pas voulu la reconnaître, morte pour les dépositaires de sa fortune qui, légalement, ont transmis celle-ci à son mari et à sa tante, morte pour ma mère et ma sœur qui me croient dupe d'une aventurière et victime d'une supercherie. Socialement, moralement, légalement… morte.

Et pourtant vivante ! Vivante dans la pauvreté et l'incognito. Vivante avec à ses côtés, pour mener la bataille qui lui rendra la place à laquelle elle a droit dans le monde des vivants, un pauvre maître de dessin.

Le doute ne m'a-t-il pas effleuré, moi qui savais la ressemblance frappante existant entre elle et Anne Catherick, quand elle m'a dévoilé son visage ? Pas l'ombre d'un doute, depuis cet instant où elle souleva son voile à côté de l'épitaphe qui témoignait de sa mort.

Avant que le soleil eût complètement disparu à l'horizon, ce soir-là, avant que nous eussions laissé loin derrière nous la maison de son enfance mais qui dès lors lui était fermée, nous nous étions souvenus tous deux des paroles d'adieu que je lui avais dites à Limmeridge House le jour de notre séparation : « Mais s'il arrive que mon dévouement puisse vous procurer un moment de bonheur ou vous épargner un moment de peine, je vous prie, souvenez-vous de votre professeur de dessin. » Et elle, qui se rappelait si peu de chose des horreurs des derniers temps, se souvenait de ces paroles et avait appuyé sa tête contre la poitrine de l'homme qui les avait prononcées. A cet instant, quand elle m'appela par mon prénom, quand elle me dit : « Ils ont tâché de me faire tout oublier, Walter, mais je me suis souvenue de Marian et de vous… », à cet instant, moi qui depuis longtemps lui avais fait don de mon amour, je lui offris ma vie ; je remerciai Dieu de pouvoir donner mon existence pour la sienne. Oui ! Le moment était venu. Revenu d'une terre sauvage à l'autre bout du monde, où j'avais vu tomber certains de mes compagnons bien plus forts que moi, rescapé par trois fois de la mort, j'étais enfin agrippé par la main qui mène chaque homme sur la route obscure de son destin, pour ce moment-là. Elle était seule, abandonnée et trahie, marquée par les épreuves – sa beauté altérée, son esprit affaibli –, privée de son rang social et de sa place parmi les vivants ; à ses pieds je pouvais à présent, sans être blâmé, déposer ma dévotion, de tout mon cœur, de toute mon âme, de toutes mes forces. Au nom de la calamité qui s'était abattue sur elle, au nom de sa solitude, elle était enfin mienne ! Je l'aiderais, je la protégerais, je la chérirais, je la guérirais. Je l'aimerais et l'honorerais comme un père ou un frère, je me lancerais pour elle dans un combat sans espoir contre le Rang et la Fortune, risquant ma réputation, renonçant à mes amis, à travers le hasard de mon existence.

II

Maintenant que ma position est établie et que les motifs qui m'animent sont connus, j'en viens à l'histoire de Marian et de Laura.

Je vais rapporter leurs deux récits, non comme elles me les ont, chacune, racontés (dans le trouble et la confusion, s'interrompant souvent), mais d'après les notes succinctes que j'ai prises en les écoutant, pour ma propre gouverne comme pour la gouverne de mon avocat. Voilà comment, clairement et brièvement, je démêlerai devant vous l'écheveau des événements.

L'histoire de Marian commence là où s'est achevée celle de la gouvernante de Blackwater Park.

C'est cette dernière qui apprit à Miss Halcombe que lady Glyde avait quitté la demeure de son mari et les circonstances dans lesquelles ce départ avait eu lieu. Puis, quelques jours plus tard (Mrs Michelson ne saurait pas préciser le jour, ne l'ayant pas noté immédiatement), arriva une lettre de la comtesse Fosco annonçant la mort subite de lady Glyde à leur domicile. La lettre restait très vague sur la chronologie des événements, et laissait à Mrs Michelson le soin d'annoncer la nouvelle à Miss Halcombe, à moins qu'elle ne jugeât que, dans l'état de santé de celle-ci, il fût préférable d'attendre un peu.

Après avoir consulté le Dr Dawson (qui, lui-même souffrant, n'avait pu reprendre aussi vite que prévu ses visites à Blackwater Park), Mrs Michelson, en présence du docteur, apprit la nouvelle à Miss Halcombe, le jour même où la lettre était arrivée, ou peut-être le lendemain. Inutile de dire l'effet que l'annonce de la mort de lady Glyde produisit sur la convalescente. Rappelons seulement qu'il lui fallut attendre trois semaines avant d'être en état de voyager. Alors, elle partit avec Mrs Michelson pour Londres, où elles se séparèrent après que Mrs Michelson lui eut donné son adresse, au cas où elle en aurait besoin.

Après avoir quitté la gouvernante, Miss Halcombe se rendit directement à l'étude de Messrs Gilmore & Kyrle et, en l'absence de Mr Gilmore, fit part au second de ces messieurs des soupçons qu'elle avait conçus au sujet de la mort étrange de sa sœur, soupçons que, à l'exception de l'avocat, elle désirait laisser ignorer à tout le monde, y compris Mrs Michelson. Mr Kyrle, qui avait déjà donné des preuves de son empressement à servir les intérêts de Miss Halcombe, mit tout en œuvre, aussi loin que la nature délicate et quelque peu dangereuse de cette affaire le lui permettait, pour mener à bien son enquête.

Il faut, avant de continuer, préciser ici que le comte Fosco facilita grandement les investigations de Mr Kyrle quand il apprit que celui-ci était mandaté par Miss Halcombe ; il le mit en rapport avec le médecin, le Dr Goodricke, et les deux domestiques qui pouvaient lui fournir tous les détails nécessaires sur la mort de lady Glyde. Ne pouvant établir la date exacte du départ de lady Glyde de Blackwater Park, il s'était fié aux renseignements donnés par le comte et la comtesse, ainsi qu'aux témoignages du docteur et des domestiques, qui lui avaient paru concorder. Il en avait conclu que la maladie et le chagrin avaient fortement ébranlé le jugement de Miss Halcombe et il lui écrivit que les soupçons, quelque peu excessifs, dont elle lui avait fait part ne trouvaient pas le moindre début de preuve. Ainsi donc débuta et se termina l'enquête menée par l'associé de Mr Gilmore.

Dans l'intervalle, Miss Halcombe était alors partie pour Limmeridge House, où elle avait obtenu quelques informations supplémentaires.

C'était également par une lettre de sa sœur, la comtesse Fosco, que Mr Fairlie avait appris la mort de sa nièce – lettre qui, pas plus que celle adressée à Miss Halcombe, ne mentionnait de dates précises. Mr Fairlie avait approuvé le projet de la comtesse selon lequel la morte serait enterrée auprès de sa mère dans le cimetière de Limmeridge. Le comte Fosco avait accompagné la dépouille dans le Cumberland et il avait assisté à l'inhumation, qui eut lieu le 30 juillet, en présence de tous les gens du village et des environs. Le lendemain, l'épitaphe – composée, dit-on, par la comtesse et approuvée par Mr Fairlie – fut gravée sur la tombe.

Le comte Fosco, à cette occasion, avait séjourné deux jours à Limmeridge House ; mais Mr Fairlie n'ayant pas souhaité le recevoir, il avait dû correspondre avec celui-ci par lettres. C'est dans l'une d'elles que le comte Fosco avait mis Mr Fairlie au courant des détails touchant à la maladie et à la mort de sa nièce. Cette lettre n'offrait rien de neuf sur les faits eux-mêmes, mais elle contenait un curieux post-scriptum. Il concernait Anne Catherick.

Ce post-scriptum disait en substance la chose suivante : il informait Mr Fairlie qu'Anne Catherick (dont Miss Halcombe ne manquerait pas de lui parler lors de sa prochaine visite à Limmeridge House) avait été retrouvée dans les environs de Blackwater Park et replacée à l'asile. Puis il avertissait Mr Fairlie que l'état mental de la jeune femme s'était considérablement aggravé durant le temps qu'elle était restée en liberté et que sa haine maladive pour sir Percival avait pris une nouvelle forme. Afin de causer des ennuis à ce dernier, tout en se grandissant (à ce qu'elle imaginait du moins) dans l'estime des malades et des infirmières, elle avait conçu l'idée de se faire passer pour feu lady Glyde à qui elle ressemblait d'une façon frappante, ce dont elle s'était aperçue au cours d'une entrevue secrète qu'elle était parvenue à avoir avec la femme de sir Percival. Il y avait évidemment peu de chances qu'elle pût de nouveau s'échapper de l'asile, mais rien ne l'empêchait cependant de tracasser les parents de la morte avec des lettres. En tout cas, Mr Fairlie était prévenu.

Miss Halcombe prit donc connaissance du post-scriptum à son arrivée à Limmeridge, et on lui remit les vêtements et les affaires que lady Glyde avait emportés avec elle à Londres, et que très obligeamment la comtesse Fosco avait soigneusement emballés et fait envoyer dans le Cumberland.

Telle était donc la situation quand Miss Halcombe arriva à Limmeridge, dans les premiers jours de septembre.

Très rapidement elle dut reprendre la chambre, à cause d'une rechute causée par les épreuves morales qu'elle endurait. Il lui fallut un mois avant de pouvoir se lever de nouveau, toujours persuadée qu'il y avait quelque chose de louche dans les circonstances qui entouraient la mort de sa sœur. Elle était sans nouvelles de sir Percival, mais la comtesse Fosco lui avait écrit à plusieurs reprises, l'assurant de sa profonde sympathie et de celle de son mari, et lui demandant des nouvelles de sa santé. Au lieu de répondre à ces lettres, Miss Halcombe fit surveiller la maison de St John's Wood.

Rien de suspect ne fut découvert. Les recherches se révélèrent aussi infructueuses du côté de Mrs Rubelle. Celle-ci et son mari étaient arrivés à Londres six mois auparavant. Ils arrivaient de Lyon et avaient loué près de Leicester Square une maison qu'ils avaient aménagée en pension de famille pour y recevoir les étrangers qui viendraient en foule en Angleterre à l'occasion de l'Exposition de 1851. Ils formaient un couple parfaitement tranquille, et on n'avait rien à leur reprocher.

Quant à sir Percival, les dernières recherches le concernant établirent qu'il s'était fixé à Paris et vivait là, sans fracas, au milieu d'un cercle d'amis anglais et français.

Bien que ses enquêtes n'eussent rien donné, Miss Halcombe n'était pas convaincue. Elle se décida donc à aller visiter l'asile où Anne Catherick était supposée se trouver enfermée pour la seconde fois. Naguère, déjà, elle avait éprouvé pour cette femme une grande curiosité ;

à présent cette curiosité était double : d'abord, elle tenait à constater elle-même qu'Anne Catherick se faisait passer pour lady Glyde ; ensuite, si cela était vrai, elle voulait essayer de comprendre les mobiles qui poussaient la malheureuse à simuler de la sorte.

Le mot du comte Fosco à Mr Fairlie ne précisait pas l'adresse de l'asile, mais cela ne fut guère un problème pour Miss Halcombe. Quand j'avais moi-même rencontré Anne Catherick à Limmeridge, elle m'avait donné le nom de la localité où se trouvait l'établissement ; je l'avais communiqué à Miss Halcombe qui l'avait soigneusement noté dans son journal. Ayant donc retrouvé l'adresse et munie de la lettre du comte à Mr Fairlie qui pourrait lui servir de recommandation, elle se mit en route le 11 octobre.

Elle passa la nuit du 11 à Londres. Elle avait d'abord eu l'intention de s'arrêter chez la vieille gouvernante de lady Glyde, mais sa visite mit la bonne Mrs Vesey dans un tel état d'agitation qu'elle préféra dormir dans une pension de famille très respectable que lui avait recommandée la sœur de Mrs Vesey. Le lendemain, elle gagna l'asile, situé au nord de Londres.

Elle fut immédiatement reçue par le directeur.

Celui-ci, au départ, montra quelque réticence à l'introduire auprès de sa malade. Mais, après avoir pris connaissance de la lettre du comte Fosco qui parlait bien de Miss Halcombe comme de la plus proche parente de feu lady Glyde, et comprenant fort bien qu'en tant que telle la visiteuse avait toutes les raisons de vouloir constater par elle-même jusqu'où Anne Catherick poussait le transfert de personnalité, le directeur changea d'attitude et se montra plus conciliant. Persister dans son refus, alors que cette personne s'était dûment fait connaître, non seulement n'eût pas été courtois, mais eût laissé supposer qu'il ne tenait pas à ce qu'on visitât son institution.

Miss Halcombe eut tout de suite l'impression que le directeur n'était pas dans les confidences de sir Percival et du comte. Le fait qu'il consentit finalement à lui laisser voir la malade et la manière franche dont il lui parla de celle-ci le lui prouvaient assez. Ainsi, il apprit à Miss Halcombe que le comte Fosco avait ramené Anne Catherick le 27 juillet et lui avait remis, avec tous les certificats nécessaires, une lettre signée de sir Percival Glyde contenant explications et instructions. En revoyant son ancienne pensionnaire, le directeur l'avait trouvée légèrement changée. Mais il lui arrivait assez fréquemment de déceler ce type de changements chez les personnes atteintes de maladie mentale. Celles-ci peuvent avoir un comportement extérieur et une vie psychique très différents selon que l'état de leur folie s'est amélioré ou aggravé. Leur aspect physique varie selon leur état mental. Ces modifications étaient sensibles chez Anne Catherick et provenaient certes de la forme même que prenait sa maladie. N'importe, il était parfois déconcerté par certains détails qu'il n'avait pas observés lors du premier séjour de la jeune femme à l'asile. Ces détails, cependant, il n'aurait pas su les préciser. Il n'eût guère pu dire par exemple qu'ils touchaient à sa taille ou à sa silhouette, voire à son teint, à la couleur de ses cheveux ou de ses yeux, non, il avait l'impression d'un changement mais sans que celui-ci fût réellement tangible. Bref, Anne Catherick qui déjà lui paraissait une énigme en était une plus grande encore à présent qu'elle était revenue.

Cette conversation ne préparait en rien Miss Halcombe à ce qui l'attendait. Pourtant elle en fut quelque peu troublée et dut attendre un peu avant de retrouver sa sérénité et de se trouver en état de suivre le directeur vers le pavillon où logeaient les malades.

Renseignements pris, il s'avéra qu'Anne Catherick était en train de prendre de l'exercice dans le parc de l'asile. Le directeur étant appelé ailleurs, il confia à une infirmière le soin d'accompagner Miss Halcombe, qu'il rejoindrait un peu plus tard. L'infirmière la conduisit vers une partie reculée du parc par un chemin bordé de bosquets. Au bout d'un moment, elle lui désigna deux femmes qui s'avançaient vers elles :

– Voilà Anne Catherick, avec sa surveillante.

Puis elle se retira.

Lorsqu'elles ne furent plus qu'à quelques mètres, l'une des deux jeunes femmes s'arrêta brusquement en regardant l'étrangère qui s'approchait, puis, s'étant dégagée de l'étreinte de son infirmière, elle s'élança vers Miss Halcombe. Celle-ci reconnut sa sœur, la morte vivante !

Heureusement pour le succès de ce qui devait suivre, personne n'assistait à la scène, à l'exception de l'infirmière qui la surveillait, une toute jeune femme qui se montra bien trop troublée par ce qu'elle venait de voir pour pouvoir réagir. Avant qu'elle eût pu comprendre de quoi il retournait, elle était déjà prise en main par Miss Halcombe.

Celle-ci, après le premier choc de la découverte, avait rapidement recouvré ses sens et ses esprits. Avec l'énergie et le courage qui la caractérisent, elle comprit que la sauvegarde de sa sœur dépendait de son propre sang-froid.

Elle obtint de l'infirmière de pouvoir parler seule à seule avec la malade, à la condition qu'elles ne s'éloigneraient pas trop. Il n'était guère temps de poser des questions. Miss Halcombe s'efforça surtout de calmer son interlocutrice en l'assurant qu'elle allait l'aider si seulement elle savait se montrer maîtresse d'elle-même. La perspective de quitter l'asile sous la protection de sa sœur suffit à apaiser lady Glyde et à lui faire comprendre ce que l'on attendait d'elle. Sur ces entrefaites, Miss Halcombe retourna donc vers l'infirmière et lui mit dans la main tout l'argent qu'elle avait sur elle (trois souverains), en lui demandant quand elle pourrait s'entretenir avec elle en particulier.

La jeune femme se montra d'abord surprise et sceptique. Mais ayant reçu l'assurance qu'il s'agissait seulement de répondre à quelques questions que Miss Halcombe était trop troublée pour lui poser dans l'immédiat et qu'il n'était absolument pas question de l'entraîner dans une manœuvre frauduleuse, elle finit par prendre l'argent et par fixer un rendez-vous pour le lendemain, à trois heures de l'après-midi. Ayant assuré le déjeuner des malades, elle pourrait s'éclipser un court instant et retrouver Miss Halcombe dans une partie peu fréquentée du parc, près du mur d'enceinte. Miss Halcombe eut juste le temps d'acquiescer et de murmurer à sa sœur qu'elle aurait de ses nouvelles le lendemain avant d'être rejointe par le directeur. Il ne manqua pas de noter le trouble de sa visiteuse, mais celle-ci l'attribua à l'effet étrange qu'avait produit sur elle la rencontre avec Anne Catherick. Aussi vite que le lui permettait son courage, elle prit congé et se retira en laissant derrière elle sa malheureuse sœur.

A l'issue de cet épisode, il ne lui fallut guère de temps pour comprendre que toute tentative visant à faire reconnaître l'identité de lady Glyde et à la sortir de l'asile par des moyens légaux, même si elle réussissait, impliquait des délais bien trop longs pour l'équilibre nerveux de sa sœur. Celle-ci était déjà extrêmement ébranlée par ce qu'elle avait subi durant cette horrible détention. Miss Halcombe n'avait pas encore atteint Londres qu'elle avait déjà décidé de faire évader sa sœur, avec l'aide de l'infirmière.

Elle se rendit immédiatement chez son agent de change, le priant de réaliser tout ce qu'elle possédait, ce qui représentait à peine sept cents livres. Elle était décidée à donner jusqu'à son dernier penny pour délivrer sa sœur, et repartit le lendemain pour l'asile, avec toute sa fortune en poche.

A l'heure dite, elle se trouvait près du mur d'enceinte. L'infirmière l'attendait. Celle-ci lui raconta que la première infirmière qui avait été attachée à Anne Catherick avait perdu sa place après l'évasion de cette dernière (bien qu'elle ne fût aucunement responsable) et qu'elle-même ne tenait pas à perdre la sienne. Elle avait un fiancé, et tous deux espéraient mettre de côté, avant de se marier, trois cents livres qui leur permettraient d'ouvrir un petit commerce. Comme elle ne gagnait pas trop mal sa vie à l'asile, elle pouvait compter, si elle savait économiser, amasser en deux ans de quoi contribuer correctement à l'installation de son ménage.

C'est à ce moment-là que Miss Halcombe choisit d'intervenir. Elle expliqua que la prétendue Anne Catherick était en réalité une de ses très proches parentes, qu'elle avait été placée à l'asile par une erreur fatale et que l'infirmière chargée de la surveiller ferait une œuvre de charité chrétienne en l'aidant à fuir. La jeune fille n'eut guère le temps de faire la moindre objection que Miss Halcombe avait déjà sorti de sa poche quatre billets de cent livres qu'elle lui offrit en dédommagement des risques qu'elle allait courir et de la perte de son emploi.

L'infirmière hésita, partagée entre la surprise et l'incrédulité, mais Miss Halcombe insistait :

– Vous ferez une bonne action en libérant une femme indignement traitée. Amenez-la-moi saine et sauve ici et ces billets seront à vous. Vous pourrez de cette façon vous marier tout de suite et votre union sera bénie.

– Me donnerez-vous une lettre pour justifier la provenance de ces billets vis-à-vis de mon fiancé ? demanda l'infirmière.

– J'apporterai une lettre signée et datée.

– Alors, c'est d'accord.

– Quand ?

– Demain.

Il fut décidé en vitesse que Miss Halcombe reviendrait se poster le lendemain matin près du mur d'enceinte, à l'abri du couvert. L'infirmière ne put donner une heure précise, car il lui fallait tenir compte des imprévus. C'est là-dessus que l'on se sépara.

Miss Halcombe était à son poste, avec les billets et la lettre, le lendemain matin bien avant dix heures. Elle dut attendre plus d'une heure et demie. Enfin, l'infirmière apparut, tenant lady Glyde par le bras. Miss Halcombe lui remit immédiatement la lettre avec les quatre billets ; les deux sœurs étaient de nouveau réunies.

L'infirmière avait eu l'excellente idée de faire revêtir à lady Glyde un de ses uniformes. Avant de la quitter, Miss Halcombe la retint juste quelques minutes pour lui suggérer un moyen de détourner les soupçons lorsque l'on s'apercevrait à l'asile qu'Anne Catherick s'était échappée une seconde fois. En rentrant elle devait, de manière à se faire entendre par toutes les infirmières, dire à haute voix qu'Anne Catherick venait de s'informer auprès d'elle de la distance qui séparait Londres du Hampshire ; puis elle attendrait le dernier moment avant de donner l'alarme. Averti des questions posées par sa pensionnaire, le directeur ne manquerait pas de penser que, se prenant toujours pour lady Glyde, celle-ci était retournée à Blackwater Park, et il orienterait en conséquence les premières recherches dans cette direction.

L'infirmière consentit d'autant mieux à suivre ces suggestions qu'elles lui offraient le moyen de se protéger contre la perte de son emploi. Elle regagna le bâtiment et Miss Halcombe emmena en toute hâte sa sœur à Londres. De là, elles prirent le train de l'après-midi pour Carlisle et atteignirent sans encombre Limmeridge dans la soirée.

Pendant le temps qu'elles passèrent seules dans le train, Miss Halcombe s'efforça d'obtenir de sa sœur les quelques éléments d'information qui subsistaient dans sa mémoire embrouillée. Elle reconstitua ainsi, par fragments et parfois de manière incohérente, l'histoire de la terrible conspiration. Avant d'en arriver aux événements qui marquèrent la journée du lendemain à Limmeridge House, il faut reproduire ici cette histoire où subsistent encore bien des lacunes.

Les souvenirs qu'avait lady Glyde des événements ayant suivi son départ de Blackwater Park commençaient par son arrivée à Londres, South Western Railway. Elle ne se souvenait pas de la date exacte à laquelle elle entreprit son voyage. Il faut donc abandonner tout espoir de découvrir cette date, soit par elle, soit par Mrs Michelson.

A son arrivée à la gare, lady Glyde trouva le comte Fosco qui l'attendait sur le quai. Il se précipita à la portière du wagon aussi vite que le porteur. Dans la cohue, quelqu'un qui accompagnait le comte réussit à s'emparer des bagages de lady Glyde sur lesquels sa carte était apposée. Puis une voiture, dont au moment même elle ne remarqua pas bien l'apparence, l'emporta, seule avec le comte.

Sa première question, en quittant la gare, fut pour Miss Halcombe. Le comte lui répondit que sa sœur n'était pas encore partie pour le Cumberland car, après réflexion, il n'avait pas jugé prudent de la laisser poursuivre son voyage sans prendre auparavant quelques jours de repos. Lady Glyde demanda alors si sa sœur se trouvait chez le comte. Elle ne se souvenait plus de la réponse exacte du comte, mais il lui semblait que celui-ci lui avait dit qu'il la conduisait précisément auprès de Miss Halcombe.

Connaissant à peine Londres, lady Glyde ne pouvait préciser quelles rues ils empruntèrent. Mais elle se souvenait parfaitement que la voiture ne circula que dans des artères sans arbres et sans jardins. Elle s'arrêta enfin dans une rue étroite située derrière une place où la foule se pressait dans les magasins et les bâtiments publics. D'après ces souvenirs (dont lady Glyde est absolument certaine), il semble donc évident que le comte Fosco ne l'emmena pas dans sa résidence des faubourgs de St John's Wood.

Ils entrèrent dans une maison où une domestique leur ouvrit la porte, montèrent dans une chambre du premier ou du second étage, après qu'un homme à barbe noire, apparemment un étranger, les eut accueillis dans le hall et les eut accompagnés en haut. Répondant aux questions pressantes de lady Glyde, le comte lui assura que Miss Halcombe était dans la maison et qu'il allait aussitôt l'informer de leur arrivée. Il sortit avec l'étranger, laissant la jeune femme seule dans la pièce. Celle-ci, une sorte de boudoir, était misérablement meublée et donnait sur une cour intérieure.

L'endroit était totalement silencieux ; seul lui parvenait du rez-de-chaussée le murmure étouffé de deux voix d'hommes. Au bout de quelques minutes le comte reparut, expliquant que Miss Halcombe dormait et qu'il valait mieux ne pas la déranger pour l'instant. Il était accompagné d'un gentleman – un Anglais – qu'il présenta à lady Glyde comme un ami à lui. Après ces singulières présentations – elle ne se souvenait pas qu'il eût mentionné aucun nom –, le comte ressortit en la laissant seule avec l'inconnu. Il se montra parfaitement courtois mais l'intrigua par une foule de questions étranges qu'il lui posa en la regardant d'un air bizarre. Au bout d'un moment, il sortit à son tour et, après quelques minutes, un nouvel individu – anglais lui aussi – entra. Cet homme se présenta également comme un ami du comte et, comme le précédent, lui posa d'étranges questions en la regardant d'une drôle de manière, sans jamais s'adresser à elle par son nom. Comme l'autre, enfin, il sortit après un moment et la laissa seule.

Commençant à avoir peur pour elle et à s'inquiéter pour sa sœur, lady Glyde songea alors à redescendre pour réclamer l'aide de la seule femme qu'elle avait aperçue en arrivant, la domestique qui leur avait ouvert. Au moment où elle s'apprêtait à quitter la pièce, le comte fit irruption. Lady Glyde lui redemanda une nouvelle fois quand elle pourrait voir sa sœur. Il répondit d'abord évasivement, puis, comme elle insistait, il lui avoua que Miss Halcombe n'était pas en état de la recevoir. Le ton sur lequel il avait dit cela inquiéta tellement lady Glyde et ajouta tellement à l'angoisse qu'elle avait ressentie en face des deux inconnus qu'elle crut qu'elle allait se sentir mal et réclama un verre d'eau. Sur un appel du comte, l'étranger à la barbe noire apporta une carafe d'eau et un flacon de sels. Mais l'eau avait un goût si étrange qu'elle ne fit qu'aggraver son malaise. Elle s'empara alors du flacon de sels pour les respirer, mais elle sentit sa tête devenir lourde. Elle se souvenait encore du comte lui ôtant le flacon des mains, puis le lui faisant respirer de nouveau, puis elle avait sombré.

A partir de ce moment, ses souvenirs devenaient extrêmement vagues et embrouillés, difficiles, en réalité, à tirer au clair.

D'après ses impressions, elle était revenue à elle plus tard dans la soirée, croyait s'être rendue chez Mrs Vesey (ainsi qu'elle en avait eu l'intention en quittant Blackwater Park), où elle aurait pris un thé et passé la nuit. Elle était totalement incapable de savoir quand, comment et avec qui elle avait quitté la maison où l'avait conduite le comte Fosco, mais elle persistait à affirmer qu'elle avait bien été chez Mrs Vesey et, plus extraordinaire encore, que c'était Mrs Rubelle qui l'avait aidée à se déshabiller et à se mettre au lit ! Elle n'avait aucun souvenir des propos qu'elle avait pu échanger avec Mrs Vesey, pas plus qu'elle ne pouvait expliquer la présence de Mrs Rubelle à ses côtés.

Ce qui se passa le lendemain matin n'était pas plus clair dans son esprit. Elle se souvenait vaguement d'avoir été emmenée par le comte Fosco et Mrs Rubelle, qui devait veiller sur elle. Elle ne savait toujours ni quand ni pourquoi elle avait quitté la maison de Mrs Vesey, ni dans quelle direction était partie la voiture, ni où on l'avait déposée, ni enfin si le comte et Mrs Rubelle étaient restés tout ce temps avec elle. A ce point de son histoire, c'était le blanc total. Pas la moindre impression qui lui restât, aucune notion du temps qui s'était écoulé. Ce qu'elle savait, c'est qu'elle s'était retrouvée dans un endroit inconnu, entourée de femmes qu'elle ne connaissait pas.

Elle était à l'asile. Là, elle s'entendit appeler Anne Catherick et ne tarda pas à s'apercevoir qu'elle portait les vêtements de cette dernière. Lors de sa première nuit à l'asile, quand elle s'était déshabillée, l'infirmière lui avait montré les marques sur ses habits et lui avait dit, sans aucune méchanceté :

– Regardez vos vêtements : votre nom est marqué dessus. N'essayez donc plus de nous faire croire que vous vous appelez lady Glyde. Celle-ci est morte et enterrée. Vous êtes Anne Catherick en chair et en os. C'est écrit là-dessus, vous dis-je, et sur toutes les affaires qui ont été soigneusement mises de côté en votre absence… Anne Catherick, en toutes lettres !

Et effectivement, lorsque, le soir de leur arrivée à Limmeridge House, Miss Halcombe examina le linge que sa sœur portait, il était marqué au nom d'Anne Catherick.

Tels furent les seuls souvenirs – parfois incertains et souvent contradictoires – que Miss Halcombe put obtenir de sa sœur au cours de leur voyage vers le Cumberland. Miss Halcombe ne lui posa aucune question sur son séjour à l'asile, car c'eût été lui imposer une épreuve trop pénible. Le directeur avait dit qu'elle avait été amenée le 27 juillet. Donc, depuis cette date jusqu'au 13 octobre, elle avait été enfermée comme folle sous le nom d'Anne Catherick. Dans ces conditions, il n'était guère surprenant que ses facultés fussent quelque peu ébranlées.

Elles arrivèrent à Limmeridge House tard dans la soirée du 15, et Miss Halcombe résolut d'attendre le lendemain pour révéler l'identité de lady Glyde.

La première chose qu'elle fit au matin fut de se rendre chez Mr Fairlie, qu'elle mit au courant de la situation en ayant pris soin auparavant de le préparer prudemment aux révélations qu'elle devait lui faire. Mais celui-ci, passé le premier moment de surprise et de frayeur, entra dans une colère noire et déclara à Miss Halcombe qu'il refusait de se laisser duper par Anne Catherick. Il fit allusion à la lettre du comte Fosco et à ce que Miss Halcombe elle-même lui avait dit de la ressemblance existant entre Laura et Anne Catherick. Il refusait, ne fût-ce que pour une minute, de recevoir une folle, jugeant déjà scandaleux qu'elle se trouvât sous son propre toit.

Miss Halcombe quitta la pièce, puis, après avoir laissé retomber son indignation, décida que, pour le bien de l'humanité, il fallait que Mr Fairlie vît sa nièce, avant de lui fermer sa porte comme à une étrangère. Donc, sans y avoir été invitée, elle alla chercher sa sœur et pénétra de force chez Mr Fairlie, malgré le domestique qui voulut l'en empêcher.

La scène qui suivit ne dura que quelques minutes, mais est trop pénible pour être rapportée. Disons seulement que Mr Fairlie déclara en termes positifs qu'il ne reconnaissait pas sa nièce et qu'il ferait appel à la justice si avant la fin du jour cette femme n'était pas sortie de chez lui.

Quoiqu'elle connût l'égoïsme et le manque de cœur de Mr Fairlie, il était impossible à Miss Halcombe de supposer qu'il irait jusqu'à renier la fille de son propre frère si en réalité il la reconnaissait. Elle voulut croire, dans son infinie bonté, qu'il se laissait influencer par les événements et ne jugeait plus librement. Mais lorsqu'elle demanda aux domestiques de reconnaître lady Glyde et que tous, sans exception, se montrèrent pour le moins hésitants à reconnaître leur ancienne maîtresse, Miss Halcombe dut se rendre à la triste évidence : son séjour à l'asile avait bien plus profondément modifié le visage et les manières de lady Glyde qu'elle ne l'avait d'abord imaginé. La trahison par laquelle on la faisait passer pour morte était plus forte qu'une preuve vivante, même dans la maison où elle était née et où elle avait grandi.

Malgré tout, Miss Halcombe n'abandonna pas la partie. Elle comptait en particulier sur le retour de Fanny, qui s'était absentée de Limmeridge House mais dont on attendait le retour sous peu. Elle, sans doute, qui était la plus proche de sa maîtresse et, de tous les domestiques, celle qui lui était le plus sincèrement attachée, reconnaîtrait lady Glyde devant les autres. Sinon, on pouvait également envisager de garder secrètement lady Glyde à l'abri, dans une des maisons du village, jusqu'à ce qu'elle eût repris des forces et recouvré sa lucidité d'esprit. Alors elle pourrait témoigner en personne de son identité, en se référant à des personnes qu'elle connaissait intimement et en citant des détails qu'aucun imposteur n'eût pu connaître. Ainsi, par la seule force de conviction de ses propres mots, elle prouverait son identité, comme n'avait pu le faire son apparence.

Cependant, les conditions dans lesquelles elle avait repris sa liberté condamnaient d'emblée toutes ces solutions. Après s'être dirigées vers le Hampshire, les recherches ne manqueraient pas de se tourner vers le Cumberland. On pouvait s'attendre à voir les enquêteurs arriver d'une heure à l'autre à Limmeridge House, et Mr Fairlie, vu son état d'esprit, ferait tout son possible pour les aider à retrouver les fugitives. Pour la sécurité de lady Glyde, Miss Halcombe devait donc renoncer à vouloir lui rendre justice, et devait lui faire quitter l'endroit au monde où, désormais, elle se trouvait le moins en sécurité – son village natal.

Ainsi décida-t-elle de repartir tout de suite pour Londres ; dans la grande ville, nul ne pourrait retrouver leur trace. Les deux femmes n'avaient pas de préparatifs à effectuer, pas d'adieux à faire. Dans l'après-midi de ce mémorable jour du 16 octobre, Miss Halcombe exhorta sa sœur à un ultime effort et, sans une âme pour leur dire adieu, elles quittèrent Limmeridge House pour toujours.

En passant devant le cimetière, lady Glyde supplia sa sœur de la laisser s'incliner une dernière fois sur la tombe de sa mère. En vain Miss Halcombe voulut-elle l'en dissuader, elle était inflexible. Ses yeux avaient retrouvé un éclat soudain et brillaient sous son voile ; ses doigts, jusqu'alors si lâches, agrippaient fermement le bras de sa sœur. Je crois en mon âme et conscience que le doigt de Dieu leur montrait le chemin, et que la plus innocente et la plus misérable de ses créatures fut choisie, à ce moment précis, pour se trouver sur ce chemin.

Elles avancèrent vers le champ des morts, faisant ainsi s'accomplir le destin de nos trois vies.

III

Voilà l'histoire du passé, telle que nous la connaissions du moins.

Deux conclusions s'imposèrent à mon esprit après l'avoir entendue. D'abord, je mesurai toute la noirceur et toute l'ampleur de la conspiration ; rien n'avait été laissé au hasard pour garantir l'impunité des criminels. Bien qu'il me manquât encore tous les détails, je ne voyais que trop bien comment on avait joué de la ressemblance existant entre la Dame en blanc et lady Glyde. Il était clair qu'Anne Catherick avait été amenée chez le comte Fosco sous l'identité de lady Glyde, et que cette dernière avait repris la place de la morte à l'asile, la substitution ayant été faite à la barbe des témoins (les deux domestiques du comte et le directeur de l'asile), complices malgré eux de cette épouvantable machination.

Ma seconde conclusion découlait de la première. Il ne fallait s'attendre à aucune pitié de la part de sir Percival et du comte Fosco que ce complot avait faits héritiers d'une belle fortune, vingt mille livres pour le premier, dix mille livres, par sa femme, pour le second. Ils devaient à tout prix assurer leur impunité. Ils remueraient ciel et terre, ne reculeraient devant aucun sacrifice ni aucune vilenie pour découvrir le lieu où se cachait leur victime et pour la séparer des deux seuls amis qui lui restaient, Marian Halcombe et moi.

La perspective de ce danger qui, à chaque heure qui passait, menaçait un peu plus de fondre sur nous me fit choisir le lieu de notre retraite, une rue grouillante de l'East End de Londres, quartier populaire où la lutte pour la vie préoccupait davantage les esprits que les potins du voisinage. C'étaient là des conditions déterminantes, mais l'endroit présentait également un second avantage non négligeable. Dans cette modeste retraite, nous pourrions vivre petitement de mon travail, en économisant penny après penny en vue du grand dessein qui était le nôtre, réparer un jour une infâme injustice.

En moins d'une semaine, Marian Halcombe et moi avions organisé notre vie.

Nous étions les seuls locataires de la maison et pouvions entrer et sortir sans passer par la boutique. Je décidai que, dans un premier temps tout au moins, ni Marian ni Laura ne sortiraient sans moi ; au cas où je m'absentais seul, elles ne devaient laisser personne entrer, sous quelque prétexte que ce fût.

Je me rendis ensuite chez un ami de longue date, un graveur sur bois, à qui je dis que je cherchais du travail mais que je souhaitais conserver l'anonymat. Il en conclut que j'avais des dettes, se montra plein de compassion et promit de m'aider. Sans le détromper, j'acceptai le travail qu'il me proposait. Il savait pouvoir compter sur mon talent et sur mon expérience. En échange de mon savoir-faire, il m'offrait de quoi nous faire vivre tous les trois. Marian et moi mîmes alors en commun tout ce que nous possédions. Il lui restait entre deux et trois cents livres d'économies et, de mon côté, j'en possédais à peu près autant, qui me restaient de ce que m'avait rapporté la vente de ma charge de maître de dessin avant mon départ pour l'Amérique centrale. A nous deux, nous avions un peu plus de quatre cents livres. Je déposai à la banque cette somme qui devait servir à financer les recherches secrètes que nous allions devoir mener. Ces recherches, j'étais décidé à les pousser jusqu'au bout, seul s'il le fallait.

Marian décida sur-le-champ qu'elle s'occuperait des travaux ménagers et repoussa l'idée qu'on pût en charger une personne étrangère, fût-elle digne de confiance.

– Pour quoi donc sont faites des mains de femme ? s'exclama-t-elle. Les miennes feront parfaitement l'affaire.

Et pourtant, ses mains tremblaient tandis qu'elle les brandissait. Sur ses bras décharnés se lisait la triste histoire de sa vie, quand elle retroussait les manches de la misérable robe dont elle était affublée. Mais dans ses yeux brillait toujours la même énergie. Deux larmes scintillèrent sur le bord de la paupière et glissèrent lentement sur ses joues. D'un revers de la main elle les essuya en esquissant un sourire où perçait son enjouement de naguère.

– Ne doutez pas de mon courage, Walter. C'est ma faiblesse qui verse ces larmes, ce n'est pas moi. Et le travail en aura raison.

Et elle tint parole. Quand nous nous retrouvâmes dans la soirée et qu'elle vint s'asseoir à côté de moi, elle avait gagné la bataille. Ses yeux noirs me fixaient avec la même vigueur qu'aux jours anciens.

– Je ne suis pas encore anéantie. Je crois qu'on peut compter sur moi pour accomplir ma part de travail.

Et, avant que j'eusse le temps de répondre, elle ajoutait dans un murmure :

– Et ma part de risque aussi, dans le danger. Souvenez-vous-en quand viendra l'heure.

Quand vint l'heure, je sus m'en souvenir.

Dès la fin du mois d'octobre, nos trois vies avaient pris leur cours définitif. Nous nous trouvions totalement isolés dans notre cachette, comme si la maison où nous habitions s'était trouvée sur une île déserte et que le lacis des innombrables rues qui l'entouraient, grouillantes de monde, eût été une mer infinie. Je commençai alors à dresser notre plan de bataille contre sir Percival et le comte.

Il était inutile d'essayer de prouver l'identité de Laura en se fondant sur le seul fait que Marian et moi la reconnaissions. Sans notre amour plus fort que la raison, sans notre instinct aussi, nous-mêmes eussions douté si cette jeune femme, devant nous, était bien Laura.

La souffrance et les terribles angoisses qu'elle avait traversées n'avaient fait qu'accentuer sa fatale ressemblance avec Anne Catherick. Lorsque j'ai parlé de mon séjour à Limmeridge House, j'ai expliqué comment cette ressemblance, extraordinaire quand on la considérait dans l'ensemble des traits, perdait de sa réalité dès que l'on examinait les détails des visages. Si on les avait vues côte à côte, personne, alors, n'aurait pu se méprendre. Mais, hélas ! il n'en était plus de même. Les douleurs morales que je m'étais un jour blâmé d'associer – en une pensée fugitive – à l'avenir de Laura Fairlie avaient bien profané son jeune et beau visage. Et la ressemblance parfaite que j'avais alors devinée en frémissant était maintenant chose accomplie. Eût-on pu alors reprocher à des étrangers, à des amis, à des parents même, qui l'auraient rencontrée peu de temps après sa sortie de l'asile, de douter qu'elle fût la Laura Fairlie qu'ils avaient connue naguère !

L'espoir que j'avais d'abord nourri de l'amener à se souvenir de personnes ou d'événements qu'aucun imposteur n'eût pu connaître était vain. Toutes les petites attentions que nous lui prodiguions, Marian et moi, pour tenter de lui rendre ses facultés ébranlées ne nous prouvaient que trop combien il eût été dangereux de la replonger dans ce passé horrible et trouble.

Le seul souvenir que nous osions tenter de faire renaître en elle, c'était celui des jours heureux, à Limmeridge House, lorsque je lui enseignais le dessin. Nous conçûmes un premier espoir le matin où un faible sourire passa sur son visage lorsque je lui montrai le croquis représentant le pavillon d'été, croquis qu'elle m'avait donné le jour de mon départ et dont je ne m'étais jamais séparé. Peu à peu, doucement, les promenades que nous avions faites à cette époque lui revenaient à la mémoire, et dans les yeux tristes qui nous regardaient, Marian et moi, il nous sembla voir s'éveiller un intérêt nouveau que dès ce moment nous ne cessâmes d'encourager. Je mis devant Laura une boîte de couleurs et un cahier de croquis, semblable à celui qu'elle tenait en main le matin de notre première rencontre. De nouveau – ô mon Dieu ! de nouveau ! –, pendant mes quelques moments de liberté, dans notre pauvre logis perdu dans les brumes londoniennes, je guidai sa main redevenue maladroite. Jour après jour, je réveillai l'intérêt de Laura pour sa nouvelle occupation afin qu'elle vînt combler un peu du néant de son existence. Bientôt elle put penser à ses dessins, en parler, s'y exercer, et le fragile plaisir que nous en éprouvions tous les deux était un pâle reflet du bonheur perdu des jours anciens.

C'est ainsi, par ces moyens tout simples, que lentement nous tentions de l'aider. Nous l'emmenions en promenade dans un petit square non loin de chez nous où tout était calme, où rien ne pouvait l'effrayer ; nous lui apportions du vin et des friandises, achetés avec un peu d'argent que Marian et moi nous étions autorisés à prélever sur le dépôt de la banque ; nous passions nos soirées à jouer avec elle à ces jeux de cartes très simples qui amusent les enfants, ou à contempler des livres d'images que j'empruntais au graveur qui m'employait. Bref, notre amour l'entourait de soins et ne désespérait pas de la revoir un jour telle qu'elle était autrefois. Cependant, lui faire rencontrer des étrangers, ou même des personnes déjà vues, réveiller les impressions douloureuses liées à son passé, cela, dans son propre intérêt, nous n'osions pas le tenter. Dût-il nous en coûter de lourds sacrifices et des années d'attente et d'angoisse, le mal qui lui avait été fait serait réparé sans que l'on eût besoin de faire appel à elle.

Ceci ayant été décidé, il fallut adopter une première marche à suivre. D'accord avec Marian, je résolus de récolter le plus de renseignements possible, puis d'aller trouver Mr Kyrle (sur qui nous savions pouvoir compter), afin de lui demander, entre autres choses, si nous pouvions recourir aux moyens légaux. Les intérêts de Laura exigeaient que, tant qu'il restait un espoir de pouvoir nous faire aider, je ne prisse pas sur mes seules épaules la responsabilité de son avenir.

Pour commencer, je pris connaissance du journal qu'avait tenu Marian à Blackwater Park. Comme il contenait des passages où il était question de moi, la jeune fille préféra ne m'en lire à haute voix que certains extraits importants pour mon enquête. Nous consacrâmes nos moments de loisir à cette tâche; en trois longues soirées, j'avais pris note de tout ce que Marian pouvait m'apprendre.

Je tentai ensuite d'obtenir d'autres personnes le plus grand nombre d'informations possible, tout en m'efforçant de ne pas éveiller la suspicion par mes démarches. Je me rendis d'abord chez Mrs Vesey, car je voulais savoir si Laura y avait, oui ou non, passé une nuit. Compte tenu du grand âge de Mrs Vesey et de son état de santé déclinant, je résolus (et me tins à cette résolution lors de toutes mes investigations ultérieures) de ne rien divulguer de notre situation; je pris soin de toujours parler de Laura comme de « feu lady Glyde ».

La réponse de Mrs Vesey ne fit que confirmer mes craintes. Laura avait, en effet, écrit à sa vieille amie qu'elle passerait la nuit chez elle, mais elle n'était jamais venue.

Je ne m'étais pas trompé, hélas! En cette occasion comme en d'autres, Laura croyait avoir fait ce qu'elle avait seulement eu l'intention de faire. Cette contradiction entre ses propos et ses actes s'expliquait fort bien mais risquait d'avoir de graves conséquences. C'était un obstacle supplémentaire qui se dressait sur notre route, car le fait se retournerait contre nous.

Quand je demandai à voir la lettre que lady Glyde lui avait écrite de Blackwater Park, Mrs Vesey me la donna sans enveloppe. L'enveloppe, elle l'avait détruite depuis longtemps. La lettre elle-même ne portait aucune date et disait simplement ceci :

Chère Madame Vesey, je vis dans la tristesse et l'inquiétude et je viendrai demain vous demander de passer la nuit chez vous. Il m'est impossible de vous en dire davantage dans cette lettre, car j'ai tellement peur d'être surprise pendant que je l'écris que je ne puis lier convenablement deux idées. A demain. Je vous embrasserai et vous raconterai tout. Affectueusement à vous,

Laura.

Ces quelques lignes ne m'apprenaient rien.

Je priai alors Marian d'écrire à Mrs Michelson, mais sans dévoiler, bien entendu, notre réelle situation. Si bon lui semblait, elle pouvait, par exemple, émettre quelque vague soupçon au sujet de la conduite du comte Fosco et demander à la gouvernante de nous aider en nous disant ce qu'elle savait. Pendant que nous attendions sa réponse qui nous parvint au bout d'une semaine, je me rendis chez le médecin de St John's Wood. J'étais, dis-je, envoyé par Miss Halcombe, car je désirait avoir sur la maladie de sa sœur plus de détails que Mr Kyrle n'en avait pu donner. Grâce au Dr Goodricke, j'obtins une copie de l'acte de décès et j'eus un entretien avec cette Jane Gould qui avait procédé à l'ensevelissement. Grâce à cette dernière, je pus encore obtenir le témoignage de Hester Pinhorn, qui venait de quitter sa place à la suite d'un désaccord avec la comtesse et logeait chez des voisins de Jane Gould. Ainsi, je possédais les témoignages de Mrs Michelson, du Dr Goodricke, de Jane Gould et de Hester Pinhorn, tels qu'on les a lus précédemment.

Muni de ces documents, je jugeai avoir assez d'éléments en ma possession pour me présenter chez Mr Kyrle. Marian lui écrivit un mot de recommandation dans lequel elle demandait pour moi un rendez-vous.

Avant de partir, je fis un bout de promenade avec Laura, puis l'installai devant ses crayons et ses couleurs. Comme j'allais la quitter, elle leva sur moi des yeux pleins d'inquiétude :

– Vous n'êtes pas déjà fatigué de moi, n'est-ce pas ? Vous ne partez pas parce que je vous fatigue ? Je vais tâcher de faire de mon mieux. Je vais aller mieux. M'aimez-vous autant qu'avant, Walter, à présent que je suis si maigre et si pâle, et que j'apprends si lentement à dessiner ?

Elle parlait comme l'aurait fait une enfant, et m'ouvrait son cœur comme si elle avait été une enfant. Je me rassis un moment auprès d'elle, pour la rassurer et lui dire qu'elle m'était plus chère aujourd'hui que jamais.

– Tâchez de guérir, lui dis-je, m'accrochant à cette nouvelle espérance qu'elle nourrissait envers l'avenir ; tâchez de guérir, pour l'amour de Marian et pour moi.

– Oui, fit-elle, en retournant à son dessin. Je vais essayer, car tous d'eux m'aiment tant !

Puis, de nouveau, elle redressa la tête :

– Ne partez pas trop longtemps ! Je ne peux pas dessiner quand je suis seule, Walter, quand vous n'êtes pas là pour m'aider.

– Je serai bientôt de retour, mon ange, très bientôt.

Ma voix vacilla légèrement malgré moi. Je me forçai à quitter la pièce, car il n'était pas temps de se laisser aller aux émotions. J'avais encore besoin d'être maître de moi.

En sortant, je demandai à Marian de m'accompagner sur le palier ; mieux valait la préparer à une éventualité qui, tôt ou tard, ne manquerait pas de se produire lors d'une de mes sorties.

– Je serai sans doute rentré avant deux heures, lui dis-je, mais si quelque chose arrivait...

– Que peut-il arriver, Walter ? Ne me cachez rien. S'il y a un quelconque danger, je saurai le regarder en face.

– Le seul danger, répondis-je, est que sir Percival soit rentré à l'annonce de l'évasion de Laura. Vous savez qu'il m'a déjà fait surveiller avant mon départ d'Angleterre, et qu'il me connaît de vue, ce qui n'est pas mon cas.

Elle posa sa main sur mon épaule et me regarda avec anxiété. Je vis qu'elle mesurait la menace qui planait sur nous.

– Il n'y a pas grand risque que je sois repéré dans Londres par sir Percival ou l'un de ses hommes. Mais je ne suis pas à l'abri d'un mauvais hasard. Dans ce cas, promettez-moi de ne pas paniquer si je ne rentre pas ce soir et de rassurer Laura avec la première excuse que vous pourrez trouver. Si j'ai la moindre raison de penser que je suis suivi, je ne veux à aucun prix montrer le chemin de cette maison et mon retour pourrait être retardé... Mais je finirai par rentrer, Marian, même si c'est tard. Ne craignez rien !

– Je ne crains rien, Walter..., répondit-elle fermement. Vous ne regretterez pas de n'avoir qu'une femme comme alliée ! Soyez prudent... surtout soyez prudent !

Disant cela, elle me serra fortement la main.

Je la quittai et m'engageai sur le chemin qui devait me conduire à la vérité, l'obscur et sinueux chemin qui s'arrêtait d'abord à la porte de l'avocat.

IV

J'arrivai sans encombre à l'étude de Messrs Gilmore & Kyrle, dans Chancery Lane.

Tandis que j'attendais d'être introduit, une idée me vint tout à coup, que je regrettai de ne pas avoir eue plus tôt. D'après le journal de Marian, je savais que le comte Fosco avait ouvert la première lettre que, de Blackwater Park, elle avait écrite à Mr Kyrle, et que sa femme avait intercepté la seconde. Il connaissait donc l'adresse de l'étude, et il se doutait naturellement que, Laura s'étant enfuie de l'asile, Marian se mettrait de nouveau en rapport avec Mr Kyrle. Dans ces conditions, l'étude de Chancery Lane serait, avant tout autre, l'endroit que le comte et sir Percival feraient surveiller, et s'ils employaient à cette fin les mêmes personnes par lesquelles ils m'avaient fait suivre naguère, mon retour au pays serait connu dès ce jour-là. J'avais pensé au danger d'être reconnu dans la rue, mais jamais au risque que je courais en venant ici. Il était trop tard à présent pour réparer cette erreur de jugement, trop tard pour regretter de ne pas avoir donné rendez-vous à l'avocat dans un lieu secret, décidé à l'avance. La seule chose qui me restait à faire, c'était d'user d'une extrême prudence en quittant Chancery Lane, et de ne rentrer en aucun cas directement à la maison.

Après quelques minutes d'attente, je fus introduit chez Mr Kyrle. C'était un homme mince, pâle et très maître de lui ; il avait le regard attentif, parlait à voix basse en économisant ses gestes, et ne semblait guère enclin à se répandre en marques de sympathie envers un étranger. Il semblait difficile, en somme, de le faire sortir de sa réserve professionnelle, mais je n'aurais pu trouver meilleur homme pour défendre mon cas. S'il décidait quelque chose, et si cette décision m'était favorable, nul doute qu'il serait le plus solide des soutiens.

– Avant de vous parler de l'affaire qui m'amène ici, lui dis-je, je dois vous avertir, monsieur Kyrle, que cela risque de nous prendre un certain temps.

– Mon temps est à la disposition de Miss Halcombe, répondit-il. Je représente professionnellement et personnellement mon associé pour tout ce qui touche à ses intérêts. C'est une requête qu'il m'a faite quand il a dû abandonner ses activités.

– Puis-je me permettre de vous demander si Mr Gilmore se trouve en Angleterre ?

– Non. Il est installé chez des parents à lui, en Allemagne. Sa santé est meilleure, mais la date de son retour n'a pas encore été fixée.

Tandis que nous échangions ces propos préliminaires, il cherchait parmi les papiers encombrant son bureau. Il finit par sortir une lettre cachetée. Je crus un instant qu'il avait l'intention de me la donner mais, se ravisant manifestement, il la reposa sur la table, se cala dans son fauteuil et attendit en silence ce que j'avais à lui dire.

Sans perdre de temps en préambules inutiles, je lui racontai dans le détail les événements dont ces pages ont fait le récit.

Il avait beau être avocat, je parvins à le faire sortir de son impassibilité. A plusieurs reprises mes propos suscitèrent chez lui des expressions de surprise et d'incrédulité qu'il ne parvenait pas à retenir. J'achevai mon histoire en lui posant la seule question importante :

– Quelle est votre opinion, monsieur Kyrle ?

Il était trop prudent pour s'engager avant d'avoir repris tous ses esprits.

– Avant de vous donner mon opinion, je désire éclairer certains points en vous posant quelques questions, si vous le permettez.

Les questions qu'il me posa – pointues, dubitatives, soupçonneuses – me firent clairement comprendre qu'il me croyait victime d'une illusion, et je ne suis pas sûr qu'il ne m'eût pas soupçonné de vouloir le duper si je n'avais eu le mot d'introduction de Miss Halcombe.

– Croyez-vous au moins que je vous aie dit la vérité ? demandai-je quand il en eut fini.

– Selon vos convictions, oui. J'ai la plus profonde estime pour Miss Halcombe et je ne puis qu'apprécier un homme en qui elle a confiance. Je veux bien aller plus loin encore et admettre, par courtoisie et par respect pour ce que vous m'avez dit, que l'identité de lady Glyde n'est douteuse ni pour elle, ni pour vous. Mais vous me demandez mon avis et, en tant qu'avocat, il est de mon devoir de vous dire que votre cause ne tient pas debout, monsieur Hartright.

– Vous êtes bien définitif, monsieur Kyrle !

– Je vais plutôt tâcher d'être clair. La mort de lady Glyde, en apparence, est un fait avéré. Nous avons le témoignage de sa tante qui nous dit qu'elle est arrivée chez le comte Fosco, qu'elle y est tombée malade et qu'elle y est morte. Nous avons le témoignage fourni par l'acte de décès qui prouve que la mort est due à des circonstances naturelles. Nous avons également l'inhumation et l'épitaphe inscrite sur la sépulture. Tels sont les faits que vous prétendez contester. Qu'avez-vous comme preuve à opposer à ces faits, nombreux et évidents, qui établissent la mort de lady Glyde ? Examinons-les un à un, voulez-vous, et voyons ce qu'ils valent. Miss Halcombe se rend dans un asile privé, où elle rencontre une malade. On sait qu'une dénommée Anne Catherick, qui présente une ressemblance frappante avec lady Glyde, s'est échappée une première fois de cet asile, où elle était internée. On sait également que la malade qui y est admise en juillet dernier est cette Anne Catherick, que l'on a rattrapée. On sait enfin que le gentleman qui l'y a amenée a prévenu Mr Fairlie qu'une manifestation de la folie de cette femme était qu'elle se prenait pour sa défunte nièce. Ce sont des faits. Qu'avez-vous à dire contre cela ? Si Miss Halcombe a reconnu la femme de l'asile, les événements ultérieurs semblent venir contredire cette reconnaissance. Miss Halcombe a-t-elle fait part de sa découverte au directeur de l'asile et tenté de faire sortir sa sœur de celui-ci par des moyens légaux ? Non, elle achète en secret une infirmière pour la faire échapper. Une fois que la malade a été libérée de l'asile par ces moyens douteux et qu'elle est conduite chez Mr Fairlie, celui-ci la reconnaît-il ? Croit-il une seconde que sa nièce n'est pas morte ? Non. Les domestiques la reconnaissent-ils ? Non. Reste-t-elle alors dans le voisinage pour prouver à tous son identité ? Non, elle se sauve à Londres avec sa sœur. Entre-temps, vous prétendez l'avoir reconnue également, mais vous n'êtes ni parent ni ami de la famille. Les domestiques vous contredisent, Mr Fairlie contredit Miss Halcombe, et la soi-disant lady Glyde se contredit elle-même : elle déclare avoir passé une nuit à Londres chez cette Mrs Vesey, et vos propres recherches prouvent que c'est faux ; enfin vous avouez que son état mental actuel ne lui permet pas de répondre à un interrogatoire et de plaider sa propre cause. Je vous épargne le reste pour gagner du temps, et je vous demande, dans l'hypothèse où l'affaire serait portée devant un tribunal et devant un jury, tout prêt à admettre l'évidence des faits tels qu'ils se présentent, où sont vos preuves ?

Il me fallut un moment pour rassembler mes idées avant de pouvoir répondre. C'était la première fois que l'histoire de Marian et de Laura m'était présentée à travers les yeux d'un étranger, la première fois que les véritables obstacles qui se trouvaient sur notre route m'apparaissaient dans toute leur réalité.

– Tels que vous les avez établis, il n'y a aucun doute que les faits semblent contre nous, mais…

– Vous croyez que les faits peuvent être démentis, n'est-ce pas ? m'interrompit Mr Kyrle. Croyez-en ma vieille expérience, cher monsieur. Quand un jury anglais doit choisir entre un fait apparemment évident et une contestation demandant de longues explications, il préfère l'évidence sans explication. Prenons un exemple : lady Glyde (je me permet de l'appeler par ce nom, puisque vous jugez que c'est le sien) déclare avoir dormi à un endroit où il est prouvé qu'elle n'a pas dormi. Vous expliquez cette contradiction par son état nerveux et en tirez une conclusion métaphysique. Je ne dis pas que vous vous trompez, je dis seulement que le jury retiendra le fait qu'elle s'est contredite plutôt que toutes les explications que vous pourrez fournir pour expliquer cette contradiction.

– Mais avec de la patience et de nouvelles recherches, n'y aurait-il pas moyen de découvrir une preuve indiscutable ? Miss Halcombe et moi possédons quelques centaines de livres et si…

Secouant la tête, il m'interrompit d'un air de pitié.

– Monsieur Hartright, si ce que vous dites est vrai (ce dont je doute), sir Percival et le comte Fosco créeront toutes les difficultés imaginables pour vous empêcher d'arriver à vos fins et contesteront chacun de vos arguments. Il vous faudrait une fortune au lieu de quelques centaines de livres pour vous mesurer à eux, pour un résultat, au bout du compte, qui risquerait de n'être même pas en votre faveur ! Les problèmes d'identité sont parmi les plus durs à résoudre, même quand ils ne s'aggravent pas des complications que nous avons dans votre cas. Je ne vois réellement aucun moyen de jeter une nouvelle lumière sur cette affaire. Et même si la personne enterrée dans le cimetière de Limmeridge n'est pas lady Glyde, elle ressemblait tant à cette dernière – je répète ce que vous-même affirmez – qu'avoir recours à la procédure légale de l'exhumation ne nous servirait de rien. Je vous le répète, monsieur Hartright, il n'y a rien à faire.

Je voulais être convaincu du contraire et revins à la charge en changeant mon fusil d'épaule.

– Ne pourrait-on produire une preuve qui ne se rapporte pas directement à cette question de l'identité ?

– Dans votre cas, je n'en vois malheureusement pas… La preuve la plus simple et la plus solide serait la comparaison des dates. Or, si je comprends bien, il vous est impossible de les confronter. Si vous pouviez établir qu'il y a contradiction entre la date du certificat de décès et celle de l'arrivée de lady Glyde à Londres, tout serait changé, et je serais le premier à vous dire : allons-y !

– On retrouvera cette date, monsieur Kyrle.

– Le jour où vous la retrouverez, monsieur Hartright, alors nous pourrons agir. Et si vous voyez la moindre chance de la retrouver, dites-le-moi sans tarder, et je verrai ce que je peux faire pour vous.

Je réfléchis. La gouvernante ne pouvait guère nous aider, Laura non plus, Marian pas davantage. Selon toutes probabilités, les seules personnes qui connaissaient la date du voyage de lady Glyde étaient sir Percival et le comte Fosco.

– Je ne vois aucun moyen pour l'instant de vérifier quand lady Glyde est arrivée à Londres, car je ne vois pas qui peut le savoir, à part le comte Fosco et sir Percival Glyde.

Pour la première fois, un sourire éclaira le visage de Mr Kyrle.

– Avec l'opinion que vous avez de ces messieurs, je suppose que vous n'espérez pas qu'ils vous aideront ! S'ils ont combiné ce complot pour avoir l'argent, ils ne l'avoueront jamais !

– Ils pourraient y être forcés…

– Et par qui ?

– Par moi !

Nous nous levâmes tous les deux. Il me regarda droit dans les yeux, avec un intérêt tout à fait nouveau. Je vis que je l'intriguais.

– Je vois que vous êtes extrêmement déterminé. Vous devez avoir un motif personnel pour agir de la sorte sans doute, monsieur, mais cela ne me regarde pas. Si vous avez des arguments sérieux, venez me voir et je vous promets alors de vous aider. Seulement, je tiens à vous prévenir qu'il y a peu de chances de récupérer la fortune de lady Glyde, même si vous prouvez qu'elle est en vie. L'étranger quittera probablement le pays avant le début du procès et, quant à sir Percival, ses dettes sont si nombreuses et si pressantes que tout l'argent ira à ses créanciers. Vous savez que…

– Excusez-moi si je vous arrête, monsieur, mais je ne suis pas au courant de la situation de fortune de lady Glyde et je ne désire pas la connaître. Je sais seulement qu'elle ne possède plus rien… Vous ne vous trompez pas en pensant qu'un motif personnel me pousse à agir, mais cela n'a rien à voir avec l'argent…

Je vis qu'il essayait de dire quelque chose, peut-être de s'expliquer, mais je m'étais un peu échauffé, je suppose, en imaginant qu'il doutait de moi, et je continuai avec entêtement sans prêter l'oreille à ce qu'il pouvait dire.

– L'argent ne m'intéresse pas, et je ne souhaite rien gagner en aidant lady Glyde. Elle a été chassée comme une étrangère de la demeure où elle est née, un mensonge annonçant qu'elle est morte a été gravé sur la tombe de sa mère, et il existe deux hommes en vie qui en sont responsables. Je me suis juré de lui faire rouvrir cette maison en présence de tous ceux qui ont assisté à l'enterrement, et l'épitaphe mensongère sera publiquement effacée de la pierre par le chef de famille. Quant aux deux hommes, c'est devant moi qu'ils répondront de leurs crimes, si la justice est impuissante à les punir. J'ai voué ma vie à cette tâche et je l'accomplirai seul si Dieu me protège !

Mr Kyrle se rassit sans un mot. Je vis à son air qu'il croyait ma raison sérieusement ébranlée, et qu'il jugeait inutile de me donner plus de conseils.

– Nous campons chacun sur nos positions, monsieur Kyrle, et il en sera ainsi jusqu'à ce que des événements futurs nous départagent. Je vous remercie de m'avoir écouté. Notre entretien aura du moins servi à me faire comprendre que la solution légale n'est pas pour nous : non seulement nous n'avons pas les preuves suffisantes, mais en plus nous ne sommes pas assez riches pour payer notre droit en justice ! C'est déjà une chose de le savoir !

M'inclinant, je me dirigeai vers la porte. Il m'arrêta en me tendant la lettre cachetée qu'il avait déposée sur sa table.

– Ceci est arrivé par la poste il y a quelques jours. Voudriez-vous avoir l'obligeance de le remettre à Miss Halcombe, avec mes regrets de ne pouvoir l'aider, sinon en lui donnant un conseil qui serait aussi mal accueilli par elle, j'en ai bien peur, qu'il l'a été par vous.

Je jetai un coup d'œil à l'enveloppe. Elle était adressée à *Miss Halcombe. Aux soins de Messrs Gilmore & Kyrle, Chancery Lane.* L'écriture m'en était inconnue.

Avant de quitter la pièce, je posai une dernière question.

– Pouvez-vous me dire si sir Percival est encore à Paris ?

– Il est rentré à Londres, m'a dit hier son avocat.

Je saluai et sortis. La première précaution à prendre en quittant l'étude était de ne pas attirer l'attention en ayant l'air de regarder autour de moi. Je me dirigeai droit vers l'un des parcs qui bordent Holborn au nord, puis, me trouvant au bout d'une allée large et dégagée, je m'arrêtai et me retournai. Il y avait deux hommes, à l'angle du parc, qui s'étaient arrêtés eux aussi et qui semblaient discuter ensemble. Je réfléchis rapidement, puis choisis de revenir sur mes pas et de les dépasser. L'un deux s'éclipsa alors que je m'approchais mais l'autre ne bougea pas. Je reconnus sans peine l'un des espions qui m'avaient suivi avant mon départ d'Angleterre.

Si j'avais été libre de suivre mon instinct, j'eusse sans doute parlé à cet homme et eusse fini par lui coller mon poing dans la figure. Mais il me fallait penser aux conséquences. En agissant de la sorte, je donnais de nouvelles armes contre moi à sir Percival. Je répondrais donc à la ruse par la ruse. J'empruntai la rue par laquelle avait disparu le premier homme. Je ne tardai pas à l'apercevoir, attendant sous un porche. J'étais rassuré d'avoir ainsi pu voir son visage, pour le reconnaître plus tard, en cas de problème. Je remontai ensuite vers le nord, puis obliquai vers l'ouest, jusqu'à un croisement situé non loin, je le savais, d'une station de fiacres. J'en attrapai un qui passait, au bout de quelques minutes, et dis au chauffeur de me conduire rapidement vers Hyde Park. Aucune autre voiture n'étant en vue, les deux hommes ne pouvaient continuer à me suivre de près. Je les vis se mettre à courir derrière moi, jusqu'à ce qu'un second fiacre arrivât et les prît. Mais j'avais déjà pris trop d'avance, et quand j'arrivai devant Hyde Park je les avais semés. Je traversai le parc, pour m'assurer encore que j'étais libre. Lorsque j'arrivai chez nous, il faisait déjà noir.

Marian m'attendait seule dans le petit salon, Laura s'étant couchée, après que sa sœur lui eut promis de me montrer ce qu'elle avait dessiné quand je rentrerais. Le pauvre dessin aux traits tremblés, qui ne valait rien en lui-même mais prenait une telle valeur à mes yeux, était soigneusement posé sur la table, éclairé par la faible lueur d'une chandelle. Je m'approchai pour le regarder, et pour raconter à Marian mon entrevue avec l'avocat. Je chuchotai, car la cloison qui nous séparait de la chambre où dormait Laura était si fine que nous l'entendions presque respirer et que nous risquions, en n'y prenant pas garde, de la réveiller.

Quand j'en arrivai à l'épisode des deux inconnus qui m'avaient suivi, je vis Marian perdre son calme, et l'annonce que sir Percival était rentré en Angleterre ne fit rien pour la rasséréner.

– Mauvaises nouvelles, Walter ! Les pires que vous pouviez ramener. Est-ce tout ?

– Non, Marian, j'ai un pli à vous remettre de la part de Mr Kyrle. Vous savez qui vous écrit, n'est-ce pas ?

– Je ne le sais que trop bien. C'est le comte Fosco.

Tandis qu'elle lisait la lettre, son visage devint rouge et ses yeux se mirent à briller de colère. Quand elle eut fini, elle me la tendit et je la lus à mon tour :

Poussé par une honorable admiration – qui m'honore moi autant qu'elle vous honore –, je vous écris, superbe Marian, pour votre tranquillité et afin de vous adresser deux mots consolateurs :

Ne craignez rien !

Suivez vos penchants naturels et continuez à mener une vie retirée. Chère et admirable femme, évitez toute publicité dangereuse. La résignation est sublime : adoptez-la. Profitez des douceurs d'un modeste foyer. Les tempêtes de l'existence ne s'abattent jamais sur la vallée de la solitude : restez-y, noble dame, pour y cultiver votre jardin.

Faites cela et vous n'aurez rien à craindre. Aucune nouvelle calamité ne viendra meurtrir votre sensibilité, dont vous savez qu'elle m'est aussi précieuse que la mienne. Vous ne serez pas assaillie, celle qui vous tient compagnie dans votre retraite ne sera pas poursuivie. Elle a trouvé un nouvel asile dans votre cœur. Un asile sans prix ! Je ne peux que l'envier et l'y laisser.

Un dernier mot d'avertissement affectueux, de mise en garde paternelle, puis j'en finirai avec cette lettre qu'il me comble tant d'écrire, je mettrai un point final à ces lignes pleines de ferveur.

Restez où vous êtes, n'essayez pas de toucher à de graves intérêts, ne menacez personne. Ne m'obligez pas, je vous en supplie, à devoir agir – moi, l'homme d'action – quand mon plus cher désir est de n'en rien faire, de renoncer pour votre bien à mes agissements. Si vous avez des amis téméraires, tempérez leur déplorable ardeur. Si Mr Hartright rentre en Angleterre, ne cherchez pas à le revoir. J'avance sur le chemin de ma vie, Percival sur mes talons ; le jour où la route de Mr Hartright croisera ce chemin, ce sera un homme mort.

En guise de signature, la lettre ne portait qu'une seule lettre, un F entouré d'une couronne de fleurs. Je jetai la lettre sur la table, avec tout le mépris qu'elle m'inspirait.

– Il essaie de vous effrayer parce qu'il a peur lui-même.

Marian était trop femme pour traiter cette lettre comme je la traitais. L'insolente familiarité de son ton était plus qu'elle ne pouvait en supporter. Je vis ses mains se contracter et son caractère d'autrefois, fier et coléreux, sembla reprendre le dessus.

– Walter ! dit-elle, si un jour ces deux hommes sont à votre merci et que vous soyez obligé d'en épargner un… je vous en prie, que ce ne soit pas le comte.

– Je garderai sa lettre pour aider ma mémoire, quand le moment sera venu, Marian.

– Quand le moment sera venu ? répéta-t-elle tandis que je glissais la lettre dans mon portefeuille. Vous parlez comme si vous étiez sûr de l'avenir… Après ce qui s'est passé dans le bureau de Mr Kyrle et ce qui vous est arrivé aujourd'hui ?

– Peu importe aujourd'hui, Marian. Tout ce que j'ai fait aujourd'hui, c'est de demander à quelqu'un d'autre de m'aider. Mais demain…

– Quoi demain ?

– Demain, j'agirai seul.

– Comment ?

– Je partirai à Blackwater Park, par le premier train. J'espère être de retour avant la nuit.

– A Blackwater !

– Oui. J'ai eu le temps de réfléchir depuis que j'ai quitté Mr Kyrle. Sur un point, son opinion n'a fait que confirmer la mienne. Il nous faut absolument découvrir la date du voyage de Laura. C'est le maillon faible de la conspiration et, sans doute, notre seule chance de pouvoir prouver que Laura est vivante.

– Vous voulez dire que Laura aurait quitté Blackwater Park après la date qui figure sur le certificat de décès ?

– Très certainement.

– Mais qu'est-ce qui vous fait croire cela ? Laura est incapable de nous dire elle-même quoi que ce soit sur le moment où elle s'est trouvée à Londres.

– Sans doute, mais le directeur de l'asile vous a dit qu'elle y était arrivée le 27 juillet. Je doute que le comte Fosco ait pu la garder à Londres, inconsciente de tout ce qui se passait autour d'elle, plus d'une nuit. Dans ce cas, elle a dû quitter le Hampshire et arriver à Londres dans la journée du 26, c'est-à-dire le lendemain de la date officielle de sa mort, certifiée par l'acte de décès qu'a signé le médecin. Si nous pouvons le prouver, nous tenons de quoi traîner le comte et sir Percival en justice.

– Oui, oui, je vois ! Mais comment le prouver ?

– Le témoignage de Mrs Michelson m'a suggéré deux moyens. Le premier consiste à questionner le Dr Dawson, qui doit savoir quand il est revenu à Blackwater Park, après le départ de Laura. Le second moyen, c'est de faire des recherches à l'auberge où sir Percival laissa son cheval, lorsqu'il s'enfuit dans la nuit comme un fou : nous savons qu'il est parti quelques heures après Laura, et nous pourrions peut-être ainsi connaître la date qui nous intéresse. Cela vaut au moins d'être tenté. J'irai demain.

– Et supposons que vous échouiez – j'imagine le pire, Walter, mais c'est pour mieux me préparer aux grosses déceptions –, supposons que personne, à Blackwater, ne puisse vous aider ?

– Dans ce cas, il y a deux homme capables de m'aider, et qui m'aideront, ici, à Londres… sir Percival et le comte. Les gens innocents oublient facilement une date, mais eux sont coupables, et ils connaissent forcément la date de leur crime. Si je ne réussis pas ailleurs, je les forcerai à parler, l'un ou l'autre, par n'importe quel moyen.

Ce fut encore la femme qui s'échauffa en Marian, tandis qu'elle m'écoutait.

– Commencez par le comte, Walter ! lança-t-elle dans un souffle de rage. Par amitié pour moi !

– Marian, il nous faut commencer par celui qui peut le mieux aider Laura…

Je vis ses couleurs l'abandonner. Elle secoua la tête tristement.

– Oui, fit-elle, vous avez raison. C'était égoïste à moi de vous dire ceci. Je dois être patiente, plus patiente, Walter, que je l'étais avant, au temps du bonheur… Mais il me reste un peu de mon caractère impulsif, et il reprend le dessus quand je pense au comte !

– Son tour viendra. Mais souvenez-vous que nous ne lui connaissons encore aucun point faible.

J'attendis un instant qu'elle fût en mesure de saisir toute la portée de ce que je m'apprêtais à lui dire :

– Marian, il y a un point faible dans la vie de sir Percival…

– Le secret !

– Oui, le secret ! C'est par là que nous pouvons le tenir. C'est le seul moyen de lui faire avouer son crime, de le forcer à se dévoiler au grand jour. Quoi qu'ait pu faire le comte, sir Percival a consenti au complot contre Laura pour une autre raison encore que la question d'argent. Vous l'avez entendu dire au comte qu'il pensait que sa femme en savait suffisamment pour ruiner sa réputation ! Vous l'avez entendu dire qu'il était perdu si le secret d'Anne Catherick était dévoilé !

– Oui, il l'a dit en effet.

– Eh bien, Marian, si tous les autres moyens échouent, je découvrirai ce secret. Ma vieille superstition se réveille. Je vous redis que la Dame en blanc a étendu son influence sur nos trois vies. La fin, Marian, la fin se rapproche, et c'est Anne Catherick, couchée sous la pierre, qui nous conduit vers elle !

V

Le récit de mes recherches dans le Hampshire ne sera pas long.

Parti tôt de Londres, j'arrivai chez le Dr Dawson vers midi. Certes ses registres mentionnaient bien la date à laquelle il avait repris ses visites à Blackwater Park, auprès de Miss Halcombe, mais, à cause de l'imprécision de Mrs Michelson, cela ne nous était d'aucun secours. En effet, elle ne se souvenait pas du nombre de jours qui s'étaient écoulés entre le départ de lady Glyde et le retour du docteur. Elle était presque certaine qu'elle avait appris la nouvelle à Miss Halcombe le lendemain du départ de sa sœur, mais de là à dire quel jour était-ce… Elle ne savait pas dire avec davantage d'exactitude combien de temps après que sa maîtresse fut partie pour Londres elle avait reçu la lettre de la comtesse Fosco. Enfin, pour compliquer le tout, le docteur lui-même, qui était souffrant à l'époque, n'avait pas pensé à noter le jour où le jardinier de Blackwater Park lui avait apporté le message de Mrs Michelson.

Désespérant d'obtenir une quelconque aide de la part du Dr Dawson, je résolus donc de me rendre à l'auberge de Knowlesbury, pour tâcher de découvrir à quel moment sir Percival s'y était arrêté.

La fatalité devait s'acharner sur moi ! Quand j'arrivai à Knowlesbury, l'auberge était fermée. Des placards étaient collés sur les murs : l'affaire n'était plus suffisamment rentable depuis que le nouvel hôtel de la gare attirait à lui tous les clients, et la vieille auberge avait dû fermer ses portes deux mois auparavant. Le propriétaire avait quitté la ville, et personne ne pouvait dire où il était parti. Les quatre personnes auprès de qui je me renseignai me donnèrent tour à tour quatre informations différentes.

Il me restait quelques heures à tuer avant le dernier train pour Londres, et je sautai dans un fiacre pour retourner à Blackwater Park, afin d'interroger le jardinier et le concierge. Si, de ce côté encore, je n'apprenais rien, il ne me resterait plus qu'à rentrer en ville.

Je descendis du fiacre un mille environ avant d'arriver à la propriété de sir Percival et, avant de le laisser partir, je demandai au cocher de m'indiquer le chemin.

Au moment où quittant la grand-route je m'engageais dans l'allée, je vis un homme portant une valise qui marchait rapidement vers la loge du concierge. Il était petit, habillé de noir et coiffé d'un grand chapeau. Je le pris pour un clerc de notaire, et je m'arrêtai quelques instants, évitant ainsi de le rejoindre. Ne m'ayant pas entendu, il ne se retourna pas. Quand je franchis le portail peu de temps après, il avait disparu ; sans doute avait-il continué jusqu'à la maison.

Je trouvai deux femmes à la loge. L'une d'elles était assez âgée ; quant à la seconde, je reconnus, d'après la description de Marian, Margaret Porcher.

Je demandai d'abord si sir Percival était chez lui. Ayant reçu une réponse négative, je voulus savoir quand il était parti. Aucune des deux femmes ne put être plus précise qu'en me disant qu'il avait quitté la propriété au cours de l'été. Tout ce que je pus obtenir de Margaret Porcher, ce furent des hochements de tête et des sourires béats. La vieille paraissait un peu moins bête et j'orientai subtilement la conversation sur le départ de sir Percival et sur la frayeur qu'il lui avait causée. Elle se souvenait d'avoir été tirée du lit par son maître qui l'appelait et qui l'avait terrorisée par ses jurons ; pour la date, elle n'aurait pas su dire quand c'était.

En quittant la loge, j'aperçus le jardinier, qui travaillait non loin de là. Quand je lui adressai la parole, il me dévisagea, tout d'abord, d'un air assez méfiant ; mais lorsque je prononçai le nom de Mrs Michelson, et glissai dans ma conversation tout le bien que cette dame pensait de lui, sa langue se délia. Inutile de rapporter ce que nous nous dîmes, cet entretien se termina comme tous les précédents. Le jardinier me confirma que son maître s'était enfui, de nuit, « en juillet, dans les dix ou quinze derniers jours », mais il ne pouvait être plus précis.

Tandis que nous parlions, je vis l'homme en noir et au grand chapeau sortir de la maison, et s'arrêter pour nous observer de loin.

Sa présence à Blackwater Park m'avait déjà inspiré quelques soupçons. J'eus alors tout lieu de croire que ces soupçons étaient fondés, puisque le jardinier ne sut ou ne voulut pas me dire qui était cet homme. Aussi décidai-je d'éclaircir la chose en m'adressant directement à lui. En tant qu'étranger, j'avais un prétexte tout trouvé : lui demander si l'on pouvait visiter la maison.

La manière dont il me répondit prouva que lui savait parfaitement qui j'étais et qu'il cherchait visiblement à me faire sortir de mes gonds. Son ton était si insolent qu'il y serait arrivé, si je ne m'étais pas forcé à garder mon sang-froid. Mais, déterminé à garder mon calme en toute circonstance, je lui répondis avec une infinie politesse, m'excusant de mon indiscrétion (qu'il qualifiait d'intrusion scandaleuse), et quittai les lieux.

C'était exactement ce que j'avais pressenti : on m'avait reconnu lorsque j'avais quitté l'étude de Mr Kyrle, et sir Percival avait immédiatement été mis au courant de mon retour en Angleterre. Prévoyant que je ferais des recherches à Blackwater Park, il y avait envoyé cet homme. Si je lui avais donné la moindre chance de porter plainte contre moi, il aurait aussitôt fait appel à la police locale, me mettant ainsi dans l'impossibilité de poursuivre mes recherches et me séparant de Marian et de Laura, au moins pour quelques jours.

Je m'attendais à être surveillé sur la route qui de Blackwater Park conduisait à la gare, de la même manière que j'avais été filé à Londres la veille. Mais je ne découvris rien de suspect pendant le trajet. J'ignore si oui ou non l'homme en noir avait les moyens de savoir où je me rendais, mais je ne le vis plus, ni sur le chemin de la gare, ni à Londres, lors de mon arrivée. Je rentrai à la maison à pied, ayant soin, comme j'approchai de notre porte, de faire un détour par la rue la moins fréquentée du voisinage, en me retournant à plusieurs reprises pour voir si le champ était libre. J'avais appris cette tactique dans les plaines sauvages de l'Amérique centrale ; voilà qu'elle me servait, aujourd'hui, en plein cœur de la civilisation, dans une rue londonienne !

Rien ne s'était passé en mon absence. Marian s'empressa de me demander ce qu'avaient donné mes recherches. Je lui rendis compte de mes vaines démarches avec une indifférence qui ne manqua pas de la surprendre.

En réalité, ces échecs successifs ne me décourageaient pas. Mes recherches jusqu'ici, je les avais faites par acquit de conscience, sans espérer arriver à d'importants résultats. C'était presque un soulagement à présent, dans l'état d'esprit qui était le mien, de pouvoir me dire que bientôt allait s'engager, entre sir Percival et moi, la véritable épreuve de force. Un désir de vengeance s'était peu à peu mêlé en moi aux sentiments élevés qui me poussaient à agir, et j'avoue qu'il m'était réconfortant de comprendre que le seul, le meilleur moyen de servir la cause de Laura était de resserrer mon étreinte autour de l'infâme individu qui avait osé l'épouser.

Ayant avoué que j'étais aiguillonné par le désir de vengeance, je peux néanmoins dire quelque chose à ma décharge. A aucun moment je ne songeai à moi, ni à ce qu'il adviendrait dans le futur de mes relations avec Laura ; à aucun moment je n'imaginai obtenir pour moi-même un quelconque dédommagement de la part de sir Percival. Je ne me suis jamais dit : « Si je réussis, j'empêcherai son mari de nous séparer à nouveau. » J'étais incapable d'une telle pensée. Les épreuves qu'elle avait subies et qui l'avaient si terriblement transformée étaient les seules choses dont se préoccupassent, paternellement et fraternellement, mon amour et ma tendresse pour elle. Je n'avais pas d'autre espoir que de la voir guérir, que de la voir retrouver sa joie de vivre, qu'elle pût enfin me regarder et me parler comme autrefois.

Aucune complaisance envers moi-même ne me dicte ces mots. Dans les passages qui suivent, on aura bien assez l'occasion de juger ma conduite. Il n'est que juste de montrer auparavant le pire et le meilleur en moi.

Le lendemain de mon retour du Hampshire, je priai Marian de monter dans mon bureau, car je voulais lui faire part des plans que j'avais dressés pour m'engouffrer dans la brèche que nous offrait la vie de sir Percival.

Le secret de sir Percival était intimement lié au mystère, désormais indéchiffrable, de la Dame en blanc. Notre seul recours désormais était d'obtenir l'aide de la mère d'Anne Catherick, et le seul moyen d'inciter cette dernière à parler était d'en apprendre plus long sur l'histoire de la famille. Ici, Mrs Clements pouvait nous aider ; j'avais la certitude d'obtenir de nouvelles informations en m'adressant à celle qui avait été la plus fidèle amie d'Anne Catherick.

Mais où trouver celle-ci ?

Je rends grâces à Marian qui suggéra aussitôt un moyen simple de la retrouver. Il suffisait d'écrire à Todd's Corner, cette ferme située près de Limmeridge, pour savoir si Mrs Clements s'était manifestée au cours des derniers mois. Nous ne savions guère quand ni comment elle s'était trouvée séparée d'Anne Catherick, mais il ne faisait guère de doute qu'elle avait probablement essayé de rechercher la jeune femme à proximité de l'endroit qui représentait le plus pour elle : Limmeridge House. La proposition de Marian avait des chances d'être couronnée de succès, aussi écrivit-elle sur-le-champ à Mrs Todd.

Tandis que nous attendions la réponse, je demandai à Marian de me dire tout ce qu'elle savait de sir Percival et de sa famille. Elle n'en savait pas grand-chose, et uniquement par ouï-dire, mais pensait que les renseignements qu'elle possédait étaient exacts.

Sir Percival était enfant unique. Son père, sir Felix Glyde, infirme de naissance, avait toujours vécu très retiré. Son seul plaisir était la musique, plaisir qu'il partageait d'ailleurs avec sa femme, grande musicienne elle-même. Il était encore jeune lorsqu'il hérita de Blackwater Park, mais ni lui ni sa femme ne frayaient avec les voisins et personne ne se hasardait à venir troubler leur solitude, sinon le pasteur de la paroisse, qui fit une exception malheureuse à cette règle.

Celui-ci était, dans son zèle, le pire des gaffeurs. Ayant appris que sir Felix était sorti du collège avec des idées révolutionnaires et plutôt antireligieuses, il crut de son devoir d'exhorter le seigneur du manoir à assister à ses sermons. Sir Felix, furibond de cette initiative bien intentionnée mais qui ne pouvait pas moins bien tomber, riposta d'une façon si grossière que les familles du voisinage lui envoyèrent des lettres de protestations indignées, jusqu'aux métayers de Blackwater Park eux-mêmes, qui n'hésitèrent pas à faire part de leur réprobation. Le baronnet, qui n'avait aucun goût pour la campagne et n'était nullement attaché à sa propriété et à ses habitants, déclara que la société de Blackwater n'aurait plus l'occasion de l'ennuyer, et quitta la région pour toujours.

Après s'être installé à Londres pendant quelque temps, il partit avec sa femme pour le continent, vivant soit en France, soit en Allemagne, toujours dans cet isolement dans lequel, avec sa hideuse difformité, sir Felix se complaisait avec un goût morbide. Leur fils Percival naquit à l'étranger et fut éduqué par un précepteur. Sa mère mourut vers 1825 et son père la suivit de près dans la tombe. Sir Percival avait fait quelques apparitions en Angleterre lorsqu'il était jeune homme, mais ce ne fut qu'après la mort de ses parents qu'il fit la connaissance de Philip Fairlie, le père de Laura. Ils devinrent vite intimes, bien que sir Percival ne fût que très rarement à Limmeridge à cette époque. Quant à Mr Frederick Fairlie, il n'avait dû le rencontrer qu'une ou deux fois.

Voilà tout ce que je pus obtenir de Marian. Rien qui pût en apparence m'être utile pour le moment ; cependant je pris soin de tout noter soigneusement pour le cas où ces informations contenaient quelque chose d'important.

La réponse de Mrs Todd (adressée poste restante, ainsi que nous l'avions demandé) nous parvint, et la chance sembla avoir enfin tourné : elle contenait en effet un renseignement !

Comme nous nous y attendions, Mrs Clements avait bien écrit à Todd's Corner, pour s'excuser tout d'abord de la façon cavalière dont Anne et elle s'étaient enfuies (le lendemain du jour où j'avais rencontré la Dame en blanc dans le cimetière de Limmeridge). Puis elle informait Mrs Todd de la disparition d'Anne, la priant de se renseigner dans les environs pour savoir si la jeune femme n'était pas revenue à Limmeridge. Mrs Clements communiquait enfin l'adresse où on pouvait la contacter, adresse que Mrs Todd transmettait à Marian. C'était à Londres, à moins d'une demi-heure de chez nous.

Comme le dit le proverbe, il s'agissait de battre le fer tant qu'il était encore chaud. Dès le lendemain matin, je me rendis donc chez Mrs Clements. C'était mon premier pas en avant. L'histoire de l'entreprise désespérée dans laquelle je venais de m'engager commence ici.

VI

L'adresse que nous avait fournie Mrs Todd était celle d'un meublé, situé dans une rue respectable proche de Gray's Inn Road.

C'est Mrs Clements elle-même qui vint m'ouvrir la porte, mais elle ne me reconnut pas tout d'abord. Je lui rappelai notre rencontre dans le cimetière de Limmeridge après l'entrevue que je venais d'avoir avec la Dame en blanc, prenant bien soin de préciser que j'étais également la personne qui avait aidé Anne Catherick lorsqu'elle s'était évadée de l'asile. A ces mots, elle me fit tout de suite entrer, espérant que je lui apportais des nouvelles de celle-ci.

Il m'était impossible de raconter à Mrs Clements toute la vérité sans entrer dans des détails qu'il eût été dangereux de lui confier, et je me bornai à ne pas lui donner de vains espoirs. Je lui expliquai que l'objet de ma visite était de découvrir qui était responsable de la disparition d'Anne. Pour être totalement en paix avec ma conscience, j'ajoutai que je ne pensais pas qu'on la revît vivante un jour et que mon seul but désormais était de punir les deux hommes que je soupçonnais de l'avoir attirée dans un guet-apens, comme d'avoir fait endurer les pires souffrances à deux amies qui m'étaient très chères. Bien que nous ne fussions pas poussés, elle et moi, par les mêmes motifs, je la priai de considérer que notre intérêt dans cette affaire était identique, et lui demandai tous les renseignements qu'elle possédait pour m'aider dans mes recherches.

La pauvre femme fut si troublée au début qu'elle sembla ne pas bien comprendre ce que je lui disais ; mais elle se déclara toutefois prête à me rendre service, en souvenir de la bonté que j'avais montrée envers Anne. Elle ne savait trop ce qu'elle pouvait m'apprendre, et me pria de l'aider en m'indiquant plus précisément ce que je cherchais.

Sachant d'expérience que les gens qui ont du mal à s'exprimer font montre de plus de clarté quand ils racontent ce qu'ils ont à dire d'un bout à l'autre, sans être obligés de s'arrêter ou de revenir en arrière, je la priai de me rapporter tout ce qui s'était passé depuis qu'elle et Anne avaient quitté Limmeridge.

Je reproduis ici la substance du récit qu'elle me fit :

Après avoir quitté Todd's Corner, Anne et Mrs Clements s'étaient rendues à Derby, où elles étaient restées une semaine, à la demande d'Anne. Puis elles étaient retournées à Londres où elles avaient vécu durant plus d'un mois dans l'appartement qu'occupait alors Mrs Clements. Malheureusement, les circonstances avaient fait qu'au bout de cette période elles avaient dû déménager. La terreur qu'éprouvait Anne, chaque fois qu'elles sortaient dans les rues, à l'idée d'être découverte avait fini par gagner Mrs Clements, et elle s'était décidée à partir pour l'un des coins les plus reculés d'Angleterre, la bourgade de Grimsby dans le Lincolnshire, où vivait la famille de son mari défunt. Ces gens étaient respectables et s'étaient toujours comportés avec beaucoup de gentillesse vis-à-vis d'elle, et elle pensait qu'elle n'avait rien de mieux à faire que de leur demander conseil. Anne ne voulait à aucun prix retourner chez sa mère parce que c'était de Welmingham qu'on l'avait emmenée à l'asile, et parce que sir Percival viendrait certainement l'y rechercher. Mrs Clements ne pouvait qu'être sensible à ces objections et n'avait pas cherché à la faire changer d'avis.

C'est à Grimsby qu'Anne était tombée malade (peu après que les journaux eurent annoncé le mariage de lady Glyde). Le médecin avait diagnostiqué une maladie de cœur. Celle-ci avait mis du temps à guérir, avait laissé la malade très affaiblie, et il y avait eu plusieurs rechutes. Les deux femmes étaient donc demeurées à Grimsby pendant les six premiers mois de l'année. Elles y seraient sans doute restées plus longtemps si Anne n'avait eu soudain le caprice de vouloir retourner dans le Hampshire pour voir lady Glyde.

Mrs Clements avait fait tout ce qui était en son pouvoir cette fois-ci pour empêcher Anne de partir. Cette dernière ne lui donnait aucune explication, sinon qu'elle sentait que sa fin était proche et qu'elle avait un secret à confier à lady Glyde avant de mourir. Elle était si résolue qu'elle était prête à se rendre seule dans le Hampshire, si Mrs Clements ne voulait pas l'accompagner. Là-dessus, le médecin avait déclaré qu'il serait dangereux pour la santé de la jeune femme de s'opposer à ce désir. Mrs Clements avait donc cédé, la mort dans l'âme, redoutant de nouveaux ennuis et de nouveaux dangers.

Dans le train qui les conduisait de Londres dans le Hampshire, Mrs Clements avait découvert que l'un des passagers avec qui elles voyageaient était originaire de Blackwater ; il les avait renseignées sur les environs. C'est ainsi qu'elles s'étaient installées dans l'endroit qui leur paraissait le plus sûr, à Sandon, un gros village situé à quelques lieues de Blackwater Park. Chaque fois qu'elle s'était rendue au lac, Anne avait franchi, aller et retour, cette distance à pied.

Les deux femmes avaient trouvé à se loger chez une veuve, qui louait une chambre dans son cottage. Mrs Clements avait bien tenté de convaincre Anne qu'il lui suffisait d'écrire à lady Glyde, mais celle-ci, après l'échec de sa première lettre anonyme, n'avait rien voulu entendre et s'était obstinée à vouloir marcher jusqu'à la propriété.

Quand elle se rendait au lac, Mrs Clements la suivait en cachette, mais jamais elle ne s'était approchée suffisamment du hangar à bateaux pour savoir ce qui s'y était passé. Le jour où Anne était revenue de sa dernière expédition au lac, du fait de la fatigue due à ces marches incessantes, bien trop longues pour ses maigres forces, et de l'état d'agitation dans lequel elle se trouvait, ce que redoutait Mrs Clements avait fini par arriver : Anne était de nouveau tombée malade et avait dû s'aliter.

Voulant calmer cette agitation qu'elle savait mortelle pour Anne, Mrs Clements s'était décidée à se rendre elle-même jusqu'au hangar, pour voir si elle y apercevait lady Glyde – qui, selon Anne, y venait chaque jour en promenade – et la prier de venir en secret au chevet de la malade. Au lieu de la dame, elle avait rencontré un gros homme, relativement âgé, qui se promenait un livre à la main – c'était bien sûr le comte Fosco.

Le comte l'avait d'abord regardée attentivement avant de lui demander si elle attendait quelqu'un ; puis il avait ajouté qu'il était lui-même porteur d'un message de la part de lady Glyde, mais qu'il ne savait pas s'il avait en face de lui la personne à qui il était destiné.

Mrs Clements avait alors confié au comte qui elle était et l'avait prié de lui remettre le message pour Anne. Le comte avait volontiers accepté. Le message, avait-il dit, était de la plus haute importance : lady Glyde suppliait Anne et son amie de retourner immédiatement à Londres avant que sir Percival les découvrît. Elle devait elle-même s'y rendre sous peu, et elle irait, dès son arrivée, rendre visite à Anne, à condition toutefois que celle-ci lui fît parvenir son adresse. Le comte avait ajouté qu'à plusieurs reprises il avait lui-même tenté d'avertir Anne, mais que celle-ci ne l'avait pas laissé approcher.

Mrs Clements avait répondu qu'elle n'aurait pas demandé mieux que d'emmener Anne au plus tôt, mais que celle-ci en était incapable pour l'instant, se trouvant souffrante au lit. Le comte avait voulu savoir si l'on avait consulté un médecin, mais Mrs Clements lui avait répondu qu'elle hésitait à le faire, car elle ne tenait pas à ce que leur présence soit connue dans tout le village. Le comte avait alors expliqué qu'étant lui-même un peu médecin, il était prêt à se rendre auprès de la malade. Mrs Clements, pleine de confiance en cet homme qui était porteur d'un message de lady Glyde, avait accepté avec gratitude, et ils étaient repartis tous les deux vers le cottage.

Anne sommeillait lorsqu'ils étaient arrivés. Le comte avait d'abord sursauté en la voyant (à cause de sa ressemblance avec lady Glyde, je suppose !), ce que la pauvre Mrs Clements avait attribué à l'effet provoqué sur lui par la mine cadavérique de la malade. Il s'était bien gardé de la réveiller, se bornant à interroger Mrs Clements sur les symptômes et à prendre le pouls de la malade. Puis il était allé lui-même chez le pharmacien des environs lui chercher des médicaments, des fortifiants puissants, à ce qu'il avait dit à Mrs Clements, à qui il avait certifié que si Anne prenait régulièrement ses remèdes elle serait en état de voyager trois jours après. Il lui avait promis de se trouver sur le quai de la gare ce jour-là, à l'heure du train. S'il ne les y voyait pas, il reviendrait prendre des nouvelles de la malade.

En fait, il n'avait guère eu besoin de revenir ! Les médicaments eurent un effet extraordinaire, et l'assurance qu'elle verrait bientôt lady Glyde à Londres n'avait fait qu'aider Anne à se remettre plus vite. Au jour dit (elles n'étaient pas dans le Hampshire depuis plus d'une semaine), elles s'étaient donc rendues à la gare, où elles avaient retrouvé le comte. Celui-ci était en conversation avec une dame d'un certain âge, qui s'apprêtait elle aussi à prendre le train pour Londres, mais dans un autre compartiment, si bien que ni Anne ni Mrs Clements ne l'avaient revue à leur arrivée à Londres. Le comte les avait installées avec beaucoup de gentillesse, en recommandant à Mrs Clements de ne pas oublier d'envoyer leur adresse à lady Glyde, ce qu'elle avait fait dès son arrivée à Londres, après avoir trouvé un meublé décent où elles s'étaient installées.

Quinze jours s'écoulèrent ainsi, sans aucune nouvelle. C'est alors qu'elles avaient reçu la visite de la dame de la gare, qui avait déclaré venir de la part de lady Glyde, descendue dans un hôtel de la ville. Cette dernière souhaitait rencontrer Mrs Clements pour convenir d'une entrevue avec Anne. Mrs Clements avait donc accepté de suivre la dame, si elle avait l'assurance d'être de retour en moins d'une demi-heure. Puis elle était montée dans la voiture de la comtesse Fosco (car c'était elle !). Après quelques minutes, la comtesse avait fait arrêter le véhicule, déclarant qu'elle avait une course à faire. Elle n'était jamais réapparue.

Mrs Clements s'était alors alarmée et avait prié le cocher de retourner à son appartement, mais Anne avait disparu. Le domestique expliqua qu'un garçon avait apporté une lettre pour « la jeune femme du second étage » et que lui- même l'avait portée à Anne. Cinq minutes plus tard, celle-ci était descendue, avec son chapeau et son manteau, et elle était sortie.

Elle avait sans doute emporté la lettre, car on ne la trouva nulle part, et il fut donc impossible de savoir pour quelle raison elle avait quitté la maison, mais on avait dû lui apprendre une chose fort grave ; sinon elle ne serait pas sortie, seule, dans Londres. Mrs Clements connaissait cette peur qu'avait Anne de la grande ville, et c'est pour cela seulement qu'elle avait consenti à s'absenter une demi-heure.

Dès qu'elle eut repris ses esprits, la première idée de Mrs Clements avait été de se rendre à l'asile, où elle craignait que l'on n'eût ramené Anne. Elle s'y rendit le lendemain. On lui répondit qu'aucune personne de ce signalement n'avait été admise dans l'établissement (elle avait dû se présenter à l'asile probablement un jour ou deux avant l'arrivée de la fausse Anne Catherick). Elle avait alors écrit à

Mrs Catherick, à Welmingham, pour savoir si elle avait des nouvelles de sa fille. Mrs Catherick lui avait répondu elle aussi par la négative. Mrs Clements se trouva alors à bout de ressources et ne sachant plus que faire. Depuis lors elle était totalement sans nouvelles d'Anne et ignorait ce qui avait pu lui arriver.

VII

Quoiqu'il eût établi quelques faits que j'ignorais, le récit de la brave femme ne contenait rien de décisif.

Il ne faisait que confirmer ma conviction que le comte et la comtesse avaient agi seuls dans l'enlèvement d'Anne Catherick, et il ne serait sans doute pas inutile de chercher à découvrir si quelque chose dans leur conduite pouvait permettre de les inculper. Mais pour l'heure, mon but était tout autre. Ma visite à Mrs Clements devait avant tout me permettre de percer le secret de sir Percival, et sur ce point elle ne m'avait rien révélé d'éclairant. Je m'efforçai donc d'attirer son attention sur d'autres personnes ou d'autres faits qu'elle ne m'avait pas mentionnés.

– Je partage bien sincèrement votre chagrin, madame Clements, lui dis-je avec douceur, et j'aimerais pouvoir vous aider. Vous n'auriez pas fait plus pour elle si Anne avait été votre propre enfant.

– Oh ! monsieur, je n'y ai pas grand mérite, car c'est moi qui l'ai élevée, la pauvre petite… Je ne serais pas si bouleversée si ce n'était pas moi qui lui avais cousu ses premières robes, qui lui avait appris à marcher… J'ai toujours dit qu'elle m'était un cadeau du Ciel, envoyé pour me consoler de n'avoir pas eu d'enfant. Maintenant qu'elle n'est plus là, je ne peux m'empêcher de penser au bon vieux temps… et cela me fait pleurer, tant pleurer !

Je laissai passer son émotion. La lueur que je guettai depuis si longtemps dans le lointain était-elle enfin en vue dans les souvenirs d'enfance d'Anne ?

– Connaissiez-vous Mrs Catherick avant la naissance d'Anne ?

– J'ai fait sa connaissance quatre mois avant que sa fille vînt au monde. Nous nous voyions beaucoup alors, sans être vraiment amies.

Sa voix s'était raffermie. Aussi douloureux que fussent les souvenirs, je remarquai que cela semblait la soulager d'oublier pour un temps le présent et ses malheurs en se replongeant dans le lointain passé.

– Est-ce que vous et Mrs Catherick étiez voisines ? demandai-je, encourageant sa mémoire du mieux que je pouvais.

– Oui, monsieur. Nous habitions Old Welmingham.

– Old Welmingham ? Il existe deux endroits du même nom dans le Hampshire ?

– C'est-à-dire, monsieur, qu'il y a vingt-trois ans il n'existait qu'une paroisse et un village. Lorsqu'on a bâti la nouvelle ville, près de la rivière, on a appelé l'ancienne Old Welmingham pour les distinguer. Il n'y reste plus maintenant que l'église et quelques maisons en ruine, mais à l'époque c'était un endroit bien joli.

– Vous viviez là avant votre mariage ?

– Non, monsieur, je suis née dans le Norfolk et suis allée habiter Old Welmingham après mon mariage. Mon mari n'était pas du coin, lui non plus ; il était de Grimsby, comme je vous l'ai dit. Mais il connaissait des gens dans le Sud, et il est parti travailler à Southampton. Il a mis un peu d'argent de côté et est venu s'installer à Old Welmingham. Je l'ai suivi là-bas. Nous n'étions plus très jeunes, mais nous formions un couple heureux, plus heureux en tout cas que Catherick et sa femme, qui sont arrivés à Old Welmingham un an ou deux après nous.

– Votre mari les connaissait-il avant ?

– Il connaissait Catherick, pas sa femme. Catherick est venu s'installer près de chez nous, car il avait été nommé sacristain de la paroisse. Il a amené sa femme ; elle avait été femme de chambre à Varneck Hall, près de Southampton. Pendant longtemps elle avait dédaigné les avances de Catherick, ne le jugeant pas assez bien pour elle. Au bout d'un temps celui-ci avait fini par se lasser et avait laissé tomber. Puis, un beau jour, sans rime ni raison, elle l'accepta. Mon pauvre mari disait toujours qu'elle eût mérité une bonne leçon, mais Catherick l'aimait tellement qu'il l'épousa. Il n'a jamais pu être méchant avec elle, ni avant leur mariage ni après. Je n'aime pas dire du mal des gens, mais elle, c'était une femme sans cœur ; elle aimait trop les compliments, les beaux vêtements, et se moquait du pauvre Catherick qui était plein de patience. Mon mari disait que les choses allaient mal tourner, et la suite lui a donné raison. Ils étaient à peine depuis quatre mois dans notre voisinage qu'un scandale terrible éclata chez eux… Ils étaient bien coupables tous les deux…

– Vous voulez dire le mari et la femme ?

– Oh non, monsieur ! Je ne parle pas de Catherick. Lui, il était seulement à plaindre. Je parle de sa femme et de celui…

– Et de celui qui est à l'origine du scandale ?

– Oui, monsieur. Un gentleman, qui aurait dû donner l'exemple. Vous le connaissez, monsieur… et ma pauvre Anne aussi ne le connaissait que trop.

– Sir Percival Glyde ?

– Oui, sir Percival Glyde.

Mon cœur battait à tout rompre. Je pensais toucher du doigt la clef du mystère. Comme j'ignorais encore les méandres du labyrinthe où j'allais m'égarer !

– Sir Percival habitait les environs, à cette époque ? demandai-je.

– Non, monsieur, nous ne le connaissions pas. Son père venait de mourir à l'étranger. Je me souviens qu'il portait le grand deuil. Il logeait dans une petite auberge près de la rivière, où le poisson est abondant. Au début nous ne l'avions pas remarqué, car beaucoup d'autres messieurs venaient, des quatre coins du pays, pêcher dans notre rivière.

– Quand il est venu pour la première fois, Anne était-elle déjà née ?

– Non, monsieur. Anne est née en juin 1827, et je crois qu'il a dû arriver en avril ou en mai de cette année-là.

– Vous dites que personne ne l'avait jamais vu. Était-ce le cas de Mrs Catherick ?

– Nous le crûmes d'abord, mais quand le scandale éclata, tout le monde a pensé le contraire. Je m'en souviens comme si c'était hier. Catherick pénétra un soir dans notre jardin, et nous réveilla en lançant des graviers contre les volets. Je l'entendis qui suppliait mon mari de venir le rejoindre. Ils sont restés un long moment à discuter. Quand mon mari est remonté, il était dans tous ses états. Il s'est assis sur le rebord du lit et m'a dit :

» – Lizzie ! Je t'avais dit que cette femme ne valait rien, et que tout cela finirait mal. Eh bien nous y sommes, j'en ai peur ! Catherick a trouvé dans un des tiroirs de sa femme des mouchoirs en fine dentelle, deux magnifiques bagues et une montre en or avec une chaîne – des bijoux de grande dame –, et elle ne veut pas lui dire d'où ils viennent.

» – Pense-t-il qu'elle les a volés ? ai-je demandé.

» – Non, le vol serait déjà terrible, mais c'est pire que cela. Elle n'a pas pu les voler, et même si elle l'avait pu, elle n'est pas du genre à faire une chose pareille. Ce sont des cadeaux, Lizzie ! Il y a ses initiales gravées sur la montre, et Catherick l'a aperçue en train de parler avec le gentleman en deuil, sir Percival Glyde, comme n'a pas à le faire une femme mariée. Tout cela doit rester entre nous. J'ai réussi à calmer Catherick pour ce soir ; je lui ai conseillé de tenir sa langue et d'attendre un jour ou deux pour voir s'il ne se trompe pas.

» – Je crois que vous vous trompez tous les deux, ai-je répondu. Je ne vois pas pourquoi Mrs Catherick, qui a une situation respectable ici, s'intéresserait à un parfait inconnu comme sir Percival Glyde.

» – Mais est-il seulement un inconnu pour elle ? a répliqué mon mari. Tu oublies comment elle a épousé Catherick. Elle est venue le voir subitement, après avoir refusé toutes ses demandes. Lizzie, ce ne serait pas la première mauvaise femme à s'être servie d'un honnête homme pour sauver sa réputation, et j'ai bien peur que Mrs Catherick soit encore pire que toutes ces femmes. On verra. On verra bientôt.

» Et deux jours après, nous avons vu, en effet.

Mrs Clements marqua une pause dans son récit. Je commençais à me demander si cette clef que j'avais cru tenir était bien la clef du mystère. Était-il possible, vraiment, que cette banale histoire d'adultère fût ce qui emplissait de terreur sir Percival ?

– Alors, monsieur, Catherick écouta les conseils de mon mari et attendit. Et, comme je vous l'ai dit, il n'eut pas longtemps à attendre. Au bout de deux jours il surprit sa femme et sir Percival à la sacristie, dans une situation peu équivoque. Je suppose qu'ils avaient dû penser que la sacristie était le dernier endroit où on viendrait les déranger. Quoi qu'il en soit, sir Percival parut gêné et commença à se défendre avec une telle maladresse que le sang du pauvre Catherick ne fit qu'un tour et que, bouleversé par sa disgrâce, il gifla son rival. Mais, et j'ai de la peine à le dire, il n'était pas de taille, et l'autre le rossa de la plus vilaine manière qui soit, devant tout le village en plus, qui avait accouru au bruit de la dispute. Tout cela arriva en fin de journée. Au coucher du soleil, quand mon mari se rendit chez Catherick pour prendre de ses nouvelles, il avait disparu. On ne le revit jamais au village. Il savait trop bien désormais quelle raison avait poussé sa femme à l'épouser, et il était parti cacher son chagrin et sa honte. Le prêtre de la paroisse lança un appel dans le journal pour lui demander de revenir, l'assurant qu'il retrouverait sa situation et ses amis. Mais Catherick avait trop de fierté, comme disent les gens – pour moi, je pense que ses sentiments étaient trop nobles –, pour affronter de nouveau ses voisins et vivre sans cesse avec le souvenir de sa disgrâce. Mon mari apprit par deux lettres qu'il lui envoya qu'il avait quitté l'Angleterre, puis qu'il s'était fixé en Amérique. Il vit là-bas à présent, autant que je sache, mais il y a peu de chances que personne – et sa maudite femme moins que quiconque – le revoie un jour.

– Qu'advint-il de sir Percival ? demandai-je. Resta-t-il dans les parages ?

– Oh, que non ! Il avait eu trop chaud ! Il y eut une querelle entre Mrs Catherick et lui, cette nuit-là, et le lendemain il avait disparu.

– Et elle ? Elle devait avoir trop honte pour rester ?

– Non, monsieur. Elle est restée. Elle manquait suffisamment de sensibilité pour supporter la méfiance et les ragots de ses voisins. Elle déclara à qui voulut l'entendre, et même au prêtre, qu'elle était victime d'une terrible erreur et que ce n'était pas parce qu'on la croyait coupable qu'elle s'en irait. Tant que j'y fus moi-même, elle vécut à Old Welmingham. Après, quand la nouvelle ville fut construite et que tout ce que le voisinage comptait de respectable partit s'y installer, elle déménagea elle aussi, comme si elle avait décidé de continuer à scandaliser le monde jusqu'au bout. Elle n'a pas bougé depuis, et ne bougera pas jusqu'à sa mort.

– Mais comment a-t-elle vécu tout ce temps ? Son mari lui verse-t-il une pension ? Le voulait-il et en avait-il les moyens ?

– Il le voulait et il le pouvait. Dans la seconde lettre qu'il écrivit à mon mari, le brave homme expliquait qu'elle portait son nom, qu'elle vivait dans sa maison et qu'en conséquence il ne la laisserait pas mourir de faim. Il proposait de lui verser une petite rente pour qu'elle s'installât à Londres.

– Accepta-t-elle la proposition ?

– Pas un penny, monsieur. Elle dit qu'elle ne voulait rien lui devoir et, jusqu'à ce jour, elle n'est jamais revenue sur sa décision. A la mort de mon pauvre mari, j'ai trouvé la lettre de Catherick dans ses affaires. J'ai alors demandé à sa femme de me prévenir si elle se trouvait dans le besoin. « Je laisserais toute l'Angleterre apprendre que je suis dans le besoin avant d'en avertir Catherick ou l'un de ses amis, m'a-t-elle répondu. Tenez-vous-le pour dit, et transmettez-le-lui donc, s'il vous écrit encore. »

– Pensez-vous qu'elle avait de l'argent de côté ?

– Non, ou alors très peu, monsieur. On a dit, et j'ai bien peur que cela ne soit vrai, que c'est sir Percival qui la faisait vivre.

Quand elle eut terminé, je restai pensif, songeant à ce que je venais d'entendre. A l'issue de ce récit, il me paraissait évident que le secret était encore bien caché, et que je me retrouvais confronté à un échec encore plus accablant que les précédents.

Cependant, un point de cette histoire suscitait ma réserve et me fit penser que sous les apparences se cachait autre chose. Je ne pouvais m'expliquer pourquoi la femme du sacristain avait tenu à passer le restant de ses jours sur le théâtre de sa disgrâce. Elle avait beau prétendre que c'était une manière de clamer son innocence, cette explication ne me satisfaisait pas. Il était peu probable en effet qu'elle y restât de plein gré. Dans ces conditions, qui était le plus susceptible de pouvoir la contraindre à rester à Welmingham ? Incontestablement, la personne grâce à qui elle pouvait vivre. Elle avait refusé toute aide de son mari, elle ne possédait pas de ressources personnelles, elle était sans amis, déshonorée ; qui d'autre pouvait l'aider que sir Percival Glyde ?

Réfléchissant à tout cela et gardant en mémoire la certitude que j'avais que Mrs Catherick connaissait le secret, je me dis que sir Percival avait tout intérêt à ce qu'elle restât à Welmingham, où elle n'avait aucun contact avec la population ni avec quiconque d'assez proche pour qu'elle pût imprudemment se confier à lui. Mais quel était ce mystère qu'il fallait cacher ? Certainement pas la liaison adultère de sir Percival et de Mrs Catherick, puisque précisément tout le voisinage était au courant, pas davantage le soupçon qu'il fût peut-être le père d'Anne, puisque c'était à Welmingham qu'un tel soupçon pouvait prendre forme. Si j'acceptais comme tous l'avaient accepté l'idée que Mrs Catherick fût coupable et si j'en tirais les conclusions qu'en avaient spontanément tirées Catherick et les autres, pouvais-je encore croire à l'existence d'un secret dangereux entre Mrs Catherick et sir Percival, un secret que nul n'eût encore percé jusqu'à ce jour ?

Pourtant, j'en étais persuadé, la clef du mystère résidait dans ces rendez-vous clandestins, ces confidences échangées en secret entre la femme du sacristain et le « gentleman en deuil ».

Se pouvait-il que dans cette affaire les apparences partent dans un sens et la vérité dans l'autre ? Les protestations d'innocence de Mrs Catherick étaient-elles justifiées ? Ou, si elles étaient fausses, était-ce donc en associant sir Percival à sa faute que l'on commettait une erreur ? Qui sait si Percival ne démentait pas le soupçon qui, à tort, pesait sur elle, parce qu'il voulait cacher, de cette façon, une faute plus grave que lui-même avait commise ? Là se trouvait, si je pouvais le découvrir, le nœud du secret, sous cette histoire apparemment sans surprise que je venais d'entendre.

Mes questions suivantes furent pour tenter de savoir si, au bout du compte, Catherick avait pu avoir la preuve de l'infidélité de sa femme. Les réponses que me fit Mrs Clements ne me laissèrent pas l'ombre d'un doute. De toute évidence, Mrs Catherick avait compromis sa vertu, alors qu'elle était encore jeune fille, et s'était mariée pour sauver sa réputation. Un savant calcul sur les lieux et les dates, dans le détail duquel je n'entrerai pas ici, montrait, sans aucun doute possible, que l'enfant qui portait le nom du mari ne pouvait être de lui.

Je cherchai donc à savoir si l'on était tout aussi sûr que sir Percival fût le père d'Anne. C'était infiniment plus délicat et le seul moyen de se faire une idée était sans doute de s'en remettre à la ressemblance.

– Je suppose que vous avez souvent dû voir sir Percival à l'époque où il était au village ?

– Oui, monsieur, très souvent, répondit Mrs Clements.

– Avez-vous jamais observé une ressemblance entre Anne et lui ?

– Elle ne lui ressemblait pas du tout, monsieur.

– Ressemblait-elle à sa mère, alors ?

– Pas davantage, monsieur. Mrs Catherick avait le teint très mat et le visage très rond.

L'enfant ne ressemblait donc ni à sa mère ni à son père – à celui du moins qu'on pouvait supposer être son père. La ressemblance extérieure, je le savais, n'était pas la seule chose qui comptât, mais il ne fallait pas la négliger complètement pour autant. Ne pourrait-on pas alors parvenir à une certitude, si l'on connaissait certains détails de l'existence de Mrs Catherick et de celle de sir Percival avant leur arrivée à Welmingham ?

– La première fois que l'on a vu sir Percival dans le village, savait-on d'où il venait ? repris-je.

– Non, monsieur. Certains prétendaient qu'il venait de Blackwater Park, d'autres d'Écosse… De fait, personne ne savait vraiment.

– Mrs Catherick resta-t-elle femme de chambre à Varneck Hall jusqu'à son mariage ?

– Oui, monsieur.

– Elle était depuis longtemps à Varneck Hall ?

– Depuis trois ou quatre ans, je pense.

– Savez-vous à qui appartenait Varneck Hall à l'époque ?

– Oui, monsieur. A un certain major Donthorne.

– Catherick ou quelqu'un d'autre savait-il si ce major Donthorne était un ami de sir Percival, ou si celui-ci avait pu fréquenter le voisinage ?

– Pas à ma connaissance, monsieur.

Je notai le nom et l'adresse du major Donthorne, me disant que, s'il vivait encore, il pourrait peut-être, au besoin, me donner des renseignements utiles.

En attendant, je croyais de moins en moins que sir Percival fût le père d'Anne, et j'étais presque convaincu que le secret de ses aventures avec Mrs Catherick n'avait nul rapport avec le déshonneur dont cette femme avait taché le nom de son mari. Je n'avais pas d'autres questions sur le sujet et m'efforçai de faire parler Mrs Clements de l'enfance d'Anne, avec l'idée d'y découvrir peut-être quelque chose d'intéressant.

– Vous ne m'avez pas encore dit comment l'enfant, née dans toute cette misère, vous fut confiée ?

– Il n'y avait personne d'autre, monsieur, qui pût prendre soin de cette pauvre petite créature sans défense. Dès sa naissance, sa malheureuse mère la détesta : comme si le pauvre bébé en pouvait ! Mon cœur s'attendrit et je lui proposai de l'élever moi-même, aussi tendrement que si elle avait été mienne.

– Anne vous fut-elle entièrement confiée, à partir de ce moment-là ?

– Pas complètement, monsieur. Mrs Catherick avait parfois ses lubies, et venait quelquefois récupérer l'enfant, comme pour faire payer le fait que je l'élevais. Mais cela ne durait jamais bien longtemps. Elle me ramenait toujours Anne, qui était ravie de me retrouver, même si la vie, chez moi, n'était pas toujours très drôle ; elle était toute seule et n'avait pas de compagnons de jeu. Notre plus longue séparation, ce fut quand sa mère l'emmena à Limmeridge. Je venais de perdre mon mari et je pensais qu'il n'était pas plus mal pour Anne qu'elle s'éloignât de l'atmosphère endeuillée de la maison. Anne avait dix ou onze ans à l'époque ; elle était moins vive, moins éveillée que les autres enfants de son âge, mais aussi jolie que peut l'être une petite fille. Je restai chez moi jusqu'à leur retour, puis je proposai à sa mère de la prendre avec moi à Londres, car, en vérité, je n'avais plus le cœur à rester à Old Welmingham, après la mort de mon mari.

– Mrs Catherick accepta-t-elle ?

– Non, monsieur. Elle revint de son voyage dans le Nord plus méchante et plus aigrie que jamais. On disait qu'elle avait été obligée de demander la permission à sir Percival de partir, et que la seule raison pour laquelle elle s'était rendue à Limmeridge au chevet de sa sœur mourante, c'était pour toucher l'héritage. En réalité la pauvre femme avait à peine laissé de quoi payer l'enterrement. Je pense que tout cela a dû remplir Mrs Catherick d'amertume. Quoi qu'il en soit elle ne voulut pas entendre parler de me voir emmener sa fille. On eût dit qu'elle voulait nous faire de la peine à toutes les deux en nous séparant. Tout ce que je pus faire fut de donner mon adresse à Anne et de lui dire, en secret, qu'elle pourrait toujours compter sur moi si elle avait des ennuis. Mais des années s'écoulèrent avant qu'elle fût libre de venir. Je ne l'ai plus jamais revue, pauvre petite, jusqu'à cette nuit où elle s'est échappée de l'asile.

– Savez-vous pourquoi sir Percival la fit enfermer ?

– Je ne sais, à ce propos, que ce qu'Anne elle-même m'a raconté. Elle prétendait que sir Percival avait confié un secret à sa mère et qu'un jour celle-ci le lui avait répété. (Cela se passait longtemps après mon départ du Hampshire.) Sir Percival l'apprit, et aussitôt il fit interner la pauvre petite. Mais lorsque je lui ai demandé quel était ce secret, elle n'a pas su me le dire et m'a seulement répondu que sa mère, d'un seul mot, pourrait perdre à jamais sir Percival. Je suis persuadée qu'elle-même ne savait pas de quoi il s'agissait vraiment, contrairement à ce qu'elle prétendait et à ce qu'elle s'imaginait sincèrement, sinon elle me l'aurait dit.

Cette idée m'avait plus d'une fois traversé l'esprit. Je n'avais pas caché à Marian que je me demandais si Laura eût réellement appris quelque chose d'important le jour où son entretien avec Anne avait été interrompu par le comte Fosco, au bord du lac. Il me paraissait assez vraisemblable qu'Anne Catherick, vu son état mental, affirmât connaître le secret alors qu'elle n'en avait conçu qu'un vague soupçon, à la suite de l'une ou l'autre allusion imprudente que sa mère eût faite devant elle. Extrêmement méfiant, sir Percival s'était alors convaincu qu'Anne avait appris le secret de sa mère et l'avait ensuite transmis à sa femme.

Le temps passait, la matinée s'écoulait. Il était probable que la brave femme ne m'apprendrait plus rien d'utile. J'en savais assez à présent sur le passé de la famille Catherick, qui m'ouvrait de nouveaux horizons vers lesquels orienter mes recherches. Je me levai pour prendre congé en remerciant Mrs Clements d'avoir bien voulu répondre à mes questions.

– J'ai bien peur de vous avoir semblé bien inquisiteur et de vous avoir passablement importunée avec toutes mes questions, lui dis-je.

– Vous serez toujours le bienvenu, monsieur, pour me parler d'Anne.

Elle marqua un temps, me regardant avec anxiété.

– Mais j'aurais tant aimé que vous puissiez me donner des nouvelles d'Anne. J'ai cru lire sur votre visage, quand vous êtes entré, que vous en saviez plus que vous ne vouliez me le dire. Vous ne savez pas à quel point c'est affreux de ne pas savoir si elle vit ou si elle est morte ! J'aimerais mieux la certitude, même si ce devait être la plus triste ! Vous avez dit qu'il n'y avait plus guère d'espoir qu'on la revît vivante… Sincèrement, monsieur, croyez-vous que Dieu l'a rappelée à Lui ?

Je n'étais pas préparé à une telle prière ; et il eût été bien trop cruel de ne pas l'entendre.

– Sincèrement, je crois que ses souffrances en ce monde sont finies, avouai-je doucement.

La pauvre femme se laissa tomber sur une chaise et se cacha le visage dans les mains.

– Oh, monsieur ! Comment le savez-vous ? Qui vous l'a dit ?

– Personne ne me l'a dit, madame Clements. Mais j'ai des raisons pour en être certain, et je vous promets de vous les expliquer dès que je pourrai le faire sans danger. Je vous assure qu'elle n'est pas morte d'autre chose que de sa maladie de cœur et qu'elle a été bien soignée dans ses derniers moments. Et bientôt vous apprendrez qu'elle repose dans un paisible cimetière de campagne – l'endroit que vous-même auriez choisi pour elle !

– Morte ! Si jeune... Et moi, vieille femme, je m'attarde encore ! soupira-t-elle. Je lui ai cousu ses premières robes, je lui ai appris à parler. La première fois qu'elle a prononcé le mot « maman », c'est à moi qu'elle l'a adressé... Et à présent, on me l'a enlevée et je reste seule ! Avez-vous dit, monsieur, qu'elle avait été correctement inhumée ? A-t-elle eu un enterrement aussi digne que celui qu'elle eût eu si elle avait été ma propre enfant ?

Je le lui promis. Elle sembla tirer fierté et réconfort de ma réponse.

– Cela m'eût brisé le cœur, fit-elle simplement, qu'Anne n'ait pas été décemment enterrée... Mais comment le savez-vous, monsieur ? Qui vous l'a dit ?

Je dus, encore une fois, lui demander d'être patiente.

– Je reviendrai vous voir bientôt, lui dis-je doucement, car j'aurai une faveur à vous demander... mais j'attendrai que vous soyez un peu consolée.

– Inutile, monsieur. Ne faites pas attention à mes larmes. Si vous avez quoi que ce soit en tête, n'hésitez pas.

– Eh bien ! J'ai juste une dernière question. Je voudrais connaître l'adresse de Mrs Catherick.

Ma demande surprit tellement Mrs Clements qu'elle sembla en oublier momentanément jusqu'à la mort d'Anne. Elle cessa brusquement de pleurer et me regarda avec stupeur.

– Seigneur Dieu ! s'écria-t-elle, que voulez-vous aller faire chez cette femme ?

– La chose suivante, madame Clements : je désire connaître l'objet de ses entretiens avec sir Percival Glyde. Il y a dans le passé de cette femme et dans les relations qui la liaient à cet homme quelque chose que le voisinage n'a jamais suspecté. Il y a un secret que tout le monde ignore entre ces deux-là, et je veux me rendre chez Mrs Catherick pour le découvrir.

– Réfléchissez-y à deux fois, avant d'aller chez elle, monsieur ; c'est une méchante créature, je vous assure.

– Je vous remercie de votre bonté pour moi, madame Clements, mais ma décision est prise, et j'irai quoi qu'il arrive !

– Alors, monsieur, puisque vous le voulez, voici son adresse.

Je la recopiai dans mon carnet, puis serrai chaleureusement la main à Mrs Clements.

– Vous aurez bientôt de mes nouvelles, et je vous promets que vous saurez tout.

Mrs Clements soupira et secoua la tête d'un air dubitatif :

– Écoutez l'avis d'une vieille femme, monsieur. Réfléchissez bien avant de vous rendre à Welmingham.

VIII

En rentrant chez nous, après ma visite à Mrs Clements, je fus frappé par le changement qui était survenu chez Laura.

On n'y lisait plus cette douceur ni cette patience qui, jusqu'alors et malgré toutes les épreuves qu'elle avait traversées, ne l'avaient jamais abandonnée. Sourde à tous les efforts que faisait Marian pour la calmer et la divertir, ses petits croquis rejetés au bout de la table, elle restait assise, les yeux baissés, ne cessant de croiser et décroiser nerveusement ses mains sur ses genoux. A mon arrivée, Marian se leva et, après avoir jeté un coup d'œil sur sa sœur pour voir si celle-ci réagissait, me dit, l'air désespéré :

– Voyez si vous en tirez quelque chose.

Puis elle quitta la pièce.

Je m'assis à côté de Laura et pris tendrement ses deux mains dans les miennes.

– A quoi pensez-vous, Laura ? Dites-moi, chérie, qu'y a-t-il ?

Elle fit un effort sur elle-même et leva les yeux vers moi :

– Je suis malheureuse, Walter… je ne peux m'empêcher de penser…

Elle s'arrêta, inclinant sa tête sur mon épaule, le regard si triste que j'en fus bouleversé.

– Essayez de me dire pourquoi vous êtes si malheureuse.

– Je me sens si inutile ! Je suis un tel fardeau pour vous deux, répondit-elle dans un soupir. Vous travaillez, Walter, et vous rapportez de l'argent. Marian vous aide. Pourquoi, moi, ne puis-je rien faire ? Vous finirez par aimer Marian plus que moi et vous aurez raison ! Oh ! Arrêtez ! Arrêtez de me traiter comme une enfant !

Doucement, je lui relevai la tête et chassai de son visage la douce chevelure qui le recouvrait pour l'embrasser. Ma pauvre fleur fanée ! ma pauvre sœur perdue !

– A partir d'aujourd'hui, vous allez nous aider, Laura, dis-je en me levant et en allant chercher tous ses objets de peinture que je rangeai devant elle. Vous savez, chérie, que je gagne de l'argent en dessinant. Eh bien ! vous allez en gagner aussi. Vous avez fait beaucoup de progrès ces derniers temps ; aussi allez-vous terminer ces esquisses, et j'irai les vendre avec les miennes. Vous garderez tout ce que vous gagnerez, et Marian viendra vous demander de l'argent lorsqu'elle en aura besoin, exactement comme elle fait avec moi ! Voyez comme vous nous serez utile ! Et vous verrez, vous serez de nouveau heureuse, aussi sûr que le soleil se lève chaque matin, Laura.

Son visage s'illumina. Son sourire ravi la faisait presque ressembler à la Laura d'antan. Je ne m'étais pas trompé en interprétant cette prise de conscience de ce que nos occupations nous aidaient à vivre comme un signe de l'amélioration de sa santé et du raffermissement de son esprit. Marian, quand je lui racontai la scène, comprit comme moi combien il était important que sa sœur contribuât à sa manière à gagner notre vie. A partir de ce jour, nous fîmes donc tout pour encourager cette nouvelle ambition, pleine de promesses heureuses pour l'avenir. Ses dessins une fois achevés – ou, du moins, considérés comme tels par elle –, je feignais de les emporter pour les vendre, tandis que Marian les cachait soigneusement, puis je prélevais sur mon salaire pour le lui donner le prix qu'étaient censés m'en avoir offert les acheteurs… J'étais en réalité le seul acheteur de ces pauvres esquisses sans valeur. Il n'était pas facile de persister dans notre mensonge quand, fièrement, elle sortait son petit porte-monnaie pour contribuer à nos dépenses en se demandant si ce n'était pas elle, cette semaine-là, qui avait gagné le plus d'argent. J'ai conservé en ma possession ces maigres trésors, qui pour moi n'ont pas de prix, ces tendres souvenirs du passé, ces amis dont je ne me séparerai jamais et qui auront toujours ma tendresse.

Mais suis-je en train d'oublier ma tâche ? Suis-je en train de me laisser entraîner vers ces temps plus heureux que mon récit n'a pas encore atteints ? Oui ! Retour, donc, aux jours d'incertitude et de peur dans lesquels l'esprit n'avait pour se nourrir qu'un effroyable suspense. Je me suis arrêté comme s'arrête le voyageur qui a besoin de repos. Mais si mes amis qui lisent ces pages ont pu se reposer eux aussi, alors ce n'était pas du temps perdu.

Dès que je le pus, je rendis compte à Marian de mes recherches de la matinée. Elle se montra du même avis que Mrs Clements sur la question de mon éventuel voyage à Welmingham.

– Walter, il me paraît évident que vous ne possédez pas encore suffisamment d'informations pour pouvoir prétendre à ce que Mrs Catherick se confie à vous. Est-il sage d'avoir recours à elle tant que vous n'avez pas épuisé tous les autres moyens d'atteindre votre but ? Quand vous m'avez dit que seuls le comte et sir Percival connaissaient la date exacte du voyage de Laura, vous avez oublié qu'une troisième personne également la connaissait forcément, je veux parler de Mrs Rubelle. Ne serait-il pas plus facile et bien moins dangereux d'essayer d'obtenir sa confession, plutôt que celle de sir Percival ?

– Cela serait sans doute plus facile, mais nous ne savons pas exactement quelle part Mrs Rubelle a prise à toute la conspiration et, par conséquent, il est possible qu'elle ne se souvienne pas de la date avec autant de précision que ne s'en souviennent sir Percival et le comte. Il est trop tard, à présent, pour risquer de perdre un temps précieux avec cette femme. Marian, ne prenez-vous pas trop au sérieux les risques que je cours en me rendant dans le Hampshire ? Commencez-vous à douter que je puisse triompher de sir Percival ?

– Je n'en doute aucunement, Walter, et pour la bonne et simple raison qu'il n'aura pas pour l'aider à vous résister l'effroyable perversité du comte.

– Et qu'est-ce qui vous fait penser cela ? demandai-je, surpris.

– Ce que je sais de l'entêtement de sir Percival et de son incapacité à supporter l'autorité du comte. Je suis sûre qu'il voudra vous affronter en un combat singulier, de la même façon qu'il a voulu, au début, agir seul, à Blackwater Park. Le comte n'interviendra pas avant que vous teniez sir Percival à votre merci. Alors seulement, ses propres intérêts étant en jeu, il voudra agir directement, et il fera tout, Walter, pour se protéger.

– Nous le priverons de ses armes avant cela. Certains détails que m'a révélés Mrs Clements peuvent se retourner contre lui, sans parler d'autres éléments qui peuvent jouer en notre faveur. Le témoignage de Mrs Michelson montre que le comte s'est mis en contact avec Mr Fairlie, ce qui peut être très compromettant pour lui. Pendant mon absence, Marian, écrivez à Mr Fairlie et tâchez d'obtenir qu'il vous rapporte exactement ce qui s'est passé entre lui et le comte, et qu'il vous fasse part de tout ce qu'il a pu apprendre au sujet de sa nièce. Dites-lui bien, pour le cas où il montrerait quelque réticence, que ce qui n'est aujourd'hui qu'une requête de votre part pourrait bien devenir, un jour ou l'autre, un ordre légal.

– Je vais lui écrire, Walter, mais êtes-vous réellement décidé à vous rendre à Welmingham ?

– Plus que jamais. Je vais rester à travailler demain et après-demain, pour rapporter de quoi nous faire vivre, puis je partirai pour le Hampshire.

Au matin du troisième jour, j'étais donc prêt à quitter Londres. Risquant d'être absent plusieurs jours, je convins avec Marian que nous nous écririons tous les jours – sous de faux noms, bien entendu, pour plus de sécurité. Tant que j'aurais de ses nouvelles, je saurais que tout allait bien, mais si d'aventure il se passait une journée sans lettre, je devais reprendre le premier train pour Londres. Pour consoler Laura de mon départ, je lui racontai que je partais à la campagne, en quête de nouveaux acquéreurs pour ses dessins et pour les miens ; je la quittai rassurée et concentrée sur sa tâche. Marian m'accompagna jusqu'à la porte de la rue.

– Souvenez-vous des cœurs anxieux que vous laissez derrière vous, Walter. Souvenez-vous avec quel espoir on attend votre retour. S'il arrivait quelque chose d'anormal, si vous et sir Percival deviez vous rencontrer…

– Pourquoi pensez-vous que nous devrions nous rencontrer ?

– Je ne sais pas, mais j'ai peur et je ne parviens pas à me maîtriser. Vous pouvez vous en moquer, Walter, mais, pour l'amour de Dieu, gardez votre sang-froid si vous vous trouvez face à cet homme !

– Ne craignez rien, Marian, je saurai me dominer.

Nous nous quittâmes sur ces paroles.

Je marchai en hâte jusqu'à la gare. J'avais le cœur rempli d'espoir et l'esprit habité par l'intime conviction que mon voyage ne serait pas inutile. Le temps était beau, clair et frais : je me sentais fort et résolu.

En regardant autour de moi dans la foule qui se pressait à la gare, pour voir si je n'y repérais pas de visage connu, je me dis qu'il eût peut-être mieux valu que je me déguisasse ; mais cette idée me parut si mesquine, si bassement associée aux viles pratiques d'espionnage que je récusais que je la chassai aussitôt de ma tête. Si je m'étais déguisé avant de quitter la maison, j'aurais pu être vu par le propriétaire qui n'eût pas tarder à en concevoir quelques mauvais soupçons ; d'autre part je risquais, par ce procédé, d'attirer l'attention, chose que je voulais à tout prix éviter. J'avais agi jusqu'alors à visage découvert, et j'étais résolu à faire de même jusqu'à la fin.

Le train me déposa à Welmingham en début d'après-midi.

Existe-t-il, parmi les déserts arides de l'Arabie ou les champs de ruines de Palestine, un seul endroit qui puisse rivaliser en désolation et produire sur l'esprit une impression aussi déprimante qu'une ville de province anglaise nouvellement construite, en train de prendre lentement le chemin de la prospérité ? Je me posai la question en parcourant les rues laides et désertes de Welmingham, plongées dans la torpeur. Et les marchands, m'observant de leurs échoppes désertes, les arbres en exil dans des squares inachevés, les carcasses de maisons qui attendaient en vain qu'une présence humaine vînt les animer, chaque créature que je croisais, chaque chose sur laquelle se posait mon regard semblait être une réponse en soi : les déserts de l'Arabie ne sont rien en regard de notre désolation civilisée, ni les ruines de Palestine en regard de notre mélancolie moderne.

Je demandai mon chemin. Mrs Catherick habitait sur une place bordée de petites maisons à un étage. Au milieu de la place se trouvait un maigre carré d'herbe, entouré d'une pauvre clôture en fer. Au bord de cet enclos, une nurse entre deux âges accompagnée de deux enfants observait une chèvre étique au piquet. Deux hommes causaient dans un coin tandis qu'un garçonnet promenait au bout d'une ficelle un horrible petit chien. J'entendais au loin comme les exercices laborieux d'un enfant au piano et, à intervalles réguliers, des coups de marteau. Voilà tout ce qui donnait un peu de vie à cet endroit désert.

Je me dirigeai directement vers le numéro 13 – adresse de Mrs Catherick – et frappai sans même m'être demandé ce que j'allais bien pouvoir dire quand la porte s'ouvrirait. La première chose à faire était de voir Mrs Catherick ; ensuite, seulement, je jugerais de la meilleure façon d'aborder le sujet qui m'amenait. Une domestique qui n'était plus de la toute première jeunesse et arborait une expression sinistre vint m'ouvrir. Je lui donnai ma carte, la priant de demander à sa maîtresse de me recevoir. Après quelques minutes, elle revint et me demanda l'objet de ma visite.

– C'est au sujet de la fille de Mrs Catherick, répondis-je, énonçant la première idée qui me passait par la tête.

La servante disparut de nouveau, puis revint et me pria, cette fois-ci, de la suivre.

Je fus introduit dans une petite pièce tapissée d'un papier aux teintes criardes et meublée à bon marché. Au milieu, sur une grande table, trônait, sur un napperon en laine jaune et rouge, une superbe bible ; près de la fenêtre, un panier à ouvrage sur les genoux et un vieil épagneul asthmatique et à l'œil chassieux à ses pieds, une femme d'un certain âge, vêtue de noir, tricotait paisiblement, les mains gantées de mitaines gris ardoise. Deux lourds bandeaux de cheveux gris lui encadraient le visage, sur lequel se détachaient deux yeux sombres, sévères et implacables. Elle avait les joues pleines, les lèvres exsangues mais sensuelles. De son attitude – celle d'une personne parfaitement maîtresse d'elle-même – émanait une certaine agressivité. C'était Mrs Catherick.

– Vous êtes venu me parler de ma fille, commença-t-elle, sans me laisser le temps de parler. Parlez, je vous écoute.

Sa voix était aussi dure, aussi implacable, aussi pleine de défi que l'étaient ses yeux. Elle me désigna une chaise en me dévisageant des pieds à la tête, tandis que je m'asseyais. Je compris que le seul moyen de procéder avec cette femme était de lui répondre sur le même ton, de la combattre sur son propre terrain.

– Vous savez sans doute que votre fille a disparu ?

– Je suis au courant, en effet.

– Avez-vous pensé que cette disparition pouvait signifier qu'elle était morte ?

– Oui. Êtes-vous venu pour me dire qu'elle était morte ?

– Oui.

– Et pourquoi ?

Elle avait posé cette incroyable question sans une inflexion dans la voix, ni le moindre frémissement dans les traits. Elle n'eût pas paru moins touchée si je lui avais appris la mort de la chèvre qui se trouvait dans l'enclos, dehors.

– Pourquoi ? répétai-je. Vous me demandez pourquoi je viens vous apprendre que votre fille est morte ?

– Oui. En quoi pouvons-nous, elle ou moi, vous intéresser ? Comment, d'abord, connaissez-vous ma fille ?

– Je l'ai rencontrée la nuit où elle s'est évadée de l'asile, et je l'ai aidée à se cacher.

– Vous avez eu tort.

– Je suis désolé d'entendre sa mère parler de la sorte.

– Sa mère parle pourtant de la sorte ! Comment savez-vous qu'elle est morte ?

– Je n'ai pas le droit de vous le dire, mais je sais qu'elle est morte.

– Avez-vous le droit de me dire par qui vous avez connu mon adresse ?

– Certainement. Par Mrs Clements.

– C'est une sotte ! Est-ce elle qui vous a envoyé ?

– Non.

– Alors, je me répète, pourquoi êtes-vous venu ?

Puisqu'elle tenait à avoir une réponse, je lui répondis le plus nettement possible.

– Je suis venu parce que je pensais que la mère d'Anne Catherick pourrait désirer savoir si sa fille était morte ou vivante.

– Je comprends…, fit Mrs Catherick, avec plus de calme encore. Et puis ?

Comme j'hésitais, ne sachant trop que répondre, elle poursuivit, en enlevant ses mitaines et en les pliant soigneusement :

– Si vous n'avez pas d'autre raison, il me reste à vous remercier de votre visite et à vous dire que je ne vous retiens pas plus longtemps. Je vous serais encore plus reconnaissante de m'avoir apporté ces nouvelles, si vous m'expliquiez comment vous les avez apprises. Quoi qu'il en soit, cela veut dire, je suppose, que je porterai le deuil. Comme vous le voyez, il n'y aura pas de grands changements à ma toilette ; je n'aurai que les mitaines à changer.

Sur ce, elle sortit de sa poche une seconde paire de mitaines en dentelle noire, et les enfila avec la plus parfaite impassibilité, avant de croiser ses mains sur ses genoux dans une attitude décidée.

– Au revoir, monsieur.

Exaspéré par son insolente froideur, je ne pus m'empêcher de lâcher sans plus attendre ce qui m'amenait.

– Il se trouve que j'ai une autre raison d'être là.

– Je m'en doutais !

– La mort de votre fille…

– De quoi est-elle morte ?

– D'une maladie de cœur.

– D'accord. Continuez.

– La mort de votre fille a servi à faire subir un terrible préjudice à une personne qui m'est très chère. A ma connaissance, deux hommes en sont responsables. L'un de ces hommes est sir Percival Glyde.

– Vraiment !

Je la scrutai attentivement pour voir l'effet produit par ce nom, mais pas un seul muscle de son visage ne bougea ; elle n'eut pas le moindre battement de cils.

– Vous vous demandez sans doute comment la mort de votre fille a pu causer préjudice à quelqu'un ?

– Non ! répondit-elle. Je ne me demande rien du tout ; ce sont vos affaires. Si vous vous intéressez aux miennes, moi je ne m'intéresse pas aux vôtres !

– Vous vous demandez peut-être, dans ce cas, pourquoi je vous parle de cela, insistai-je.

– Oui, précisément, je me le demande.

– C'est que je suis décidé à exiger des comptes de sir Percival au sujet de l'infamie qu'il a commise.

– Et qu'ai-je à voir dans votre décision ?

– Eh bien voilà ! Il y a dans la vie de sir Percival certains événements que je voudrais éclaircir. Or vous les connaissez, et c'est pour cela que je suis venu vous voir.

– Et de quels événements voulez-vous parler ?

– De ceux qui se sont passés à Old Welmingham, avant la naissance de votre fille, alors que votre mari était sacristain de la paroisse.

Je vis que j'avais touché l'endroit sensible, car ses yeux lancèrent des éclairs et ses mains se mirent à lisser nerveusement les plis de sa jupe.

– Que savez-vous de ces événements ? demanda-t-elle.

– Ce que Mrs Clements m'en a raconté.

Son visage devint brusquement rouge et ses mains s'immobilisèrent, comme sous l'emprise d'un violent accès de colère. Mais non, elle se maîtrisa tout aussitôt, s'enfonça dans son fauteuil, croisa les bras sur sa poitrine et me toisa du regard avec un sourire sarcastique.

– Ah ! Je commence à comprendre ! dit-elle avec une ironie où perçait une fureur froide. Vous avez un grief personnel contre sir Percival Glyde et je dois vous aider à vous venger. Il faudrait que je vous raconte sur sir Percival et moi-même ceci, cela et que sais-je encore ? C'est cela, n'est-ce pas ? Vous vous êtes immiscé dans mes affaires personnelles et, croyant avoir affaire à une pauvre femme perdue qui vit dans l'abandon, vous avez espéré qu'elle allait répondre à toutes vos questions par crainte que vous ne la salissiez aux yeux de l'opinion publique. Ha ! ha ! Je vois clair dans votre petit jeu... et cela m'amuse !

Riant d'un rire mauvais, elle poursuivit :

– Vous ignorez sans doute comment je vis ici et ce que j'y ai fait, monsieur Je-ne-sais-qui. Avant de sonner pour qu'on vous jette dehors, je vais vous le dire. Je suis arrivée ici comme une femme outragée, après avoir été odieusement calomniée, et bien décidée à prouver mon innocence. Il m'a fallu des années, mais j'y suis parvenue. J'ai combattu loyalement les gens respectables sur leur propre terrain et, aujourd'hui, plus personne n'oserait dire tout haut du mal de moi. J'ai acquis une situation assez élevée dans cette ville pour être hors d'atteinte. Le pasteur me salue. Ha ! ha ! Vous ne vous attendiez pas à cela, n'est-ce pas, en venant ici ? Allez à l'église, si vous ne me croyez pas, et vous verrez que Mrs Catherick a sa place réservée, comme les autres, et paie son denier quand il faut. Allez à la mairie et vous y verrez mon nom, parmi celui d'honnêtes gens, au bas d'une pétition visant à empêcher la venue dans notre ville d'un cirque qui porterait atteinte à notre moralité. Oui, je dis bien NOTRE moralité. Allez chez le libraire, les conférences que donne notre pasteur tous les mercredis soir sur la justification de la foi y sont publiées par souscription, et mon nom figure sur la liste des généreux donateurs. A l'office de dimanche dernier, la femme du médecin n'a donné qu'un shilling à la collecte pour les pauvres, moi j'ai donné une demi-couronne. Et Mr Soward, le bedeau, en me présentant le plateau, s'est incliné profondément… C'est lui qui, il y a dix ans, expliquait à Pigrum, le pharmacien, qu'il fallait me chasser du village. Regardez cette bible !… Je suis sûre que votre mère n'en possède pas une semblable et qu'elle n'est pas aussi respectée par les commerçants que je le suis ! Et lui a-t-il fallu seulement vivre, comme je l'ai toujours fait, de ses seuls revenus ? Ah ! voici le pasteur qui arrive. Regardez, monsieur Je-ne-sais-qui, regardez, je vous prie !

Elle bondit de son fauteuil avec l'agilité d'une jeune fille, se précipita à la fenêtre et adressa un large salut au pasteur. Celui-ci leva cérémonieusement son chapeau avant de continuer son chemin. Mrs Catherick revint se rasseoir, en m'adressant un méchant sourire de triomphe.

– Alors ? Que dites-vous de la femme perdue ? Et que devient votre petit jeu dans tout cela ?

La manière étrange dont elle avait choisi de se défendre, cette façon vindicative qu'elle avait de revendiquer la position sociale qu'elle avait acquise dans la ville me laissaient sans voix. Je n'en étais pas moins résolu, quoi qu'il en soit, à lui faire perdre de sa superbe. Si, une fois déjà, elle avait failli sortir de ses gonds, j'avais toutes les chances de pouvoir lui extorquer les paroles qui me fourniraient la clef du mystère.

– Alors, que devient votre petit jeu ? répéta-t-elle.

– Je pense que rien n'est changé, madame, répondis-je avec calme. Je ne discute pas la situation que vous êtes parvenue à acquérir dans cette ville et je ne désire en rien la compromettre. Je suis venu ici parce que sir Percival est votre ennemi autant que le mien, et que si j'ai un grief contre lui, vous en avez un également. Vous pouvez le nier, m'injurier ou vous fâcher, si bon vous semble, mais s'il existe en Angleterre une femme qui devrait m'aider à écraser cet homme, c'est bien vous !

– Écrasez-le tout seul et revenez me le dire ensuite ! Vous verrez comment je vous recevrai !

Elle avait changé de ton. Sa voix s'était faite acérée, farouche, agressive. J'avais, momentanément du moins, réveillé le serpent de la haine, assoupi dans sa poitrine depuis des années. Je le vis surgir, avec d'horribles contorsions qui m'inspirèrent un mouvement de recul. Puis le reptile sembla se rétracter, et Mrs Catherick retrouva sa posture, enfoncée dans son fauteuil.

– Vous n'avez pas confiance en moi ?

– Non !

– Vous avez peur ?

– En ai-je l'air ?

– Vous avez peur de sir Percival Glyde !

– Vraiment ?

Le rouge lui montait aux joues et ses mains recommençaient à agripper nerveusement sa jupe. Sans vouloir lui laisser un instant de répit, je ne la lâchai pas :

– Sir Percival occupe une situation élevée dans le monde ; il ne serait pas étonnant que vous ayez peur de lui. C'est un homme puissant, baronnet, propriétaire d'une grande fortune, descendant d'une grande famille...

A ma grande stupéfaction, elle éclata de rire :

– Oui, baronnet, riche propriétaire et descendant d'une grande famille ! Vous pouvez le dire ! surtout du côté de sa mère...

Ces dernières paroles, je n'avais pas le temps de m'y arrêter dans l'immédiat... Rien ne m'empêcherait d'y repenser après avoir quitté la maison.

– Je ne suis pas ici pour discuter des questions de famille, repris-je. Je ne sais rien de la mère de sir Percival...

– Pas plus que vous ne savez de lui-même d'ailleurs, m'interrompit-elle avec aigreur.

– N'en soyez pas trop sûre... Je sais beaucoup de choses à son sujet... et j'en soupçonne d'autres !

– Et que soupçonnez-vous ?

– Je vais plutôt vous dire une chose dont je ne le soupçonne pas..., c'est d'être le père d'Anne !

Elle se dressa sur ses pieds et se précipita sur moi comme une furie.

– Comment osez-vous me parler du père d'Anne ! Comment osez-vous décréter qui est ou n'est pas son père ! cria-t-elle en tremblant de colère.

– Je sais que le secret qui vous lie à sir Percival n'est pas celui-là, continuai-je imperturbable. Le mystère qui entache sa vie n'est pas né avec votre fille et n'est pas mort avec elle.

Elle fit un pas en arrière.

– Allez-vous-en ! fit-elle en me montrant la porte.

– Je suis convaincu qu'il n'était pas question d'enfant, continuai-je pourtant, décidé à la pousser dans ses derniers retranchements, pas plus que d'amour coupable, lorsque votre mari vous découvrit en tête-à-tête dans la sacristie !

La main qui me désignait la porte se baissa d'un coup et la fureur qui l'habitait s'évanouit. Au moment où je prononçai ces trois mots : « dans la sacristie », je la vis changer, je vis cette femme dure, imperturbable, parfaitement maîtresse d'elle-même, fléchir sous le coup de la terreur, une terreur qu'elle ne parvenait plus à contrôler.

Pendant une minute ou plus, nous nous défiâmes en silence.

– Refusez-vous encore d'avoir confiance en moi ?

Elle était toujours aussi livide, mais sa voix avait repris de l'assurance et elle avait retrouvé son arrogance.

– Je refuse.

– M'ordonnez-vous encore de partir ?

– Oui… et ne revenez jamais plus !

Je me dirigeai vers la porte, hésitai un moment avant de l'ouvrir, puis me retournai une dernière fois.

– Il se pourrait que j'aie des nouvelles inattendues à vous communiquer au sujet de sir Percival et, dans ce cas, je reviendrai.

– Il n'est aucune nouvelle de sir Percival que je désire apprendre, sauf…

Elle s'arrêta, le visage sombre, puis regagna son fauteuil aussi silencieusement qu'un chat.

– … sauf l'annonce de sa mort, termina-t-elle en se rasseyant, un pâle sourire moqueur aux lèvres et une lueur de haine dans les yeux.

Comme j'ouvrais la porte, je surpris son regard qui se posait subrepticement sur moi. Son sourire se fit de plus en plus cruel tandis qu'elle me dévisageait. Une ineffable perversité se lisait sur son visage.

Était-elle en train de se perdre en conjectures sur ma jeunesse et ma vigueur, sur mon sens de l'honneur et les limites de mon sang-froid, en se demandant jusqu'à quelles extrémités ils me pousseraient, s'il advenait que mon chemin croisât celui de sir Percival ? La seule pensée qu'il pût en être ainsi me fit quitter la pièce précipitamment, sans un geste d'au revoir. Il n'y eut pas un mot de plus échangé entre nous.

En ouvrant la porte de la rue, j'aperçus le pasteur qui repassait devant la maison. J'attendis sur le perron qu'il soit passé et jetai un coup d'œil vers la fenêtre de Mrs Catherick. Celle-ci l'avait entendu approcher et avait repris son poste derrière la vitre, attendant qu'il passât. Les terribles passions que j'avais réveillées en elle n'avaient pas réussi à éteindre cette soif désespérée de reconnaissance sociale. Moins d'une minute après que je l'eus quittée, elle était là, obligeant le pasteur à la saluer respectueusement pour la seconde fois de la journée. Il souleva de nouveau son chapeau, et je vis le visage revêche s'illuminer de fierté et de reconnaissance et s'incliner avec cérémonie à son tour. Le pasteur l'avait saluée en ma présence, à deux reprises.

IX

Je sortis de la maison avec le sentiment que, malgré elle, Mrs Catherick m'avait fait avancer d'un pas. Au moment où je m'apprêtais à abandonner la place, mon attention fut attirée par le bruit d'une porte qui se fermait derrière moi. Me retournant, je vis un petit homme en noir qui se tenait sur le seuil de la maison voisine de celle que je venais de quitter. Il n'hésita pas un moment sur la route à prendre et se dirigea dans ma direction. Je reconnus alors l'homme qui était arrivé presque en même temps que moi à Blackwater Park et qui, ce jour-là, avait essayé de me mettre en colère.

Je ne bougeai pas, voulant savoir s'il avait l'intention de me rejoindre et de m'adresser la parole. A ma grande surprise, il me dépassa sans dire un mot, sans même me jeter un regard. Je m'y attendais si peu que cela éveilla ma curiosité, voire mes soupçons, et que je décidai de le filer pour voir ce qu'il tramait. Sans me soucier d'être vu ou non, je lui emboîtai le pas. Il ne s'était pas retourné une seule fois quand nous arrivâmes à la gare.

Le train était sur le point de partir, et deux ou trois passagers en retard se massaient autour du guichet où l'on délivrait les billets. Je me joignis à eux et entendis distinctement le petit homme en noir demander un aller pour Blackwater Park. Après m'être assuré qu'il était bien monté dans le train, je quittai la gare.

Je ne trouvais qu'une seule explication à ce que je venais de voir et d'entendre. L'homme était sorti de la maison mitoyenne de celle de Mrs Catherick, et c'était probablement sir Percival qui l'avait installé là, pour le cas probable où je chercherais à entrer en contact avec elle. L'homme qui m'avait vu entrer et sortir se précipitait à présent, pour faire son rapport, à Blackwater Park où sir Percival s'était probablement réinstallé, afin d'être sur les lieux si je revenais dans le Hampshire. Avant peu, très vraisemblablement, lui et moi nous nous rencontrerions.

Quel que pût être le résultat auquel aboutiraient mes recherches, aucune considération, se fût-il agi de sir Percival lui-même, ne m'eût empêché, à ce moment-là, de les mettre à exécution. Les lourdes responsabilités qui, à Londres, m'obligeaient à agir avec une extrême prudence et trop de lenteur (puisqu'il fallait que, pour rien au monde, la retraite de Laura ne fût découverte) n'existaient pas ici ; je pouvais aller et venir à ma guise à Welmingham, et si je courais certains dangers, moi seul en subirais les conséquences.

Quand je quittai la gare, la nuit hivernale tombait déjà, et il ne servait à rien de vouloir poursuivre mes recherches dans cette ville qui m'était étrangère. Je me rendis donc à l'hôtel le plus proche pour y retenir une chambre et commander mon dîner, puis j'écrivis à Marian, lui disant que j'avais bon espoir de réussir enfin. Je lui avais recommandé avant mon départ de m'adresser sa première lettre (celle que je devais recevoir le lendemain matin) à la poste restante de Welmingham. Je la priai d'envoyer la suivante au même endroit ; si je devais m'absenter, je demanderais à l'employé de la poste qu'il me la fît parvenir là où je me trouverais.

La salle à manger se vida peu à peu de ses derniers clients, et je pus me laisser en toute quiétude aller à mes réflexions. Je songeai à mon extraordinaire entrevue avec Mrs Catherick ; mes conclusions étaient les mêmes que quelques heures auparavant : décidément la sacristie de l'église de Old Welmingham semblait bien être au cœur de toute l'histoire, les paroles et l'attitude de Mrs Catherick ne laissaient aucun doute sur cela.

Lorsque Mrs Clements m'avait fait son récit, j'avais déjà trouvé étrange de la part de sir Percival le choix d'un tel lieu de rendez-vous clandestin avec la femme du sacristain. C'était presque par hasard que j'avais mentionné la sacristie devant Mrs Catherick, parce que ce détail me revenait en mémoire à cet instant. Je m'attendais à ce que l'évocation de ce lieu la troublât ou l'irritât, mais certainement pas à ce qu'il provoquât cette terreur folle qui s'était emparée d'elle. J'avais depuis longtemps la conviction que le secret de sir Percival cachait un crime grave dont Mrs Catherick connaissait la nature. Aujourd'hui, la panique qui l'avait saisie me donnait la certitude que le crime, d'une manière ou d'une autre, était associé à la sacristie et qu'elle-même n'en avait pas simplement été le témoin mais bien la complice.

Mais en quoi consistait ce crime ? Sans doute était-il méprisable et dangereux tout à la fois, sans quoi Mrs Catherick n'eût pas répété après moi avec dédain mes paroles concernant le rang et le pouvoir de sir Percival. En résumé, nous avions donc affaire à un crime méprisable, dangereux, dans lequel Mrs Catherick avait joué un rôle, qui était lié, enfin, à la sacristie.

Puis je me posai une autre question.

Je me souvins que le mépris de Mrs Catherick ne touchait pas seulement sir Percival, mais également sa mère. Elle n'avait pas ménagé ses sarcasmes sur la grande famille dont il descendait, « surtout du côté de sa mère ! ». Que voulait-elle dire ? Il ne pouvait y avoir que deux explications : ou bien la femme de sir Felix était de basse extraction, ou bien sa réputation avait été souillée par une tache secrète que sir Percival et Mrs Catherick connaissaient tous les deux.

Pour être fixé sur le premier point, il me suffisait de consulter le registre des mariages, afin de connaître en premier lieu son nom de jeune fille. Si, en revanche, il s'agissait d'une faute que cette femme avait commise, il fallait se demander de quelle nature était cette faute. Me souvenant de ce que m'avait raconté Marian sur l'étrange vie de reclus qu'avaient vécu sir Felix et sa femme j'en vins à me demander s'il était possible que la mère de sir Percival n'eût pas été mariée à son père. Le registre des mariages me renseignerait sur ce point également.

A ce point de mes réflexions, j'en revins à mes conclusions précédentes : le crime secret m'avait mené à la sacristie; le registre de mariage m'y ramenait une fois encore.

Tels étaient donc les résultats de mon entrevue avec Mrs Catherick, telles étaient mes réflexions, convergeant vers un seul point, vers lequel me conduiraient mes pas le lendemain.

Au matin, le ciel était bas et nuageux. Laissant ma valise à l'hôtel, je me dirigeai à pied vers l'église de Old Welmingham, située à une lieue sur une hauteur.

C'était une antique bâtisse, flanquée de deux lourds arcs-boutants et surmontée d'une tour carrée. La sacristie, bâtie en annexe, était de la même époque que l'église. Quelques vieilles maisons – ce qui restait de l'ancien village décrit par Mrs Clements – s'éparpillaient aux alentours; les unes avaient été démolies, d'autres tombaient en ruine, dans certaines, enfin, vivaient encore quelques miséreux. Quoique infiniment triste, l'endroit semblait pourtant moins lugubre que la nouvelle ville, car on apercevait ici et là des champs labourés, et les arbres avaient beau avoir perdu leurs feuilles, ils rendaient moins triste la monotonie du paysage et faisaient penser qu'un jour l'été reviendrait.

Tandis que je déambulais parmi les vieilles maisons afin de savoir où je trouverais le sacristain, je vis deux hommes surgir de derrière un mur. Le plus grand des deux, un gaillard robuste vêtu d'un costume de garde-chasse, m'était inconnu, mais l'autre était un des individus qui m'avaient suivi à Londres lorsque j'étais sorti de l'étude de Mr Kyrle. Ne cherchant pas à m'aborder, ils me suivaient à une distance respectable, mais les raisons de leur présence ici ne faisaient aucun doute : exactement comme je l'avais supposé, sir Percival s'attendait à ma venue. On lui avait rapporté la veille ma visite à Mrs Catherick et il avait ordonné à ses hommes de surveiller les abords de la vieille église. Si j'avais eu besoin d'une preuve que mes recherches s'orientaient dans la bonne direction, cette filature me l'apportait.

Je m'éloignai un peu de l'église et parvins à l'une des maisons encore habitées du village. Un paysan qui travaillait dans le petit potager attenant m'indiqua l'adresse du sacristain, une maison en bordure du village. Quand j'arrivai, le sacristain s'apprêtait à sortir. C'était un homme âgé, bon enfant et bavard qui, je m'en aperçus bientôt, avait une piètre opinion de son village et se sentait une grande supériorité sur ses voisins, car il connaissait Londres.

– Vous avez bien fait d'arriver si tôt, monsieur, me dit-il quand je lui eus mentionné l'objet de ma visite, je me préparais à sortir. La charge d'une paroisse est une lourde tâche pour un homme de mon âge. Dieu merci ! heureusement que je suis encore solide sur mes jambes ! Tant qu'un homme peut compter sur ses jambes, il est encore bon à quelque chose, n'est-ce pas, monsieur ?

Tandis qu'il parlait, il avait attrapé une clef cachée dans l'âtre de sa cheminée, dont il se servit pour fermer la porte de sa demeure.

– Je n'ai plus personne pour me garder la maison, m'expliqua-t-il, avec un soupçon de satisfaction à l'idée qu'il était libre de toute contrainte familiale. Ma femme est au cimetière et mes enfants sont tous mariés… Triste endroit, n'est-ce pas, monsieur ? Mais la paroisse est importante, tout le monde ne serait pas capable de s'en occuper comme moi. C'est l'apprentissage de toute une vie… Moi qui vous parle, j'ai appris l'anglais de la reine (Dieu bénisse la reine !), et rares sont ceux qui pourraient en dire autant par ici. Vous êtes de Londres, je suppose ? J'y ai vécu, il y a quelque vingt-cinq ans au moins. Quelles sont les nouvelles de la capitale, monsieur ?

Bavardant de la sorte, il me conduisit à la sacristie après que je lui eus expliqué le but de ma visite. Je regardai autour de moi, mais personne ne me suivait à ce moment-là. Mes espions, m'ayant vu en compagnie du sacristain, avaient dû se cacher quelque part, d'où ils pouvaient observer tout à leur aise mes faits et gestes sans être dérangés.

La porte extérieure de la sacristie était de chêne épais, renforcé de gros clous. Le brave homme glissa sa clef dans la serrure de l'air de quelqu'un qui sait qu'il s'apprête à affronter une sérieuse difficulté et qui n'est pas sûr de réussir.

– Je m'excuse de vous faire entrer par ce côté-ci, monsieur, mais la porte qui sépare l'église de la sacristie est fermée du côté de celle-ci, sans quoi je vous aurais fait passer par l'église… Cette serrure-ci est décidément trop vicieuse… assez grosse pour une porte de prison ! Il faudra bien se décider à la changer un jour. Je l'ai dit au bedeau une centaine de fois ; la seule chose qu'il est capable de répondre, c'est : « Je vais y penser. » Vous voyez le résultat ! Ah ! cet endroit est vraiment un trou ! Ce n'est pas comme à Londres, n'est-ce pas, monsieur ? On s'endort ici, vous n'avez pas idée…

Les efforts du brave homme finirent par être récompensés et la serrure céda enfin.

La sacristie était plus spacieuse que je ne l'avais imaginé de l'extérieur. Elle était sombre et humide avec un plafond bas à chevrons de chêne. De grosses armoires en bois, rongées par les vers, étaient adossées aux murs et, dans un coin, pendaient des surplis quelque peu défraîchis. Sur le plancher se trouvaient trois caisses entrouvertes d'où s'échappait de la paille. Derrière les caisses, dans un coin, s'entassaient de vieux papiers, les uns comme des plans d'architecture, les autres en pile, liés par une ficelle, qui ressemblaient à des lettres ou des documents officiels. La pièce devait avoir été éclairée autrefois par une fenêtre de côté, que l'on avait murée et remplacée par une lucarne dans le toit. L'air y était oppressant et humide. La seconde porte donnant dans l'église était faite également de chêne massif et solidement verrouillée.

– Ce n'est pas très en ordre, me dit le jovial sacristain ; mais que voulez-vous, monsieur, dans un trou pareil… Voyez ces caisses ! Depuis un an, elles sont prêtes à partir pour Londres, et elles sont toujours là à encombrer l'espace. Tant que les clous tiendront encore, elles ne bougeront pas, c'est moi qui vous le dis ! Je vous le répète, ce n'est pas la capitale ici ! Tout le monde dort !

– Que contiennent ces caisses ?

– Des fragments de bois sculptés anciens, représentant les douze apôtres, qui proviennent de la chaire. Ils sont complètement détériorés et mangés par les vers. Ils sont aussi vieux que l'église, sinon plus vieux et ils tombent en poussière.

– Et pourquoi doivent-ils partir à Londres ? Pour être restaurés ?

– Exactement, monsieur, pour être restaurés ou, s'ils sont trop abîmés pour l'être, pour qu'on en fasse des copies. Mais l'argent fait défaut ; personne ne s'occupe d'organiser une souscription et, de toute façon, il n'y a pas de souscripteurs. On a bien essayé il y a un an : six beaux messieurs se sont réunis pour en discuter, à l'hôtel de la nouvelle ville. Ils ont fait des discours, signé des résolutions, fait imprimer des centaines de prospectus – des prospectus magnifiques, monsieur, tout en lettres gothiques dessinées à l'encre rouge, disant que c'était une honte de ne pas restaurer les célèbres bas-reliefs de notre église, etc.

Eh bien, les prospectus n'ont jamais été distribués ; ils sont là, dans ce coin, avec les dessins de l'architecte, les devis, et toute la paperasserie qui va avec. Certes, il y a bien eu un peu d'argent au départ, mais que peut-on espérer de Londres ? On a eu juste de quoi payer l'emballage des sculptures et régler l'imprimeur pour les prospectus. On en est là. Les caisses encombrent la sacristie et personne ne s'en soucie…

Mon impatience à examiner le registre des mariages ne m'incitait pas à apporter une oreille complaisante aux bavardages de mon hôte ; je me contentais d'opiner de la tête à ce qu'il disait, suggérant que nous pourrions sans doute passer à l'affaire qui me préoccupait.

– Ah oui, le registre des mariages ! Oui, oui ! fit le sacristain, sortant un nouveau trousseau de clefs de sa poche. Quelle année, monsieur ?

Marian m'avait appris l'âge de sir Percival, à l'époque où pour la première fois il avait été question entre nous de son prochain mariage avec Laura. Il avait d'après elle à l'époque quarante-cinq ans. D'après mes calculs, il devait donc être né en 1804. Pourquoi ne pas commencer par là ?

– Je voudrais d'abord consulter l'année 1804.

– Et ensuite, monsieur ? Sont-ce les années qui précèdent qui vous intéressent, ou celles qui suivent ?

– Celles qui précèdent 1804.

Il ouvrit l'une des armoires, dont il sortit un volumineux registre relié en cuir brun, d'aspect plutôt poussiéreux. L'insécurité de l'endroit où étaient conservées toutes ces archives me frappa. La porte de la vieille armoire était crevassée et vermoulue ; la serrure, fort petite, était d'un modèle courant. J'aurais pu la forcer aisément au moyen de ma canne. J'en fis la remarque au sacristain :

– Pensez-vous qu'il s'agisse d'un endroit assez sûr pour conserver ces registres ? Ne vaudrait-il pas mieux une serrure plus solide ou un coffre ?

– C'est curieux, monsieur ! me dit-il en refermant le registre qu'il venait d'ouvrir et en en tapotant le dos d'un air entendu. C'est exactement ce que disait mon vieux maître il y a des années et des années : « Pourquoi ce registre – il parlait justement de celui-ci, monsieur, n'est-il pas enfermé dans un coffre ? » Des centaines de fois, il me l'a répété. C'était un avocat, et il dirigeait en même temps le conseil paroissial. Un homme de cœur, monsieur, et l'homme le plus étrange qui fût. Tant qu'il a vécu, il a conservé dans son étude de Knowlesbury une copie de ce registre. De temps en temps, il s'en faisait envoyer une mise à jour, et je l'ai souvent vu arriver sur sa mule blanche, afin de venir lui-même contrôler les enregistrements qu'on lui envoyait. « Comment puis-je être sûr, me disait-il, que le registre ne sera pas volé ou détruit ? Pourquoi n'est-il pas à l'abri dans un coffre ? Pourquoi faut-il que les gens soient aussi négligents ? Un de ces jours, il va arriver quelque chose, et alors la paroisse me saura gré d'en avoir tenu une copie ! » Il terminait toujours ses tirades par une prise de tabac, et me regardait avec l'arrogance d'un lord. Ah ! C'était un homme comme on en rencontre peu de nos jours, même à Londres, croyez-moi ! Quelle année disiez-vous, monsieur ? 1800 combien ?

– 1804 ! répondis-je, bien décidé à ne plus permettre au sacristain de nouvelles élucubrations tant que je n'aurais pas obtenu ce que je voulais.

Le vieil homme, ayant chaussé ses lunettes, se mit à feuilleter le registre en mouillant copieusement son pouce toutes les trois pages.

– Voilà ! fit-il enfin, pointant d'un doigt satisfait l'année demandée.

Comme j'ignorais la date de naissance de sir Percival, je commençai par le mois de janvier. Le livre était tenu à la manière ancienne, chaque enregistrement étant séparé par une ligne du suivant. Je parcourus toute l'année 1804 sans trouver aucune trace du mariage que je cherchais. Je m'attaquai alors à l'année 1803 ; d'abord décembre, puis novembre, octobre, septembre… J'y étais ! A la date de septembre, il était enfin question du mariage. En examinant la page avec attention, je fus surpris de constater que le marié enregistré juste au-dessus de celui qui m'intéressait portait le même prénom que moi. L'entrée suivante occupait une place importante, car il s'agissait de deux frères qui s'étaient mariés le même jour. Quant au mariage de sir Felix Glyde, il ne faisait l'objet d'aucune mention extraordinaire en dehors des renseignements habituels sur la mariée : « Cecilia Jane Elster, de Park View Cottages, Knowlesbury, fille unique de feu Patrick Elster, Esq., originaire de Bath. »

Je notai soigneusement ces lignes dans mon carnet, non sans éprouver un réel découragement. Le fameux secret de sir Percival, que j'avais cru enfin éclaircir ici, me paraissait plus que jamais impénétrable !

Que m'avait révélé de mystérieux ma visite à la sacristie? Absolument rien. Avais-je découvert la moindre chose me permettant de penser que la réputation de la mère de sir Percival avait été entachée? De nouveaux doutes, de nouvelles difficultés semblaient se dessiner devant moi. Que devais-je faire à présent? Il me semblait que je n'avais plus qu'à orienter mes recherches vers « Miss Elster, de Knowlesbury », dans l'espoir de découvrir enfin la cause du mépris de Mrs Catherick pour la mère de sir Percival.

– Avez-vous trouvé ce que vous cherchiez? me demanda le sacristain, tandis que je refermais le registre.

– Oui, mais je voudrais avoir encore quelques renseignements. Dites-moi, le clergyman en fonction à ce moment-là ne vit-il plus?

– Oh! non, monsieur, il est mort trois ans avant mon arrivée ici, il y a un bout de temps, en 1827, m'expliqua mon bavard ami. J'ai obtenu la place parce que mon prédécesseur a dû partir. On dit qu'il a été chassé de chez lui par sa femme, qui vit dans la nouvelle ville. Je ne connais pas exactement l'histoire, mais tout ce que je sais, c'est que j'ai eu la place. C'est grâce à Mr Wansborough, le fils de mon maître, celui dont je vous ai parlé tout à l'heure, que je suis ici. C'est un gentleman charmant, qui ne fait pas grand-chose, à part chasser et s'occuper de ses chiens. Il a remplacé son père à la tête du conseil paroissial.

– Ne m'avez-vous pas dit que votre ancien maître vivait à Knowlesbury? demandai-je, me souvenant de l'interminable histoire à laquelle j'avais eu droit avant de consulter le registre.

– Bien sûr que si, monsieur. Mr Wansborough vivait à Knowlesbury, et son fils y vit encore aujourd'hui.

– Vous m'avez également dit qu'il dirigeait le conseil paroissial, mais je ne suis pas sûr d'avoir bien saisi en quoi cela consistait.

– Vous, monsieur? Et vous venez de Londres! Chaque paroisse, voyez-vous, a son sacristain et son chef du conseil paroissial. Le sacristain, c'est un homme comme moi (sauf, bien sûr, que, sans m'en vanter, j'ai bien plus d'éducation que la plupart des sacristains). Pour le conseil paroissial, c'est souvent un avocat qui est désigné pour s'en occuper.

– Dois-je en déduire que le jeune Mr Wansborough est également avocat?

– Évidemment, monsieur! Il a repris l'étude de son père dans High

Street. Cette chère étude ! Le nombre de fois où j'y ai fait le ménage, et où j'ai vu arriver le vieux gentleman sur sa mule blanche… Il descendait la rue d'une allure majestueuse, distribuant ses saluts aux passants ! Mon Dieu ! Il était bien populaire ! A Londres, il serait devenu quelqu'un !

– A quelle distance sommes-nous de Knowlesbury ?

– Oh ! C'est fort loin d'ici, monsieur ! s'écria-t-il, avec cette perception exagérée des distances propre aux gens qui vivent à la campagne. C'est au moins à trois lieues !

La matinée n'étant pas encore très avancée, j'avais largement le temps de faire l'aller et retour jusqu'à Knowlesbury, et l'avocat était sans doute la personne la plus apte à me fournir des renseignements sur la mère de sir Percival. Je pris donc congé du sacristain.

– Merci beaucoup, monsieur, me dit-il, tandis que je lui glissais dans la main un petit pourboire. Vous avez vraiment l'intention de vous rendre à pied là-bas ? Bah ! Vous avez l'air solide sur vos jambes ; c'est une bénédiction, n'est-ce pas ? La route est par là, vous ne pouvez pas la manquer. J'aimerais pouvoir vous accompagner, c'est si agréable de rencontrer un gentleman de Londres dans ce trou ! Bien le bonjour, monsieur, et merci encore !

Nous nous séparâmes sur ces mots. En quittant l'église, je me retournai et aperçus mes deux espions, un peu en contrebas sur la route. Ils étaient accompagnés d'un troisième individu, le petit homme en noir que j'avais suivi jusqu'à la gare, la veille. Après avoir échangé quelques propos, ils se séparèrent. Le petit homme en noir partit dans la direction de Welmingham ; quant aux deux autres, ils s'apprêtaient évidemment à m'emboîter le pas.

Je me mis en route sans me préoccuper d'eux. Leur présence dans cet endroit perdu, bien loin de m'irriter, me rendait de l'espoir. La déception de ne rien avoir trouvé dans le registre m'avait fait oublier leur compagnie. Or, en les retrouvant, je songeai de nouveau que si sir Percival les avait envoyés ici, c'est qu'il s'attendait à ma visite à l'église de Old Welmingham : quelque chose dans l'atmosphère paisible et sans mystère de la sacristie m'avait donc échappé ; le registre des mariages ne m'avait pas livré son secret…

X

Une fois hors de vue de l'église, je pressai le pas vers Knowlesbury.

La route était droite et plane. Chaque fois que je me retournais, je pouvais apercevoir mes deux espions, marchant d'un pas décidé. Parfois ils accéléraient l'allure, comme pour me dépasser, puis, après s'être consultés, se remettaient à me suivre à distance. Vraisemblablement, ils hésitaient entre différents moyens d'exécuter les ordres reçus ; sans trop savoir ce qu'ils avaient en tête, je commençais à douter de pouvoir atteindre Knowlesbury sans incident. Je ne me trompais pas.

En effet, je venais de m'engager dans une partie un peu plus solitaire de la route et, d'après mes calculs, je ne devais plus être loin de la ville, quand j'entendis leurs pas se rapprocher. Avant d'avoir eu le temps de me retourner, je fus violemment bousculé et ripostai avec vigueur. En vérité, cette réaction brutale de ma part montrait à quel point ma nervosité était grande, plus grande que je ne l'avais imaginé. Mon agresseur (l'homme qui m'avait déjà suivi à Londres) appela aussitôt à l'aide et le second arriva en hâte à la rescousse. Les deux coquins eurent vite fait de me neutraliser au milieu de la route.

Furieux et vexé de m'être laissé prendre au piège qu'ils m'avaient tendu, je décidai de ne pas aggraver ma situation en m'engageant dans une lutte inégale avec mes adversaires. A peine jetai-je un coup d'œil autour de moi pour voir si je pouvais espérer de l'aide.

Non loin, un paysan labourait son champ ; il avait dû être témoin de toute la scène. Je lui criai de nous accompagner à la ville, mais il secoua la tête d'un air têtu, faisant demi-tour pour rejoindre sa maison à l'autre bout du champ. A ce moment-là, les deux hommes déclarèrent vouloir porter plainte contre moi pour voies de fait. La sagesse me dictait d'obtempérer. « Lâchez-moi, je vous prie, leur dis-je ; je suis prêt à vous suivre. » L'homme habillé en garde-chasse commença par refuser, mais son compagnon, plus réfléchi et mesurant sans doute les conséquences d'une violence gratuite, lui fit signe de lâcher mon bras.

Nous étions déjà en vue des faubourgs de Knowlesbury. Avisant un agent, l'un des deux hommes lui demanda le chemin de l'hôtel de ville.

Arrivés là, ils déposèrent leur plainte, avec toutes les exagérations et mensonges d'usage dans ce genre de mascarade. Le juge, un homme au caractère grincheux qui semblait prendre un plaisir pervers à exercer son autorité, demanda s'il y avait des témoins. A ma grande surprise, les plaignants admirent qu'un paysan avait assisté à l'algarade. Je ne tardai pas à comprendre les raisons d'un tel aveu : le juge ne me relâcherait pas avant d'avoir entendu le témoin ; j'étais étranger et, à moins que quelqu'un ne pût se porter garant de ma personne, je ne pouvais être libéré sous condition.

Tout était clair à présent : on avait fait en sorte que je fusse retenu en garde à vue pendant au moins trois jours – jusqu'à la prochaine audience du juge –, ce qui laissait tout le temps à sir Percival de me mettre des bâtons dans les roues.

J'étais au comble de l'indignation, voire du désespoir en songeant au misérable complot dont j'étais victime et qui ne manquerait pas de réduire à néant tous mes efforts. Incapable de trouver une solution pour me tirer de ce mauvais pas, j'eus d'abord la faiblesse de demander du papier et une plume, afin d'écrire au juge quelle était ma véritable situation. A peine avais-je écrit les premiers mots de ma lettre que je pris conscience de l'inutilité et du caractère dangereux de ma démarche. J'avais repoussé ma feuille et étais prêt à baisser les bras, j'ai honte de le dire, quand tout à coup je me souvins d'un détail qui avait certainement échappé à sir Percival, mais qui pouvait me permettre de me retrouver libre sous quelques heures : j'allais avertir le Dr Dawson de Oak Lodge.

J'avais rendu visite au docteur, lors de mon premier voyage à Blackwater Park, me servant de la lettre d'introduction que m'avait confiée Marian. Je lui écrivis donc, lui rappelant cette lettre et les recherches délicates dans lesquelles j'étais engagé et dont je lui avais déjà touché un mot. Sans lui avoir révélé la vérité au sujet de Laura, je lui avais expliqué cependant que mon enquête était de la plus haute importance pour Miss Halcombe. L'ayant mis au fait de la situation dans laquelle je me trouvais à Knowlesbury, je le priai, au nom de la confiance que me témoignait Miss Halcombe et en souvenir de l'accueil qu'il m'avait lui-même réservé, de m'apporter son assistance.

On me permit d'envoyer un messager à Oak Lodge, qui se trouvait entre Knowlesbury et Blackwater. L'homme déclara qu'il lui faudrait une quarantaine de minutes pour s'y rendre, et autant pour en revenir, accompagné du Dr Dawson. Après lui avoir ordonné de ne rentrer en aucun cas sans le docteur, je m'assis pour l'attendre, rongé par l'impatience.

Parti vers une heure et demie, le messager revint deux heures après, ramenant le bon docteur muni de la caution nécessaire. Avant quatre heures, j'étais de nouveau un homme libre et retrouvais le brave homme dans les rues de Knowlesbury.

Le Dr Dawson m'invita à retourner chez lui, mais je lui expliquai que mon temps ne m'appartenait pas et lui promis de venir le voir bientôt pour le remercier et pour le mettre au courant de certaines choses qu'il avait le droit de savoir, mais que ma situation présente ne me permettait pas encore de lui dévoiler. Nous nous séparâmes les meilleurs amis du monde et je me dirigeai vers l'étude de Mr Wansborough, dans High Street.

Chaque minute comptait désormais.

Avant la nuit, la nouvelle de ma libération serait parvenue aux oreilles de sir Percival. Si en quelques heures je ne parvenais pas à me procurer de quoi le tenir à ma merci, je risquais de voir s'échapper à jamais mes chances de triompher. Le pouvoir de cet homme sans scrupule s'étendait sur toute la région et, poussé dans ses derniers retranchements par mes investigations, il était capable de tout. J'avais mis à profit le temps de ma courte détention pour réfléchir. Les paroles du vieux sacristain m'étaient revenues à la mémoire et certains de ses propos, qui sur le moment m'avaient paru oiseux, se paraient à présent d'une nouvelle lumière et faisaient naître dans mon esprit un nouveau doute. J'étais parti pour Knowlesbury dans l'idée de fouiller dans le passé de la mère de sir Percival; à présent j'étais également décidé à jeter un œil sur la copie du registre de l'église de Old Welmingham.

Mr Wansborough était à son étude. C'était un homme jovial et accueillant, ressemblant bien plus à un hobereau qu'à un avocat. Ma requête sembla le surprendre autant que l'amuser. Il avait entendu parler de la copie du registre de son père, mais lui-même ne l'avait jamais vue, personne ne lui en ayant jamais fait la demande. Le document en question devait se trouver dans la chambre forte avec les autres papiers de son père, et il était infiniment regrettable, me dit-il, que son père ne fût plus en vie, pour avoir la joie de constater que sa copie n'avait pas été inutile. Puis Mr Wansborough me demanda comment j'avais eu vent de cette copie ; était-ce par quelqu'un de la ville ?

J'éludai la question comme je pus. Au point où en étaient mes recherches, il me fallait faire preuve d'une extrême prudence, et Mr Wansborough ne devait pas encore savoir que j'avais examiné le registre original. Je lui dis donc que j'étais ici pour une affaire de famille, que c'était urgent, et qu'un coup d'œil au duplicata – j'étais prêt naturellement à payer pour le consulter – me permettrait d'envoyer à Londres les détails dont j'avais besoin par le courrier du soir, sans m'obliger à pousser jusqu'à Old Welmingham.

Mes explications convainquirent l'avocat, qui envoya chercher la copie du registre. Celle-ci ci était identique à l'original de la sacristie, mais plus propre. Je m'installai à un bureau pour la consulter. Mes mains tremblaient et j'avais la tête en feu lorsque je l'ouvris, mais je m'efforçai de cacher mon trouble.

Sur la page de garde étaient inscrits quelques mots dont l'encre avait pâli :

Copie exacte du Registre des Mariages de l'Église paroissiale d'Old Welmingham, exécutée sous mes ordres et contrôlée, déclaration par déclaration, sur l'original.

Signé : Robert Wansborough, secrétaire du conseil paroissial, 1er janvier 1800 - 13 juin 1815.

Immédiatement, je cherchai le mois de septembre 1803. Je retrouvai la mention du mariage de l'homme qui portait mon prénom, celle du double mariage des deux frères et, entre les deux…

Rien ! Nulle trace du mariage de sir Felix avec Cecilia Jane Elster !

Je crus que mon cœur allait lâcher. Je regardai encore une fois, n'en croyant pas mes yeux. Non, aucun doute ! Pas de mariage. La disposition de la copie était exactement la même que celle du registre de la sacristie, à ce petit espace blanc près, en bas de la page, qui précédait l'inscription du double mariage des deux frères.

Tout était clair à présent ! Ces quelques lignes de blanc parlaient d'elles-mêmes. Elles avaient dû figurer sur le registre original entre 1803 (année où avaient été célébrés les mariages), et 1827, date du séjour de sir Percival à Old Welmingham, et la comparaison entre la copie et l'original prouvait que ce dernier, dans la sacristie, avait été falsifié.

La tête me tournait et je dus me retenir au bureau pour ne pas tomber. Pas une seconde je n'avais soupçonné la nature du secret de sir Percival. La vérité, c'est qu'il n'était même pas sir Percival Glyde, qu'il n'avait pas le moindre titre à se prétendre baronnet et propriétaire de Blackwater Park que le plus pauvre de ses paysans. J'avais imaginé qu'il pouvait être le père d'Anne Catherick, voire son mari, tout en fait, sauf ce que je venais de découvrir.

La bassesse de cette escroquerie, l'audace de ce crime et les conséquences terribles de sa découverte me dépassaient ! Quand on connaissait la vérité, comment s'étonner de l'impatience dont le misérable faisait preuve à tout instant, de ses mouvements de colère succédant à des actes d'abjecte duplicité, de la terreur qui l'avait poussé à faire interner Anne Catherick et, plus tard, à consentir à ce complot contre sa femme tout simplement parce qu'il les soupçonnait l'une et l'autre de connaître son secret ! Autrefois, la découverte de celui-ci lui eût valu la pendaison, de nos jours, elle pouvait lui coûter la déportation. Et même s'il échappait au châtiment, elle signifiait la perte de ce nom, de ce rang, de cette fortune qu'il avait usurpés. C'était cela son secret, et désormais c'était le mien ! Je n'avais qu'un mot à dire et rang, fortune, honneur lui seraient enlevés, faisant de lui un paria, sans nom, sans argent, sans ami ! Son avenir dépendait de moi, et il le savait !

Cette dernière pensée me rendit plus résolu que jamais à atteindre mon but. Des intérêts bien plus précieux que les miens dépendaient de la prudence dont je ferais preuve dans mes moindres gestes. Dans la position dangereuse où il se trouvait, sir Percival, pour agir contre moi et se sauver, ne reculerait devant aucune nouvelle vilenie, devant aucun nouveau crime.

Je réfléchis un instant. La première urgence était de mettre à l'abri la preuve de la falsification dont sir Percival s'était rendu coupable, dans un endroit où elle fût en sécurité s'il m'arrivait quelque chose. La copie du registre était sans doute en lieu sûr dans la chambre forte de Mr Wansborough père, mais c'était loin d'être le cas pour l'original qui se trouvait dans la sacristie.

Dans ces conditions, je devais retourner à l'église pour récupérer le registre avant la nuit. J'ignorais alors que seule une copie légalement authentifiée du document – et non le document dérobé par mes soins – pouvait faire office de preuve et, fort peu soucieux de faire part de mes découvertes à l'avocat, je négligeai de m'informer auprès de lui. Je n'avais pour l'heure qu'une idée en tête : retourner à Old Welmingham. Je m'excusai comme je le pus de ma tête décomposée qui étonnait l'avocat et, après avoir promis que je lui écrirais sous un jour ou deux, je lui réglai ses honoraires et quittai l'étude, dans un état proche de la transe.

Il faisait presque nuit et je fus saisi d'appréhension à l'idée que je pourrais être de nouveau suivi et attaqué sur la route. Je ne pouvais compter sur ma fine canne pour me défendre, aussi m'arrêtai-je dans une échoppe pour faire l'acquisition d'un épais et solide gourdin. Avec cette nouvelle arme j'étais paré ; qu'un seul homme s'avisât de m'attaquer et il serait convenablement reçu ! Et s'ils étaient plusieurs je pourrais toujours compter sur mes deux jambes ; au collège j'avais été un coureur émérite et mon récent séjour en Amérique centrale m'avait démontré qu'il me restait quelque pratique.

Par prudence toutefois, je gardai le milieu de la route. Il tombait une désagréable pluie fine qui, pendant toute la première partie de mon trajet, m'empêcha de vérifier si j'étais suivi. Il devait me rester une lieue à parcourir avant l'église quand j'aperçus un homme qui courait à ma rencontre, puis entendis derrière moi la barrière d'un champ qui claquait. Je continuai d'avancer, mon gourdin prêt à frapper, l'oreille aux aguets, les yeux scrutant l'obscurité. Je n'avais pas fait cent pas que trois hommes surgirent brusquement d'un fourré. L'un d'eux me donna un coup de canne qui m'atteignit à l'épaule, sans grand mal. Je ripostai par un vigoureux coup de gourdin sur le crâne de mon agresseur, qui s'effondra en bousculant ses deux compagnons qui arrivaient à la rescousse. Sans attendre mon reste, je me mis à courir à toutes jambes, poursuivi par eux. Ils étaient bons coureurs et, au bout de quelques minutes, je m'aperçus que je ne gagnais pas de terrain. La course était périlleuse dans cette obscurité, car le moindre obstacle m'eût fait tomber, me mettant à leur merci. Bientôt je sentis le terrain qui se modifiait et se mettait à grimper légèrement. Dans la montée, je parvins à les distancer un peu. Comme le bruit de leurs pas s'affaiblissait, m'annonçant qu'ils étaient loin derrière, je pris le parti de prendre à travers champs, avec l'espoir que, dans le noir, aucun d'eux ne me verrait disparaître. J'avisai une barrière dans la haie et, l'enjambant, je me mis à courir à travers le champ. Je les entendis passer au galop, puis l'un d'eux, au bout d'un moment, cria à son compagnon de rebrousser chemin. Peu importait à présent ce qu'ils pouvaient faire ; j'étais hors de leur vue et hors de leur portée. J'arrivai à l'autre extrémité du champ et m'arrêtai pour reprendre mon souffle.

Il n'était plus question pour moi de regagner la route, mais j'étais déterminé coûte que coûte à atteindre Old Welmingham. La nuit était trop sombre pour que la lune ou les étoiles m'éclairassent mais, me souvenant que j'avais eu vent dans le dos en partant de Knowlesbury, je parvins à m'orienter à peu près convenablement. Après avoir parcouru la campagne, je parvins au sommet d'une petite colline, puis descendis dans un vallon au fond duquel, après avoir franchi une haie, je retombai sur un chemin. Comme j'avais quitté la route sur la droite, je tournai à gauche de manière à me retrouver dans la bonne direction. Au bout de dix minutes, j'aperçus une petite maison dont une fenêtre était éclairée. La petite barrière du jardin était ouverte et j'entrai pour demander mon chemin. J'allais frapper à la porte quand un homme sortit brusquement, une lanterne à la main. Il la leva à hauteur de mon visage. Nous sursautâmes alors tous deux : j'avais atterri aux abords du village de Old Welmingham, devant la maison de ma vieille connaissance du matin, le sacristain.

Ses manières avaient passablement changé depuis notre précédente rencontre. Il me regardait l'air méfiant et j'eus du mal à comprendre les premiers mots qu'il m'adressa.

– Où sont les clefs ? demanda-t-il. Les avez-vous prises ?

– Quelles clefs ? répétai-je. Que voulez-vous dire ? Je reviens de Knowlesbury à l'instant même.

– Les clefs de la sacristie ! Dieu nous garde ! Que vais-je faire ? Elles ont disparu ! Vous entendez ? Disparu !

– Quand ? Comment ? Qui les a prises ?

– Je l'ignore, répondit le sacristain en regardant désespérément autour de lui. Je rentre juste. Je vous l'ai dit ce matin, j'avais une longue journée de travail. La porte et la fenêtre étaient fermées, et regardez ! Quelqu'un a ouvert la fenêtre et est entré pour me voler les clefs !

Comme il se tournait pour me montrer la fenêtre, un courant d'air souffla sa lanterne.

– Allez vite chercher une autre lumière, m'écriai-je, et allons ensemble à l'église... vite... vite !

La perfidie que j'avais toutes raisons de craindre était sans doute en train de s'accomplir, me faisant perdre tout l'avantage que j'avais si péniblement acquis. Mon impatience était telle que, sans attendre le retour du sacristain, je m'élançai sur la route.

Je n'avais pas fait dix pas que je rencontrai un homme qui arrivait de l'église. Je ne pouvais distinguer ses traits et ne reconnus pas sa voix quand il s'adressa à moi sur un ton plein de respect :

– Je vous demande pardon, sir Percival...

Je l'arrêtai avant qu'il eût pu aller plus loin :

– Vous faites erreur, mon ami, je ne suis pas sir Percival.

L'homme recula aussitôt.

– Je pensais que c'était mon maître, murmura-t-il, penaud.

– Vous deviez donc le retrouver ici ?

– On m'a dit d'attendre sur le chemin.

Sur ces mots, il fit demi-tour. Je jetai un coup d'œil vers la maison d'où je vis sortir le sacristain avec sa lanterne. Je pris le vieil homme par le bras pour lui faire accélérer l'allure. Nous croisâmes l'homme qui m'avait abordé ; d'après ce que je pus en voir à la lueur de la lanterne, il s'agissait d'un domestique sans livrée.

– Qui est-ce ? me demanda le sacristain. Peut-être sait-il quelque chose au sujet de mes clefs ?

– Nous verrons tout à l'heure, répliquai-je. Allons d'abord à la sacristie.

Comme nous approchions de l'église, un gamin s'avança vers le sacristain.

– Dites, monsieur, fit-il en l'agrippant par son manteau, vous savez qu'il y a quelqu'un qui s'est promené dans l'église tout à l'heure ? J'ai entendu ouvrir la porte et gratter une allumette.

Le sacristain s'appuya sur moi en tremblant.

– Allons ! Allons ! tentai-je de le réconforter. Nous n'arriverons pas trop tard pour attraper le voleur. Gardez la lanterne et suivez-moi aussi vite que possible.

En disant ces mots, je montai précipitamment le monticule qui mène à l'église. Derrière moi, des pas se firent entendre ; c'était le domestique qui nous avait suivis :

– Je ne fais rien de mal, me dit-il sur un ton qui trahissait sa peur, comme je le regardais d'un air méfiant, je cherche juste mon maître.

Sans me soucier davantage de lui, j'arrivai en vue de la sacristie. Comme je contournais celle-ci, je vis la tabatière brillamment éclairée de l'intérieur. En me précipitant vers la porte, je fus frappé par une curieuse odeur qui arrivait jusqu'à moi, puis des craquements se firent entendre à l'intérieur. La lueur grandissait à vue d'œil. La vitre se fendit et je m'élançai vers la porte... La sacristie était en feu !

Avant d'avoir pu faire le moindre geste, je fus saisi d'horreur en entendant des coups frappés de l'intérieur. Quelqu'un essayait de tourner la clef dans la serrure et hurlait à l'aide.

– Mon Dieu ! C'est sir Percival ! s'écria le domestique, tombant à genoux sur le sol.

Au moment où il disait cela, nous fûmes rejoints par le sacristain ; derrière la porte, un dernier bruit de clef se fit entendre.

– Que Dieu ait son âme ! fit le vieil homme. Il va mourir carbonisé ; il a faussé la serrure !

Tel un fou je m'élançai vers la porte, oubliant sur l'instant toutes les pensées qui avaient gouverné mes actes depuis des semaines et des semaines. Tous les crimes de sir Percival, l'amour, l'innocence, le bonheur qu'il avait piétinés, le serment que je m'étais fait de lui infliger la punition qu'il méritait, tout cela s'effaça comme par miracle de ma mémoire. Seule existait à présent l'horreur de la situation ; je ne songeais plus qu'à l'être humain qui allait mourir d'une mort affreuse.

– Essayez l'autre porte, pour l'amour du Ciel ! criai-je, celle qui donne dans l'église. La serrure a été faussée ! Vous êtes un homme mort si vous vous obstinez.

Aucune réponse ne me parvint de l'intérieur. On n'entendait plus que les craquements du bois qui flambait et le crépitement des flammes.

Je me retournai vers mes deux compagnons. Le domestique était pétrifié d'horreur ; il avait attrapé la lanterne et en éclairait, impuissant, la lourde porte de chêne. Le sacristain, quant à lui, assis sur une tombe non loin de là, gémissait en tremblant. Il n'y avait rien à espérer d'eux.

Sans réfléchir, j'empoignai cependant le domestique et le plaquai contre le mur de la sacristie :

– Ne bougez plus et servez-moi d'appui ; je vais tenter d'atteindre la tabatière pour la briser et lui donner un peu d'air.

L'homme tremblait de la tête aux pieds mais il tint ferme. Le gourdin entre les dents, je montai sur ses épaules pour parvenir au toit. Dans l'affolement et l'urgence, il ne m'était pas venu à l'esprit qu'au lieu de faire rentrer de l'air je pouvais faire sortir des flammes. Ce fut pourtant ce qui se produisit. Le feu, libéré, jaillit dans le ciel comme une bête sauvage. Si le vent entre-temps n'avait pas viré, c'en était fini de mes mésaventures. Je m'accroupis sur le toit, laissant la fumée et les flammes s'échapper au-dessus de moi. Par intermittence, les lueurs de l'incendie éclairaient la silhouette du domestique, les bras ballants à côté du mur, et celle du sacristain qui s'était approché et ne cessait de lever les bras au ciel. Ils avaient été rejoints par les gens du village qui étaient accourus en hâte, horrifiés du spectacle. Pour moi, je songeais en frissonnant à l'homme qui, à l'intérieur, mourait dans d'atroces tortures, sans qu'on pût rien pour lui.

Une telle pensée me rendait proprement fou ; en un instant, je dégringolai du toit.

– Donnez-moi la clef de l'église, criai-je au sacristain. Je vais essayer par l'autre côté.

– Inutile, monsieur ! La clef de l'église se trouve dans le même trousseau que celle de la sacristie… à l'intérieur, toutes les deux ! Oh ! monsieur, depuis tout ce temps, croyez-moi, il est réduit en cendres !

– On aura certainement vu l'incendie du village et la pompe de la ville ne tardera pas à arriver, dit quelqu'un dans la foule.

J'appelai cet homme qui paraissait moins obtus que les autres. Avant l'arrivée de la pompe, il se passerait encore un quart d'heure et je ne pouvais me résoudre à attendre sans rien faire. Si le malheureux n'était qu'évanoui, il y avait peut-être encore une chance de le sauver. Je savais qu'il ne servait plus à rien de vouloir faire céder la serrure ni de s'attaquer à main nue à l'épaisse porte, mais en allant chercher une poutre dans l'une des maisons en ruine, peut-être pourrions nous enfoncer cette maudite porte.

L'idée me traversa l'esprit avec la rapidité du feu qui s'élançait dans le ciel ; je m'adressai à l'homme :

– Avez-vous des pioches, des haches, des scies et une corde ?

– Oui ! Oui ! Oui ! répondirent spontanément plusieurs de ceux qui se trouvaient là.

Alors je m'élançai vers la foule en hurlant :

– Cinq shillings à tous ceux qui m'aident !

A ces mots magiques, ces pauvres affamés sortirent de leur torpeur.

– Il m'en faut deux qui aillent chercher des lanternes, deux autres qui ramènent des pioches et des clous ! Les autres, venez avec moi pour chercher une poutre !

Ils poussèrent une puissante exclamation ; les femmes et les enfants s'écartèrent pour les laisser passer. Nous courûmes en masse vers la première maison abandonnée. Tous les hommes avaient à présent déserté la place, à l'exception du pauvre sacristain, effondré sur sa pierre tombale, qui se lamentait sur son église. Le domestique de sir Percival ne m'avait pas lâché d'une semelle et il entra dans la maison sur mes talons. Le sol était jonché de chevrons, mais trop légers pour faire l'affaire. J'avisai une poutre courant au-dessus de nos têtes et ne soutenant plus qu'un vide béant qui s'ouvrait sur le ciel. Nous l'attaquâmes à chaque extrémité pour la desceller du mur. Dieu, qu'elle résistait ! que le mortier était solide ! La poutre finit par céder sur l'un des côtés et s'abattit sur le sol dans un grand bruit de briques fracassées. Les femmes qui s'étaient massées à la porte pour nous regarder faire poussèrent un hurlement. Deux hommes crièrent à leur tour : ils étaient tombés, mais avec plus de peur que de mal. Dans un dernier effort, nous parvînmes à dégager l'autre extrémité de la poutre. Nous nous en saisîmes aussitôt, hurlant qu'on nous dégageât le passage. A l'assaut ! Le feu illuminait le ciel plus que jamais, il fallait faire vite ! Une… deux… trois ! La clameur des hommes ponctuait les coups de boutoir. La porte s'ébranla, les gonds allaient céder… Une… deux… trois !… Le bois s'était fendu et laissait échapper des langues de feu… Un dernier effort ! Une… deux… trois !… Dans un fracas, la porte s'effondra. Il se fit un profond silence. Personne ne respirait plus, tant l'horreur de la situation avait envahi chacun. Nous cherchions à repérer le corps, mais la chaleur du brasier nous fit reculer. La pièce avait l'air vide, tout entière livrée aux flammes.

– Où est mon maître ? demanda le domestique épouvanté.

– Il est cendres et poussière, répondit le sacristain d'une voix lugubre, avec tous les registres et tous les papiers et… bientôt l'église va être attaquée également.

Eux seuls avaient parlé. Les autres se taisaient, immobiles, pétrifiés. On n'entendait plus que le crépitement des flammes.

Soudain, un grondement s'éleva dans le lointain… le galop de chevaux… La pompe à incendie arrivait enfin !

La foule se précipita vers le sommet de la colline pour voir arriver les sauveurs. Le vieux sacristain dut renoncer à les suivre, car ses maigres forces l'avaient abandonné.

– Sauvez l'église ! implorait-il, comme si les hommes de la pompe pouvaient déjà l'entendre.

Sauver l'église !

Le seul qui n'avait pas bougé était le domestique. Il restait seul, à contempler les flammes d'un air hagard. Je tentai de le secouer, mais n'obtins qu'un murmure : « Où est-il ? »

En dix minutes, la pompe fut à pied d'œuvre. M'eût-on demandé de l'aide à cet instant précis, j'en eusse été incapable, épuisé, abandonné soudainement par toute mon énergie, la tête vide à présent que je savais qu'il était mort, juste bon à contempler sans y croire la sacristie en feu.

Peu à peu, le feu fut maîtrisé. L'éclat des flammes pâlit, cédant la place à de lourds nuages de vapeur blancs, à travers lesquels scintillaient encore quelques tisons rougeoyants. Les pompiers et la police s'approchèrent de la porte, puis, après une brève consultation à voix basse, deux hommes s'éloignèrent de la sacristie et fendirent la foule pour quitter le cimetière. Au bout d'un moment, enfin, une rumeur parcourut la foule qui commença à se disperser. C'est alors que revinrent les deux hommes qui s'étaient éloignés ; ils rapportaient une porte, prise dans l'une des maisons en ruine et pénétrèrent de nouveau dans la sacristie, dont l'accès était toujours gardé par la police. Certains, malgré tout, tentaient de s'approcher, pour être les premiers à voir, les premiers à entendre. C'est ainsi que les rumeurs se mirent à circuler, de bouche en bouche, jusqu'à atteindre l'endroit où je me trouvais.

– L'ont-ils trouvé ?… Oui !… Où ?… Près de la porte, le visage contre la porte… Quelle porte ?… Celle qui donne dans l'église ; il était sur le ventre !… Son visage est-il brûlé ? Non !… Mais si !… Non, pas brûlé, seulement écorché… Qui était-ce ? Un lord, je crois !… Non, pas un lord… sir quelque chose… ça veut dire qu'il était noble… Que faisait-il dans la sacristie ?… Rien de bon, pour sûr !… A-t-il mis le feu exprès ?… Faire exprès de se faire brûler vif !… Mais non ! ce n'est pas ce que je veux dire… A-t-il fait exprès de mettre le feu à la sacristie ?… C'est horrible, il doit être défiguré !… Il paraît qu'il est monstrueux !… Mais non ! son visage n'a rien ! Est-ce que quelqu'un le connaît ?… Quelqu'un prétend le connaître… Qui ça ?… Soi-disant un domestique, mais il est hébété, alors la police ne le croit pas… Il n'y a personne d'autre… Chut !

Une voix autoritaire fit immédiatement taire les murmures :

– Où est le gentleman qui a voulu sauver la victime ?

– Ici, monsieur, ici ! s'exclamèrent des voix en me désignant.

L'homme s'approcha de moi et me braqua sa lanterne sur le visage.

– Veuillez me suivre, monsieur, s'il vous plaît.

J'étais incapable de prononcer une parole et n'offris aucune résistance quand il m'entraîna par le bras. J'eusse voulu lui expliquer que je n'avais jamais vu la victime, et qu'il me serait donc impossible de l'identifier, mais les mots moururent sur mes lèvres. J'étais au bord du vertige.

– Reconnaissez-vous cet homme, monsieur ?

Je me trouvais au milieu d'un cercle d'hommes. Deux d'entre eux tenaient leur lanterne vers le sol. Leurs yeux et ceux de toute l'assistance étaient fixés sur moi, silencieux et pleins d'interrogations. Je savais ce que j'allais voir en regardant à mes pieds.

– Pouvez-vous l'identifier, monsieur ? répéta la même voix.

Lentement, mes yeux descendirent vers le sol, où gisait une longue forme enveloppée dans un manteau de pluie. On entendait dans l'horrible silence les gouttes d'eau clapoter sur le tissu. Je glissai le regard vers la tête, et là, sous la lumière jaunâtre de la lanterne, je vis le visage de sir Percival Glyde, noir, sinistre, rigide dans la mort.

Je le vis, pour la première et la dernière fois. C'est ainsi que la main de Dieu avait décidé de notre rencontre.

XI

Pour des raisons qui appartiennent au coroner et aux autorités locales, l'enquête fut rondement menée, dans l'après-midi du lendemain. Bien évidemment, je figurais parmi les témoins.

Mon premier geste, dans la matinée, fut de me rendre à la poste pour y chercher la lettre que Marian avait dû m'envoyer. Quelles que fussent les circonstances, le sort de celles que j'avais laissées à Londres restait la première de mes préoccupations. Et la lettre tant attendue, celle qui m'indiquerait que rien d'anormal ne s'était produit, était mon principal souci.

A mon grand soulagement, la lettre de Marian m'attendait. Rien n'était arrivé, elle et sa sœur se portaient bien, Laura m'envoyait ses affectueuses pensées et demandait que je la prévinsse un jour à l'avance de mon retour. En guise d'explication, Laura ajoutait que sa sœur avait réussi à économiser « presque un souverain » sur ses ressources personnelles, et elle voulait me faire la surprise d'un dîner pour fêter mon retour. Tandis que je lisais cette lettre dans le matin lumineux, je ne pouvais m'empêcher de me remémorer les terribles événements de la veille. Ma première pensée fut qu'il fallait à tout prix préserver Laura d'une découverte trop brutale. Je répondis donc à Marian pour la mettre au courant, avec le plus de ménagements possible, de ce qui s'était produit ici ; je la conjurai de ne rien dire à sa sœur et d'éviter que celle-ci ne tombât malencontreusement sur un journal. Avec n'importe quelle autre femme, j'eusse hésité à confier les révélations que je venais de confier à Marian, mais je la savais digne de confiance.

Ma lettre était nécessairement longue, et sa rédaction m'occupa jusqu'à l'heure de ma convocation pour l'enquête, laquelle n'allait pas manquer de soulever quelques difficultés et problèmes spécifiques. Au-delà des circonstances dans lesquelles la victime avait trouvé la mort, il s'agissait de se pencher sur les causes de l'incendie, le vol des clefs et la présence de l'étranger dans la sacristie au moment du sinistre. En outre le problème de l'identification du cadavre n'était pas encore résolu. L'état dans lequel se trouvait le domestique empêchait la police de se fier à son témoignage. Le coroner dut faire chercher à Knowlesbury et à Blackwater Park des personnes susceptibles d'identifier avec certitude sir Percival Glyde. Le témoignage de ces personnes avait enfin pu être corroboré par l'examen de la montre du mort, qui portait les armes et les initiales de sir Percival.

Cette question réglée, on s'intéressa à l'incendie.

Le domestique et moi-même fûmes convoqués les premiers, ainsi que le gamin qui avait aperçu de la lumière dans la sacristie. Ce dernier donna un témoignage assez clair, à la différence du domestique, encore choqué.

Dieu merci, mon témoignage fut bref. Je ne connaissais pas la victime – je ne l'avais jamais vue –, je n'étais pas au courant de sa présence à Old Welmingham, et je ne me trouvais pas dans la sacristie quand on avait découvert le corps. Tout ce que je pouvais dire, c'était que je m'étais arrêté devant la maison du sacristain pour demander mon chemin, que ce dernier m'avait parlé de la disparition des clefs et que je l'avais accompagné à l'église, cherchant à me rendre utile ; j'avais alors aperçu la sacristie en feu et entendu quelqu'un appeler de l'intérieur en essayant désespérément d'ouvrir la porte. On avait demandé aux témoins connaissant le défunt s'ils pouvaient expliquer le vol des clefs et sa présence dans la sacristie mais, jugeant qu'il avait affaire à un parfait étranger, le coroner estima parfaitement superflu de me faire les mêmes questions.

Je savais ce que j'aurais à faire, une fois mon interrogatoire terminé. Je n'avais nullement l'intention de dévoiler ce que je savais personnellement de cette affaire, car, à présent que le registre avait brûlé et me privait de la seule preuve que je possédais, cela n'eût servi à rien ; d'autre part, je n'eusse pu raconter mon histoire sans révéler l'incroyable conspiration, ce qui n'eût pas manqué de susciter chez mon auditoire la même incrédulité que j'avais déjà constatée sur le visage de Mr Kyrle.

Dans ces pages, quoi qu'il en soit, et à présent que le temps a passé, je n'ai plus besoin de me taire. Je vais donc exposer le plus rapidement possible, avant de passer à la suite des événements, les conclusions auxquelles j'avais abouti concernant le vol des clefs, l'incendie, et le cadavre dans la sacristie.

Apprenant que j'avais été remis en liberté, sir Percival avait dû tenter le tout pour le tout. Il avait d'abord essayé de me neutraliser sur la route, puis il avait décidé de détruire la seule preuve de son crime, le registre des mariages. Si je ne pouvais plus produire l'original pour le comparer à la copie de Knowlesbury, je ne pourrais plus rien contre lui. Il décida donc de pénétrer dans la sacristie clandestinement pour déchirer la page maudite.

Dans ces conditions, il était aisé de comprendre qu'il avait attendu la nuit et avait profité de l'absence du sacristain pour s'emparer des clefs. Dans l'obscurité, il s'était muni d'une lanterne afin de mettre la main sur le bon registre et, précaution supplémentaire, il s'était enfermé de l'intérieur, afin de prévenir toute intrusion étrangère compromettante – voire ma propre intrusion – dans la sacristie.

Je ne pense pas qu'il ait voulu mettre le feu à la sacristie pour y faire disparaître le registre. Il y avait trop de risques que l'incendie fût circonscrit avant que le registre se fût totalement envolé en fumée. J'avais le souvenir que l'endroit était rempli d'objets inflammables, paille, papiers, caisses, etc., et cela me fit penser que le sinistre avait été accidentel.

Sa première réaction, alors, avait sans doute été de vouloir éteindre les flammes ; n'y parvenant pas, il avait ensuite tenté d'ouvrir la porte. Au moment où je lui avais conseillé d'essayer l'autre porte, la fumée et les flammes avaient sans doute gagné du terrain et il devait être trop tard. Il avait dû se trouver asphyxié et s'écrouler là où on l'avait trouvé, au moment même où j'avais brisé la tabatière. Toute tentative pour le libérer par la porte donnant sur l'église eût été vaine à ce moment-là et n'eût servi qu'à faire se propager le feu à l'intérieur même de l'église. D'après moi, il était déjà mort quand nous prîmes la direction de la maison en ruine pour y chercher la poutre.

C'est ainsi que j'explique les faits dont je fus témoin. Les événements se déroulèrent exactement comme je l'ai raconté ; le corps fut trouvé exactement comme je l'ai dit.

Comme on ne parvenait à obtenir aucune explication satisfaisante aux yeux de la loi sur cette étrange affaire, l'enquête fut suspendue.

Il fut décidé qu'on convoquerait l'avocat londonien du défunt. On confia à un médecin le soin d'examiner le domestique, ce qui laissait penser que l'on n'attendait de lui aucune révélation d'importance. Celui-ci d'ailleurs ne savait rien faire d'autre que répéter qu'il avait reçu l'ordre d'attendre sur le chemin et qu'il ne savait rien d'autre, sinon que le mort était bel et bien son maître.

Mon propre sentiment était qu'on s'était d'abord servi de lui pour surveiller la maison du sacristain et vérifier que ce dernier était absent, puis qu'on lui avait demandé de se poster sur le chemin (à quelque distance de la sacristie) pour le cas où je réchapperais de l'attaque nocturne sur la route. Rien ne vint jamais confirmer ces impressions, car le médecin déclara que l'homme avait été terriblement secoué et qu'il ne recouvrerait sans doute jamais toutes ses facultés mentales. À ma connaissance, il est effectivement toujours, aujourd'hui, dans le même état.

Je retournai à l'hôtel, épuisé et l'esprit littéralement vidé. Incapable d'affronter les racontars des gens et les questions que l'on pouvait me poser, je montai m'enfermer dans ma chambre, afin de me reposer en songeant à Laura et à Marian. Si j'avais été plus riche, j'eusse pris le chemin de Londres pour me réconforter à la vue de mes tendres amies, mais deux raisons au moins me retenaient encore ici ; d'une part, je risquais d'être de nouveau convoqué pour la suite de l'enquête, d'autre part, j'étais encore sous le coup de mon inculpation devant le juge de Knowlesbury et n'avais obtenu ma libération que sous caution. Nos maigres ressources fondaient comme neige au soleil et, à présent que la situation semblait plus confuse que jamais, il y avait fort à parier que l'argent finirait par nous manquer ; je ne pouvais m'offrir le luxe d'un aller retour inutile jusqu'à Londres, même en deuxième classe.

Le lendemain, je pus disposer de mon temps comme je l'entendais. La première chose que je fis fut naturellement de me rendre à la poste. La lettre de Marian m'y attendait, comme la veille. Les nouvelles étaient plutôt bonnes. J'en bénis le Ciel et, l'esprit libéré, je pris la route d'Old Welmingham, pour revoir à la lumière du jour l'endroit du tragique événement.

Quel spectacle différent s'offrit à mes yeux !

Dans notre monde inintelligible, la banalité côtoie partout le tragique. La mort, si horrible soit-elle, ne peut tenir la vie en respect. Quand j'atteignis l'église, seules les traces de pas laissées par la foule attestaient encore du drame. De vieilles planches avaient été clouées contre l'entrée de la sacristie et portaient déjà de grossières caricatures. Les enfants du village se disputaient pour savoir qui y trouverait la meilleure brèche pour regarder à l'intérieur. A la place où, terrifié, j'avais entendu les cris d'appel désespérés sortant de la sacristie en flammes, là où le domestique, pris de panique, s'était jeté à genoux, des poules picoraient placidement, cherchant les vers de terre sortis du terrain détrempé. A l'endroit où s'était effondrée la maudite porte, une gamelle de pitance attendait un ouvrier, jalousement gardée par un corniaud qui me montra les dents dès que je fis mine d'approcher. Quant au pauvre sacristain, qui surveillait le début des travaux, il n'avait qu'une idée fixe : éviter de supporter le blâme de l'accident qui s'était produit. Un peu plus loin, l'une des femmes terrorisées de la veille bavardait avec une compagne. O visages de l'inanité ! notre condition humaine n'est que vanité !

En quittant ce lieu où sir Percival avait connu la plus horrible des morts, je compris, mieux encore que je ne l'avais fait depuis deux jours, qu'il avait détruit en même temps tous mes espoirs, ma seule chance d'établir l'identité de Laura.

Pouvais-je plus clairement envisager l'échec de tous mes efforts ?

Et pourtant, s'il avait vécu, la situation eût-elle été en rien changée ? Eussé-je pu marchander ma découverte, sachant que le crime initial de cet homme avait été d'usurper les droits d'autrui ? Eussé-je pu payer du prix de mon silence l'aveu du complot qu'il avait ourdi contre sa femme, quand mon silence eût frustré l'héritier véritable des biens et du nom ? Impossible ! Si sir Percival avait vécu, je n'eusse pas été en mesure de décider seul, même s'il en allait de l'honneur de Laura, s'il fallait ou non faire éclater au grand jour la révélation de laquelle j'avais tant attendu (dans l'ignorance de la véritable nature de son secret). Il m'eût fallu, en mon âme et conscience, m'en remettre à celui dont on avait usurpé la naissance, abandonner, si près du but, ma victoire aux mains d'un étranger ; je ne me fusse pas alors trouvé confronté à d'autres difficultés que celles qui surgissaient à présent devant moi, celles qui me séparaient de ce qui faisait toute ma vie et que j'étais plus que jamais résolu à surmonter.

Je repris le chemin de Welmingham, l'esprit un peu rasséréné par ces réflexions, plus sûr de moi aussi.

En retournant à l'hôtel, je passai devant la place sur laquelle habitait

Mrs Catherick. Je fus tenté un instant de retourner la voir. Non. La nouvelle de la mort de sir Percival, qui était sans doute la dernière chose à laquelle elle se fût attendue, devait déjà être parvenue à ses oreilles depuis longtemps. Le journal local avait largement rendu compte de l'enquête, et je ne pourrais rien lui apprendre qu'elle ne sût déjà. Puis, je n'avais plus grand intérêt à la faire parler. Je me rappelai son brusque regard de haine quand elle avait dit : « Il n'est aucune nouvelle de sir Percival que je désire apprendre, sauf… l'annonce de sa mort. » Je me rappelai le regard étrange qu'elle m'avait lancé au moment où je quittais la pièce. Quelque instinct me retenait de chercher à la revoir. Je tournai le dos à la place et rentrai directement à l'hôtel.

Comme je me trouvais dans la salle à manger, quelques heures après, le garçon me remit une lettre qu'avait apportée une inconnue, au moment où la nuit tombait. La femme n'avait rien dit et s'était éclipsée avant qu'on eût pu lui demander son nom.

J'ouvris la lettre ; elle ne portait ni date ni signature et l'écriture en était contrefaite. Avant d'en avoir lu la première phrase, je savais pourtant qui était ma mystérieuse correspondante : la lettre était de Mrs Catherick et je recopie mot pour mot ce qu'elle contenait.

UNE LETTRE DE MRS. CATHERICK

Monsieur,

Vous n'êtes pas revenu comme vous me l'aviez annoncé... Peu importe! Je connais la nouvelle et je vous écris pour vous le faire savoir. Avez-vous remarqué comme je vous ai regardé quand vous m'avez quittée l'autre jour? Je me demandais si son heure avait enfin sonné et si vous étiez l'instrument désigné par le destin pour l'abattre. Je ne me trompais pas : c'était vous et vous l'avez abattu.

J'ai appris que vous fûtes assez faible pour essayer de le sauver. Si vous y aviez réussi, je vous eusse considéré comme mon ennemi, mais ayant échoué, vous êtes devenu mon ami. Vous l'avez acculé à se rendre dans la sacristie et, malgré vous, vous m'avez vengée de vingt-trois années de haine et de souffrance; je vous en remercie.

Je dois quelque chose à l'homme qui a fait cela. Mais comment payer ma dette? Si j'étais encore jeune et jolie, je vous aurais dit : « Venez et embrassez-moi, si vous voulez. » Oui, je vous aurais été assez reconnaissante pour vous dire cela, et vous auriez accepté, monsieur, il y a vingt ans. Mais je ne suis plus qu'une vieille femme et, pour vous remercier et payer ma dette envers vous, je puis du moins satisfaire votre curiosité car, malgré votre perspicacité, vous n'êtes pas arrivé à connaître toutes mes affaires privées. Par gratitude, je vais vous les dire, mon jeune ami.

Vous n'étiez encore qu'un petit garçon, je suppose, en 1827? J'étais une jolie jeune femme à l'époque, qui habitait Old Welmingham. J'avais comme mari un vieil imbécile, mais j'avais aussi l'honneur de compter (peu importe comment) parmi mes connaissances un certain gentleman (peu importe qui). Je ne l'appellerai jamais par son nom. Pourquoi le ferais-je ? Ce n'était pas son nom ; il n'eut jamais de nom : cela, à présent, vous le savez aussi bien que moi.

Mieux vaut vous dire comment il entra dans mes bonnes grâces. J'avais des goûts de femme du monde et, comme je lui plaisais, il les encouragea en me faisant des cadeaux. Aucune femme ne résiste à cela, n'est-ce pas ? Comme la plupart des hommes, il était assez fin pour l'avoir compris. Et naturellement, comme les autres, il lui fallait quelque chose en échange. Et que pensez-vous que cela fût ? Trois fois rien. Rien d'autre que les clefs de la sacristie et de l'armoire qui s'y trouvait, que je devais subtiliser à mon mari. Bien sûr il mentit quand je lui en demandai la raison ; il eût pu s'épargner cette peine, je ne le crus pas. Mais j'aimais les cadeaux qu'il me faisait et j'en désirais davantage. J'accédai donc à sa requête. Une fois, deux fois, quatre fois je l'espionnai ; la quatrième fois fut la bonne : je découvris ce qu'il voulait.

Je n'étais pas spécialement scrupuleuse quand il n'était pas question de mes affaires, et je ne le fus pas davantage en le voyant maquiller le registre des mariages.

Je me doutais bien que ce n'était pas très correct, mais cela, après tout, ne me concernait guère, surtout qu'en récompense je reçus une superbe montre en or avec une chaîne. Si j'avais connu l'importance de son crime et comment la loi le punissait, je n'aurais pas agi de la sorte. Mais j'étais ignorante alors… et j'aimais tant les bijoux ! La seule condition que je posai, c'est qu'il me ferait des confidences. J'étais aussi curieuse alors que vous l'êtes aujourd'hui. Pourquoi il accepta, vous allez le voir.

Voici donc ce que j'ai appris de lui, pas toujours de son plein gré. Il m'a fallu parfois lui poser maintes questions et le persuader de me répondre. Mais j'étais déterminée à obtenir toute la vérité, et je crois que je l'ai eue.

A la mort de sa mère, il ignorait encore tout de la situation de ses parents. Ce ne fut qu'alors que son père lui avoua la vérité, en promettant de faire ce qu'il pourrait pour lui. Il mourut sans avoir rien fait, pas même de testament. Le fils, alors – qui pourrait l'en blâmer –, agit seul. Arrivé en Angleterre, il prit possession de la propriété de son père. Personne n'était là pour s'y opposer; ses parents avaient toujours vécu comme s'ils étaient mariés et nul ne se doutait de rien. Le seul héritier légal qui eût pu faire valoir ses droits sur la propriété (pour peu que la vérité éclatât), était un cousin éloigné toujours en voyage et qui ne revendiqua jamais son titre.

Il put prendre facilement possession du nom et de la propriété, mais il n'en était pas de même pour hypothéquer celle-ci. Il avait besoin pour cela de deux choses : d'une part, d'un acte de naissance et, d'autre part, d'un certificat de mariage de ses parents. Il obtint aisément le premier à l'étranger, où il était né; pour le second, c'était plus difficile, et c'est cette difficulté qui l'amena à Old Welmingham.

Une seule considération mise à part, il eût pu tout aussi bien aller à Knowlesbury.

Sa mère, à l'époque où elle avait rencontré sir Felix, vivait à Knowlesbury sous son nom de jeune fille; en réalité, elle s'était mariée en Irlande, mais son mari l'avait maltraitée, puis il était parti avec une autre femme. C'est en tout cas la raison que donna sir Felix à son fils pour lui expliquer pourquoi il n'avait pas pu épouser sa compagne. Vous vous demandez sans doute pourquoi le fils ne choisit pas le registre des mariages de l'église de Knowlesbury pour y faire le faux en question, puisqu'il était vraisemblable que son père et sa mère se fussent mariés dans cette paroisse. C'est qu'en 1827, quand il prit possession de la propriété, le clergyman qui officiait dans la paroisse en question en 1803 (année où, d'après l'acte de naissance du fils, le mariage des parents aurait dû avoir lieu) vivait encore. Tandis qu'à Old Welmingham, pareil danger n'existait pas, le clergyman en fonction au début du siècle étant mort depuis quelques années. D'ailleurs, comme sir Felix avait vécu plusieurs années dans un cottage au bord de la rivière, non loin du village, il n'y aurait rien eu d'étonnant non plus à ce qu'il se fût marié ici. N'eût-ce été la difformité dont il était accablé, la vie retirée de sir Felix eût sans doute éveillé les soupçons, mais qu'il voulût cacher sa laideur aux yeux du monde ne surprenait personne. Après vingt-trois ou vingt-quatre ans et le clergyman étant mort, qui donc eût pu affirmer, étant donné que le couple recherchait en tout la solitude, que le mariage n'avait pas été célébré dans la plus stricte intimité à l'église de Old Welmingham?

Il décida donc que notre village était le meilleur lieu pour rétablir sa situation. Mais je vous étonnerai peut-être en vous disant qu'il agit, en falsifiant le registre, sans préméditation, presque dans un état second. Son intention première était d'arracher et de détruire le feuillet se rapportant à l'année et au mois voulus, puis d'aller à Londres demander à ses avocats de lui rédiger un certificat de mariage au nom de son père, en leur communiquant incidemment la date du feuillet manquant. Personne n'irait penser ni ne pourrait dire que son père et sa mère n'avaient pas été mariés et si jamais les avocats faisaient (comme il le pensait) quelques difficultés pour lui prêter de l'argent, sa réponse était toute prête pour défendre ses droits au nom et à la propriété.

Toutefois, lorsqu'il ouvrit le registre, il vit, au bas d'une des pages de l'année 1803, un espace laissé en blanc, sans doute parce que la place avait manqué pour y insérer entièrement une annonce de mariage, laquelle avait été écrite au début de la page suivante. Cet espace vierge lui fit changer ses plans ; aussitôt, il entrevit une possibilité qu'il n'avait jamais espérée ! Vous savez ce qu'il en fit. L'espace blanc, pour correspondre exactement à son acte de naissance, eût dû se trouver dans la partie se rapportant au mois de juillet et non pas au mois de septembre. Si on lui posait un jour des questions à ce sujet, la réponse serait simple : il se ferait passer pour un enfant né à sept mois.

Je fus assez folle, quand il me raconta son histoire, pour avoir pitié de lui, et c'est précisément ce sur quoi il comptait. Je me disais que si ses parents ne s'étaient pas mariés, il n'en était pas responsable, et que, du reste, les circonstances seules les avaient empêché de régulariser leur union… C'est ainsi que je le laissai faire de sa mère une honnête femme ! Toute personne plus scrupuleuse que moi et qui n'aurait pas tant aimé les bijoux lui aurait trouvé des excuses. Ainsi je me tus et devins sa complice.

Il lui fallut un certain temps pour obtenir la bonne encre (il fit plusieurs mélanges dans des flacons que je lui prêtai), puis pour parvenir à imiter parfaitement l'écriture du registre. Il finit enfin par réussir et, par-delà la tombe, rendit sa dignité à sa mère ! Jusque-là, je dois admettre qu'il se conduisit avec moi de façon assez correcte. Il m'offrit la montre et la chaîne, toutes deux de grande valeur et d'une facture admirable ; je les ai encore, et la montre marche toujours.

Vous m'avez dit l'autre jour que Mrs Clements vous avait raconté tout ce qu'elle savait. Il est donc inutile que je vous relate le scandale qui éclata ensuite et comment j'en fus l'innocente victime. Vous êtes au courant de ce que mon mari s'empressa d'imaginer quand il surprit mes rendez-vous clandestins avec ce gentleman. Ce que vous ignorez, en revanche, c'est comment l'histoire se termina entre ce noble monsieur et moi. Eh bien, vous allez lire à présent la manière dont il se comporta à mon égard.

La première chose que je lui demandai, quand je vis quelle tournure prenaient les événements, fut de me rendre justice : « Lavez-moi d'une tache dont je suis innocente. Il ne s'agit pas de tout raconter à mon mari, mais donnez-lui au moins votre parole de gentleman qu'il se trompe en m'accusant de ce dont il m'accuse. Faites-moi au moins cette justice, après ce que j'ai fait pour vous. » Il refusa catégoriquement de me défendre contre l'odieuse calomnie puisque précisément, prétendait-il, elle écartait tout risque que la vérité fût découverte. Comme je protestais, indignée, déclarant que je saurais me défendre moi-même en dévoilant tout, il me répondit avec calme que si je le perdais, il me perdrait avec lui.

Oui ! Il en était arrivé là. Il s'était bien gardé de m'avertir des risques que je courais en l'aidant. Il avait compté sur mon ignorance, il s'était servi de mon amour des bijoux, il m'avait émue avec son histoire, tout ça, en somme, pour faire de moi sa complice. Froidement, il m'expliqua que la loi punissait sans pitié non seulement le coupable mais aussi ceux qui l'avaient aidé à accomplir son crime. A l'époque la loi n'était pas aussi indulgente que de nos jours ; il n'y avait pas que les meurtriers qui fussent exposés à la potence. J'avoue qu'il me fit peur, le misérable imposteur ! le lâche coquin ! Comprenez-vous maintenant à quel point je le hais ? Comprenez-vous pourquoi je prends la peine aujourd'hui de combler la curiosité du valeureux jeune homme qui l'a rayé du monde des vivants ?

Mais continuons. Il n'était pas assez fou pour me pousser au désespoir. Il savait que je n'étais pas une femme dont on se débarrasse facilement. Sagement, il me fit donc miroiter de nouvelles perspectives. Je méritais quelque récompense – il eut la bonté de le reconnaître – pour les services que je lui avais rendus, et un dédommagement pour les souffrances que j'avais endurées. Il était donc tout prêt – le généreux vaurien ! – à me verser une confortable rente, à deux conditions cependant : d'abord, je devrais tenir ma langue, dans mon intérêt comme dans le sien ; ensuite, je ne devrais pas quitter Welmingham sans lui en demander la permission. Dans mon village, disait-il, aucune femme respectable ne m'inviterait à prendre le thé dans l'espoir de me faire parler et, d'autre part, tant que j'étais à Welmingham, il saurait toujours où me trouver. Cette dernière condition était sans doute dure, mais j'acceptai.

Que pouvais-je faire d'autre, moi qui étais sans ressources et qui attendais un bébé ? Que pouvais-je faire d'autre ? M'en remettre à mon idiot de mari par qui le scandale était arrivé ? J'eusse préféré mourir ! D'autre part, la rente qu'il me proposait n'était pas négligeable ; j'aurais un meilleur train de vie, une plus belle maison et de plus beaux tapis que toutes ces femmes qui levaient les yeux au ciel et se détournaient en me voyant. La Vertu, chez nous, portait des robes de coton ; moi, j'avais des robes de soie.

J'acceptai ses conditions, oui, mais je résolus d'en tirer le meilleur parti possible, de combattre mes respectables voisins sur leur propre terrain, et vous avez pu constater vous-même que j'y ai réussi. Comment j'ai pu garder son secret… et le mien... pendant toutes ces années et comment Anne apprit que j'avais un secret ? Je sais que ce sont des questions qui vous taraudent. Eh bien ! ma reconnaissance ne peut rien vous refuser ! Je vais attaquer une nouvelle page et vous l'expliquer. Mais vous m'excuserez, monsieur Hartright, de vous avouer auparavant que je ne comprends pas pourquoi vous vous êtes intéressé à ma fille. C'est pour moi un fait inexplicable, et si vous êtes réellement soucieux d'obtenir des détails sur son enfance, je ne peux que vous renvoyer à Mrs Clements, qui en sait davantage que moi sur la question. Comprenez bien que je n'eus pas beaucoup d'affection pour ma fille disparue. Elle fut pour moi une charge et une source d'ennuis, d'autant plus qu'elle n'était pas tout à fait normale. Vous prétendez aimer la franchise, j'espère qu'en l'occurrence vous serez satisfait.

Mais il n'est guère besoin que je vous ennuie avec ces détails intimes ; qu'il vous suffise de savoir que j'observai les termes de l'accord, et que je jouis largement de la rente qui m'était versée.

Chaque fois que je désirais me déplacer, je demandais l'autorisation à mon « seigneur et maître », qui me la refusait rarement. Connaissant mon caractère, il se rendait compte que si je me taisais, c'était plus pour moi que pour lui, de sorte qu'il me ménageait.

Une de mes absences les plus longues eut lieu à l'époque où je par-

tis soigner ma demi-sœur, qui se mourait à Limmeridge. On disait qu'elle avait mis de l'argent de côté, et je pensais qu'il me fallait veiller à mes intérêts, là aussi, au cas où ma pension me serait supprimée un jour, pour une raison ou une autre. Ce fut d'ailleurs peine perdue : à la mort de ma sœur, je n'eus rien, parce qu'il n'y avait rien à avoir.

J'avais emmené Anne dans le Nord avec moi, car j'avais mes caprices et mes lubies au sujet de l'enfant et il m'arrivait d'être jalouse de l'influence qu'exerçait Mrs Clements sur la petite. Je n'ai jamais aimé Mrs Clements. C'était une pauvre femme sans esprit et sans fierté – une véritable Cendrillon –, et l'idée de la blesser en lui enlevant Anne ne me déplaisait pas. Ne sachant que faire de ma fille pendant que je soignais ma sœur, je la mis à l'école à Limmeridge. La dame du château – Mrs Fairlie, une femme fort laide qui avait réussi à se faire épouser par le plus bel homme d'Angleterre – me donna une douce joie lorsque je vis qu'elle prenait Anne en amitié! Mais le résultat fut que la petite, choyée, gâtée à Limmeridge, n'apprit rien à l'école. Entre autres caprices, elle prit là-bas l'habitude de s'habiller tout en blanc. Je ne l'entendais pas ainsi, moi qui déteste le blanc! Aussi, une fois de retour chez nous, je fis tout pour lui faire sortir cette sottise de la tête.

Le croirait-on? Anne refusa de m'obéir. Comme tous les simples d'esprit, lorsqu'elle avait décidé quelque chose, elle se montrait aussi entêtée qu'une mule. Nous nous disputâmes, et Mrs Clements qui ne supportait pas ces scènes me proposa d'emmener Anne à Londres, où elle-même allait s'installer. J'aurais accepté si je n'avais su qu'elle encourageait ma fille à s'habiller en blanc. Ne pouvant supporter qu'elle prît ainsi son parti contre moi, je dis non, encore non et toujours non! Anne resta donc chez moi, et c'est à cause de cela, en somme, que tout est arrivé au sujet du secret.

Cela se passa longtemps après ce que je viens de vous raconter. J'étais installée depuis quelques années déjà dans la nouvelle ville et commençais à y être honorablement considérée, ce qui était largement dû au fait que j'eusse ma fille avec moi. La fantaisie d'Anne de s'habiller toujours en blanc avait suscité la sympathie des voisines, sympathie qui ne pouvait manquer de rejaillir sur moi; aussi avais-je fini par céder, et le temps arriva bientôt où j'obtins deux places réservées à l'église. C'est depuis ce jour-là que le pasteur me salue.

Menant cette paisible existence, je reçus un matin une lettre de mon noble gentleman (aujourd'hui décédé) qui répondait à la demande que je lui avais faite, conformément à notre accord, de pouvoir m'absenter quelque temps. Le côté odieux de sa nature devait avoir repris le dessus quand il avait reçu ma lettre, car il me répondit en me refusant la permission avec tant d'insolence et de grossièreté que je perdis mon sang-froid et le traitai tout haut devant ma fille de « vil imposteur, que je pouvais ruiner d'un seul mot en divulguant son secret… ». La seule vue de l'effet qu'avaient produit ces paroles sur ma fille me ramena à la raison et je n'en dis pas davantage, ordonnant à Anne de quitter immédiatement la pièce.

Je puis vous le dire, en y réfléchissant, je n'étais pas fière de ma bêtise. Anne était plus étrange que jamais ces derniers temps, et la pensée qu'elle pourrait répéter partout dans la ville les mots entendus, en y joignant le nom de l'homme auquel je les destinais, me glaçait jusqu'aux os. J'étais loin d'imaginer, cependant, ce qui m'attendait dès le lendemain.

Il arriva sans s'être annoncé. Dès qu'il ouvrit la bouche, je compris à son ton qu'il se repentait de l'insolence de sa lettre et qu'il venait essayer de réparer les dégâts avant qu'il ne fût trop tard. Apercevant ma fille à mes côtés (je redoutais de la laisser sortir après l'incident de la veille), il lui ordonna de sortir. Ils ne s'aimaient pas et il n'hésitait pas à passer sur elle les colères qu'il avait peur de me faire subir.

– Laissez-nous, lui lança-t-il par-dessus son épaule.

Elle lui jeta un regard, elle aussi par-dessus son épaule, mais fit comme si elle n'avait pas entendu.

– Vous avez entendu ? rugit-il, laissez-nous !

– Parlez-moi d'abord poliment, lui répondit-elle, le rouge lui montant aux joues.

– Éloignez cette idiote, dit-il alors en s'adressant à moi.

Anne avait toujours eu une certaine fierté. Au mot d'idiote, elle devint folle et s'en prit violemment à lui, sans que je pusse intervenir.

– Demandez-moi pardon tout de suite ou gare à vous ! cria-t-elle. Je vous ruinerai d'un seul mot en divulguant votre secret !

Mes propres mots ! qu'elle répétait en sa présence comme s'il se fût agi des siens ! Il devint livide, aussi blanc que le papier sur lequel je vous écris, incapable de dire un mot tandis que j'empoignais Anne et la poussais vers la porte. Quand il eut repris ses esprits…

Non! je suis une femme bien trop respectable pour vous répéter les mots qu'il employa. Ma plume est celle d'un membre de la congrégation de la paroisse, qui a participé à la souscription lancée pour la publication des « Conférences du mercredi sur la justification de la foi », et je ne puis m'abaisser à de tels propos. Dites-vous cependant qu'il vociféra, hurla, jura comme le pire des rustres d'Angleterre, et venons-en le plus rapidement à la façon dont tout ceci se termina.

Vous connaissez sa réaction. Pour se protéger, il décida de faire enfermer Anne.

J'eus beau protester, il ne voulut pas m'entendre. Je lui dis que la petite n'avait fait que répéter, comme un perroquet, les mots qui m'avaient échappé dans un mouvement de colère; qu'elle ne savait absolument rien, qu'en le voyant s'emporter elle avait simplement cherché à l'irriter davantage encore en lui faisant croire ce qui n'était pas; je lui rappelai enfin qu'elle avait souvent de ces bizarreries, ce qui était le propre des faibles d'esprit – tout fut inutile! Il ne voulut pas me croire et était certain que j'avais trahi son secret. Bref, il resta sourd à tous mes arguments et ne voulut pas revenir sur sa décision de l'enfermer.

Dans ces conditions, je fis mon devoir de mère.

– Pas d'asile pour pauvres. Je veux que ce soit un institut privé, lui dis-je sur un ton ferme. N'oubliez pas que j'ai des sentiments maternels et que je dois veiller à ma bonne réputation dans le village. Si vous voulez faire interner Anne, il faut que ce soit dans un institut privé, un établissement que les gens honorables choisiraient pour des personnes de leur famille.

C'est pour moi un réconfort de me dire que j'ai fait mon devoir à ce moment-là. Quoique je n'eusse jamais eu un amour exagéré pour ma pauvre enfant, je voulais qu'elle fût dignement traitée.

Ayant eu gain de cause (ce qui ne fut pas très difficile compte tenu des avantages qu'offrait une institution privée), je dois reconnaître qu'il n'y eut pas que des inconvénients à l'avoir fait enfermer. D'abord, elle était très bien soignée et traitée véritablement comme une jeune fille de la bonne société – ce que je ne manquai pas de faire savoir en ville. Ensuite, elle était tenue éloignée de Welmingham, où elle eût pu faire naître des soupçons en répétant mes imprudentes paroles.

Le désavantage de cette situation était de peu de poids : nous ne fîmes que transformer ses propos vides de sens en une obsession tenace. Elle avait d'abord parlé au hasard, sous le coup de la colère, mais elle fut assez fine pour comprendre qu'elle avait véritablement effrayé l'homme qui l'avait offensée, au point qu'il jugeât nécessaire de l'enfermer. Elle en conçut dès lors une haine féroce pour ce monsieur. La première chose qu'elle déclara aux infirmières en arrivant à l'asile, c'est qu'elle était là parce qu'elle connaissait son secret, mais qu'elle ne manquerait pas de parler quand viendrait son heure.

Sans doute vous dit-elle la même chose quand vous l'aidâtes dans sa fuite. Sans doute le dit-elle aussi (comme on me l'a laissé entendre l'été dernier) à cette malheureuse jeune fille qui épousa notre noble et aimable gentleman sans nom qui vient de mourir. Si vous-même ou cette dame aviez questionné sérieusement ma fille, vous l'auriez vue immédiatement perdre de sa superbe et de son assurance, se mettre à bafouiller ; vous auriez compris que je ne vous écris que la vérité : Anne connaissait l'existence du secret, elle savait qui il impliquait et qui souffrirait de sa découverte, mais à part cela, et malgré toutes ses vantardises, jusqu'à l'heure de sa mort, elle n'en sut pas davantage.

Voilà ! Je crois avoir satisfait votre curiosité. En tout cas, je me suis donné tout le mal nécessaire pour le faire. Je vous ai dit de ma fille et de moi-même tout ce qui peut vous intéresser. Pour ce qui la concerne, ma responsabilité s'arrêta aux portes de l'asile. J'eus encore à recopier un brouillon de lettre pour répondre à une certaine Miss Halcombe qui demandait quelques détails au sujet de l'internement de ma fille, et qui avait dû entendre plus d'un mensonge sortir de la bouche d'une personne habituée à mentir. Quand Anne, enfin, se fut échappée de l'asile, je fis ce que je pus pour tâcher de la retrouver et lui éviter de faire des bêtises. Mais tout ceci n'est que de peu d'intérêt en comparaison de ce que vous avez déjà appris.

Jusqu'ici je me suis efforcée d'être amicale à votre endroit, mais je ne veux pas refermer ma lettre sans vous adresser un sévère reproche.

L'allusion que vous avez faite l'autre jour à l'identité douteuse du père d'Anne m'a fort offensée ; elle n'est pas digne d'un gentleman tel que vous ! Si nous devons encore nous rencontrer, souvenez-vous, je vous prie, que je n'admets point qu'on touche à ma réputation ni, pour reprendre une expression du pasteur, à la moralité des habitants de Welmingham. C'est me faire injure que de douter que mon mari soit le père d'Anne. Si vous persistez à vous poser des questions, je vous conseille vivement de ne pas espérer de réponse ; en tout cas, pas tant que vous serez encore de ce monde, monsieur Hartright.

Peut-être souhaiterez-vous, après ce que je viens de vous écrire, m'envoyer une lettre d'excuses ? Je la recevrai avec plaisir, monsieur. Et si, ensuite, vous désirez me faire une seconde visite, je consentirai à vous recevoir. Ma situation me permet seulement de vous inviter à prendre le thé ; non pas qu'elle soit changée en rien par les événements récents : je vous l'ai dit, je n'ai jamais rien dû aux commerçants au bout de l'année et j'ai suffisamment épargné durant ces vingt années pour avoir, jusqu'à la fin de mes jours, une existence confortable. Mais il me reste deux ou trois petites victoires à remporter à Welmingham. Vous l'avez vu, le pasteur me salue, ce qui n'est, hélas ! pas encore le cas de sa femme ; je vais donc me faire membre d'une de leurs sociétés religieuses, et elle sera bien obligée de s'y mettre à son tour. Aussi, si vous venez me voir, monsieur, vous demanderai-je de n'aborder que des sujets généraux. Toute allusion à cette lettre serait inutile – je suis décidée à ne jamais reconnaître que je l'ai écrite. Les preuves ont été détruites par le feu, je le sais, mais on n'est jamais assez prudent, n'est-ce pas ?

C'est pourquoi je ne cite pas de nom et je ne signe pas ; j'ai déguisé mon écriture et je vous ferai parvenir moi-même ce pli : personne ne saura d'où il vient. Ces précautions ne peuvent en rien vous blesser, puisqu'elles ne concernent pas les choses dont je vous ai informé afin de vous témoigner ma sympathie toute particulière pour ce que vous avez fait. Je prends le thé à cinq heures et demie, et mes toasts beurrés n'attendent pas.

SUITE DU RÉCIT DE WALTER HARTRIGHT

I

Mon premier mouvement après avoir lu l'incroyable lettre de Mrs Catherick fut de la déchirer. Ces lignes où ne transparaissait pas le moindre repentir ni l'ombre d'un remords, ces lignes qui étaient le fruit d'un esprit assez pervers pour m'associer à un drame où je n'étais pour rien, à une mort que j'avais tout fait pour éviter me dégoûtaient à tel point que j'étais sur le point de les déchirer quand une idée me traversa le cerveau, qui me fit changer d'avis.

Il ne s'agissait nullement de sir Percival, car à son sujet, la lettre ne faisait que confirmer mes suppositions. Il avait commis son crime comme je l'avais imaginé et, Mrs Catherick ne faisant aucune mention de la copie du registre se trouvant à Knowlesbury, il était clair que sir Percival avait dû ignorer jusqu'à son existence. Mes recherches sur ce point touchaient donc à leur terme et la seule raison que j'avais désormais de vouloir conserver cette lettre était qu'elle me servirait peut-être, dans le futur, à éclaircir le dernier mystère qui me tracassait, celui de l'identité du véritable père d'Anne Catherick. Une ou deux phrases dans la lettre pouvaient se révéler pleines d'intérêt, si d'aventure mes loisirs me laissaient le temps de m'occuper de cette question. Je persistais à vouloir trouver le fin mot de l'énigme et à découvrir de qui la pauvre créature qui reposait à présent au côté de Mrs Fairlie était réellement la fille. Je rangeai donc précautionneusement la lettre dans mon portefeuille pour pouvoir m'y référer en temps voulu.

Le lendemain était le dernier jour que je devais passer dans le Hampshire ; après m'être présenté devant le juge à Knowlesbury, puis devant les enquêteurs, je serais libre de regagner Londres par le train du soir.

Comme chaque jour, je commençai ma journée en me rendant à la poste. La lettre de Marian m'y attendait mais, quand l'employé me la tendit, je la trouvai bien légère. Je déchirai l'enveloppe avec une certaine anxiété ; elle ne contenait qu'une petite feuille de papier pliée en deux, contenant à peine quelques lignes, visiblement écrites à la hâte :

Revenez aussi vite que possible. J'ai été obligée de déménager ; vous nous trouverez au 5 Gower's Walk à Fulham. Ne vous alarmez pas, nous allons très bien toutes deux, mais revenez.

Marian.

Les nouvelles que contenait cette lettre – nouvelles que je ne pouvais m'empêcher d'associer à une nouvelle machination du comte Fosco – me bouleversèrent. Je restai pétrifié, le papier froissé dans la main. Que s'était-il passé ? Qu'avait encore imaginé le comte en mon absence ? Il s'était déjà écoulé une nuit depuis que Marian m'avait écrit ce mot, et il s'écoulerait bien des heures encore avant que j'eusse regagné Londres ; il se pouvait qu'un nouveau désastre – dont j'ignorais tout – se fût déjà produit. Dire que j'étais ici, à des lieues d'elles, dans l'impossibilité de partir, puisque je devais me tenir à la disposition de la justice !

N'eût-ce été l'absolue confiance que j'avais en Marian, je ne sais à quelles extrémités l'inquiétude et l'angoisse qui s'étaient emparées de moi eussent pu me pousser. Seule la certitude que je pouvais compter sur elle me donna le courage d'attendre et de prendre mon mal en patience. Je me présentai donc à l'enquête, souhaitant en avoir fini au plus vite. La procédure exigeait ma présence, mais je n'eus guère besoin de répéter mon témoignage. Ce retard stupide mit mes nerfs à rude épreuve, même si je fis de mon mieux pour n'en rien laisser paraître et suivre les débats le plus attentivement possible.

Mr Merriman, l'avocat du défunt, était arrivé de Londres, mais n'apporta pas d'éléments nouveaux. Il déclara seulement que son étonnement n'avait d'égal que son émotion, et qu'il ne savait rien qui pût éclaircir cette mystérieuse affaire. Il suggéra bien certaines questions que posa le coroner, mais ce fut sans résultat. Après trois heures de délibérations, le jury conclut à une mort par accident. On ajouta à l'acte que l'on n'avait pas pu prouver comment les clefs avaient été volées, comment l'incendie s'était déclaré, ni dans quel but la victime s'était introduite dans la sacristie. La séance fut levée. L'avocat fut chargé de régler la question des funérailles et les témoins furent libérés.

Résolu à me rendre sans perdre une minute à Knowlesbury, je réglai ma note d'hôtel et louai les services d'un fiacre. Un monsieur qui se trouvait là et m'avait entendu indiquer ma destination m'expliqua qu'il habitait lui-même les faubourgs de Knowlesbury et me proposa de partager la voiture avec moi, ce que j'acceptai tout de suite.

Notre conversation durant le trajet roula naturellement sur le seul événement qui occupait la ville : l'homme était un ami de Mr Merriman et avait discuté avec lui des affaires et de la succession du défunt. Les embarras d'argent de sir Percival Glyde étant de notoriété publique, l'avocat ne pouvait faire autrement que de confirmer la chose. Il était mort sans laisser de testament. En eût-il rédigé un, il n'avait aucune fortune personnelle, tous les biens qu'il possédait par son mariage ayant été engloutis par les créanciers. Puisqu'il ne laissait pas d'enfant, l'héritier de la propriété était le fils du cousin germain de sir Felix Glyde, officier de la marine marchande, en poste aux Indes. Bien sûr il allait trouver son héritage fortement grevé, mais si « le capitaine » était avisé, rien ne l'empêcherait de reconstituer sa fortune.

Quoique j'eusse l'esprit préoccupé par la pensée d'atteindre Londres au plus tôt, les informations de mon compagnon (dont la suite des événements devait prouver la véracité) m'intéressèrent au plus haut point. Elles me confirmaient dans mon intention de ne pas divulguer la fraude de sir Percival. L'héritier dont on avait usurpé les droits rentrait à présent en possession de son bien. Pour ce qui concernait le revenu qu'il eût pu en tirer dans les vingt-trois années qui venaient de s'écouler, il y avait prescription. Personne ne tirerait avantage de mes révélations ; mon silence, au contraire, épargnait à Laura la honte qu'il y avait à avoir été mariée à sir Percival. Pour elle je voulais me taire ; pour elle, aujourd'hui encore, je raconte cette histoire en falsifiant les noms des protagonistes.

Je quittai mon compagnon de fortune à Knowlesbury et me précipitai à l'hôtel de ville où, comme je l'avais prévu, personne n'étant là pour déposer contre moi, je fus définitivement libéré. Comme je sortais du tribunal, on me remit une lettre du Dr Dawson. Celui-ci m'y faisait savoir qu'il avait dû s'absenter pour motifs professionnels, mais qu'il n'en réitérait pas moins l'offre qu'il m'avait faite de m'aider en quoi que ce fût. Je lui répondis, le plus chaleureusement du monde, en le remerciant et en m'excusant de ne pouvoir lui exprimer mes remerciements de vive voix, étant rappelé de toute urgence dans la capitale.

Une demi-heure plus tard, l'express m'emportait vers Londres.

II

Il était près de dix heures du soir quand j'atteignis Fulham et me trouvai dans Gower's Walk. Laura et Marian se précipitèrent à la porte pour m'accueillir. Il me semble que jusqu'à cet instant de nos retrouvailles nous n'avions pu imaginer la force des liens qui nous unissaient. Nous avions l'impression de nous être quittés depuis des mois alors qu'il y avait quelques jours seulement que j'étais parti. Le visage de Marian trahissait la fatigue et l'angoisse qu'elle avait supportée, seule. Laura, au contraire, affichait un visage radieux, et je compris qu'elle ignorait tout du drame de Welmingham et de la raison véritable pour laquelle Marian avait quitté notre ancien logis.

Le petit déménagement, que Marian lui avait présenté comme une surprise à me faire, semblait l'avoir sortie de sa torpeur. Elle me raconta avec volubilité combien les bords du fleuve, les arbres et les champs étaient plus attrayants que l'horrible rue populeuse de Londres. Elle avait de nombreux projets d'avenir, à propos des dessins qu'elle devait finir, des acheteurs que j'avais trouvés à la campagne, des quelques sous qu'elle avait économisés et qui gonflaient tellement son porte-monnaie qu'elle me le fit soupeser avec fierté. Je ne m'attendais pas à la voir si favorablement changée, et cela me comblait de bonheur ; c'était au courage et à l'abnégation de Marian que je le devais.

Laura nous ayant quittés, nous nous mîmes, Marian et moi, à parler plus librement. Je voulus lui exprimer ma gratitude, mais la généreuse créature ne voulut pas en entendre parler. Sa grandiose abnégation – cette vertu qui fait que les femmes offrent tant d'elles-mêmes sans rien demander en échange – la poussait à ne se préoccuper que de moi.

– Je m'excuse de vous avoir écrit si brièvement, Walter, mais il ne me restait qu'un instant avant le départ du courrier. Je crains de vous avoir alarmé, cher ami.

– Dans un premier temps, oui, Marian, mais l'entière confiance que j'ai en vous m'a rassuré. Je suppose que le comte Fosco a de nouveau fait des siennes ?

– Exactement ! Je l'ai vu hier, et bien pis, Walter, je lui ai parlé !

– Parlé ? Connaissait-il notre adresse ? Est-il venu chez nous ?

– Oui, il la connaissait ! Et il est venu, mais il n'est pas monté. Laura ne l'a pas vu, elle ne se doute de rien. Je vais tout vous raconter, mais ne craignez rien, il n'y a plus de danger à présent. Hier, donc, j'étais dans le salon avec Laura ; elle dessinait tandis que je faisais un peu de rangement. En passant devant la fenêtre, j'ai jeté un coup d'œil dans la rue… et là, sur le trottoir d'en face, j'ai aperçu le comte en conversation avec quelqu'un…

– Vous a-t-il remarquée ?

– Non… du moins, pas à ma connaissance. Mais j'étais si interloquée que je ne peux l'assurer.

– Et l'homme avec lui, qui était-ce ? Un inconnu ?

– Non, pas un inconnu, Walter. Je l'ai reconnu immédiatement : c'était le directeur de l'asile.

– Est-ce que le comte lui montrait la maison ?

– Non. En fait, ils avaient l'air de s'être rencontrés par hasard. J'ai continué à les observer, dissimulée derrière le rideau. Dieu merci, Laura était occupée à dessiner et n'a pas vu mon visage en cet instant ! Ils ont fini par partir chacun d'un côté, ce qui m'a confirmée dans l'idée qu'ils étaient ensemble par hasard, mais j'ai vu le comte revenir sur ses pas, sortir de son étui une carte sur laquelle il a écrit quelque chose, puis se diriger vers la boutique de journaux. Je me suis alors précipitée dehors, prétextant pour Laura que j'avais oublié quelque chose à l'étage. Je me suis arrêtée sur le palier, décidée à l'empêcher d'entrer chez nous, mais il n'a pas essayé. Au lieu de cela, j'ai vu apparaître l'employée du magasin, qui m'a remis sa carte. Sous son nom, surmonté d'une couronne, il avait écrit ces lignes :

Chère mademoiselle, je vous implore de m'accorder une minute. J'ai à vous entretenir de choses importantes pour nous deux.

» Chère mademoiselle ! Imaginez-vous que le coquin ose encore s'adresser à moi en ces termes ! Dans la panique, mon sang n'a fait qu'un tour. J'ai tout de suite pensé que ce serait une erreur fatale – pour vous comme pour moi – que de ne pas savoir ce qu'il avait en tête, et qu'il serait infiniment plus insupportable, tant que vous n'étiez pas là, de ne pas savoir à quoi s'en tenir.

» – Dites à ce monsieur d'attendre au magasin, ai-je dit à l'employée, je descends dans une minute.

» Je suis montée prendre mon châle, bien déterminée à le voir dehors, car je ne voulais pas que Laura pût reconnaître sa voix. Une minute plus tard, j'étais dans la rue. Il était là, en grand deuil, la même douceur dans les traits et le même sourire impénétrable aux lèvres, entouré d'une ribambelle de gamins qui béaient devant sa stature de géant, ses vêtements de prix et sa grosse canne à pommeau doré. Au moment où j'ai posé les yeux sur lui, tout le cauchemar de Blackwater Park m'est revenu en mémoire. En me voyant arriver, il s'est approché de moi avec sa galanterie coutumière et m'a salué comme si nous nous étions quittés la veille, les meilleurs amis du monde.

– Vous souvenez-vous de ce qu'il vous a dit ?

– Parfaitement, Walter. Je peux vous répéter exactement ce qu'il a dit sur vous. Mais permettez-moi de ne pas répéter ses paroles me concernant. C'était encore pire que l'insolence polie de sa lettre. Mes mains n'avaient qu'une envie, celle de l'étrangler comme si j'avais été un homme. Alors, pour me calmer, je me suis occupée consciencieusement à déchirer sa carte, sous les plis de mon châle. Je l'ai ensuite éloigné de la maison, car j'avais trop peur que Laura ne nous vît. Arrivée dans une rue adjacente, je lui ai demandé ce qu'il voulait. Deux choses, m'a-t-il répondu ; d'abord, si je ne voyais pas d'objection à ce qu'il m'exprimât ses sentiments, ce que j'ai refusé net ; puis il voulait renouveler l'avertissement qu'il m'avait donné dans sa lettre. Je me suis permis de lui demander ce qui lui faisait penser qu'un tel avertissement fût nécessaire. Il a hoché la tête en souriant, répondant qu'il se ferait un plaisir de me l'expliquer. Ses explications n'ont fait que confirmer les craintes dont je vous avais fait part. Vous vous souvenez sans doute que je vous ai averti que sir Percival serait trop têtu pour écouter les conseils du comte, et qu'il n'y avait aucun danger que celui-ci se trouve sur votre route, tant que ses propres intérêts ne l'obligeraient pas à agir.

– Je m'en souviens, Marian.

– Eh bien, c'est exactement ainsi que les choses se sont passées. Le comte a offert ses conseils, mais ils n'ont pas été entendus. Sir Percival n'a écouté que sa propre violence, son propre entêtement, et la haine farouche qu'il vous porte. Le comte l'a laissé agir à sa guise, non sans avoir pris la précaution auparavant de se procurer notre adresse pour le cas où il se trouverait directement menacé par l'évolution de la situation. Vous avez été suivi, Walter, quand vous êtes rentré de votre première visite dans le Hampshire, d'abord par les acolytes du petit homme en noir, puis par le comte lui-même. Il ne m'a pas dit comment il avait fait pour ne pas se faire remarquer de vous, mais toujours est-il qu'il a découvert notre retraite. Il n'en a tiré aucun avantage d'abord mais quand, par la suite, il a appris la disparition de sir Percival, il a craint que vous ne vous retourniez contre lui et, par conséquent, il a repris l'initiative. Il a donné rendez-vous à Londres au directeur de l'asile pour lui révéler l'endroit où se terrait sa fugitive, persuadé qu'il était de vous créer ainsi des difficultés avec la justice et de vous empêcher de lui nuire. C'est en tout cas ce qu'il m'a dit en précisant qu'une seule chose l'avait fait hésiter au dernier moment…

– Oui ?

– C'est dur à dire, Walter, et pourtant je dois vous l'expliquer. Il s'agit de moi, et aucun mot n'est assez fort pour dire à quel point je me sens salie quand j'y songe. En fait, la seule faille de cet homme de fer, c'est l'admiration qu'il me porte. J'ai voulu ne pas y croire aussi longtemps que cela m'a été permis, mais ses regards, son comportement m'ont convaincue qu'il disait la vérité. Walter, les yeux de ce monstre se mouillaient tandis qu'il me parlait ! Il m'a déclaré qu'au moment de désigner la maison au directeur de l'asile il avait songé à la peine que j'éprouverais à être séparée de Laura et au risque que j'aurais couru si l'on m'avait interrogée sur la manière dont elle avait disparu de l'asile ; alors, pour moi, il avait préféré risquer le pire. La seule chose qu'il demandait en échange, c'est que je me souvinsse de son sacrifice et que, pour mon bien, je tentasse de vous fléchir. Je ne promis rien, plutôt mourir ! Je ne sais s'il faut le croire quand il prétend avoir renvoyé le directeur de l'asile sans lui avoir rien dit, mais toujours est-il que ce dernier n'a pas jeté un regard vers nos fenêtres quand il est parti.

– Je crois qu'il a dit vrai, Marian. Les meilleurs hommes ont leurs faiblesses ; je ne vois pas pourquoi les pires criminels n'auraient pas leurs vertus. Toutefois, ne cherche-t-il pas simplement à vous effrayer alors qu'en réalité il ne peut pas faire grand-chose ? En quoi le directeur de l'asile pourrait-il l'aider, maintenant que sir Percival est mort et que Mrs Catherick est libre de parler ? Mais qu'a-t-il dit au juste de moi ?

– C'est à la fin qu'il a parlé de vous. Ses yeux se sont mis à briller d'une drôle de lueur et ses manières ont brusquement changé ; il est redevenu comme autrefois, avec cet air de pitié moqueuse qui fait qu'on ne sait pas jusqu'à quel point il est sérieux. « Prévenez Mr Hartright, m'a-t-il dit de sa voix la plus dure, qu'il a devant lui un homme de tête qui ne craint pas la justice. Si mon ami regretté avait suivi mes avis au lieu de s'entêter, c'est le cadavre de Mr Hartright et non celui de sir Percival Glyde qui eût fait l'objet d'une enquête. Mais mon ami regretté était un homme têtu ! Je porte son deuil dans mes vêtements comme dans mon cœur, et ce crêpe exprime des sentiments que je conseille à Mr Hartright de respecter. Ils pourraient bien se transformer en redoutables ennemis s'il arrivait qu'on me contrarie. Qu'il se contente de ce qu'il a, et que je lui laisse pour l'amour de vous ! Dites-lui en tout cas, avec mes salutations, que s'il me cherche il me trouvera. Dites-lui, en termes plus clairs, que Fosco ne recule devant rien… Au revoir, chère demoiselle. » Ses yeux gris se sont froidement posés sur mon visage, il a ôté son chapeau pour me saluer, puis il est parti.

– Sans se retourner ? Il n'a rien dit d'autre ?

– Il s'est retourné au bout de la rue. Il a levé la main, puis, d'un geste théâtral, l'a portée à son cœur. Quand il a eu disparu, je me suis précipitée pour retrouver Laura, ayant déjà décidé, dans mon for intérieur, de hâter notre départ. La maison, surtout en votre absence, n'était plus du tout sûre maintenant que le comte savait nous y trouver. Si j'avais été certaine de la date de votre retour, j'eusse attendu, mais ce n'était pas le cas et j'ai donc pris la décision de déménager.

Comme plusieurs fois déjà vous aviez parlé de votre intention d'habiter un quartier plus calme et plus sain pour la santé de Laura, je lui ai expliqué que j'avais décidé de vous faire une surprise et de partir en votre absence pour vous épargner les ennuis d'un déménagement. Elle a adoré l'idée et m'a aidée à emballer vos affaires ; c'est elle qui a installé votre nouveau bureau.

– Comment avez-vous pensé à venir ici ?

– Mon ignorance des environs de Londres ! J'ai pensé que nous devions nous éloigner le plus possible de notre ancien quartier et je connaissais Fulham pour y avoir passé quelques années en pensionnat. Aussi ai-je envoyé un messager à ce pensionnat qui existe encore, et ce sont les filles de l'ancienne directrice qui, d'après la lettre qu'on leur a remise de ma part, ont trouvé ce logement ; nous avons déménagé à la tombée de la nuit, sans avoir été remarquées. J'espère avoir bien agi, Walter, et avoir justifié la confiance que vous avez en moi ?

Je la rassurai avec reconnaissance, mais une expression d'anxiété couvait encore dans son regard lorsqu'elle me demanda ce que je comptais faire, après l'avertissement du comte Fosco.

Je vis qu'elle pensait à lui désormais d'une manière nouvelle. Elle n'eut plus contre lui de nouvel accès de colère, elle ne m'incita pas à hâter le jour du châtiment. L'idée que l'odieuse admiration que cet homme éprouvait pour elle pouvait être sincère semblait augmenter non seulement le dégoût qu'il lui inspirait mais également sa peur. Sa voix s'était faite plus basse et ses manières étaient devenues plus hésitantes

– Il n'y a pas très longtemps, Marian, qu'a eu lieu mon entrevue avec Mr Kyrle. Quand nous nous sommes quittés, lui et moi, mes derniers mots au sujet de Laura ont été ceux-ci : « Elle a été chassée comme une étrangère de la demeure où elle est née, un mensonge annonçant qu'elle est morte a été gravé sur la tombe de sa mère, et il existe deux hommes en vie qui en sont responsables. Je me suis juré de lui faire rouvrir cette maison en présence de tous ceux qui ont assisté à l'enterrement, et l'épitaphe mensongère sera publiquement effacée de la pierre par le chef de famille. Quant aux deux hommes, c'est devant moi qu'ils répondront de leurs crimes, si la justice est impuissante à les punir. »

» L'un de ces deux hommes est au-delà désormais de la justice humaine, mais l'autre est encore là… et ma résolution demeure la même.

Ses yeux s'éclairèrent, son visage s'empourpra. Elle ne dit rien, mais je vis tous les sentiments qu'elle éprouvait pour moi se peindre sur son visage.

– Je ne conteste pas que mon projet soit audacieux et que les risques que nous avons courus jusqu'à présent soient minimes en comparaison de ceux qui nous menacent encore. Malgré cela, nous devons agir, Marian. Je ne suis pas assez téméraire pour me mesurer avec un homme tel que le comte Fosco, sans y être prêt. J'ai appris à être patient, je saurai attendre mon heure. En attendant, il vaut mieux qu'il s'imagine que nous avons suivi son conseil. Qu'il n'ait plus aucune nouvelle de nous, et l'orgueilleux finira par se sentir parfaitement rassuré. Mais j'ai une autre raison également de vouloir patienter : ma position envers vous et envers Laura doit être fortifiée avant que je risque ma dernière chance.

Marian me regarda avec surprise :

– Comment pourrait-elle être plus solide, Walter ?

– Je vous le dirai, répondis-je, au moment opportun, encore que ce moment puisse ne jamais arriver. Peut-être devrai-je me taire pour toujours avec Laura ; pour l'instant je dois garder le silence même avec vous, tant que je ne suis pas sûr de pouvoir parler sans faire de mal à personne. Revenons à un sujet plus immédiat. Vous n'avez pas parlé à Laura de la mort de son mari, n'est-ce pas ?

– Oh ! Walter, nous ne lui en parlerons pas avant longtemps, je suppose…

– Erreur, Marian ! Mieux vaut lui dire la vérité dès maintenant que de risquer qu'elle l'apprenne par hasard un jour ou l'autre. Commencez doucement, ne lui donnez aucun détail, mais dites-lui que sir Percival est mort.

– Vous avez une autre raison encore, Walter, pour désirer qu'elle apprenne la mort de son mari !

– C'est vrai, Marian.

– Une raison intimement liée à ce dont vous ne me parlerez qu'au moment opportun, et dont vous ne parlerez peut-être jamais à Laura ?

Je lui répondis encore par l'affirmative. Elle pâlit en me regardant avec un air curieux. Une tendresse inhabituelle emplit son regard tandis qu'elle le posait sur la chaise vide où s'était assise la compagne de toutes nos joies et de toutes nos tristesses.

– Je crois que je comprends, Walter, murmura-t-elle. Il faut que je lui dise la vérité, et pour elle et pour vous.

Elle soupira profondément, me serra brusquement la main puis quitta la chambre.

Le lendemain, Laura savait qu'il était mort et qu'elle était libre ; elle savait que la plus grande erreur de sa vie, son plus grand malheur, gisait sous le marbre.

Plus jamais nous ne devions prononcer son nom. Nous évitâmes à partir de ce jour la plus petite allusion à sa disparition, de même que nous ne fîmes, Marian et moi, aucune allusion à cette autre question que j'avais abordée devant elle sans lui dire de quoi il était question. Cela ne voulait pas dire que nous n'y pensions plus ; moins nous en parlions, plus cela était présent à notre esprit, mais l'essentiel était d'entourer Laura de toute notre tendresse et de tous nos soins, partagés entre la crainte et l'espoir, jusqu'à ce qu'il fût temps d'agir.

Nous reprîmes progressivement le cours de notre petite vie. Je retrouvai mon travail que j'avais dû abandonner pour me rendre dans le Hampshire. Non seulement notre nouvel appartement, plus confortable que le premier, était plus coûteux aussi, mais l'avenir nous réservait peut-être des surprises qui épuiseraient notre petit capital : dans ce cas mon travail seul nous aiderait à vivre. Il me fallait donc une occupation plus régulière et plus lucrative, ce dont je me mis en quête.

Qu'on n'aille pas croire, cependant, que j'avais entièrement suspendu mes investigations. Des mois et des mois durant, je ne fus occupé que de ce dessein qui m'habitait et auquel j'avais voué toute ma vie. Là où en étaient les choses, il me restait encore à prendre une précaution, à m'acquitter d'un devoir de gratitude et à résoudre une question.

La précaution à prendre avait trait bien évidemment au comte. Il était de la plus grande importance pour moi de savoir s'il avait l'intention de rester en Angleterre, si, en d'autres termes, il avait décidé de rester à ma portée. Il ne me fut pas bien difficile de m'en assurer. Connaissant son adresse à St John's Wood, je réussis à trouver l'agent qui lui avait loué la maison, auquel je demandai s'il y avait des chances que dans un délai raisonnable la maison du numéro 5 Forest Road fût libre. On me fournit une réponse négative; l'étranger qui occupait la maison avait fait renouveler son bail pour six mois, jusqu'au mois de juin de l'année suivante. Nous étions au début de décembre. Je rentrai chez moi l'esprit soulagé d'une première crainte : le comte ne m'échapperait pas pour le moment.

Mon devoir de gratitude me conduisit une fois encore chez Mrs Clements à qui j'avais promis des détails sur la mort et l'enterrement d'Anne Catherick, détails que j'avais dû taire par prudence lors de ma première visite. A présent, je n'avais plus aucune raison de ne pas confier à la brave femme ce que je savais, et la sympathie et la reconnaissance me poussaient à m'acquitter de cette dette au plus vite. On devine bien ce que fut la teneur de cet entretien; je me contenterai d'ajouter qu'il ne fit évidemment que raviver ma curiosité au sujet de la dernière question qu'il me restait à élucider : l'identité du père d'Anne Catherick.

A ce sujet, pas mal d'idées s'étaient présentées à mon esprit – idées apparemment insignifiantes, mais qui, reliées les unes aux autres, m'avaient amené à une conclusion que je désirais vérifier. J'obtins de Marian l'autorisation d'écrire en son nom au major Donthorne (au service de qui Mrs Catherick avait passé les années précédant son mariage), à Varneck Hall, sous prétexte de demander à celui-ci quelques renseignements. C'était, expliquai-je, certaines questions ayant trait à la famille de Miss Halcombe. A vrai dire, en écrivant ma lettre, j'ignorais si le major Donthorne vivait encore. Je l'envoyai sans savoir, espérant simplement qu'il la recevrait et pourrait y répondre.

Deux jours après, je reçus sous la forme d'une lettre la preuve que le major vivait toujours et qu'il était prêt à nous aider. Les réponses qu'il me faisait donneront au lecteur une idée de la nature des questions que je lui avais posées; il me communiquait deux renseignements importants :

D'une part, « feu sir Percival Glyde, de Blackwater Park » n'avait jamais mis les pieds à Varneck Hall. Le défunt était un parfait étranger pour le major Donthorne et pour les membres de sa famille.

D'autre part, « feu Philip Fairlie, de Limmeridge House », avait été dans sa jeunesse un ami intime du major et un habitué de la maison.

S'étant replongé dans de vieilles lettres, mon correspondant était en mesure de m'affirmer que Mr Philip Fairlie avait séjourné à Varneck Hall pendant tout le mois d'août 1826 ; il y était même resté pour les chasses jusqu'au début d'octobre. Après quoi, il était parti pour l'Écosse et n'était revenu que plus tard à Varneck Hall, juste après son mariage, croyait se souvenir le major.

En soi, cette information ne valait sans doute pas grand-chose ; mais rapportée à d'autres faits que Marian et moi connaissions, elle semblait conduire à une conclusion inévitable.

Nous savions à présent que Mr Philip Fairlie avait séjourné à Varneck Hall à l'automne 1826 et que Mrs Catherick s'y trouvait précisément employée à cette époque ; nous savions également, d'une part, qu'Anne était née en juin 1827, d'autre part, qu'elle offrait une ressemblance extraordinaire avec Laura, et enfin, que Laura elle-même était le portrait craché de son père. Mr Philip Fairlie avait eu la réputation d'être l'un des plus beaux hommes de son temps ; d'un caractère radicalement différent de celui de son frère, Frederick Fairlie, il passait pour un individu léger, séducteur, prompt à pécher et peu soucieux de préserver la vertu des dames. Faut-il, après avoir dit tout cela, préciser à quelle conclusion j'en arrivai ?

Un point de la lettre de Mrs Catherick prenait maintenant son entière signification et venait confirmer mon idée. Elle avait écrit de Mrs Fairlie qu'elle était « fort laide » mais qu'elle « avait réussi à se faire épouser par le plus bel homme d'Angleterre ». Affirmations gratuites et aussi fausses l'une que l'autre, d'ailleurs, mais qui traduisaient clairement – certes, d'une manière peu subtile – la jalousie de la mère d'Anne envers Mrs Fairlie, dont elle n'avait, sinon, aucune raison de mentionner le nom dans sa lettre.

Ce qui m'amenait à une nouvelle question : Mrs Fairlie avait-elle jamais soupçonné qui était le père de la petite fille qu'elle avait tant choyée à Limmeridge ? Le témoignage de Marian est catégorique sur ce point. La lettre que Mrs Fairlie avait écrite à son mari – lettre que Marian m'avait lue autrefois – et dans laquelle elle lui faisait part de la ressemblance frappante entre Laura et Anne, et de son affection pour cette dernière, était écrite par un cœur pur et innocent. D'ailleurs, on peut se demander si Mr Philip Fairlie lui-même en savait plus que sa femme. Les circonstances dans lesquelles Mrs Catherick s'était mariée, la raison même pour laquelle elle avait accepté ce mariage l'avaient sans doute incitée à ne rien dire, autant par fierté que par prudence, bien qu'elle eût pu, si elle l'avait souhaité, correspondre avec celui dont elle attendait un enfant.

Tandis que je me laissais aller à ces réflexions, les redoutables paroles de l'Écriture me revinrent à la mémoire : « Les fautes des parents retomberont sur les enfants. » Sans la ressemblance qui existait entre ces deux enfants nées du même père, le complot dont Anne avait été l'instrument innocent et Laura l'innocente victime n'eût jamais pu être ourdi ! C'était par un enchaînement terrible que l'erreur de jeunesse du père s'était transformée en un châtiment monstrueux sur la tête de l'enfant.

Cette pensée me ramena dans le Cumberland, dans le petit cimetière où Anne Catherick reposait désormais. Je me souvenais de notre rencontre sur la tombe de Mrs Fairlie ; c'était la dernière fois que je la voyais. Je me rappelais ses pauvres mains crispées sur la croix de marbre blanc, tandis qu'elle murmurait : « Oh ! si je pouvais mourir et aller me reposer près de vous, madame Fairlie ! » Un an à peine s'était écoulé depuis ce vœu tragique, et il avait été terriblement exaucé ! Les paroles qu'elle avait dites à Laura près du lac étaient à présent réalité : « Oh ! si je pouvais au moins être enterrée près de votre mère !… et me réveiller avec elle au cours de la résurrection !… » Quel monstrueux crime, quels effroyables agissements il avait fallu pour que la malheureuse créature arrivât en cette dernière demeure que, de son vivant, elle n'avait jamais pensé pouvoir atteindre ! Qu'elle dorme en paix dans ce repos sacré, qu'on ne vienne guère troubler ces deux femmes qui gisent côte à côte !

Ainsi le fantôme habillé de blanc qui a hanté ces pages comme il a hanté ma vie est-il retourné aux ténèbres. Comme une ombre il m'était apparu dans la solitude de la nuit, comme une ombre il s'est évanoui dans la solitude de la mort.

III

Quatre mois passèrent. Avril fut là, mois du printemps, mois du changement.

Les jours s'étaient écoulés depuis l'hiver dans le calme et le bonheur. J'avais su mettre à profit mes moments de loisir, nos ressources étaient plus importantes qu'avant et me permettaient d'envisager l'avenir sans trop de crainte. Débarrassée des soucis qui l'avaient éprouvée, Marian avait retrouvé son enjouement et son énergie d'autrefois. Le changement était plus visible encore chez Laura. L'existence nouvelle qu'elle menait lui faisait plus de bien de jour en jour ; l'expression calme et limpide reparaissait peu à peu dans ses beaux yeux bleus. La seule séquelle visible de la tragédie qu'elle avait traversée, c'était sa mémoire dont semblait s'être définitivement effacée jusqu'à la moindre réminiscence des événements qui s'étaient déroulés entre son départ de Blackwater Park et notre rencontre au cimetière de Limmeridge. A chaque allusion faite à cette dramatique période de sa vie, son visage se décomposait, et elle se mettait à trembler en articulant des paroles incompréhensibles. Ces manifestations d'angoisse étaient la seule chose qui la rattachât au passé, un passé enfoui trop profondément en elle pour qu'il pût complètement s'effacer.

A part cela, elle avait fait tant de progrès sur la voie de la guérison que parfois elle ressemblait presque à la Laura des jours heureux. Comme sortis d'un long sommeil, nos chers souvenirs renaissaient insensiblement, ces souvenirs qui nous ramenaient l'un et l'autre dans le Cumberland, au temps de notre amour. Progressivement, nous devînmes ainsi plus réservés l'un envers l'autre. Les mots tendres que je lui disais si naturellement quand elle était malade s'évanouissaient sur mes lèvres ; ces baisers que je ne manquais pas de lui donner dans ces temps où j'avais eu si peur de la perdre, je les retenais à présent. Nos mains tremblaient lorsqu'elles se touchaient et nos yeux avaient peur de se rencontrer quand Marian n'était pas à nos côtés. Dans ces moments-là, la conversation entre nous tombait subitement. Si je l'effleurais par hasard, je sentais mon cœur se mettre à battre comme il avait battu à Limmeridge, et voyais apparaître sur ses joues cette délicieuse rougeur qui me rappelait nos promenades dans les collines du Cumberland, quand nous n'étions l'un pour l'autre qu'un professeur et une élève. Il lui arrivait de rester silencieuse et pensive de longues heures d'affilée, mais jamais elle n'eût avoué à Marian à quoi elle pensait. Je me surpris moi-même à me perdre en rêveries sur le petit portrait à l'aquarelle que j'avais fait au pavillon d'été, l'endroit où nous nous étions rencontrés pour la première fois ; ses rêveries étaient les mêmes que celles qui me distrayaient autrefois de mes travaux pour Mr Fairlie. Alors que tant de choses autour de nous avaient changé, on eût dit que notre amour renaissait intact. Le temps nous avait ramenés sur les vieux rivages familiers où s'étaient échoués nos espoirs de naguère !

A une autre femme j'eusse dit depuis longtemps les paroles décisives que j'hésitais à prononcer devant elle. Elle était si démunie, si dépendante de toute l'affection que je pouvais lui apporter, j'avais si peur de heurter trop précocement sa sensibilité que je restais silencieux. Et pourtant, je me rendais compte que cette contrainte qui pesait sur nous ne pouvait plus se prolonger, que notre situation devait se régler rapidement dans un sens ou dans l'autre et que c'était à moi de faire le premier pas.

Mais les habitudes que nous avions déjà prises à vivre ensemble, eût-on dit, me paralysaient ; plus j'y pensais, plus il me semblait difficile d'en changer. C'est sans doute pour cela que l'idée – ou le caprice – me vint qu'un changement d'air et de milieu m'aiderait à faire avancer les choses. Aussi déclarai-je un beau matin que nous avions bien mérité de petites vacances : je proposai d'aller passer quinze jours au bord de la mer.

Le lendemain, nous quittions Fulham pour une petite bourgade tranquille de la côte méridionale. La saison n'étant guère avancée, nous étions les seuls vacanciers de l'endroit. Les falaises, la plage et les promenades n'appartenaient qu'à nous ! La température était douce, la vue sur les collines et les bois, où se jouait la lumière capricieuse d'avril, était superbe et la mer, sous nos fenêtres, s'élançait joyeusement, comme poussée, elle aussi, par le premier aiguillon du printemps.

Je devais à Marian de la consulter avant de parler à Laura ; je comptais sur ses conseils. Trois jours après notre arrivée, je trouvai l'occasion de lui parler en tête-à-tête. Elle lut dans mon regard, avant même que j'eusse ouvert la bouche, ce dont il allait être question. Avec sa franchise coutumière, c'est elle qui parla la première.

– J'ai réfléchi à ce que vous m'avez dit le soir de votre retour du Hampshire. Et je me doutais que vous ne tarderiez pas à vouloir me parler. Vous avez raison, Walter, la situation actuelle ne peut durer plus longtemps. J'en ai conscience autant que vous, et sans doute autant que Laura, même si elle n'en dit rien. Les jours d'autrefois semblent être revenus ! Vous et moi sommes de nouveau ensemble et l'objet de nos pensées est encore une fois Laura. Nous pourrions nous imaginer que cette chambre est le pavillon d'été de Limmeridge House et que cette plage est notre plage !

– En ce temps-là, Marian, vous m'avez conseillé… Aujourd'hui, plus que jamais, j'ai besoin que de nouveau vous soyez mon guide.

Sans me répondre, elle me serra affectueusement la main, tandis que nos regards contemplaient la splendeur du soleil miroitant sur les vagues. Je sentis qu'elle avait été profondément touchée par mon allusion à notre passé.

– Quel que soit le résultat de notre conversation, repris-je, qu'il soit heureux ou… malheureux pour moi, Marian, les intérêts de Laura resteront toujours le seul but de ma vie. Lorsque nous quitterons cet endroit enchanteur, quoi qu'il arrive, je suis décidé à aller trouver le comte Fosco pour lui arracher la confession que je n'ai pu obtenir de son complice. J'ignore ce qu'il en découlera, car vous savez comme moi qu'il est capable de tout. Nous savons également qu'il est prêt à se servir de Laura pour m'abattre, sans la moindre hésitation ni le moindre remords. Or, dans la situation présente, je n'ai devant la loi aucun droit à prétendre à la défense ou à la protection de Laura. C'est un grand désavantage pour moi. Si je veux lutter avec succès contre le comte Fosco, c'est pour ma femme que je dois le combattre ! Êtes-vous d'accord, jusque-là, Marian ?

– D'accord sans aucune restriction, Walter.

– Il ne s'agit même pas de mon amour pour Laura ; il a résisté à toutes les épreuves, vous le savez. Non, c'est avant tout la raison que je viens de vous dire qui m'incite à penser qu'elle doit être ma femme. Si l'aveu du comte est notre dernière chance d'établir l'identité de Laura, la raison que j'ai de vouloir l'épouser n'est donc pas égoïste.

Mais je puis me tromper ; peut-être existe-t-il d'autres moyens de parvenir à nos fins, des moyens moins incertains et moins dangereux. Pour ce qui me concerne, j'ai cependant retourné la question dans ma tête plus d'une fois, et je n'en ai pas trouvé. Et vous ?

– Moi non plus, et ce n'est pas faute d'y avoir réfléchi.

– Je sais que les mêmes questions ont dû vous traverser l'esprit. Faut-il la ramener à Limmeridge, maintenant qu'elle est de nouveau elle-même, et tenter de la faire reconnaître par les gens du village ou les enfants de l'école ? Faut-il faire faire une expertise d'écriture ? Supposons qu'on agisse de la sorte, qu'elle soit enfin reconnue et que l'expertise s'avère probante, cela suffira-t-il pour un procès ? Cela convaincra-t-il Mr Fairlie de son identité, en dépit du témoignage de sa tante, en dépit du certificat de décès, en dépit de l'enterrement qui a eu lieu et de l'épitaphe sur la tombe ? Non ! Notre seule chance de prouver sa véritable identité ne passe pas par les voies légales. Je veux bien admettre que nous ayons assez d'argent pour assumer les frais d'une interminable enquête, je veux bien admettre qu'on puisse vaincre les préjugés de Mr Fairlie, qu'on puisse réfuter le faux témoignage du comte et de la comtesse, je veux bien admettre encore que, malgré sa ressemblance avec Anne Catherick, Laura puisse être identifiée par ceux qui la connaissent, et que son écriture puisse être authentifiée, même si nos ennemis crient à la fraude… Tout cela est vraisemblable, certes, mais interrogeons-nous plutôt sur les possibles conséquences. Nous ne savons que trop, vous et moi, ce qu'elles seraient, car nous savons qu'elle n'a jamais recouvré la mémoire de ce qui lui est arrivé à Londres. Elle est absolument incapable de plaider sa propre cause. Si vous n'en êtes pas convaincue, Marian, rendons-nous à Limmeridge dès demain.

– J'en suis convaincue, Walter. Même si nous avions les moyens financiers de supporter un procès, même si nous obtenions gain de cause au bout du compte, l'attente serait insupportable, intolérable après tout ce que nous avons déjà enduré. Vous avez raison, il est vain de vouloir se rendre à Limmeridge. J'aimerais être aussi sûre que vous ne vous trompez pas en voulant jouer votre dernière carte avec le comte. Est-ce seulement une carte maîtresse ?

– Oui, sans aucun doute. C'est notre seule chance de découvrir la date exacte du voyage à Londres de Laura et de prouver, comme je vous l'ai déjà dit, qu'il y a contradiction entre la date de ce voyage et la date du certificat de décès. C'est le point faible du complot, c'est par là que nous pouvons tout mettre en pièces. Or, seul le comte peut nous le dévoiler. Si je réussis, j'aurai atteint mon but, et vous aussi, Marian. Si j'échoue, le tort fait à Laura ne pourra jamais être réparé en ce monde.

– Craignez-vous d'échouer, Walter ?

– Je ne veux pas vendre la peau de l'ours, Marian, et c'est pour cela que je vous parle avec tant de franchise. En mon âme et conscience, je vous déclare que Laura n'a plus rien à perdre. Je sais qu'elle n'a plus de fortune et que la seule chance de lui rendre son nom se trouve entre les mains de son pire ennemi, un homme qui est à présent inattaquable et qui peut le rester. Dans cette terrible situation où elle se trouve, et alors que les espoirs de la voir retrouver sa dignité sont si faibles, la seule chose qui lui reste, c'est ce que son mari peut lui offrir, et c'est pourquoi le pauvre maître de dessin vous ouvre enfin son cœur ! Aux beaux jours de la prospérité, je fus le professeur qui lui guida la main… c'est cette main-là, Marian, que je vous demande aujourd'hui.

Je croisai son regard plein de tendresse, sans pouvoir ajouter une parole. Mon cœur débordait, mes lèvres tremblaient. Malgré moi, je risquais de susciter sa pitié, aussi me levai-je pour quitter la pièce. Elle se leva en même temps que moi et me retint en posant doucement sa main sur mon épaule.

– Walter, pour votre bien à tous deux, je vous ai séparés un jour. Attendez ici, mon frère !… Attendez, mon plus cher ami, attendez que Laura revienne et qu'elle vous dise elle-même ce que je décide aujourd'hui.

Pour la première fois depuis notre adieu à Limmeridge, elle m'embrassa sur le front, en laissant tomber sur ma joue une larme. Elle se tourna rapidement, me désigna la chaise d'où je m'étais levé et quitta la pièce.

Je restai près de la fenêtre, et attendis avec anxiété le moment où ma vie entière allait se décider. Je ne voyais ni n'entendais plus rien. Mes tempes bourdonnaient du bruit des oiseaux prenant leur envol sous le soleil de plus en plus éblouissant, les vagues qui léchaient la plage venaient déferler sous mon crâne…

La porte s'ouvrit enfin doucement et Laura entra, seule, comme elle était entrée seule dans la salle à manger le jour de mon départ de Limmeridge House. Mais alors que ce jour-là elle s'était approchée de moi avec hésitation et tristesse, elle s'avançait aujourd'hui rapidement, d'un air radieux. Le bonheur lui donnait des ailes et éclairait son doux visage. Ses bras entourèrent spontanément mon cou avec tendresse et ses lèvres rencontrèrent les miennes.

– Mon amour, murmura-t-elle, nous pouvons enfin nous aimer ! Oh ! Comme je suis heureuse !

Dix jours après, nous étions plus heureux encore. Nous étions mariés.

IV

Ce récit suit inexorablement son cours et m'éloigne à présent du matin de notre mariage vers l'inéluctable fin.

Deux semaines s'étaient écoulées presque aussi rapidement que dans un rêve et déjà nous reprenions tous trois le chemin de Londres, revoyant s'étendre au-dessus de nos têtes l'ombre du combat à venir.

D'un commun accord nous avions décidé, Marian et moi, de laisser Laura dans l'ignorance de la démarche que j'allais accomplir chez le comte Fosco. Nous étions au début de mai et le bail de la maison de Forest Road expirait en juin. S'il le renouvelait (ce que j'avais quelque raison de croire) il ne m'échapperait pas, mais si, au contraire, il lui prenait l'envie de quitter le pays, je n'avais pas un instant à perdre.

Dans l'euphorie de mon nouveau bonheur, ma résolution, par instants, avait fléchi ; j'avais été tenté de me satisfaire de ce que j'avais, à présent que tout ce à quoi j'avais jamais aspiré était comblé par l'amour de Laura. Pour la première fois, j'avais songé aux risques de mon entreprise, à l'ampleur des obstacles que mon ennemi dresserait contre moi, aux promesses de notre nouvelle vie et aux dangers auxquels j'exposerais ce bonheur durement conquis. Oui ! Je dois le confesser ! Un temps je me suis égaré dans les doux méandres de l'amour, oublieux du dessein envers lequel je n'avais pas failli dans l'adversité des jours les plus noirs. Ainsi, innocemment, Laura avait failli me détourner du dur chemin ; ce fut elle, innocemment encore, qui m'y ramena.

De temps à autre, dans ce mystère qu'est le sommeil, elle revoyait, en cauchemar, certains de ces événements dont sa mémoire, en état de veille, avait perdu le souvenir. Une nuit (deux semaines à peine après notre mariage), tandis que je la regardais dormir, je vis de grosses larmes couler le long de ses joues, je l'entendis murmurer des mots qui évoquaient son malheureux voyage de Blackwater Park à Londres. Cet appel inconscient, si bouleversant et si terrible, me transperça comme une flamme. Le lendemain devait voir notre retour à Londres, et marquer le renouveau de ma résolution.

La première chose à faire était de se renseigner sur mon homme. Jusqu'ici, l'histoire de sa vie restait pour moi un impénétrable mystère.

Le récit circonstancié de Frederick Fairlie (que Marian avait obtenu en suivant mes recommandations de l'hiver) se révéla sans intérêt. En le relisant, je me remémorai les révélations que m'avait apportées Mrs Clements sur les manœuvres qui avaient attiré Anne Catherick à Londres et l'avaient placée, malgré elle, au cœur de la conspiration. Là non plus, le comte ne s'était pas ouvertement compromis ; là encore, il était hors d'atteinte.

Je me tournai donc vers le journal tenu par Marian à Blackwater Park. A ma demande, elle me relut le passage dans lequel elle exprimait la curiosité que lui inspirait le comte, et dans lequel elle notait les quelques détails de sa vie qui l'avaient frappée. Dans ce passage consacré à la personnalité et au caractère du comte, elle écrit de lui que « jamais il n'est retourné en Italie », qu'il s'est empressé de demander si des Italiens résidaient à proximité de Blackwater Park, qu'enfin « il doit être en correspondance avec des gens de tous les pays, car les timbres des lettres qu'il reçoit sont de toutes nationalités ». Elle déduit de ce long déracinement qu'il est peut-être un exilé politique, mais d'un autre côté elle ne parvient pas à s'expliquer, dans ce cas, qu'il reçoive des lettres portant ce qui ressemble à « un cachet officiel », ce qui n'est généralement pas le cas des lettres que reçoit un exilé politique.

Face à ces remarques contenues dans le journal, je tirai mes propres conclusions, me demandant pourquoi je n'y étais pas arrivé plus tôt. J'en arrivai à me dire, reprenant un mot que Laura avait utilisé devant Marian à Blackwater Park, mot qui était parvenu malencontreusement aux oreilles de la comtesse, j'en arrivai à me dire, donc : le comte est un espion !

Laura avait dit cela au hasard, sous le coup de la colère ; je le disais, moi, avec la conviction réfléchie que cet homme avait réellement voué sa vie à l'espionnage. Voilà qui jetait une lumière nouvelle sur le fait qu'il restât en Angleterre – alors que la conspiration avait depuis longtemps abouti – et qui expliquait tout.

Cette année-là se tenait à Londres la fameuse Exposition du Crystal Palace de Hyde Park. De tous les coins du monde, des étrangers étaient venus admirer cette merveille mondiale, et parmi eux se trouvaient certainement de nombreux espions, envoyés chez nous par des gouvernements traîtres. Non pas que j'associasse le comte Fosco au rôle vulgaire joué par ces seconds couteaux ; je le soupçonnais, au contraire, d'occuper une position de premier plan, d'être chargé par son gouvernement de régner sur ces agents secrets, au rang desquels on pouvait compter, me semblait-il, Mrs Rubelle, qui avait si opportunément surgi pour jouer le rôle d'infirmière à Blackwater Park.

Si mes soupçons se révélaient justifiés, le comte serait beaucoup plus vulnérable que je ne l'avais cru tout d'abord. A qui pouvais-je dès lors m'adresser pour obtenir des informations plus précises sur son histoire et sur sa vie ? Immédiatement il me vint à l'esprit que personne ne pourrait mieux me renseigner que l'un de ses compatriotes. Le premier nom qui me vint à l'esprit dans ces conditions fut celui du seul Italien dont j'étais proche et en qui je pouvais avoir confiance, mon vieil et brave ami, le professeur Pesca.

Voilà si longtemps que le professeur s'est éclipsé de ces pages qu'il est probable que quelques-uns l'auront oublié.

La loi de ce genre de récit veut que les personnes concernées n'apparaissent que là où le cours des événements l'exige ; ils vont et viennent, non pas au gré des caprices de ma plume, mais selon qu'ils sont ou non liés aux circonstances dont il est question. C'est ainsi que

Pesca n'est pas le seul à s'être effacé de ce récit ; c'est également le cas de ma mère et de ma sœur. Mes visites au cottage de Hampstead, la manière dont ma mère refusa de croire en Laura, après la terrible conspiration, mes vains efforts pour vaincre ses préjugés et ceux de ma sœur, la nécessité douloureuse dans laquelle je me trouvai dès lors de leur cacher mon mariage tant qu'elles n'auraient pas rendu justice à ma femme, tous ces points touchant à ma vie familiale ont été passés sous silence car ils n'étaient pas nécessaires à la marche de mon histoire. Peu importe que je m'en sois trouvé meurtri et plein d'amertume, seul compte l'inexorable cours des événements.

Ce sont les mêmes raisons qui m'ont conduit à ne rien dire ici du réconfort fraternel que j'avais trouvé auprès de Pesca, quand je le revis à mon retour de Limmeridge House. Je n'ai pas évoqué la fidélité qu'il me témoigna en m'accompagnant jusqu'au quai d'où j'allais m'embarquer pour l'Amérique centrale, ni les transports de joie avec lesquels il m'accueillit à mon retour. Si j'avais cru bon d'accepter les offres de services qu'il me fit alors, on l'aurait vu plus souvent qu'à son tour dans ces pages. Mais j'avais beau ne mettre en doute ni son honneur ni son courage, je craignis de ne pouvoir tout à fait compter sur sa discrétion. Je menai seul mon enquête, et si Pesca, durant tout ce temps, se trouva en marge de l'affaire qui occupe ces pages, cela ne veut pas dire qu'il fût loin de mon esprit et de mon cœur. Il était toujours ce même ami fidèle et généreux.

Avant d'aller chez Pesca, je voulais cependant me rendre compte à quelle sorte d'homme j'allais m'attaquer, car je n'avais jamais vu le comte Fosco.

Trois jours après notre retour à Londres, je pris un matin la direction de St John's Wood. Le temps était superbe, j'avais quelques heures à tuer et je me disais que le comte ferait sans doute une petite promenade avant son lunch. Je n'avais guère à craindre qu'il me reconnût, car la seule fois où il m'avait vu, c'était de nuit, quand il m'avait suivi.

Je n'aperçus personne aux fenêtres de la façade. Empruntant un chemin de traverse, je m'approchai du muret qui clôturait le jardin et jetai un coup d'œil. L'une des fenêtres du rez-de-chaussée était ouverte mais voilée d'un filet. Je ne vis personne, mais j'entendis d'abord le gazouillement des oiseaux, puis cette profonde voix chantante que Marian imitait si bien :

– Sautez sur mon doigt, mes jolis, jolis petits !... Une, deux... trois ! Descendez ! Une, deux ! trois !... Remontez... twit... twit... twit !...

Le comte exerçait ses canaris comme du temps où Marian se trouvait avec lui à Blackwater Park.

J'attendis un moment, et bientôt les gazouillements cessèrent. « Embrassez-moi, mes petits », dit encore la voix profonde, puis sur un dernier pépiement j'entendis une porte qui se fermait et le silence se fit. Comme je faisais demi-tour, la somptueuse voix de basse s'éleva soudain dans le calme des environs, entonnant la « Prière » du *Moïse* de Rossini : le comte était sorti.

Il traversa la route et se dirigea vers la limite ouest de Regent's Park. Je le suivis à distance. Marian m'avait prévenu de sa corpulence, de sa haute stature et de la manière ostentatoire dont il portait le deuil, mais je ne m'attendais pas à trouver une telle vitalité chez un homme de son âge. Il portait ses soixante ans comme s'il en eût eu vingt de moins. Le chapeau un peu sur l'oreille, il marchait allégrement en faisant tournoyer son énorme canne et en chantonnant. De temps à autre il jetait un coup d'œil protecteur vers les maisons et les jardins qu'il dépassait. Eût-on dit à un étranger de passage que tout le voisinage lui appartenait, il n'en eût pas été autrement surpris. A peine regardait-il, en revanche, les passants qu'il croisait, excepté les nurses et les enfants, auxquels il envoyait un paternel sourire.

Nous parvînmes ainsi dans la rue commerçante qui bordait le parc. Le comte s'arrêta devant une pâtisserie, sans doute pour passer une commande ; il entra et ressortit aussitôt, un gâteau à la main. Non loin de là, un Italien jouait de l'orgue de Barbarie et un pauvre petit singe tout maigre attendait tristement, assis sur l'instrument. Le comte s'arrêta, mordit une fois dans le gâteau, puis tendit le reste au singe. « Tenez, mon petit homme, fit-il, vous paraissez affamé ! Au nom de l'humanité, je vous donne à déjeuner ! » Alors, le joueur d'orgue demanda au généreux passant l'aumône d'un penny ; le comte haussa les épaules en signe de mépris et poursuivit son chemin.

Il me mena jusque dans les rues plus chic situées entre New Road et Oxford Street, et s'arrêta de nouveau pour entrer chez un opticien –

spécialiste, indiquait l'enseigne, de réparations en tout genre –, de chez qui il ressortit tenant à la main une paire de jumelles de théâtre. Quelques mètres plus loin, il s'arrêta de nouveau pour consulter une affiche donnant le programme de l'opéra. Il héla ensuite un fiacre et jeta au cocher l'adresse : « Bureau de location du théâtre. »

Je traversai la rue et examinai l'affiche à mon tour. Elle annonçait une représentation de *Lucrèce Borgia*, pour le soir même. La paire de jumelles, l'attention avec laquelle le comte avait lu l'affiche, les ordres qu'il avait donnés au cocher me firent penser qu'il avait l'intention de s'y rendre. Connaissant l'un des décorateurs de l'opéra, j'avais moi-même la possibilité d'obtenir des places. Le comte se remarquerait sans doute au milieu du public et cela m'offrait une chance de savoir si Pesca reconnaissait ou non son compatriote. Je me procurai donc deux billets et laissai un mot au professeur. A huit heures moins le quart, j'étais devant chez lui pour l'emmener au théâtre. Mon excellent ami était au comble de l'excitation, une fleur à la boutonnière et, sous le bras, la plus impressionnante paire de jumelles que j'eusse jamais vue.

– Êtes-vous prêt ? lui demandai-je.

– Prêt-fin-prêt, fit Pesca.

Nous nous mîmes en route.

V

Lorsque Pesca et moi arrivâmes au théâtre, on jouait les dernières mesures de l'ouverture. La plupart des fauteuils du parterre étaient occupés, mais il restait de la place au balcon, lequel constituait au demeurant le meilleur poste d'observation que j'eusse pu désirer. J'examinai d'abord les loges, mais le comte ne s'y trouvait pas. Soudain je l'aperçus, installé au parterre, occupant une excellente place, non loin des loges. Je me plaçai au même niveau que lui, Pesca à mes côtés ; ne sachant pas quelle était la vraie raison pour laquelle je l'avais emmené au théâtre, il fut plutôt surpris de voir que nous ne nous rapprochions pas plus de la scène.

Le rideau se leva et l'opéra commença.

Pendant tout le premier acte, nous demeurâmes à la même place. Le comte, absorbé par la musique, ne lança pas un seul regard de notre côté. Il ne perdait pas une note de la délicieuse musique de Donizetti qu'il semblait goûter en vrai connaisseur, hochant la tête de plaisir. Lorsque ses voisins applaudissaient à la fin d'un air (ce que font toujours les Anglais) sans la moindre considération pour l'orchestre qui jouait encore, il leur lançait des regards tout à la fois de reproche et de pitié, et levait une main qui, poliment, demandait plus d'attention. Cependant, à certains passages plus subtils du chant, à certaines phrases musicales plus délicates que les autres ne remarquaient pas, ses grosses mains gantées de peau noire battaient en de lents applaudissements et témoignaient ainsi l'appréciation d'un parfait musicien. On entendait alors ses onctueux murmures d'approbation – « Bravo ! Bra-a-aa ! » – traverser le silence, tels les ronrons d'un gros chat. Ses voisins immédiats – des gens rubiconds venus de la campagne prendre l'air du Londres à la mode – imitaient ce gentleman. Et lui, dans son orgueil et sa vanité, semblait être au comble du contentement devant l'hommage qu'on lui rendait de cette façon. Son visage n'était que sourires et, à chaque pause, il regardait autour de lui, ravi de lui-même et de l'humanité tout entière. « Oui, oui, ces Anglais barbares apprennent quelque chose, grâce à ma présence ! La présence de Fosco est nécessaire partout ! » Jamais figure n'avait mieux exprimé la vanité.

Le rideau tomba sur le premier acte et le public se leva. C'était le moment que j'attendais pour voir si Pesca le connaissait.

Le comte s'était levé en même temps que l'assistance et observait à la jumelle les occupants des loges. Après nous avoir tourné le dos il nous fit bientôt face, continuant d'examiner la salle. C'est le moment que je choisis.

– Connaissez-vous cet homme ? demandai-je à Pesca.

– Quel homme, mon ami ?

– Le grand et gros homme qui se trouve là, debout en face de nous.

Pesca se leva sur la pointe des pieds pour mieux voir.

– Non ! dit-il, je n'ai jamais vu cet homme. Est-il célèbre ? Pourquoi me le montrez-vous ?

– Parce que j'ai de sérieuses raisons de désirer avoir quelques renseignements sur lui. C'est un de vos compatriotes, il se nomme Fosco… comte Fosco. Connaissez-vous ce nom ?

– Non, Walter, je ne l'ai jamais entendu, et je vous assure que je ne connais pas cet individu.

– En êtes-vous vraiment certain, Pesca ? Examinez-le bien, voulez-vous ? Je vous expliquerai pourquoi quand nous aurons quitté ce théâtre. Montez là, sur cette bordure, vous le verrez mieux.

Tandis que j'aidais mon minuscule ami à grimper sur son perchoir, je m'aperçus qu'un homme mince aux cheveux blonds et portant une cicatrice à la joue observait tous nos mouvements avec intérêt, puis déplaçait ses regards là où Pesca portait les siens, en direction du comte.

Pendant ce temps, Pesca continuait à examiner attentivement le comte :

– Non, vraiment, Walter, je n'ai jamais rencontré ce gros homme de ma vie.

Comme il disait ces mots, la lorgnette du comte Fosco s'abaissa vers lui.

Les yeux des deux Italiens se rencontrèrent.

Si, quelques instants à peine auparavant, Pesca avait réussi à me persuader qu'il ne connaissait pas le comte, il ne me fallut pas plus d'une seconde pour comprendre que le comte, lui, connaissait Pesca ! Qu'il le connaissait et – bien plus incroyable – qu'il le craignait ! On ne pouvait se méprendre sur l'expression qui s'était brutalement peinte sur son visage ; livide, les traits figés, les yeux perdus, pétrifié des pieds à la tête, il semblait envahi par une frayeur mortelle, et tout cela parce qu'il venait de reconnaître Pesca !

L'homme à la cicatrice, un étranger sans aucun doute, était encore près de nous. Bien qu'il ne fût pas sorti de sa réserve, il semblait lui aussi avoir donné toute sa signification à la scène rapide dont il venait d'être le témoin.

Pour moi, j'étais si frappé par le visage brusquement altéré du comte, si stupéfié par la tournure que prenaient les événements que je ne sus que dire ou que faire. Pesca me ramena à la réalité en revenant s'asseoir à côté de moi.

– Vous avez vu la tête de ce bonhomme ! s'exclama-t-il. C'est moi qu'il regarde ainsi ? Suis-je donc si célèbre ? Et comment me connaît-il alors que je ne le connais pas ?

Je gardai les yeux fixés sur le comte ; je vis qu'il s'était lui aussi déplacé, de manière à ne pas perdre de vue mon ami. J'étais curieux de savoir quelle serait sa réaction si Pesca détournait son attention ; aussi demandai-je au professeur s'il reconnaissait parmi le public quelques-unes de ses élèves.

Il s'empara aussitôt de ses grosses jumelles et se mit à scruter les loges le plus consciencieusement du monde. Dès que le comte s'aperçut que Pesca ne le regardait plus, il quitta sa place. Empoignant mon petit ami par le bras, je l'emmenai de force afin d'empêcher le comte de quitter le parterre, mais, à ma grande surprise, l'homme blond se précipita avant moi à travers la foule. Quand nous atteignîmes le corridor, le comte avait disparu et l'étranger également.

– Rentrons vite chez vous, Pesca, il faut absolument que je vous parle seul à seul.

– Garde-Dieu-me-garde ! s'écria le professeur, totalement désemparé. Pour l'amour du Ciel, Walter, que se passe-t-il ?

Je l'entraînai rapidement sans répondre, trop absorbé par mes réflexions. Je me disais que le comte, d'après ce que je venais de comprendre, ferait tout pour échapper à Pesca et que, s'il quittait Londres, il m'échapperait aussi. Il fallait agir sans tarder ; c'était désormais une question d'heures. D'autre part, j'étais tracassé par l'homme à la cicatrice qui, manifestement, était lui aussi sur les traces du comte

Une fois arrivé chez lui, je mis rapidement Pesca au courant de la situation. Je ne fis qu'accroître son étonnement et sa confusion en lui expliquant ce que j'attendais de lui.

– Mais, mon ami, que puis-je faire ? fit-il l'air désolé en invoquant le Ciel de ses deux mains. Diable-par-le-diable, comment puis-je vous aider, Walter, puisque je ne connais pas cet homme !

– Lui vous connaît, mon ami, et il a peur de vous. C'est pour vous échapper qu'il a fui le théâtre. Pesca ! il doit y avoir une raison à tout ceci ! Fouillez dans votre vie, avant votre arrivée en Angleterre. Vous m'avez dit avoir quitté l'Italie pour des raisons politiques. Vous ne m'avez jamais dit de quoi il retournait exactement et ce n'est pas ce que je vous demande. Mais consultez vos souvenirs et voyez si ces raisons ne peuvent pas avoir un lien avec la terreur que vous avez provoquée chez le comte ?

A ma grande surprise, ces paroles, que je croyais inoffensives, produisirent sur mon ami le même effet que sa vue avait suscité chez le comte. Il devint blême et recula en tremblant.

– Walter ! Vous ne savez pas ce que vous dites !

Il avait prononcé ces mots dans un murmure, comme si je venais soudainement de nous exposer tous les deux à quelque danger caché. C'était un autre homme, et si je l'avais rencontré dans la rue à ce moment, je n'eusse jamais reconnu mon affable et jovial compagnon.

– Pardonnez-moi si je vous ai bien involontairement heurté. Mais souvenez-vous de ce que ma femme a souffert à cause de lui. Jamais le tort immense qu'il lui a fait ne pourra être réparé si je ne trouve pas le moyen de le forcer à avouer son crime. C'est pour elle que je lutte, Pesca, et je vous demande encore une fois de me pardonner… Je ne peux rien dire de plus.

Je me levai pour partir, mais il m'arrêta :

– Attendez, Walter, me dit-il. Vous m'avez tellement bouleversé, mon ami. Vous ignorez comment et pourquoi j'ai quitté le pays… Attendez que je me remette un peu.

Je me rassis tandis qu'il se mettait à marcher de long en large, se parlant à lui-même en italien. Après avoir fait plusieurs fois le tour de la pièce, il vint brusquement vers moi et posa ses petites mains sur mon cœur avec une solennité pleine de tendresse.

– Jurez-moi, Walter, que je suis votre seul moyen d'atteindre cet homme !

– Je n'en connais pas d'autre, Pesca, je le jure !

Il alla ouvrir la porte pour jeter un œil dans le corridor, puis, après l'avoir refermée, revint s'asseoir.

– Le jour où vous m'avez sauvé la vie, Walter, vous avez acquis le droit de disposer de la mienne. Aussi vrai qu'il y a un dieu, je remets ma vie entre vos mains. Prenez-la. Oui ! Je sais ce que je dis. Ce que je vais vous apprendre vous fera maître de mon destirr.

Il y avait une telle intensité et une telle émotion dans sa voix tandis qu'il me parlait que je fus convaincu qu'il disait la vérité.

– Écoutez-moi bien, continua-t-il dans un état d'extrême agitation, je ne vois pour ma part aucun rapport entre ce Fosco et mon passé, mais si vous découvrez quelque chose, je vous en supplie à genoux, ne me dites rien, gardez-le pour vous…, laissez-moi dans l'ignorance, je ne veux rien savoir !

Il ajouta quelques propos désordonnés puis s'arrêta. Je compris que le fait de s'exprimer en anglais – sur un sujet trop grave pour qu'il s'amusât à employer les expressions de son cru qui d'ordinaire le réjouissaient tant – rendait encore plus difficile ce qu'il avait à me confier. Comme au cours de notre longue amitié j'avais appris à comprendre sa langue (tout en étant incapable de la parler), je proposai qu'il s'exprimât en italien, tandis que je lui poserais mes questions en anglais. Il fut heureux d'accepter et, dans son idiome chantant, Pesca me révéla, à grand renfort de gestes qui trahissaient toute son agitation intérieure, ce qui allait me permettre de mener l'ultime combat qui fait l'objet de cette histoire [1].

– Vous ne savez rien de mon départ d'Italie, si ce n'est qu'il a été dicté par des motifs politiques. Si j'avais quitté mon pays pour échapper aux persécutions de mon gouvernement, je vous l'eusse dit depuis longtemps déjà. Je me suis tu parce qu'aucun gouvernement ne m'a officiellement condamné au bannissement. Vous avez sans doute entendu parler, Walter, de ces sociétés politiques secrètes qui fleurissent un peu partout dans les grandes villes européennes. J'appartenais en Italie à l'une de ces sociétés secrètes, et j'y appartiens encore en Angleterre. C'est sur les ordres de mon chef que je vins dans votre pays. J'étais jeune et mon zèle avait risqué de me compromettre en même temps que d'autres. C'est pour ces raisons qu'on m'ordonna d'émigrer en Angleterre et d'y attendre d'autres instructions. J'émigrai… j'attendis… et j'attends encore ! Demain ou Dieu sait quand, je puis être rappelé, peu m'importe ! En attendant, je gagne bien ma vie dans votre pays que j'aime. Je ne viole aucun serment (vous allez comprendre pourquoi) en vous révélant le nom de la société à laquelle j'appartiens, je ne fais que remettre ma vie entre vos mains. Si ce que je vous confie ici parvient un jour à d'autres oreilles, aussi certainement que nous sommes assis l'un en face de l'autre, je suis un homme mort.

Il me murmura alors le nom à l'oreille. Pour respecter son secret, j'appellerai sa société la « Confrérie » quand il me faudra y faire allusion. Cela suffira à la compréhension du récit.

1. Il me faut préciser ici que je rapporte le témoignage de Pesca en en ayant, à sa propre demande, supprimé et transformé avec soin ce qu'exigeaient la gravité du sujet et mon sens de l'amitié. Que le lecteur me pardonne ces omissions dictées par la prudence.

– Le but de la Confrérie, continua Pesca, comme celui de toutes les sociétés politiques de ce genre, est la destruction de la tyrannie et l'établissement des droits du peuple. Elle est fondée sur deux principes fondamentaux. Tant que la vie d'un homme est utile ou inoffensive aux autres, il a le droit de la garder et d'en jouir, mais si sa vie devient nuisible pour ses compagnons, dès ce moment il perd ce droit et non seulement ce n'est plus un crime mais cela devient un devoir de la lui ôter. Ce n'est pas à moi de vous apprendre dans quelles conditions d'oppression et de souffrance cette société a vu le jour ; pas plus que ce n'est à vous autres, Anglais, qui avez conquis de longue date votre liberté, de m'expliquer que vous avez oublié le sang versé et les crimes commis pour prix de cette conquête. Non, ce n'est pas à vous de me dire jusqu'à quelles folles extrémités peuvent être poussés ceux qui vivent asservis dans leur propre nation. Le fer est entré trop profondément dans nos âmes pour que vous puissiez l'y découvrir ! Ne vous occupez pas du réfugié ! Raillez-le, méfiez-vous de lui, ouvrez des yeux ébahis devant cette blessure secrète qu'il porte au plus profond de lui, parfois, comme c'est mon cas, sous les apparences de la plus grande respectabilité et de la parfaite tranquillité, parfois, hélas ! s'il n'a eu ni ma chance, ni ma patience, ni ma docilité, sous les dehors de la misère la plus noire, mais surtout ne le jugez pas ! Au temps de votre Charles Ier, vous nous eussiez rendu justice ; vous en êtes incapables aujourd'hui tant vous êtes habitués au luxe de la liberté !

Il mettait tout son cœur dans ses paroles, révélait sa véritable personnalité et ses pensées les plus intimes, comme il ne l'avait jamais fait depuis que je le connaissais. Pourtant, pas une seule fois il n'éleva la voix dans son exaltation, trop conscient de ce qu'il y avait de redoutable dans ses révélations.

– Vous croyez sans doute (dans votre tête d'Anglais) que cette société veut, comme les autres, instaurer le règne de l'anarchie ou la révolution, qu'elle n'a d'autre but que d'ôter la vie à de vilains rois ou à de méchants ministres, comme s'il s'agissait de bêtes sauvages que l'on abat à la première occasion. Je veux bien vous concéder ce dernier point, Walter, mais laissez-moi vous dire que les règles de la Confrérie sont différentes de celles qui régissent les autres sociétés secrètes. Ses membres ne se connaissent pas entre eux. Il existe un président en Italie et des présidents à l'étranger ; chacun d'eux a son secrétaire privé. Les présidents et les secrétaires connaissent les membres, mais ces derniers s'ignorent entre eux, jusqu'à ce que le chef juge nécessaire, pour une raison ou pour une autre, qu'ils se rencontrent. Cette précaution rend inutile que nous prêtions serment lors de notre admission. Seule une marque secrète, que nous portons tous jusqu'à notre mort, prouve notre appartenance à la Confrérie. Quatre fois par an, au moment où il le désire, nous devons adresser un rapport au président ; le reste du temps, il nous est demandé de vaquer à nos occupations habituelles. Nous sommes prévenus que, s'il nous arrive de trahir la Confrérie, nous mourrons selon ses lois, c'est-à-dire abattus par une main inconnue envoyée de l'autre bout du monde ou par la main de notre plus proche ami, dont nous ne savions pas qu'il était membre comme nous. Parfois le châtiment est long à venir, parfois il suit immédiatement la trahison. La première chose que nous apprenons, c'est à attendre ; la seconde, à exécuter les ordres quand ils ont été donnés. Quelques-uns peuvent attendre une vie entière sans être appelés ; d'autres peuvent être engagés dans l'action le jour même de leur admission. Moi-même, ce petit homme aimable et enjoué que vous connaissez, moi qui ne voudrais pas lever mon mouchoir pour chasser une mouche de mon visage, j'ai rejoint la Confrérie dans ma jeunesse, par suite d'une épouvantable provocation dont je vous épargnerai les détails, sous le coup d'une brusque impulsion, comme j'eusse pu aussi bien me tuer sous le coup d'une impulsion. Je ne puis en sortir aujourd'hui, je lui appartiens, quoi que j'en pense à présent que l'âge m'a apporté la tempérance, jusqu'à ma mort. A l'époque où j'étais encore en Italie, je fus choisi comme secrétaire ; tous les membres qui ont rencontré notre président m'ont donc rencontré également.

Je commençais à comprendre, à deviner vers où tendaient ses révélations. Il marqua une pause, me scrutant intensément du regard, jusqu'à ce qu'il eût deviné ce qui me traversait l'esprit.

– Vous avez déjà tiré vos propres conclusions, je le vois sur votre visage. Mais ne me dites rien, gardez pour vous le secret de vos pensées. Laissez-moi aller jusqu'au bout de mon sacrifice, pour votre bien, et que jamais plus nous n'en reparlions.

En me faisant signe de ne pas lui répondre, il se leva, ôta son gilet et retroussa la manche gauche de sa chemise.

– Je vous ai promis de ne rien vous cacher, murmura-t-il la bouche presque collée à mon oreille, tandis que ses yeux restaient rivés à la porte. Quoi qu'il arrive vous ne pourrez pas me reprocher de ne pas vous avoir dit tout ce que vous aviez besoin de savoir. Je vous ai expliqué que les membres de la Confrérie portaient une marque distinctive qu'ils conservaient jusqu'à leur mort. Eh bien, Walter, voyez vous-même !

Il leva son bras nu et me montra, juste au-dessus de la saignée du coude, une marque circulaire faite au fer rouge, de la grandeur d'un shilling.

– Celui qui porte cette marque au fer rouge est membre de la Confrérie, reprit-il en rabaissant sa manche. Un membre qui a trahi finit tôt ou tard par être découvert par les chefs qui le connaissent – présidents ou secrétaires –, et un homme découvert est un homme mort. Aucune loi humaine ne peut le protéger, comprenez bien cela. Souvenez-vous de ce que vous avez vu et entendu, tirez-en toutes les conclusions que vous voudrez, agissez comme bon vous semblera, mais pour l'amour de Dieu ! quoi que vous découvriez, quoi que vous fassiez, ne me le dites pas ! Épargnez-moi une responsabilité qui me terrifie ; sur ma conscience, je vous dis que cela ne me regarde pas. Pour la dernière fois, je vous le répète, sur mon honneur de gentleman, sur ma foi de chrétien, si l'homme que vous m'avez désigné à l'opéra me connaît, il a tant changé ou il est si bien déguisé que moi, je ne le reconnais pas. J'ignore ce qu'il fait en Angleterre, je ne l'ai jamais vu et n'ai jamais entendu le nom sous lequel il se présente. Je n'en dirai pas plus. Laissez-moi seul un instant, mon ami. Je suis bouleversé par ce qui vient de se passer et encore sous le coup de ce que je viens de vous avouer. Nous nous reverrons quand j'aurai récupéré mes esprits.

Il se laissa tomber dans un fauteuil et se cacha le visage de ses mains. J'ouvris doucement la porte pour ne pas le déranger et le quittai en murmurant ces quelques mots qu'il pouvait fort bien choisir de ne pas entendre :

– Cette soirée restera gravée au plus profond de mon cœur. Vous ne vous repentirez jamais d'avoir eu confiance en moi, Pesca. Me permettez-vous de venir demain à neuf heures ?

– Oui, Walter, me répondit-il en me regardant avec bonté.

Il avait parlé en anglais comme s'il était impatient de redonner à nos relations leur tour normal. Il ajouta encore :

– Venez partager mon petit déjeuner, avant que je parte donner mes leçons.
– Bonne nuit, Pesca.
– Bonne nuit, mon ami.

VI

Ma première pensée, lorsque je me retrouvai dehors, fut que je n'avais pas d'autre choix que d'agir sur-le-champ. Si je ne voulais pas voir s'échapper la dernière chance de Laura, il me fallait en finir avec le comte cette nuit. Je regardai ma montre : il était dix heures.

Je n'avais pas l'ombre d'un doute sur la raison qui avait poussé le comte à s'enfuir du théâtre, et cela n'était qu'un prélude à sa fuite de Londres. Il portait sur le bras la marque de la Confrérie – j'en étais aussi sûr que s'il me l'avait lui-même montrée – et il portait sur la conscience le poids de sa trahison envers la Confrérie – sa réaction face à Pesca me le prouvait.

Que Pesca, lui, ne l'eût pas reconnu, voilà qui était aisé à comprendre. Le comte n'eût jamais risqué de se faire espion sans veiller prudemment à sa sécurité personnelle. Lorsque Pesca et lui s'étaient connus autrefois, il portait peut-être la barbe, sa chevelure noire d'aujourd'hui n'était peut-être qu'une perruque, et ce nom de Fosco n'était bien évidemment pas son vrai nom. L'âge également avait pu l'aider : avait-il toujours été aussi corpulent qu'à présent ? Voilà pourquoi mon ami ne l'avait pas reconnu ; et c'est sans doute parce que Pesca, lui, n'avait pas changé que le comte l'avait reconnu, Pesca avec sa physionomie si particulière, reconnaissable entre toutes.

J'ai dit être sûr des raisons qui avaient provoqué le départ précipité du comte. Comment eussé-je pu en douter, quand j'avais vu, de mes propres yeux, qu'il s'était cru repéré par Pesca, et donc en grand danger ? Si je parvenais à le faire parler cette nuit, si je pouvais lui montrer que, moi aussi, j'étais au courant du mortel péril qu'il encourait, qu'en résulterait-il ? En deux mots, ceci : l'un de nous deux serait le vainqueur, l'autre le perdant.

Il me fallait donc soigneusement mesurer les risques ; pour ma femme, je me devais d'être le plus prudent possible. Il n'était pas bien difficile de deviner les dangers qui me menaçaient ; ils se réduisaient à une seule chose : si le comte découvrait, de mon propre aveu, que ma vie même le menaçait, il n'était pas homme, m'ayant seul en face de lui, à ne pas oser se débarrasser de moi. Dans ces conditions, je réfléchis au seul moyen de me protéger. Avant de me dévoiler, je devais placer en lieu sûr une preuve de ce que je savais, de manière à ce qu'elle pût être utilisée contre lui. Si je plaçais ainsi cette bombe à retardement sous ses pieds, et si je confiais à une tierce personne le soin d'allumer la mèche au-delà d'un certain délai où elle n'eût pas reçu d'instructions contraires de ma main ou de ma bouche, le comte, pour sa sauvegarde, serait obligé de me garder en vie, et ainsi je pourrais l'affronter en sécurité, même dans sa propre demeure.

En arrivant près de notre nouveau logement, où nous avions emménagé à notre retour du bord de mer, j'avais déjà dressé mon plan. J'entrai avec ma clef, sans sonner. J'attrapai la lampe qui brillait dans le hall et montai directement à mon bureau pour faire mes préparatifs. Il me fallait voir le comte avant que Laura ou Marian pussent avoir la moindre idée de ce que j'entreprenais.

Une lettre à Pesca représentait la plus sûre des précautions que je pouvais prendre. Je lui écrivis donc le mot suivant :

L'homme que je vous ai désigné au théâtre est un membre de la Confrérie et il a trahi sa cause. Il loge au 5 Forest Road, dans St John's Wood. Au nom de l'amitié que vous me portez, usez du pouvoir que vous possédez, sans merci et sans délai. J'ai tout risqué… j'ai tout perdu et l'ai payé de ma vie.

Je signai et datai, puis cachetai l'enveloppe sur laquelle j'écrivis ces mots :

N'ouvrez pas cette lettre avant neuf heures, demain matin. Si, à cette heure-là exactement, vous n'avez pas eu de mes nouvelles, brisez le cachet et lisez.

W. H.

Je mis ce pli dans une autre enveloppe, cachetée également, à l'adresse de Pesca.

Restait à trouver le moyen de faire parvenir ma lettre à son destinataire dans les plus brefs délais. Cela fait, j'aurais accompli tout ce qui était en mon pouvoir. S'il m'arrivait quelque chose chez le comte, il le paierait de sa vie.

J'avais la certitude que Pesca, qui en avait désormais les moyens, n'hésiterait pas une seconde à empêcher le comte de s'échapper. L'insistance qu'il avait mise à ne pas vouloir être averti de la véritable identité du comte, en d'autres termes à souhaiter ne pas apprendre quelque chose qui l'eût obligé, en conscience, à agir, montrait trop, même s'il ne me l'avait pas dit ouvertement, qu'il était en mesure de faire s'accomplir la terrible justice de la Confrérie. Il est de nombreux exemples de cette vengeance inexorable qui s'abat sur ceux qui, à l'étranger, ont trahi une société secrète ; on sait que la mort les retrouve, où qu'ils se cachent. Mon expérience ne dépasse pas celle d'un lecteur de journaux, mais il me revient en mémoire le cas d'étrangers découverts poignardés dans la rue, à Londres ou à Paris, et dont les assassins n'ont jamais été retrouvés, le cas encore de cadavres ou de morceaux de cadavres jetés dans la Seine ou dans la Tamise par des bras qui n'appartiennent à personne ; ces morts violentes et mystérieuses ne peuvent s'expliquer que d'une seule façon. Dans ces pages, j'ai toujours dit la vérité me concernant, et je dis la vérité en écrivant ici que j'avais le sentiment d'avoir signé l'arrêt de mort du comte, si des circonstances fatales obligeaient Pesca à ouvrir mon enveloppe.

Je descendis chez mon propriétaire pour le prier de me trouver un messager rapide. Il se trouvait lui-même dans l'escalier et nous nous rencontrâmes sur le palier. Il me proposa immédiatement les services de son fils, un jeune garçon déluré. Nous fîmes alors monter ce dernier, à qui je donnai mes instructions. Il devait prendre un fiacre, remettre cette lettre en main propre au professeur Pesca, attendre la réponse, puis revenir en voiture et garder celle-ci à ma disposition. Il était presque dix heures et demie. Je calculai que le garçon serait de retour dans une vingtaine de minutes et que je pourrais à mon tour partir pour St John's Wood, ce qui me prendrait encore vingt minutes.

Une fois le messager parti, je retournai à mon bureau, afin de mettre de l'ordre dans mes papiers au cas où il m'arriverait quelque chose. Je laissai en évidence sur ma table, dans une enveloppe au nom de Marian, la clef de mes tiroirs. Cela fait, je redescendis retrouver Laura et Marian qui attendaient mon retour de l'opéra ; ma main tremblait lorsque je saisis la poignée.

Marian était seule dans la pièce et lisait. En me voyant entrer, elle regarda sa montre d'un air surpris.

– Comme vous rentrez tôt, Walter ! Vous n'êtes pas resté jusqu'à la fin ?

– Non. Et Pesca non plus, d'ailleurs. Où est Laura ?

– Elle souffrait d'un terrible mal de tête et je lui ai conseillé d'aller se coucher.

Je quittai le salon, sous le prétexte d'aller prendre de ses nouvelles. En réalité, les yeux de Marian commençaient à me scruter d'un air interrogateur, son incomparable instinct commençait à deviner que je ne lui disais pas tout.

J'entrai dans notre chambre à coucher et m'approchai doucement du lit. Ma femme était endormie. Cela ne faisait pas un mois que nous étions mariés. Ai-je des excuses si en la voyant ainsi, reposant en toute confiance, le visage tourné vers mon oreiller et la main ouverte tendue sur le couvre-lit, si sûre que j'allais bientôt y mettre la mienne, je sentis une nouvelle fois ma volonté fléchir et mes résolutions vaciller ? Je m'autorisai juste quelques instants de paix, agenouillé à côté d'elle, sentant son souffle sur mon visage. Avant de me relever j'effleurai de mes lèvres sa main et sa bouche. Elle remua un peu dans son sommeil, prononça mon nom, mais ne se réveilla pas. Sur le pas de la porte, je me retournai une dernière fois et lui murmurai : « Dieu vous garde, mon amour ! »

Marian m'attendait sur le palier, une feuille de papier pliée à la main.

– Le fils du propriétaire vient de l'apporter pour vous, Walter, en disant que la voiture attendait.

– Parfait, Marian ! Il faut que je sorte encore ce soir et j'ai effectivement besoin d'un fiacre.

Je revins au salon pour y lire le mot de Pesca :

Reçu votre lettre. Si je ne vous vois pas à l'heure dite, je briserai le cachet.

Je rangeai la lettre dans mon portefeuille et me dirigeai vers la porte. Marian m'attendait sur le seuil et me repoussa dans la pièce. Elle me saisit les deux mains, ses yeux plongés dans les miens.

– Je vois… Vous risquez votre dernière chance ce soir ?

– Oui…, la dernière et la meilleure ! murmurai-je en retour.

– N'y allez pas seul ! Walter, pour l'amour de Dieu, n'y allez pas seul ! Laissez-moi vous accompagner, je vous en prie, Walter… Il le faut ! Je resterai dans la voiture… Je vous en supplie !

Je l'arrêtai avec fermeté. Elle voulut m'empêcher d'atteindre la porte.

– Si vraiment vous voulez m'aider, Marian, dormez cette nuit dans la chambre de Laura ; je serai plus fort si j'ai l'esprit en repos. Allons, embrassez-moi et montrez-moi que vous êtes courageuse.

Je ne la laissai pas ajouter un mot. Elle tenta encore de m'arrêter, mais je me dégageai et m'enfuis de la pièce. Le garçon, qui m'avait entendu descendre l'escalier, m'ouvrit la porte du hall et je m'engouffrai dans le fiacre.

– Forest Road, St John's Wood, criai-je au cocher, et double prix si vous y arrivez en un quart d'heure !

– Nous y serons, monsieur.

Je regardai ma montre : onze heures. Plus une minute à perdre.

Emporté par la vitesse du fiacre et conscient que chaque instant désormais me rapprochait du comte, je n'avais plus d'autre idée en tête que la conviction que je touchais au terme de mon aventure ; dans la fièvre de l'excitation, je criais au cocher d'aller plus vite et encore plus vite. Comme nous approchions de St John's Wood, n'y tenant plus, je me dressai sur mes pieds et mis la tête à la portière pour apercevoir, avant même d'y être arrivé, l'endroit où mon voyage prendrait fin. Au moment précis où l'horloge de l'église sonnait onze heures et quart, nous entrions dans Forest Road. Je fis arrêter la voiture un peu avant la maison du comte, puis renvoyai le cocher après l'avoir payé.

Comme j'approchais du jardin, je vis une silhouette s'en approcher également, venant d'en face. Nous nous croisâmes sous un réverbère et nous observâmes réciproquement. Je reconnus immédiatement le jeune homme blond à la cicatrice, et je pense qu'il me reconnut aussi.

Mais il ne dit rien et, au lieu de s'arrêter devant la maison, passa lentement son chemin. Se trouvait-il là par hasard ou avait-il suivi le comte depuis le théâtre ?

Je n'avais pas le temps de m'attarder sur ce genre de questions. Ayant attendu un moment que l'étranger eût disparu, je sonnai à la grille. Il était alors assez tard pour que le comte refusât de me recevoir en prétextant qu'il était déjà au lit. La seule façon d'éviter cela était de donner mon nom sans autres explications préliminaires et de lui faire savoir que j'avais les plus sérieux motifs de vouloir lui rendre visite à cette heure avancée de la nuit. Aussi, lorsqu'une femme de chambre vint m'ouvrir, lui tendis-je immédiatement ma carte, sur laquelle j'avais écrit : *Affaire importante.*

–Voulez-vous avoir l'obligeance de remettre tout de suite cette carte à votre maître ? demandai-je.

Je vis bien à la surprise de la fille que, eussé-je usé d'un ton moins impérieux, elle m'eût aussitôt répondu, d'après les instructions qu'elle avait reçues, que son maître était absent. Mais mon assurance la déstabilisa et, après m'avoir regardé un moment avec hésitation, elle rentra dans la maison et referma la porte derrière elle, me laissant seul dans le jardin.

Au bout de quelques minutes, elle réapparut.

– Mon maître vous envoie ses compliments et serait très obligé si vous vouliez dire de quelle affaire il s'agit.

– Faites-lui également mes compliments et dites-lui que l'affaire est confidentielle et urgente.

Elle rentra de nouveau, puis revint, cette fois pour me prier de la suivre.

L'instant d'après, j'étais dans la maison du comte.

VII

Il n'y avait pas de lumière dans le corridor mais, à la lueur de la chandelle que tenait la femme de chambre, j'entrevis une dame d'un certain âge qui sortait d'une pièce du fond. En se dirigeant vers l'escalier, elle me lança un regard de vipère. Je devinai que c'était la comtesse Fosco.

Je fus introduit dans la pièce qu'elle venait de quitter et me trouvai face à face avec le comte. Il était encore en tenue de soirée, mais il avait enlevé son habit et relevé les manches de sa chemise, un peu plus haut seulement que les poignets. D'un côté de son fauteuil, il y avait une valise, de l'autre une malle. Papiers, livres et objets de toilette encombraient la chambre. Sur la table, je vis la cage aux souris blanches – ces souris blanches que les descriptions de Marian m'avaient rendues si familières. Le perroquet et les canaris se trouvaient probablement dans un autre endroit de la maison. Le comte, au moment où j'entrai, était assis devant la malle, occupé à la remplir. Son visage portait encore les traces de l'émotion violente qu'il avait éprouvée au théâtre. Il avait la mine défaite; ses yeux gris semblaient inquiets. Il m'adressa la parole sur un ton qui me prouva qu'il se méfiait et me pria assez froidement de prendre un siège.

– Il paraît que vous venez pour affaires. Je ne vois vraiment pas de quoi il peut être question.

La curiosité réelle avec laquelle il m'observait me fit comprendre qu'il ne m'avait pas remarqué à l'opéra. Il avait vu Pesca et personne d'autre. Mon nom devait bien lui laisser supposer que ma visite n'avait rien d'amical, mais il n'avait pas l'air d'en savoir davantage.

– J'ai de la chance de vous trouver encore ici, répondis-je avec calme. Je vois que vous comptez partir en voyage.

– Cela a-t-il un rapport avec ce dont vous venez m'entretenir?

– Plus ou moins!

– Et en quoi, je vous prie? Savez-vous seulement où je vais?

– Je l'ignore. Je sais seulement pourquoi vous quittez Londres.

Se levant furtivement, il se précipita vers la porte qu'il ferma à clef, puis il mit celle-ci dans sa poche.

– Nous nous connaissons fort bien de réputation, monsieur Hartright. Mais en venant chez moi, ignoriez-vous par hasard que je ne suis pas un homme avec qui l'on peut badiner?

– Je le savais, aussi ne suis-je pas venu dans ce but, monsieur. Ma présence ici, ce soir, équivaut à une question de vie ou de mort, et même si cette porte n'était pas fermée à clef, rien de ce que vous pourriez me dire ne me ferait partir en ce moment.

En disant ces mots je me dirigeai lentement vers la cheminée, tandis qu'il traînait une chaise devant la porte et s'y laissait tomber, le bras appuyé sur la table. Il avait réveillé les souris, dont la cage se trouvait tout à côté, et les petites bêtes se mirent à l'observer à travers leurs barreaux.

– Une question de vie ou de mort ! répéta-t-il. Ces mots sont peut-être plus graves que vous ne le pensez… Que voulez-vous dire ?

– Ce que j'ai dit.

Son front se couvrit de sueur. Sa main gauche avait glissé jusqu'à l'un des tiroirs de la table. Il saisit la clef entre le pouce et l'index mais ne la tourna pas.

– Ainsi, vous savez pourquoi je quitte Londres ? Puis-je en connaître la raison, je vous prie ? dit-il, tout en manœuvrant la clef.

– Je puis faire mieux encore, je puis vous en montrer la raison, si vous le voulez.

– Et comment ?

– Relevez davantage la manche gauche de votre chemise ; vous la verrez sur votre bras !

Le visage du comte devint livide et je vis passer dans ses yeux la même expression de terreur que celle que j'avais observée au théâtre. Il ne dit rien mais sa main s'avança profondément dans le tiroir où j'entendis remuer un objet lourd. Puis survint un silence de mort, troublé seulement par l'imperceptible bruit des souris mordillant les barreaux de leur cage.

Je savais que ma vie ne tenait qu'à un fil. A cet instant, je pensais réellement avec son esprit, je sentais avec ses doigts, et il me sembla voir de mes propres yeux ce qu'il tenait au fond du tiroir.

– Attendez un instant, lui dis-je, la porte est fermée à clef, mes mains sont vides et vous voyez que je ne bouge pas. J'ai encore quelque chose à vous dire…

– Vous en avez dit assez, répliqua-t-il avec un calme si effrayant que j'eusse préféré le voir en colère. Laissez-moi réfléchir un peu. Savez-vous à quoi je songe ?

– Je m'en doute.

– Je me demande si je vais encore ajouter au désordre de cette chambre en répandant votre cervelle sur la cheminée.

Si j'avais tenté le moindre geste à cet instant précis, je crois qu'il l'eût fait.

– Avant de vous décider, je vous conseille de lire les quelques lignes que j'ai sur moi.

Ma proposition excita sa curiosité et il me fit un signe d'assentiment. Je sortis alors de mon portefeuille la réponse de Pesca, la lui tendis de loin et revins me poster devant la cheminée.

Il la lut tout haut : « Reçu votre lettre. Si je ne vous vois pas à l'heure dite, je briserai le cachet. »

Un autre homme que le comte eût demandé des explications, mais une seule lecture lui avait suffi pour comprendre quelles précautions j'avais prises.

Son expression changea brusquement et il retira sa main du tiroir.

– Je ne referme pas le tiroir, monsieur Hartright, et je ne sais pas encore si je ne vous ferai pas sauter la cervelle tout à l'heure, mais si je me trouve devant un homme intelligent, je sais le reconnaître. Venons au fait, monsieur. Vous voulez quelque chose de moi ?

– Oui, et je l'aurai !

– Sous quelles conditions ?

– Aucune condition.

Sa main replongea dans le tiroir.

– Bah ! Nous tournons en rond, monsieur, et votre cervelle se trouve de nouveau en danger. Votre ton est d'une terrible insolence, et je vous prie de le modérer immédiatement. Le risque de vous tuer ici est moins grand pour moi que celui de vous laisser partir, si vous n'acceptez pas mes conditions. Souvenez-vous que vous n'avez pas devant vous mon ami regretté, mais Fosco lui-même ! S'il me fallait marcher sur vingt cadavres pour assurer ma sécurité, je marcherais sur les vingt cadavres avec ma sublime indifférence et mon calme imperturbable. Montrez-moi du respect si vous tenez à la vie. Je vous somme de répondre sur-le-champ à trois questions. Il me faut impérativement des réponses.

Il leva son pouce droit :

– Première question ! Si vous êtes ici avec des informations fausses ou vraies, de qui les tenez-vous ?

– Je refuse de répondre.

– Peu importe ! Je le saurai quand même. Si ces informations sont vraies – remarquez, je vous prie, que je dis si –, vous comptez vous en servir en spéculant sur la forfaiture d'un autre, à moins que ce ne soit sur la vôtre ! Je m'en souviendrai en temps voulu.

Il leva son index.

– Deuxième question ! Ces lignes que vous m'avez fait lire sont sans signature. Qui les a écrites ?

– Un homme en qui j'ai pleine confiance et que vous avez toutes les raisons de craindre.

Ma réponse l'atteignit. J'entendis sa main gauche trembler au fond du tiroir.

– Combien de temps me donnez-vous, avant que le cachet soit brisé ?

Il avait posé sa troisième question beaucoup plus calmement.

– Suffisamment de temps pour obtenir de vous ce que je veux, répondis-je.

– Répondez-moi clairement, monsieur Hartright. Quelle est l'heure fixée ?

– Neuf heures du matin.

– Neuf heures du matin ? Oui, je vois ! Votre guet-apens est disposé de telle façon que je n'aie pas le temps de faire régulariser mes passeports et de quitter Londres. Vous êtes sûr que ce n'est pas plus tôt, n'est-ce pas ? Nous verrons… Je peux vous retenir en otage et vous contraindre à envoyer votre message avant de vous laisser partir. Mais pour l'instant, soyez assez bon pour me dire ce que vous êtes venu chercher ici ?

– Vous allez l'apprendre. Je serai bref et précis. Savez-vous quels intérêts je représente en venant ici ?

– Laissez-moi deviner… Je suppose que ce sont ceux d'une dame ? dit-il, en souriant de l'air le plus détendu qui soit et en agitant sa main droite.

– Ceux de ma femme, monsieur.

Pour la première fois, il me regarda avec une expression non feinte d'intense stupéfaction. Je vis qu'il ne me considérait plus comme aussi dangereux qu'avant. Fermant brusquement le tiroir, il se croisa les bras et m'écouta, un sourire ironique aux lèvres.

– Vous êtes suffisamment au courant, continuai-je, des investigations que j'ai poursuivies durant ces derniers mois pour vous rendre compte qu'il est inutile de nier les preuves que j'ai accumulées. Vous vous êtes rendu coupable d'une infâme conspiration dans le seul but d'extorquer dix mille livres.

Il ne répondit pas, mais son visage s'assombrit et devint anxieux.

– Gardez votre bien mal acquis, repris-je, tandis que ses joues retrouvaient leur couleur et qu'il me regardait de plus en plus étonné. Je ne suis pas venu ici pour m'abaisser à vous redemander l'argent que vous vous êtes approprié au prix d'un crime honteux…

– Doucement, monsieur Hartright, doucement. Vos beaux discours de moralité ont beaucoup de succès en Angleterre, gardez-les pour vos compatriotes, voulez-vous ? Les dix mille livres constituaient un legs de feu Mr Fairlie à sa sœur. Partons sur ces bases-là, et je suis prêt à discuter, bien qu'il s'agisse d'un sujet effroyablement sordide pour un homme aux sentiments délicats comme moi. Je préfère ne pas m'appesantir et vous demande d'en arriver rapidement à ce que vous désirez.

– Je demande d'abord une confession complète du complot, écrite et signée par vous en ma présence.

De nouveau il leva son pouce.

– Un ! fit-il de l'air appliqué d'un homme ayant le sens pratique.

– Ensuite, je demande une preuve irréfutable, qui ne dépende pas de vos simples dires, de la date à laquelle ma femme a quitté Blackwater Park pour se rendre à Londres.

– Ah ! Ainsi donc vous avez mis le doigt sur notre point faible, remarqua-t-il posément. Et ensuite ?

– Rien d'autre pour le moment.

– Bon ! Vous avez dit vos conditions, vous allez connaître les miennes à présent. Mieux vaut sans doute pour moi admettre ma participation à ce que vous appelez un complot que de vous étendre sur le carreau. J'accepte donc, mais à certaines conditions. Vous aurez, écrite en détail, toute l'histoire du complot, et vous aurez la preuve que vous demandez. J'imagine qu'une lettre signée et datée de mon ami regretté, dans laquelle il m'informe de la date et de l'heure d'arrivée de lady Glyde à Londres, constitue une preuve à vos yeux. Je peux vous la fournir. Je peux aussi vous adresser au voiturier qui me conduisit à la gare pour l'y attendre. Son registre doit indiquer la date exacte, même si le cocher lui-même ne s'en souvient plus. Je suis d'accord pour vous donner toutes ces preuves, mais voici mes conditions. Première condition ! La comtesse Fosco et moi-même devons pouvoir quitter cette maison quand bon nous semblera, sans que personne nous en empêche. Deuxième condition ! Vous attendrez ici avec moi mon homme d'affaires qui doit arriver à sept heures demain matin ; vous lui donnerez un mot adressé à l'homme qui est en possession de votre lettre cachetée, l'autorisant à la remettre au porteur ; vous attendrez ici que cette lettre non ouverte me soit remise, après quoi je partirai, tandis que vous attendrez une demi-heure avant de vous en aller à votre tour. Troisième condition ! Vous devez m'accorder une réparation par les armes digne d'un gentleman pour vous être mêlé de mes affaires privées et m'avoir tenu le langage que vous m'avez tenu. J'indiquerai le jour et l'endroit, quand je serai à l'étranger sain et sauf, sur un morceau de papier mesurant exactement la longueur de mon épée. Telles sont mes conditions. Faites-moi savoir si vous les acceptez, oui ou non.

Cet extraordinaire mélange de décisions rapides, de précautions avisées et de bravades d'homme du monde m'étourdit un moment… mais un moment seulement. Je me demandai si j'avais le droit, pour posséder les moyens de rendre à Laura son identité, de permettre à ce misérable d'échapper à la justice. Je savais que la volonté de rendre à ma femme le rang qui était le sien et d'où elle avait été chassée par une imposture, d'effacer publiquement le mensonge qui profanait encore la tombe de sa mère était un motif bien plus pur que la passion vengeresse qui m'animait par ailleurs. Cependant mes convictions morales n'eussent pas suffi en cet instant à me faire renoncer, si je n'avais pas pensé à la mort de sir Percival. De quelle manière horrible alors le châtiment s'était abattu sur le coupable, me laissant totalement impuissant ! Quel droit avais-je, moi pauvre mortel ignorant des desseins divins, de décider si en échappant à ma vengeance le comte gagnait son impunité ? Sans doute une sourde superstition animait-elle mes pensées, sans doute aussi quelque plus noble idée de moi-même. Il était dur, alors que je le tenais à ma merci, de le laisser partir, mais je devais consentir à ce sacrifice. En d'autres termes, je décidai de n'écouter que le plus haut motif qui guidait mes actes, le désir de servir la cause de Laura et la vérité.

– J'accepte vos conditions, dis-je, avec une réserve toutefois.

– Peut-on savoir laquelle ?

– C'est au sujet de la lettre cachetée. Je désire que vous la détruisiez devant moi sans l'ouvrir.

En lui demandant cela, mon but était tout simplement de l'empêcher d'emporter un écrit prouvant que j'avais communiqué avec Pesca. Son témoignage oral, s'il tentait de s'en servir, n'aurait jamais aucun poids risquant d'inquiéter mon ami.

– Je m'y engage, répondit-il gravement, après avoir considéré la chose pendant une minute ou deux. Cela ne vaut pas une dispute… La lettre sera détruite.

Se levant, il s'étira en poussant un profond soupir de soulagement, comme s'il sentait s'envoler d'un coup toute la pression qu'avait fait peser sur lui la conversation.

– Ouf ! L'escarmouche a été chaude, s'écria-t-il. Prenez un siège, monsieur Hartright. Nous nous rencontrerons en ennemis mortels plus tard ; en attendant, conduisons-nous comme des gentlemen, voulez-vous ? Je vais appeler ma femme…

Il ouvrit la porte :

– Eleanor ! cria-t-il d'une voix de stentor.

La dame à la face vipérine apparut aussitôt.

– Comtesse Fosco…, Mr Hartright, nous présenta cérémonieusement le comte. Mon ange, reprit-il en s'adressant à sa femme, auriez-vous le temps, malgré vos préparatifs de départ, de me faire un bon café fort ? J'ai des affaires à traiter avec Mr Hartright et je dois faire appel à toute mon intelligence.

La comtesse s'inclina – d'un air revêche vers moi, d'un air soumis vers son mari – et disparut.

Le comte se dirigea vers un bureau placé près de la fenêtre, l'ouvrit, y prit plusieurs rames de papier et un paquet de plumes d'oie. Il disposa les plumes sur la table, prêtes à être utilisées, puis il coupa le papier en feuillets du format employé par les journalistes professionnels.

– Ce sera un document remarquable, dit-il en me regardant pardessus son épaule. J'ai l'habitude de la composition littéraire. Une qualité qu'un homme possède rarement est la faculté de classer ses idées. Immense privilège ! Je la possède, monsieur Hartright. Et vous ?

Sur ce, il se remit à arpenter la pièce en attendant que le café arrivât. Il chantonnait, marquant la progression de ses pensées en se frappant de temps à autre le front de la paume de la main. L'incroyable aplomb avec lequel il affrontait la situation dans laquelle je l'avais placé en la transformant en un piédestal du haut duquel il pouvait faire rayonner sa vanité me sidérait. Malgré la répugnance que m'inspirait cet homme, je ne pouvais qu'être impressionné par sa prodigieuse force de caractère, s'exprimât-elle de manière aussi vulgaire.

Sa femme entra à ce moment, apportant le café ; il alla vers elle, prit le plateau et la reconduisit à la porte en lui baisant la main.

Il se versa une tasse du liquide brûlant.

– Puis-je vous offrir une tasse de café, monsieur Hartright ? me demanda-t-il.

Je refusai.

– Croyez-vous par hasard que je désire vous empoisonner ? dit-il en riant. L'intelligence anglaise est grande, mais elle a le défaut d'être toujours prudente au mauvais moment.

S'asseyant devant la table, il prit une feuille de papier, trempa sa plume dans l'encre, toussa légèrement et commença à écrire. Il écrivait rapidement, en faisant crisser sa plume sur le papier, couvrant ses feuillets d'une écriture si large qu'il lui fallait à peine plus de deux minutes pour remplir une page. Chaque feuillet noirci était jeté sur le tapis par-dessus son épaule, après avoir été dûment numéroté. Feuillet après feuillet, par dizaines, par cinquantaines, par centaines, il continua de la sorte jusqu'à se trouver submergé par une mer de papier. Les heures coulaient ; j'étais là assis tandis qu'il écrivait. Il ne s'arrêtait pas, sauf pour prendre une gorgée de café et, quand celui-ci fut épuisé, pour se frapper le front bruyamment. Une heure sonna, puis deux, puis trois, quatre… Incessamment la plume grattait le papier et les feuilles continuaient à s'amonceler sur le tapis. A quatre heures, j'entendis un brutal crissement de plume annonçant les fioritures avec lesquelles il traçait sa signature.

– Bravo ! s'exclama-t-il en bondissant sur ses pieds avec la prestance d'un jeune homme et en me regardant avec un superbe sourire de triomphe. C'est fait, monsieur Hartright, annonça-t-il encore en se tapant la poitrine du poing dans un geste d'intense satisfaction, pour mon plus grand contentement… et votre profond étonnement quand vous lirez ce que j'ai écrit. Le sujet est épuisé, mais pas l'homme, pas Fosco ! Je vais procéder au tri de mes feuillets, à leur correction, puis il faudra que je vous en fasse dignement lecture. Quatre heures viennent de sonner. Bien ! De quatre à cinq heures, je relis, je corrige et je vous fais la lecture de mon œuvre. De cinq à six heures, sommeil réparateur. De six à sept heures, ultimes préparatifs. De sept à huit heures, liquidation des affaires avec mon agent, destruction de la lettre cachetée. Huit heures, *en route* [1]! Vaste programme, n'est-ce pas !

S'asseyant en tailleur par terre au milieu de ses papiers, il les rassembla en les examinant un à un, les lia avec une ficelle, puis il écrivit sur le premier feuillet tous ses titres honorifiques. Lorsqu'il eut terminé, il commença à me lire son manuscrit d'une voix théâtrale avec force gestes à l'appui. Le document me donna pleine satisfaction et le lecteur pourra bientôt s'en rendre compte par lui-même.

Le comte me donna alors l'adresse du loueur de voitures et me remit la lettre de sir Percival, datée du 25 juillet, qui annonçait que lady Glyde serait à Londres le 26. Ainsi, le jour même (25 juillet) où le certificat du médecin témoignait de sa mort à St John's Wood, elle était en vie, sous les yeux de sir Percival, à Blackwater Park, et le lendemain elle devait faire le trajet jusqu'à Londres ! Quand le voiturier aurait confirmé ce voyage, la preuve serait complète.

– Cinq heures et quart ! fit le comte en regardant sa montre. Il est temps pour moi de me retirer. Je ressemble au grand Napoléon, comme vous l'avez sans doute remarqué, monsieur Hartright, et j'ai la même faculté que lui, je commande au sommeil à volonté. Excusez-moi. Je vais demander à la comtesse de vous tenir compagnie.

Sachant aussi bien que lui qu'il n'appelait la comtesse que pour s'assurer que je ne disparaîtrais pas pendant qu'il dormait, je ne répliquai pas et m'occupai à rattacher les feuillets désormais en ma possession.

La comtesse entra, plus pâle, plus froide et plus venimeuse que jamais.

– Divertissez Mr Hartright, mon ange ! dit le comte en avançant une chaise à sa femme et en lui baisant la main.

Puis il se dirigea vers le canapé, s'y étendit et s'endormit aussi profondément que le plus vertueux des hommes. La comtesse Fosco prit un livre, s'assit près de la table, me lança un regard haineux de femme qui n'oublie pas et ne pardonne jamais.

1. En français dans le texte.

– J'ai écouté votre conversation, dit-elle. Si j'avais été à la place de mon mari, je vous aurais tiré une balle en plein cœur.

Sur ces mots, elle ouvrit un livre sans un regard supplémentaire et ne m'adressa plus la parole.

Une heure exactement après s'être endormi, le comte se réveilla :

– Je me sens frais et dispos. Eleanor, ma chère femme, tout est-il prêt en haut ? Bon ! Je n'en ai plus que pour dix minutes à emballer ici, puis dix minutes pour changer de vêtements. Que reste-t-il d'autre à faire avant l'arrivée de mon homme d'affaires ? Ah ! s'écria-t-il sur un ton de pitié, après avoir balayé la pièce d'un regard et aperçu la cage aux souris blanches. Il me faut encore faire un dernier et cruel sacrifice ! Mes innocentes chéries, mes pauvres petites filles ! que vont-elles devenir ? Désormais, nous n'allons pas cesser de voyager – moins nous aurons de bagages, mieux cela vaudra. Qui donc prendra soin de mes petites souris, une fois que papa sera parti ? Et de mes canaris, et de mon perroquet ?

L'air préoccupé, il marchait de long en large dans la chambre. Lorsqu'il s'était agi pour lui d'écrire la relation du complot, il n'avait nullement paru troublé ; l'avenir de ses petits animaux favoris, visiblement, l'inquiétait bien davantage.

Tout à coup, il revint s'asseoir au bureau.

Il commença à écrire, lisant à haute voix ce qu'il couchait sur le papier.

– Une idée ! s'écria-t-il. J'offre mes canaris et mon perroquet à cette grandiose cité. Mon homme d'affaires les conduira au Jardin zoologique de Londres. On les exposera avec le document que je vais rédiger.

– Premièrement, un perroquet au plumage flamboyant. Attraction en soi pour tout visiteur de goût. Deuxièmement, canaris d'une vivacité et d'une intelligence sans égales ; dignes du jardin d'Éden, digne aussi de Regent's Park. Hommage à la zoologie britannique. Offerts par Fosco.

Nouveau crissement de plume, nouvelle signature pleine de fioritures.

– Comte, vous avez oublié les souris, déclara la comtesse.

Quittant le bureau, il vint prendre la main de sa femme et la plaça sur son propre cœur.

– Tout courage a ses limites, Eleanor, répondit-il du ton le plus grave qui fût. Et le document que voilà dévoile mes limites. Je ne saurai jamais me séparer de mes souris blanches. Prenez-les avec moi, mon ange; emmenez-les en haut, pour les mettre dans leur cage de voyage.

– Tendresse admirable, fit la comtesse Fosco, en me jetant un dernier regard de haine.

Elle prit la cage très délicatement, et quitta la pièce.

Le comte consulta sa montre. Malgré tout le calme qu'il voulait montrer, c'est impatiemment qu'il attendait l'arrivée de son homme d'affaires. Les chandelles étaient mortes de leur belle mort depuis longtemps déjà, et les premiers rayons du soleil se glissaient dans la pièce. A sept heures cinq, on sonna enfin à la grille, puis l'homme d'affaires fit son entrée. C'était un étranger à la barbe noire.

– *Monsieur* Rubelle..., Mr Hartright, fit le comte en nous présentant l'un à l'autre.

Puis, prenant le nouveau venu à l'écart (chaque trait de sa personne trahissait l'espion), il lui murmura quelques mots à l'oreille, et nous laissa seuls. L'étranger s'approcha alors de moi, et suggéra avec une grande civilité que je lui confiasse mes instructions. J'écrivis deux lignes à Pesca, l'autorisant à remettre la lettre cachetée « au porteur », mis l'adresse sur l'enveloppe et la tendis à l'homme d'affaires. Nous attendîmes quelques instants le retour du comte, en costume de voyage. Avant de laisser partir Rubelle, il examina l'adresse que portait le pli.

– Je m'en doutais, dit-il en me lançant un regard noir, alors que ses manières semblaient s'altérer.

Il acheva ses préparatifs et se mit à consulter une carte, prenant des notes dans son calepin, non sans regarder de temps à autre sa montre, l'air de plus en plus impatient. Il ne m'adressa plus un mot. L'heure proche de son départ et le fait qu'il savait parfaitement maintenant que je m'étais mis en rapport avec Pesca faisaient que toute son attention se concentrait désormais sur les moyens et les précautions nécessaires pour assurer sa fuite.

Un peu avant huit heures, Rubelle revint avec ma lettre cachetée. Le comte lut encore avec attention le nom que j'y avais inscrit, après quoi, il alluma une chandelle et brûla la lettre.

– Je tiens ma promesse, monsieur Hartright..., mais cette affaire ne se terminera pas ici...

Rubelle avait retenu le fiacre qui l'avait ramené de chez Pesca. Avec la femme de chambre, il s'occupait d'y installer les bagages. La comtesse Fosco descendit soigneusement voilée ; la cage de souris blanches à la main, elle se dirigea vers la voiture sans même me regarder. Son mari la suivit en me disant à voix basse :

– Venez avec moi dans le corridor, j'aurai peut-être encore quelque chose à vous dire.

Je l'accompagnai jusqu'à la porte. L'homme d'affaires attendait dans le jardin. Le comte revint seul vers moi et me fit faire quelques pas vers l'intérieur.

– Souvenez-vous de ma troisième condition, murmura-t-il. Vous aurez bientôt de mes nouvelles, monsieur Hartright. En tant que gentleman, je vous demanderai la réparation à laquelle j'ai droit plus tôt que vous ne le pensez.

Alors, il me prit la main qu'il secoua fortement avant que j'eusse pu réagir, puis repartit vers la porte. Une nouvelle fois, il se retourna et revint me dire un dernier mot en confidence :

– Une ultime chose. La dernière fois que j'ai vu Miss Halcombe, elle m'a paru souffrante, cela m'inquiète. Prenez soin d'elle, pour l'amour du Ciel ! Prenez soin d'elle ! C'est une prière que je vous fais la main sur le cœur !

Et il s'engouffra dans le fiacre qui partit à toute allure.

Rubelle et moi restâmes un moment devant la porte. Comme nous attendions tous les deux, un second fiacre déboucha à l'angle de la rue et prit la même direction que la voiture du comte. Quand il passa devant le jardin, une personne se pencha à la portière et regarda vers nous : c'était encore l'inconnu de l'opéra, l'étranger à la cicatrice !

– Vous allez attendre ici avec moi pendant une demi-heure, monsieur, fit Rubelle.

– Oui.

Nous retournâmes au salon. Comme je n'étais pas d'humeur à entretenir une conversation avec mon compagnon, je sortis les papiers que m'avait remis le comte et entrepris de lire l'histoire de la terrible conspiration, racontée par celui même qui l'avait imaginée et mise à exécution.

RÉCIT D'ISIDOR OTTAVIO BALDASSARE FOSCO

Comte du Saint Empire Romain
Chevalier Grand-Croix de l'Ordre de la Croix d'Airain
Archimaître perpétuel
de la Rose-Croix maçonnique de Mésopotamie,
Membre honoraire de Sociétés musicales, médicales, philosophiques,
et autres sociétés philanthropiques,
dans l'Europe entière, etc.

J'arrivai en Angleterre en 1850, chargé d'une délicate mission politique. Des personnes de confiance telles que les Rubelle devaient me seconder dans ma tâche. J'avais devant moi quelques semaines de liberté avant de prendre mes fonctions dans les environs de Londres. Toute curiosité touchant à mes activités doit s'arrêter là : le secret diplomatique ne m'autorise pas à dévoiler le caractère de cette mission et je m'en excuse.

Avant de m'atteler à la tâche à laquelle je viens de faire allusion, je décidai donc d'aller passer quelque temps avec ma femme dans la superbe demeure de mon ami regretté, sir Percival Glyde. Il rentrait du continent avec sa femme; j'en arrivais avec la mienne. L'Angleterre est la terre du bonheur domestique; l'endroit était donc tout à fait indiqué pour nous livrer à ses plaisirs !

En plus de notre solide amitié, Percival et moi étions unis à ce moment-là par de sérieux embarras financiers. Nous avions tous les deux besoin d'argent. Un immense besoin ! Universelle nécessité ! Y a-t-il un seul homme, dans notre monde civilisé, qui n'éprouve à notre égard aucune sympathie, et s'il en existe un, il doit être insensible, ou immensément riche !

Je n'entrerai pas plus avant dans ces questions sordides. Ce genre de considérations me répugne. Avec une austérité toute romaine j'exhibe à la raillerie publique ma bourse vide et celle de Percival. Constatons donc une bonne fois pour toutes ce fait déplorable et n'y revenons plus.

Ma femme et moi fûmes reçus à Blackwater Park par l'admirable créature que mon cœur appelle Marian mais qui est connue dans l'atmosphère guindée de la bonne société sous le nom de Miss Halcombe.

Grands dieux ! Avec quelle promptitude j'appris à adorer cette femme ! A soixante ans, je me pris à la vénérer avec toute l'ardeur d'un jeune homme ! Tous les trésors de ma riche nature furent déposés en vain à ses pieds. Ma femme – pauvre ange ! –, ma femme qui me chérit n'en eut jamais que les miettes. Ainsi va le monde, l'homme, l'amour. Que sommes-nous d'autre que des marionnettes dans un théâtre en carton ? O toute-puissante destinée, tire nos ficelles avec clémence ! Manipule-nous avec douceur !

Les lignes qui précèdent expriment toute une philosophie de la vie. C'est la mienne.

Je reprends.

Les circonstances se rapportant aux premiers temps de notre séjour à Blackwater Park ont été relatées avec une extraordinaire perspicacité et une rare profondeur de vues par Marian elle-même (qu'on m'excuse cette irrésistible familiarité qui me fait parler de cette sublime créature en l'appelant par son prénom). Ayant lu avec la plus grande attention son journal – lequel parvint en ma possession par des moyens clandestins dont le seul souvenir me fait encore vibrer – je sais que je peux dispenser ma plume vigilante de se répandre sur un sujet que cette femme complète a déjà fait sien.

Toute l'affaire – affaire palpitante et gigantesque – dans laquelle je me trouve impliqué ici commença avec cette désastreuse calamité que fut la maladie de Marian.

La situation à l'époque était devenue dramatiquement grave. On réclamait à sir Percival d'importantes sommes d'argent, à brève échéance (je ne parle pas du peu d'argent dont j'avais moi-même besoin), et il n'avait plus d'autre moyen de s'en sortir que d'avoir recours à la fortune de sa femme. Malheureusement, il n'en devait jouir qu'après la mort de celle-ci. Déjà mauvais, mais le pire est à venir ! Mon ami regretté avait de surcroît des ennuis personnels, que ma délicatesse et mon amitié désintéressée m'interdirent de vouloir élucider. Je ne savais rien sinon qu'une dénommée Anne Catherick se cachait dans le voisinage et qu'elle causerait la ruine de Percival si elle dévoilait à lady Glyde, avec qui elle était entrée en contact, un certain secret. Il m'avoua lui-même qu'il était un homme perdu si sa femme n'était pas réduite au silence et si Anne Catherick n'était pas retrouvée. S'il était un homme perdu, qu'en serait-il de nos intérêts financiers ? J'en frémissais d'avance, moi qui suis pourtant si courageux de nature.

Néanmoins, j'employai dès lors toute ma subtilité d'esprit à retrouver cette Anne Catherick, et à la retrouver sans tarder. Certes, nos affaires d'argent étaient pressantes, mais la découverte de cette femme l'était plus encore et ne pouvait pas attendre. Je ne la connaissais que par la description que l'on m'en avait faite et qui faisait état d'une ressemblance frappante avec lady Glyde. Cette première information curieuse – destinée à m'aider dans mes recherches –, ajoutée au fait que cette femme s'était échappée d'un asile, fut la première pierre sur laquelle je bâtis en esprit le stupéfiant édifice que l'on sait. Il ne s'agissait de rien de moins qu'opérer la complète substitution entre les deux femmes. Lady Glyde et Anne Catherick échangeraient leur nom, leur place dans la société et leur destin ; de ce seul changement découlerait un gain de trente mille livres et, pour sir Percival, l'assurance que son secret ne serait jamais révélé.

Mon instinct (qui me trompe rarement) me suggéra que, compte tenu des circonstances, notre invisible Anne ne tarderait pas à se montrer de nouveau près du hangar à bateaux. Je me postai donc à cet endroit, ayant pris soin de signaler à Mrs Michelson, la gouvernante, qu'en cas de besoin l'on pourrait me trouver là, dans cet endroit solitaire, propice à l'étude. Je me suis fait une règle de ne jamais faire de mystères inutiles avec les gens afin qu'ils ne puissent me soupçonner de manquer de franchise. Mrs Michelson me croyait toujours. Cette veuve de pasteur aux manières de dame débordait de foi en les autres ; touché par une telle disposition d'esprit chez une femme de son âge, j'ouvris les amples réservoirs de ma nature et absorbai entièrement cet excédent de foi.

Je fus récompensé de mes longues attentes auprès du lac par l'arrivée non point d'Anne Catherick elle-même mais de la personne qui s'en occupait, elle aussi débordante d'une confiance dans laquelle je m'empressai de puiser tout mon soûl. Je lui laisse le soin (si elle ne l'a déjà fait) de décrire les circonstances dans lesquelles elle me présenta l'objet de toutes ses attentions. La première fois que je vis Anne Catherick, elle dormait ; je fus proprement saisi par sa ressemblance avec lady Glyde. Les détails du plan grandiose que jusqu'alors je n'avais fait qu'ébaucher dans ses grandes lignes m'apparurent dans toute leur géniale précision à la vue de ce visage endormi qui, dans le même temps, me tirait des larmes tant mon cœur tendre est sensible au spectacle de la souffrance. Je mis tout en œuvre dès lors pour apaiser ses souffrances ; en d'autres termes j'administrai à Anne Catherick les fortifiants nécessaires pour lui permettre de voyager jusqu'à Londres.

Ici, il me faut ouvrir une parenthèse et redresser une très lamentable erreur dont je fus la victime.

J'ai consacré les meilleures années de ma vie à l'étude de la médecine et de la chimie. La chimie, particulièrement, m'a toujours attiré à cause du pouvoir illimité que sa connaissance confère. Qu'on me donne la chimie, à moi, Fosco, et quand Shakespeare, ayant conçu Hamlet, voudra se mettre à écrire son drame, au moyen de quelques milligrammes de poudre mêlés à sa nourriture, je réduirai peu à peu son intelligence en réduisant les fonctions de son corps, si bien que sa plume écrira les insanités les plus méprisables qui soient. De même, faites revivre pour moi l'illustre Newton. J'affirme que lorsqu'il verra tomber la pomme, il la mangera au lieu de découvrir le principe de la gravitation. Néron, après son dîner et avant même qu'il l'ait digéré, deviendra l'homme le plus doux du monde ; et le breuvage qu'Alexandre le Grand prendra un matin le fera fuir devant l'ennemi l'après-midi et le rendra lâche et poltron jusqu'à la fin de ses jours. Sur mon honneur, je déclare qu'il est heureux pour l'humanité que nos chimistes modernes soient, par une chance admirable et presque incompréhensible, des hommes au caractère doux et inoffensif. La plupart sont de dignes pères de famille, qui tiennent boutique. D'autres sont des philosophes, éperdus d'admiration pour leur propre voix quand ils s'entendent parler, visionnaires qui gaspillent leur vie à imaginer de fantastiques impossibilités, ou simples charlatans sans ambition véritablement noble. Voilà pourquoi la société est sauve ; le pouvoir infini de la chimie reste asservi à des buts désespérément insignifiants et superficiels.

Pourquoi cette digression ? Pourquoi ce morceau d'éloquence vengeresse ?

Parce que ma conduite a été mal interprétée. On a voulu me soupçonner des plus noirs desseins envers Anne Catherick, envers même la magnifique Marian. Quelles odieuses insinuations ! Mon intérêt était à ce moment-là précisément de prolonger la vie d'Anne Catherick. Quant à Marian, j'aurais fait n'importe quoi pour la sauver des mains de l'imbécile docteur qui la soignait ! Mon diagnostic d'ailleurs fut confirmé par le spécialiste venu de Londres. Je reconnais avoir eu recours à la chimie en deux occasions, mais chaque fois sans faire courir aucun danger à la personne concernée. La première fois c'était après que j'eus suivi Marian jusqu'à l'auberge du village (caché derrière une charrette, je pus à loisir sans être vu me repaître de toute la poésie qui se dégageait de son corps quand elle marchait). Je m'en remis à mon inestimable femme pour avoir accès aux deux lettres que mon adorable ennemie venait de transmettre à une femme de chambre qui venait de se faire renvoyer. Comme la fille portait les lettres dans son corsage, la comtesse Fosco, pour en prendre connaissance et opérer comme elle en avait ordre la substitution d'une des deux lettres, dut utiliser mes compétences scientifiques, lesquelles se matérialisaient en la circonstance en un petit flacon contenant un liquide de ma fabrication. La seconde fois que j'eus recours à ce même procédé, ce fut au moment de l'arrivée de lady Glyde à Londres (moment sur lequel j'aurai bientôt l'occasion de revenir). Mais à part cela, je n'ai jamais sacrifié à mon art mes principes d'homme. Toutes les autres urgences, toutes les autres complications qu'il m'a fallu affronter, je les ai abordées à mains nues, sans aucune aide que celle de mon trop-plein d'intelligence. Aux dépens du chimiste, j'ai fait triompher l'homme.

Respectez, je vous prie, cet accès d'indignation généreuse. Il m'a immensément soulagé. *En route* ! Continuons.

Ayant suggéré à Mrs Clement (ou Clements, je ne suis plus très sûr) que le meilleur moyen de tenir Anne hors d'atteinte de Percival était de l'emmener à Londres, ayant vu ma proposition acceptée avec empressement et étant convenu d'un rendez-vous avec les deux voyageuses à la gare, j'étais libre de rentrer à la maison pour régler les difficultés qui restaient.

En premier lieu, je misai sur la sublime dévotion de ma femme. J'avais décidé avec Mrs Clements que, dans l'intérêt d'Anne, elle communiquerait son adresse à lady Glyde. Mais cela n'était pas suffisant. Quelque intrigant pouvait fort bien, en mon absence, ébranler la confiance de Mrs Clements et l'empêcher de nous écrire. Qui donc, dans ces conditions, pouvait secrètement faire le voyage jusqu'à Londres avec les deux femmes et s'assurer de l'endroit où elles habiteraient ? Je me posai la question ; mon instinct conjugal répondit immédiatement : la comtesse Fosco.

Après avoir organisé la mission de mon épouse à Londres, je décidai que son voyage servirait un autre but. Mes projets exigeaient la présence d'une infirmière aussi dévouée à Marian qu'à moi-même. J'avais par bonheur à ma disposition l'une des femmes les plus dignes de confiance et les plus compétentes qui soient ; je chargeai donc la comtesse d'une lettre pour cette maîtresse femme, *madame* Rubelle.

Au jour convenu, je retrouvai Mrs Clements et Anne Catherick à la gare. Je leur fis poliment mes adieux, et je fis tout aussi poliment mes adieux à la comtesse, qui partait par le même train. Le soir même, celle-ci était de retour à Blackwater Park, ayant scrupuleusement suivi mes instructions. Elle revenait avec Mme Rubelle et l'adresse de Mrs Clements à Londres. La suite des événements devait montrer que cette dernière précaution était inutile ; Mrs Clements communiqua en effet docilement son adresse à lady Glyde dans une lettre que j'ai pris soin de conserver.

Ce même jour, j'eus une brève entrevue avec le médecin pour m'insurger, au nom de l'humanité, contre le traitement qu'il appliquait à Marian. Il se montra aussi insolent que peuvent l'être les gens ignorants. Je me gardai bien, pour ma part, de montrer la moindre amertume ; mieux valait pour se quereller attendre un moment plus approprié.

Il me fallut ensuite songer à quitter moi-même Blackwater Park. Je devais m'occuper de ma nouvelle résidence londonienne mais également régler une petite question familiale avec Mr Frederick Fairlie. Je trouvai la maison que je désirais à St John's Wood et Mr Fairlie à Limmeridge, dans le Cumberland.

Ayant eu confidentiellement accès à la correspondance de Marian, je savais qu'elle avait écrit à Mr Fairlie pour lui proposer, afin d'aplanir les difficultés matrimoniales de lady Glyde, que celle-ci rendît visite à son oncle dans le Cumberland. Sagement, j'avais permis que cette lettre atteignît son destinataire, pressentant qu'elle ne me causerait aucun préjudice et pourrait même m'être de quelque utilité. Je pouvais ainsi, à présent, me présenter devant Mr Fairlie pour soutenir la requête de Marian, en y apportant quelques modifications de mon cru, lesquelles, par bonheur pour la réussite de mon plan, étaient rendues inévitables par la maladie de cette chère âme. Il était indispensable que lady Glyde quittât Blackwater seule, sur invitation de son oncle, et qu'elle fît halte chez sa tante (dans la demeure que je venais de louer à St John's Wood), comme devait chaudement le lui recommander ce même oncle. C'est donc pour m'assurer, d'une part, que les choses se dérouleraient de la sorte et pour obtenir, d'autre part, une invitation écrite que je pourrais montrer à lady Glyde que je rendis visite à Mr Fairlie. Quand j'aurai dit que ce gentleman était aussi faible d'esprit que de constitution et que je sus, sans problème, le rallier à mes vues, j'en aurai dit assez. Je vins, je vis et je vainquis Mr Fairlie.

Lorsque je rentrai à Blackwater Park (avec l'invitation), la stupidité du médecin avait produit ses désastreux résultats : la fièvre de Marian avait dégénéré en typhus. Ce jour-là, lady Glyde demanda qu'on la laissât entrer dans la chambre de sa sœur pour la soigner. Nous n'avions l'un pour l'autre aucune sympathie – je ne lui pardonnerai jamais d'avoir outragé ma sensibilité en me traitant d'espion et d'avoir sans cesse été un obstacle sur ma route et sur celle de sir Percival –, mais ma magnanimité m'interdisait de l'exposer sciemment et délibérément à la contagion. En revanche, si elle se mettait d'elle-même en danger, je ne voyais pas de raison pour l'en empêcher. Qui sait ce qu'il serait advenu si on l'avait laissée faire ? En tout état de cause, le médecin s'interposa et lui interdit l'accès de la chambre.

J'avais pour ma part réclamé à plusieurs reprises que l'on fît appel à un médecin de Londres. La chose avait enfin été décidée et le médecin, à son arrivée, confirma mon diagnostic. Le cas était grave mais, au bout de cinq jours, le spécialiste émit quelque espoir. Durant cette courte période, je ne m'absentai qu'une journée, pour aller à Londres effectuer les derniers arrangements dans la maison de St John's Wood, m'assurer secrètement que Mrs Clements n'avait pas déménagé et prendre certaines décisions avec le mari de Mme Rubelle. Je revins le soir même. En cinq jours, donc, Marian fut déclarée hors de danger et le spécialiste confirma qu'elle n'avait plus désormais besoin que d'une infirmière attentionnée à ses côtés. C'était l'instant que j'attendais. Maintenant que l'assistance d'un médecin n'était plus nécessaire, j'avançai mon premier pion en me dressant contre le docteur, car c'était l'un des nombreux témoins indésirables dont je devais me débarrasser. Une violente altercation entre lui et moi (sous les yeux de Percival à qui j'avais auparavant recommandé de ne pas intervenir) me permit de parvenir à mes fins. Je déversai toute mon indignation sur cet incompétent et le chassai de la maison.

Il fallait ensuite se débarrasser également des domestiques. Une fois encore j'instruisis Percival (dont le caractère chancelant devait sans arrêt être stimulé) et, à la stupeur de Mrs Michelson, il la convoqua un jour pour lui donner l'ordre de renvoyer toute la domesticité. Seule resterait avec la gouvernante, pour assurer les tâches ménagères, une fille dont l'effrayante stupidité ne risquait pas de nous causer le moindre ennui. Une fois l'office déserté, restait à éloigner Mrs Michelson elle-même, ce que nous fîmes sans problème en envoyant cette aimable personne chercher pour sa maîtresse un lieu de résidence au bord de la mer.

Tout était donc comme je le souhaitais : lady Glyde confinée dans sa chambre, les nerfs malades, assistée de cette grosse fille idiote dont j'ai oublié le nom ; Marian toujours au lit, soignée par Mme Rubelle ; nulle autre créature vivante dans la maison à l'exception de ma femme, Percival et moi-même. Toutes les chances étant de notre côté, je jouai mon second coup.

L'objet en était d'amener lady Glyde à quitter Blackwater Park sans sa sœur. A moins de la persuader que Marian était partie pour le Cumberland de son côté, nous n'avions aucune chance qu'elle quittât Blackwater Park de son plein gré. C'est pour cela que nous cachâmes notre malade dans l'une des chambres de l'aile inhabitée de la maison. Nous la transportâmes en pleine nuit, la comtesse, Mme Rubelle et moi-même (nous ne pouvions compter sur le sang-froid de Percival).

La scène était pittoresque, mystérieuse et dramatique à souhait ! Sur mes instructions, on avait glissé dans la matinée, en refaisant le lit de la malade, une solide planche de bois sous le matelas ; il n'y eut plus, la nuit venue, qu'à saisir la planche par la tête et les pieds pour transporter la malade sans perturber son sommeil. Notre chère Marian était plongée dans le profond sommeil de la convalescence et il ne fut même pas nécessaire de recourir à la chimie. Après avoir ouvert toutes les portes, je me plaçai, étant le plus fort, à la tête du lit, tandis que la comtesse et Mme Rubelle prenaient les pieds. Je portai ma part de ce fardeau si précieux avec toute la tendresse d'un homme et toute l'attention d'un père. Où est donc le Rembrandt moderne qui pourrait décrire notre procession nocturne ? Hélas pour l'Art ! Trois fois hélas pour ce grandiose tableau ! Il n'existe pas de Rembrandt moderne !

Le lendemain matin, ma femme et moi partîmes pour Londres, confiant Marian aux soins de Mme Rubelle qui consentit aimablement à s'emprisonner avec elle pendant quelques jours. Avant de partir, je remis à Percival la lettre de Mr Fairlie pour lady Glyde (dans laquelle il lui demandait de faire étape chez sa tante pendant son voyage pour le Cumberland) et lui dis de la montrer à sa femme dès qu'il recevrait de mes nouvelles à ce sujet. De son côté, il me donna l'adresse de l'asile où Anne Catherick avait été internée, et une lettre pour le directeur l'informant que la jeune fille devait à nouveau y être soignée.

Je m'étais arrangé, lors de mon dernier voyage à Londres, pour que notre maison fût prête à nous recevoir dès notre arrivée. Conséquence de cette sage précaution, nous fûmes en mesure, le jour même, de jouer notre troisième coup qui consistait à recueillir Anne Catherick.

Les dates ont ici toute leur importance. Ayant la chance d'être à la foi un homme de sentiments et un homme d'affaires, je connais toutes ces dates sur le bout du doigt.

Le mercredi 24 juillet 1850, j'envoyai ma femme avec un fiacre chez Mrs Clements pour l'ôter de notre chemin. Elle était supposée l'emmener après lui avoir remis un prétendu message de la part de lady Glyde. Prétextant quelque course à faire, ma femme abandonna Mrs Clements dans le fiacre et s'en revint à St John's Wood pour y accueillir notre invitée. Est-il besoin de préciser ici que cette dernière avait été annoncée aux domestiques sous le nom de « lady Glyde » ?

Pendant ce temps, j'avais moi-même pris un fiacre et porté un billet à Anne Catherick où il était dit que lady Glyde retenait Mrs Clements auprès d'elle pour la journée et qu'elle priait Anne de venir les rejoindre en compagnie du généreux gentleman qui l'attendait à la porte, celui même qui lui avait déjà permis dans le Hampshire d'échapper aux griffes de sir Percival.

Le « généreux gentleman » fit porter le message par un gamin des rues, attendit dehors le résultat et, quand Anne apparut sur le pas de la porte, se précipita pour lui ouvrir la porte du fiacre et l'emmena de la sorte.

(Permettez-moi ici une exclamation entre parenthèses : Dieu que tout cela est palpitant !)

Pendant le trajet vers Forest Road, ma compagne ne fit paraître aucune crainte. Je puis être paternel quand je le veux et je le fus au plus haut point en cette occasion. N'avais-je d'ailleurs pas mérité sa confiance à plus d'un titre ? Je lui avais fourni le remède qui l'avait remise sur pied, je l'avais mise en garde contre sir Percival ! Mais sans doute ai-je péché par abus d'assurance, sans doute ai-je sous-estimé la puissance de l'instinct chez ce genre de personne faible d'esprit ; il est certain en tout cas que je négligeai de la préparer à la déception qui l'attendait chez nous. Lorsqu'elle entra dans le salon et vit la comtesse Fosco qu'elle ne connaissait pas, elle fut prise d'une violente agitation ; si elle avait pressenti le danger dans l'air comme les chiens détectent une présence invisible elle n'eût pas manifesté plus grande alarme. Je tentai en vain de la calmer. J'eusse probablement pu lui ôter sa panique, mais tous les réconforts moraux ne servaient de rien pour guérir la maladie de cœur dont elle souffrait. A mon indicible horreur, elle fut prise de convulsions qui, dans l'état de santé où elle se trouvait, pouvaient lui être fatales sur l'instant.

Un médecin du voisinage fut mandé en hâte pour soigner « lady Glyde » ; à mon grand soulagement, il se révéla un homme compétent. Je lui présentai notre invitée comme une personne faible d'esprit, sujette aux divagations, puis je m'arrangeai pour que seule ma femme veillât la malade. L'état de la malheureuse était tel, pourtant, que je n'avais pas à craindre qu'elle fît des révélations compromettantes. La seule crainte que j'avais à présent était que la fausse lady Glyde mourût avant l'arrivée à Londres de la vraie lady Glyde.

J'avais écrit le matin même un mot à Mme Rubelle, lui disant de venir me rejoindre chez son mari le vendredi 26 dans la soirée, et un autre mot à l'adresse de Percival, pour l'informer qu'il pouvait remettre à sa femme la lettre d'invitation de Mr Fairlie en lui expliquant en même temps que Marian était déjà partie ; j'ajoutais que j'attendrais lady Glyde le 26, au train de midi. Devant l'état de santé d'Anne Catherick, j'avais cru bon de précipiter les événements et de faire venir lady Glyde plus tôt que je ne l'avais d'abord prévu. Dans l'incertitude où je me trouvais, que pouvais-je faire d'autre ? Rien, sinon m'en remettre à la chance et au médecin. Mon émotion éclatait en apostrophes pathétiques que j'avais juste assez de présence d'esprit pour associer au nom de « lady Glyde ». Pour le reste, Fosco, en ce jour mémorable, ne fut plus que l'ombre de lui-même.

La fausse lady Glyde passa une mauvaise nuit, se réveilla littéralement épuisée mais sembla miraculeusement retrouver des forces dans la journée du 25. Je repris courage. Les réponses de Percival et de Mme Rubelle ne me parviendraient pas avant le 26 au matin ; anticipant malgré tout qu'ils auraient suivi mes instructions (sauf accident, il n'y avait aucune raison qu'ils ne le fissent pas), j'allai retenir un fiacre pour aller chercher lady Glyde à la gare, demandant qu'il se trouvât devant chez moi le 26 à deux heures, ce que l'employé inscrivit sur le livre de bord. Je réglai ensuite quelques affaires privées avec M. Rubelle, puis me mis en rapport avec deux individus susceptibles de me procurer un certificat de démence. L'un d'eux était une de mes connaissances, l'autre m'avait été recommandé par M. Rubelle. Tous deux ne s'embarrassaient guère de scrupules et de surcroît avaient de graves ennuis d'argent ; tous deux eurent confiance en MOI.

Après m'être acquitté de ces tâches, je rentrai chez moi à cinq heures. Anne Catherick était morte. Morte le 25, et lady Glyde n'arrivait que le 26 !

J'étais sonné. Méditez cela. Fosco sonné !

Il était trop tard pour faire marche arrière. Avant mon arrivée, le médecin avait déjà pris sur lui de m'épargner tout le souci d'avoir à déclarer le décès et avait rédigé de sa propre main l'acte dûment daté. Ma splendide combinaison, jusqu'alors inattaquable, avait maintenant son point faible, et rien ne pouvait plus permettre d'altérer la vérité. J'envisageai l'avenir. Les intérêts de Percival et les miens étant toujours en jeu, je n'avais d'autre solution que de jouer la partie jusqu'à son terme. Je fis donc appel à mon calme immuable, et jouai.

Le matin du 26, je reçus la réponse de Percival ; il m'annonçait l'arrivée de sa femme par le train de midi. Mme Rubelle m'écrivait de son côté qu'elle serait à Londres dans la soirée. Laissant chez moi la fausse lady Glyde, morte, je sautai dans le fiacre pour aller accueillir à la gare la vraie lady Glyde. J'emportais, cachés sous le siège de la voiture, les vêtements d'Anne Catherick – ces vêtements qui allaient aider à ressusciter la morte dans la personne de la vivante. Quelle situation ! Je la propose à la jeune génération des romanciers anglais et aussi, car elle est absolument inédite, aux dramaturges français en manque d'inspiration.

Lady Glyde était à la gare. L'endroit était bondé et il fallut plus de temps que je n'en eusse souhaité (il se pouvait que des connaissances à elle fussent dans les parages) pour récupérer ses bagages. Sa première question, comme nous quittions la gare en fiacre, fut pour me demander des nouvelles de sa sœur. J'en inventai donc d'aussi rassurantes que possible, l'assurant qu'elle la retrouverait chez moi. En l'occurrence, mon domicile se trouvait dans les environs de Leicester Square, occupé en fait par M. Rubelle, qui nous accueillit dans le hall.

Je conduisis mon invitée en haut, dans une pièce du fond, tandis que mes deux acolytes, censés délivrer les certificats d'insanité, attendaient au rez-de-chaussée. Après avoir rassuré comme il se devait lady Glyde au sujet de sa sœur, je fis entrer ces messieurs, chacun à leur tour. Ils s'acquittèrent de leur tâche avec diligence, intelligence et sérieux. Dès qu'ils furent partis, je rentrai à mon tour dans la pièce où se trouvait lady Glyde et, de manière à accélérer les choses, lui annonçai brutalement que la santé de sa sœur n'était pas aussi satisfaisante que je l'espérais.

Il se produisit alors ce que j'avais escompté. Lady Glyde fut prise de panique et s'évanouit. Pour la seconde et dernière fois, j'invoquai la science à mon secours. Je donnai à la jeune femme une certaine boisson et lui fis respirer des sels tout particuliers qui la soulagèrent instantanément de son malaise et de ses angoisses. Une dose supplémentaire lui fut administrée un peu plus tard dans la soirée, grâce à laquelle elle sombra dans un profond sommeil et passa une excellente nuit. Mme Rubelle en profita pour procéder à la toilette de lady Glyde.

Elle lui ôta ses propres vêtements pour la revêtir de ceux d'Anne Catherick. Pendant toute la journée suivante, je m'arrangeai pour la garder dans une demi-conscience, attendant que les précieux certificats me permettant de la faire enfermer fussent rédigés et en ma possession. Je les obtins le soir même (le soir du 27), si bien que Mme Rubelle et moi pûmes conduire à l'asile notre Anne Catherick ressuscitée. On la reçut avec surprise, certes, mais sans soupçonner la vérité, grâce tout à la fois à la lettre de Percival, aux faux certificats, à sa ressemblance parfaite avec celle qui s'était échappée, à ses vêtements, grâce enfin à l'extrême confusion mentale dans laquelle elle se trouvait. Cela fait, je retournai aider la comtesse Fosco dans les préparatifs de l'enterrement de la fausse lady Glyde, rapportant avec moi les vêtements et les bagages de la vraie lady Glyde. Ils seraient par la suite envoyés dans le Cumberland par le convoi mortuaire. J'assistai moi-même aux funérailles, en grand deuil et plein d'une parfaite dignité.

Mon récit de ces extraordinaires événements, rédigé dans des circonstances non moins extraordinaires, s'achève ici. On sait le séjour que je fis encore à Limmeridge pour régler quelques derniers détails, comme on sait le succès magnifique de mon entreprise et les gains financiers qui en découlèrent. Je dois affirmer ici avec toute la force de ma conviction que le seul point faible de ma machination n'eût jamais été découvert si moi-même je n'avais eu une petite faiblesse. Seule ma fatale admiration pour Marian m'empêcha de voler à mon propre secours quand elle organisa la fuite de sa sœur. Je courus ce risque, assuré que lady Glyde avait définitivement perdu son identité. Que Marian ou Mr Hartright tentassent de restaurer cette identité et ils s'exposeraient publiquement au plus cruel des échecs ; ils seraient accusés de mensonge, discrédités et, en conséquence, incapables de menacer mes intérêts et ceux de Percival. Je commis une première erreur en pensant de la sorte ; j'en commis une seconde, après que Percival eut payé le prix de son obstination et de sa violence, en laissant lady Glyde en liberté et en donnant à Mr Hartright une seconde chance de m'échapper. En bref, Fosco, dans ce moment crucial, ne fut pas fidèle à lui-même. Malheureuse et improbable faute ! N'en cherchez pas la cause ! Elle est dans mon cœur, en la personne de Marian Halcombe, la première et la dernière faiblesse de la vie de Fosco !

A soixante ans, je fais cet aveu inouï. Jeunes hommes ! J'en appelle à votre compassion ! Jeunes femmes ! Je réclame vos larmes.

Un mot encore et l'attention du lecteur (qui m'a suivi haletant) pourra s'endormir.

Ma perspicacité m'avertit que des esprits inquisiteurs pourraient poser trois questions inévitables. Elles seront donc posées, et j'y répondrai.

Première question. Quel est le secret de l'inaltérable dévotion dont fit preuve la comtesse Fosco dans l'accomplissement de mes désirs les plus audacieux et de mes plans les plus clandestins ? Je ne répondrai à ceci qu'en me référant à ma propre personnalité et en posant à mon tour une question : où, dans l'histoire du monde, trouve-t-on un homme de ma trempe qui n'ait pas eu dans son ombre une femme s'étant immolée sur l'autel de sa vie ? Je me souviens bien sûr que j'écris en Angleterre et que je me suis marié en Angleterre ; je demande alors : l'expression de ses propres opinions sur les principes de son époux fait-elle partie des obligations que le mariage impose à une femme ? Non ! Seuls sont exigés l'amour, la vénération et l'obéissance. C'est exactement ce que fit ma femme. Je veux témoigner de sa grandiose élévation morale et affirmer qu'elle s'est superbement acquittée de ses devoirs conjugaux. Taisez-vous, calomnies ! Votre mansuétude, femmes d'Angleterre, pour *madame* Fosco.

Deuxième question. Si Anne Catherick n'était pas morte au moment où elle est morte, qu'eussé-je fait ? J'eusse aidé la nature à soulager cette créature épuisée. J'eusse ouvert grand les portes de la prison de la vie et offert à la captive (incurablement atteinte dans son corps et son esprit) le repos éternel.

Troisième question. En examinant avec du recul toutes les circonstances, ma conduite est-elle blâmable ? Le plus solennellement du monde : non ! Ne me suis-je pas évité la peine de commettre d'inutiles crimes ? Avec mes vastes connaissances en chimie, j'eusse pu prendre la vie de lady Glyde. Au prix d'un immense sacrifice personnel, j'ai suivi les injonctions de mon ingéniosité, de mon humanité, de ma prudence et n'ai fait que lui voler son identité. Jugez-moi sur ce que j'eusse pu faire et vous clamerez alors mon innocence ! Combien grande apparaît ma vertu en regard de toutes ces choses que je n'ai pas faites !

J'annonçais en commençant que ce récit serait extraordinaire. Il a entièrement comblé mes attentes. Recevez ces lignes ferventes comme un ultime legs au pays que je quitte pour toujours… Elles sont dignes de lui et de

FOSCO.

FIN DU RÉCIT DE WALTER HARTRIGHT

I

Quand j'achevai la lecture du manuscrit, la demi-heure que je m'étais engagé à passer dans la maison de Forest Road était écoulée. M. Rubelle m'ayant salué après avoir consulté sa montre, je me levai et sortis. Je ne l'ai jamais revu, je n'ai jamais plus entendu parler de lui ni de sa femme. Ils étaient venus à nous par les sombres chemins de la vilenie et de l'imposture ; par les mêmes chemins, ils ont disparu de notre vie.

Un quart d'heure plus tard, j'étais de retour chez nous.

Je consacrai peu de mots à mettre Laura et Marian au courant de ma nuit tragique et à les avertir de ce que seraient les prochains événements de notre vie. Je réservai les détails pour un autre moment de la journée et retournai en hâte à St John's Wood, chez le loueur de fiacres auprès de qui le comte avait réservé une voiture pour retrouver Laura à la gare.

L'endroit était à une centaine de mètres de Forest Road. Le patron se révéla un homme tout à fait respectable. Quand je lui eus fait part de ma requête, ayant pris soin de souligner qu'il s'agissait d'une affaire de famille des plus importantes, il me montra volontiers son registre. A la date du 26 juillet 1850, la réservation figurait en ces termes : « Comte Fosco, 5 Forest Road, deux heures (John Owen). »

On m'expliqua que John Owen était le nom du cocher et, sur ma demande, on le fit venir.

– Vous souvenez-vous d'avoir conduit un gentleman, en juillet dernier, depuis le 5 Forest Road jusqu'à la gare de Waterloo Bridge ? demandai-je.

– Possible, monsieur, je ne sais plus trop.

– Peut-être cependant vous souvenez-vous du gentleman ? Un étranger, très grand et plutôt corpulent ?

Le visage de l'homme s'illumina aussitôt.

– Je m'en souviens, monsieur ! Le plus gros personnage que j'aie jamais vu, et le plus lourd des passagers que j'aie jamais transportés. Oui, oui, ça me revient ! Nous sommes bien allés à la gare, et nous venions… Il y avait un perroquet aussi, ou un animal de ce genre… Le gentleman était très pressé quand il a fallu récupérer les bagages de la dame, et il m'a donné un copieux pourboire.

Les bagages ! Je me souvins soudain qu'aux dires mêmes de Laura, ces bagages avaient été ramassés par quelqu'un qui accompagnait le comte. Il s'agissait de cet Owen.

– Avez-vous vu la dame ? demandai-je. A quoi ressemblait-elle ? Était-elle jeune ou vieille ?

– A vrai dire, monsieur, avec toute cette presse et toute l'agitation, je ne l'ai pas bien vue. Je ne peux rien dire d'elle, sauf son nom.

– Vous vous rappelez son nom ?

– Oui, monsieur. Lady Glyde.

– Comment se fait-il que vous vous en souveniez alors que vous avez oublié comment elle était ?

L'homme sourit et se dandina sur ses pieds, l'air légèrement embarrassé.

– A vous dire la vérité, monsieur, j'étais jeune marié à l'époque et le nom de jeune fille de ma femme était le même que le sien – Glyde tout seul, bien entendu. D'ailleurs, c'est la dame elle-même qui l'a prononcé. « Votre nom figure-t-il sur les bagages ? lui ai-je demandé. – Oui, a-t-elle répondu. Mon nom est sur mes bagages ; lady Glyde. » Dingue ! me suis-je dit à moi-même. D'ordinaire, j'ai une méchante mémoire pour les noms de ces messieurs dames, mais là il résonne comme un vieil ami. Quand ça s'est passé, je ne saurais dire, peut-être l'an dernier, peut-être pas. Mais pour sûr, je me souviens du gros gentleman et du nom de la dame.

Il n'était pas besoin qu'il se souvînt de la date, puisqu'elle était inscrite sur le registre de son patron. Je tenais désormais, pour dénoncer toute la conspiration, les armes infaillibles que me fournissaient ces preuves. Sans un moment d'hésitation, je pris à part le loueur et lui expliquai l'importance de son registre et du témoignage du cocher. Je trouvai facilement un arrangement pour le dédommager de l'absence momentanée de ce dernier en cas de besoin, fis une copie du registre qu'il certifia conforme et pris congé après qu'il eut été décidé que John Owen se tiendrait à ma disposition dans les trois jours suivants, ou plus longtemps si nécessaire.

J'étais maintenant en possession de tous les documents que je désirais – la copie de l'acte de décès, la lettre datée que sir Percival avait écrite au comte se trouvant soigneusement rangées dans mon portefeuille.

Fort de ces nouvelles preuves, je me dirigeai vers l'étude de Mr Kyrle. Cette seconde visite avait d'une part pour objet de le mettre au courant de tout ce que j'avais fait. D'autre part elle me permettrait de l'avertir de ma décision d'emmener ma femme à Limmeridge le lendemain, afin qu'elle fût publiquement reçue et reconnue dans la maison de son oncle. Je laissais à Mr Kyrle le soin de décider si, dans ces circonstances et en l'absence de Mr Gilmore, il était de son devoir d'être présent ou non.

Je ne dirai rien de la stupeur de Mr Kyrle ni des termes dans lesquels il exprima ce qu'il pensait de ma conduite d'un bout à l'autre de cette affaire, et préciserai seulement qu'il décida de nous accompagner dans le Cumberland.

Nous partîmes le lendemain matin par le premier train. Laura, Marian, Mr Kyrle et moi-même dans un wagon, John Owen et le clerc de Mr Kyrle dans un autre. En arrivant à Limmeridge, nous nous rendîmes d'abord à la ferme de Todd's Corner, car je ne voulais pas que Laura entrât chez son oncle avant que celui-ci eût reconnu qu'elle était sa nièce. Je laissai Marian s'occuper de notre installation avec Mrs Todd, dès que celle-ci se fut remise de ses émotions, et je m'arrangeai avec Mr Todd pour que John Owen fût logé avec les journaliers de la ferme. Ceci fait, Mr Kyrle et moi prîmes la direction de Limmeridge House.

Je ne m'attarderai pas sur notre entretien avec Mr Fairlie, car à son seul souvenir je suis gagné par l'impatience et le mépris ; la scène fut infiniment pénible et odieuse. Disons seulement que j'obtins gain de cause. Mr Fairlie tenta de nous traiter à son habitude. Nous ignorâmes son insolence polie quand commença l'entretien ; nous écoutâmes sans la moindre commisération la litanie de protestations avec lesquelles il voulut nous persuader que la révélation de la conspiration l'avait bouleversé. Au bout du compte, il geignit et pleurnicha comme un nourrisson qui fait ses dents : « Comment pouvais-je savoir que ma nièce était en vie alors qu'on m'avait dit qu'elle était morte ? » Il accueillerait Laura avec plaisir, si seulement on lui laissait le temps de se remettre. Pensions-nous qu'il avait l'air pressé de se retrouver dans sa tombe ? Non. Alors pourquoi le presser ? Il ne perdit pas une occasion de rabâcher ses lamentations jusqu'au moment où je parvins à le faire taire en le plaçant devant une alternative bien nette : soit il rendait justice à sa nièce comme je le lui demandais, soit il s'exposait à comparaître devant un tribunal. Mr Kyrle, vers qui il se tourna alors pour quêter quelque secours, lui répondit simplement qu'il devait déclarer à l'instant même à quelle solution il s'arrêtait. Choisissant comme toujours celle qui le débarrasserait au plus vite de ses ennuis, il annonça, avec un soudain regain d'énergie, qu'il était trop faible pour supporter plus longtemps ce genre de discussion, et qu'il nous donnait carte blanche.

D'accord avec Mr Kyrle, je décidai alors d'envoyer un mot à tous les habitants des environs qui avaient assisté à l'enterrement, les priant au nom de Mr Fairlie de se réunir à Limmeridge House le jour suivant à une heure. Un ordre fut expédié également à un marbrier de Carlisle, lui demandant d'envoyer à la même heure un de ses ouvriers au cimetière de Limmeridge dans le but d'enlever une épitaphe gravée sur le marbre. Mr Kyrle, qui devait loger chez Mr Fairlie, se chargeait de lui lire les lettres et de les lui faire signer.

Je consacrai le reste de la journée à rédiger un récit complet de la conspiration, en y apportant toutes preuves factuelles qui contredisaient la mort de Laura. Je voulus le soumettre à Mr Kyrle avant d'en faire lecture le lendemain devant l'assemblée. Nous convînmes également de la manière dont les preuves seraient produites à l'issue de ma lecture. Ayant réglé ces détails, Mr Kyrle se concentra sur les affaires de Laura. Ne sachant rien et ne voulant rien savoir de ces affaires, et doutant qu'en tant qu'homme de loi il appréciât la décision que j'avais prise concernant l'héritage de ma femme dont j'avais laissé la jouissance à la comtesse Fosco, je priai Mr Kyrle de m'excuser si je ne discutais pas de la question avec lui. Elle était trop liée, lui dis-je en toute sincérité, aux douleurs et aux ennuis du passé que plus jamais ma femme et moi n'évoquions entre nous et dont nous évitions de parler à quiconque.

Ma dernière tâche, comme approchait le soir, était de me procurer « ce que racontait la pierre tombale » en prenant copie de l'épitaphe mensongère qui était gravée sur la tombe, avant qu'elle ne fût effacée.

Le jour décisif arriva, le jour où Laura entrerait de nouveau dans la salle à manger familière de Limmeridge House. Lorsque nous apparûmes, Marian et moi, tenant Laura par la main, toutes les personnes présentes se levèrent de leur siège dans un murmure d'incrédulité. Mr Fairlie était présent (à ma demande expresse), ayant à ses côtés Mr Kyrle. Son valet de chambre se tenait debout derrière lui, tenant à la main un flacon de sels et un mouchoir imbibé d'eau de Cologne.

Je commençai par demander, devant tous, à Mr Fairlie si nous étions chez lui avec son assentiment. Tendant les bras pour que Mr Kyrle et son valet l'aidassent à se lever, il déclara :

– Permettez-moi de vous présenter Mr Hartright, dit-il. Comme je suis plus malade que jamais, il aura la grande obligeance de vous parler à ma place. Le sujet est difficile à suivre. Je vous en prie, écoutez Mr Hartright attentivement, et sans faire de bruit, surtout !

Il se rassit lentement sur ces mots et s'enfouit le visage dans son mouchoir parfumé.

J'en arrivai donc à la révélation de la machination après quelques brèves mises au point préliminaires. J'informai mon auditoire que j'étais ici présent, premièrement, pour déclarer que ma femme, assise à côté de moi, était Laura Fairlie, fille de feu Philip Fairlie ; deuxièmement, pour prouver par des faits indiscutables que l'enterrement auquel tous avaient assisté dans le cimetière de Limmeridge était celui d'une autre femme ; troisièmement, pour leur faire un récit circonstancié de ce qui s'était passé.

Sans autres précautions oratoires j'entamai ma lecture du récit du complot, le décrivant dans ses grandes lignes, insistant surtout sur les motifs d'ordre financier pour lesquels il avait été ourdi, afin de ne pas avoir à mentionner le secret de sir Percival. Cela fait, je rappelai la date de l'épitaphe inscrite sur la tombe (25 juillet) qui concordait avec celle du certificat de décès que je produisis. Puis je lus la lettre de sir Percival annonçant que le voyage de ma femme entre le Hampshire et Londres aurait lieu le 26. Je prouvai enfin qu'elle avait bien effectué ce voyage, grâce au témoignage du loueur de fiacres, le jour même où il avait été prévu, comme le démontrait le registre de location. Ensuite, Marian fit le récit de sa visite à l'asile où elle avait retrouvé sa sœur. Je terminai en annonçant la mort de sir Percival et mon mariage avec Laura.

Après que j'eus regagné mon siège, Mr Kyrle se leva à son tour et déclara qu'en tant qu'avocat de la famille il certifiait que mon récit était vrai. Tandis qu'il parlait, je pris Laura par la taille et la fis lever, de sorte qu'elle fût visible de tous :

– Êtes-vous tous du même avis ? demandai-je en faisant quelques pas vers eux et en leur désignant ma femme.

Ma question eut un effet électrique. A l'autre bout de la pièce, l'un des plus anciens paysans du domaine se leva, entraînant en un instant le reste de la salle. Je le revois encore, avec sa bonne face tannée, ses cheveux grisonnants, debout sur le rebord de la fenêtre et menant les exclamations en agitant les bras au-dessus de sa tête : « La voilà, vivante et pleine de joie ! Que Dieu la bénisse ! Acclamez-la, mes amis, acclamez-la ! » Les clameurs qui lui répondaient étaient la plus douce musique que j'eusse jamais entendue. Les laboureurs du village et les enfants de l'école rassemblés sur la pelouse reprirent en chœur. Les femmes des fermiers s'étaient précipitées vers Laura et c'était à celle qui la première lui serrerait la main ; elles la suppliaient, les larmes aux yeux, de ne pas pleurer. Mais Laura était si bouleversée par ce qui lui arrivait que je fus obligé de la tirer à l'écart et de la faire sortir de la pièce. Je la confiais à Marian, Marian qui toujours avait été là et qui une fois encore nous offrait toute sa force courageuse. Après les avoir remerciés au nom de Laura et en mon propre nom, j'invitai les personnes présentes à me suivre au cimetière où l'ouvrier marbrier nous attendait avec ses outils.

Dans un silence émouvant, les coups de ciseau résonnèrent sur le marbre et pas un mot ne fut prononcé jusqu'à ce qu'eussent disparu les trois mots : « Laura, lady Glyde ». On entendit alors un grand soupir de soulagement, comme si chacun avait senti que Laura était enfin libérée des chaînes dans lesquelles l'infâme complot l'avait emprisonnée, et la foule se dispersa sans bruit.

Le jour était déjà bien avancé quand l'épitaphe tout entière fut effacée du marbre blanc. A sa place furent gravés ces simples mots : « Anne Catherick, 25 juillet 1850. »

Je retournai à Limmeridge House suffisamment tôt dans la soirée pour prendre congé de Mr Kyrle. Lui et son clerc devaient repartir pour Londres par le train de nuit. Au moment de leur départ, un insolent message me fut délivré de la part de Mr Fairlie – qu'on avait dû évacuer de la salle à manger dans un état lamentable au moment où les premières explosions de joie s'étaient fait entendre. Le message nous adressait « les plus sincères félicitations de Mr Fairlie » et demandait si nous comptions rester dans la maison. Je fis répondre que le seul objet qui nous avait conduits à franchir sa porte était atteint, que je n'avais l'intention de rester dans aucune maison sinon la mienne et que par conséquent Mr Fairlie n'avait pas le moindre souci à se faire : il ne nous reverrait ni n'entendrait plus jamais parler de nous. Je retournai chez mes amis de la ferme, chez qui nous passâmes la nuit, et le lendemain, escortés dans l'enthousiasme par tous les gens du village et par les fermiers des alentours, nous regagnâmes Londres.

Comme les collines du Cumberland s'évanouissaient dans le lointain, je songeai à la désespérance dans laquelle s'était engagée cette lutte à présent derrière nous. Il était étrange de regarder ainsi en arrière et de constater, à présent, que cette pauvreté qui au départ nous avait privés de tout espoir avait indirectement contribué à notre succès en me contraignant à agir par mes propres moyens. Que se fût-il passé si j'avais eu assez d'argent pour recourir à une assistance légale ? Le gain (à en croire Mr Kyrle lui-même) eût été plus que douteux et la perte (à en juger par la manière dont tout s'était effectivement déroulé) certaine. La loi ne m'eût jamais permis de rencontrer Mrs Catherick ; la loi n'eût jamais fait de Pesca mon seul moyen d'obtenir la confession du comte.

II

Il me reste deux événements à mentionner pour que la boucle soit bouclée et que l'histoire se termine.

Alors que vibrait encore étrangement en nous le sentiment de liberté retrouvée après tant de mois de luttes et d'angoisses, je fus appelé par l'ami qui m'avait offert mon premier emploi de graveur sur bois et reçus de lui un nouveau témoignage de sa sollicitude. Il avait été invité par ses patrons à se rendre à Paris pour y étudier un nouveau procédé de gravure. Ses propres engagements ne lui permettant pas de profiter de cette offre, il avait généreusement proposé qu'on me la fît. Je n'avais pas l'ombre d'une hésitation à accepter cette proposition avec gratitude, car si je m'acquittais correctement de ma mission, comme j'espérais le faire, j'obtiendrais certainement un emploi permanent dans le journal où, pour l'instant, je ne travaillais qu'épisodiquement.

Dès le lendemain, je préparais mes bagages. Au moment de quitter Laura une nouvelle fois (mais en des circonstances combien différentes !) aux bons soins de sa sœur, je songeai à quelque chose qui avait déjà bien souvent traversé l'esprit de ma femme mais aussi le mien, je veux parler de l'avenir de Marian. Avions-nous le droit de laisser notre affection égoïste accepter le dévouement de toute une généreuse existence ? N'était-il pas de notre devoir de lui exprimer notre reconnaissance en nous oubliant un peu et en pensant seulement à elle ? Je voulus lui en parler, seul à seule, avant de partir. Aux premiers mots que je prononçai, elle me prit la main et me fit taire :

– Après ce que nous avons souffert tous les trois, dit-elle, il ne peut y avoir d'autre séparation entre nous que l'ultime séparation. Mon cœur et mon bonheur, Walter, sont avec Laura et avec vous. Attendez un peu qu'il y ait des babils enfantins autour de votre âtre. Je leur apprendrai à plaider ma cause dans leur langage, et la première leçon qu'ils devront apprendre pour leur papa et leur maman sera : « Nous ne pouvons pas vivre sans notre tante ! »

Je ne devais pas effectuer seul mon voyage à Paris. A la onzième heure Pesca décida de m'accompagner. Le pauvre petit homme n'avait pas retrouvé sa coutumière joie de vivre depuis notre soirée à l'opéra et il espérait qu'une semaine de vacances lui ferait du bien.

Quatre jours à Paris me suffirent pour réunir toutes les indications et tous les renseignements nécessaires sur ce que l'on m'avait demandé. Je décidai donc de profiter de ma dernière journée pour visiter la ville et me divertir en compagnie de Pesca.

L'hôtel étant comble, il nous avait fallu prendre des chambres à deux étages différents – moi au deuxième et lui au troisième. Le matin du cinquième jour, je montai donc voir si le professeur était prêt à sortir. Comme j'atteignais le palier je vis la porte de sa chambre s'ouvrir de l'intérieur sous la poussée d'une longue main fine et nerveuse (certainement pas celle de mon ami). Au même moment me parvint la voix de Pesca, grave et basse, qui disait en italien :

– Je me souviens du nom, mais je ne reconnais pas l'homme. A l'opéra, vous avez bien vu que je ne l'ai pas reconnu sous son déguisement. J'activerai le rapport… Je ne peux pas faire plus.

– Ce n'est pas nécessaire, répondit une seconde voix.

Alors la porte s'ouvrit en grand et je vis apparaître le jeune blond à la joue balafrée, l'homme qui avait suivi Fosco une semaine auparavant. Il me salua comme je me reculais pour le laisser passer ; son visage était d'une pâleur effrayante et il dut s'accrocher fermement à la rampe pour descendre l'escalier.

J'entrai aussitôt chez Pesca que je trouvai étrangement recroquevillé dans un coin du canapé. J'eus l'impression qu'il avait un mouvement de recul à mon entrée.

– Je vous dérange ? demandai-je. J'ignorais que vous étiez avec un ami.

– Ce n'est pas un ami, répondit-il vivement. Je l'ai vu aujourd'hui pour la première et la dernière fois !

– J'ai bien peur qu'il ne vous ait apporté de mauvaises nouvelles ?

– Affreuses nouvelles, Walter ! Retournons à Londres… Je ne veux pas rester ici… Je regrette même d'y être venu ! Les erreurs de ma jeunesse me poursuivent encore à mon âge ! J'essaie de les oublier…, mais elles ne m'oublient pas !

– Je crains que nous ne puissions partir avant cet après-midi. Venez faire un tour avec moi en attendant.

– Non, mon ami, je vous attendrai ici, mais je vous en supplie, partons aujourd'hui.

Je le quittai en lui donnant l'assurance que nous aurions quitté Paris dans l'après-midi. Nous avions prévu, la veille, de monter aux tours de Notre-Dame en nous servant comme guide du merveilleux roman de Victor Hugo. C'était un des monuments que j'avais le plus hâte de visiter dans la capitale.

En approchant de Notre-Dame par les quais, je passai devant la terrible maison des morts de Paris, la morgue. Une foule impressionnante s'agitait devant la porte ; il y avait manifestement à l'intérieur quelque chose qui excitait la curiosité populaire et nourrissait l'appétit morbide pour l'horreur qu'a le peuple. J'eusse continué mon chemin sans m'arrêter si mon attention n'avait pas été attirée par deux hommes et une femme en grande conversation. Ils sortaient de la morgue et la description qu'ils faisaient du cadavre était celle d'un homme – presque un géant – qui portait au bras gauche une étrange marque.

Au moment où ces mots parvinrent à mes oreilles, je me glissai parmi la foule qui attendait pour entrer. Un vague pressentiment m'avait traversé l'esprit quand j'avais entendu la voix de Pesca sortir de sa chambre et quand j'avais aperçu le visage décomposé de l'étranger au moment où il était passé devant moi. Voilà à présent que, à travers les mots que je venais d'intercepter, la vérité se révélait. Une autre vengeance que la mienne avait suivi cet homme, marqué par le destin, du théâtre jusqu'à sa porte, puis de sa porte jusqu'à son refuge parisien. Une autre vengeance que la mienne l'avait mené au jour du Jugement dernier et lui avait fait payer sa vie. Le moment où je l'avais désigné à Pesca, au théâtre, à portée d'oreille de l'étranger qui le cherchait lui aussi, avait scellé son destin. Je me souvenais de mes hésitations quand lui et moi nous étions trouvés face à face et du combat intérieur qu'il m'avait fallu mener avant de le laisser s'échapper ; je frissonnai à cette pensée.

Lentement, pas à pas, je pénétrai à l'intérieur avec la foule, me rapprochant de plus en plus de la grande vitre qui séparait les morts des vivants ; bientôt je fus au premier rang et pus regarder.

Il était là, inconnu, sans identité, exposé à la curiosité malsaine de la foule française ! C'était la fin terrible d'une vie tissée de duplicité et de forfaits. Dans le repos sublime de la mort, son visage ferme et massif avait acquis une telle dignité que ma voisine ne put s'empêcher de lever les mains et d'exprimer son admiration en frissonnant : « Oh ! Quel bel homme ! » La blessure qui l'avait tué avait été faite juste à l'endroit du cœur, au couteau ou à l'épée. Il ne portait aucune autre trace de violence à l'exception de son bras gauche, sur lequel, à l'endroit même où j'avais vu la marque de Pesca, deux larges entailles en T rendaient invisible le signe de la Confrérie. Ses vêtements, pendus à côté de lui, montraient qu'il était conscient du danger qui le menaçait : il s'était déguisé en artisan français. Je me forçai à regarder à travers la vitre pendant un moment qui ne dura pas très longtemps ; aussi ne puis-je m'étendre plus aujourd'hui sur ce que j'ai vu.

Je puis encore ajouter quelques éléments liés à sa mort, éléments qui m'ont été fournis soit par Pesca soit par d'autres sources, après quoi le sujet sera clos.

Le cadavre avait été retiré de la Seine, dans les vêtements que j'ai déjà décrits. On n'avait rien trouvé sur lui qui révélât son nom ni sa situation ni son adresse. La main qui l'avait frappé ne fut jamais retrouvée et l'on n'élucida jamais les circonstances dans lesquelles il avait été tué. Je laisse à chacun le soin de tirer ses propres conclusions comme je l'ai fait moi-même. Quand j'aurai suggéré que l'étranger à la cicatrice était sans doute un membre de la Confrérie (admis en Italie après que Pesca eut quitté son pays) et quand j'aurai ajouté que les deux entailles en forme de T, sur le bras gauche du mort, indiquait la première lettre du mot italien «*Traditore*», et qu'elles montraient que justice avait été faite sur le traître par l'un des membres de la Confrérie, j'aurai dit tout ce que je sais sur le mystère de la mort du comte Fosco.

Le corps fut identifié le lendemain, grâce à une lettre anonyme adressée à sa femme. Elle le fit enterrer au cimetière du Père-Lachaise ; fidèlement encore, elle continue de fleurir sa tombe. La comtesse vit à présent retirée à Versailles. Il n'y a pas longtemps, elle a publié une biographie de son défunt mari, mais cet ouvrage n'apporte aucune lumière sur le vrai nom de Fosco ni sur sa vie secrète. C'est un éloge de ses vertus domestiques, de ses précieux talents et une énumération de tous les honneurs qui lui ont été conférés. Les circonstances de sa mort sont à peine évoquées, résumées sur la dernière page par cette phrase : « Sa vie entière fut vouée à défendre les droits de l'aristocratie et les principes sacrés de l'ordre. Il est mort en martyr de sa cause. »

III

Je rentrai de Paris. L'été et l'automne s'écoulèrent sans qu'il se passât rien de particulier. Nous vivions si simplement et si tranquillement que mes revenus, à présent réguliers, nous suffisaient largement.

Au mois de février de l'année suivante naquit notre premier enfant. C'était un fils. Ma mère, ma sœur et Mrs Vesey furent invitées au baptême. Mrs Clements était là également pour seconder ma femme. Marian était la marraine de notre petit garçon, Pesca et Mr Gilmore (ce dernier par procuration) étaient ses deux parrains. Je dois ajouter ici que Mr Gilmore ne revint en Angleterre que l'année suivante ; c'est seulement alors que, à ma demande, il écrivit le récit qu'on a lu au début de ce livre. Ce fut donc, contrairement à ce que l'on pourrait penser, son témoignage que j'obtins en dernier.

Le dernier événement qui vaille d'être raconté ici se produisit lorsque notre petit Walter eut six mois.

A cette époque, je fus envoyé en Irlande pour réaliser quelques croquis demandés par mon journal. Mon absence dura quinze jours, pendant lesquels je correspondis régulièrement avec ma femme et Marian, sauf dans les trois derniers jours car il me fallut alors me déplacer, ce qui ne me permettait pas de recevoir de lettres. Je rentrai un matin après avoir passé la nuit en train et, à ma profonde stupéfaction, je ne trouvai personne pour m'accueillir. Laura, Marian et l'enfant avaient quitté la maison la veille de mon retour.

Un mot de Laura que me remit la femme de chambre ne fit qu'accroître ma surprise en m'apprenant qu'ils étaient partis pour Limmeridge House. Marian avait interdit qu'on donnât plus d'informations par écrit et j'étais prié de les rejoindre là-bas sitôt rentré ; tous les éclaircissements me seraient fournis dans le Cumberland, mais en attendant je ne devais absolument pas m'inquiéter. Il était assez tôt encore pour attraper le train du matin et, dans l'après-midi, j'étais à Limmeridge House.

Marian et Laura étaient en haut. Elles s'étaient installées, pour rendre mon étonnement plus grand encore, dans la petite pièce qui autrefois m'avait servi de salon particulier et dans laquelle je travaillais sur les eaux-fortes de Mr Fairlie. Marian, l'enfant sur ses genoux en train de sucer consciencieusement son hochet, s'était assise sur la chaise que j'avais l'habitude d'occuper en travaillant ; Laura, elle, se tenait debout près de la table, le petit album à dessins que j'avais réalisé pour elle entre les mains.

– Pourquoi êtes-vous venues ici, pour l'amour du Ciel ? demandai-je. Est-ce que Mr Fairlie… ?

Marian m'interrompit en me disant que Mr Fairlie était mort d'une attaque ; Mr Kyrle les avait informées de sa disparition et les avait priées de se rendre immédiatement à Limmeridge House.

J'eus la sensation vague et fugace qu'un grand changement se produisait. Laura parla avant que mes idées se fussent clarifiées. Elle s'était approchée de moi, comme pour ne rien perdre de l'incrédulité qui se peignait sur mon visage.

– Walter chéri, devons-nous vraiment justifier l'audace dont nous avons fait montre en venant ici ? J'ai bien peur qu'il ne me faille pour cela déroger à notre règle et faire référence au passé.

– Ce n'est nullement la peine, fit Marian. Nous pouvons être tout aussi claires et bien plus intéressantes en nous référant à l'avenir.

Elle se leva, puis me tendit l'enfant qui gesticulait dans ses bras.

– Savez-vous qui est-ce ? me demanda-t-elle avec des larmes de bonheur dans les yeux.

– Même ma confusion a ses limites, répondis-je, et je crois encore être capable de reconnaître mon bébé.

– Mon bébé ! s'exclama-t-elle, avec toute son ancienne gaieté. Comment osez-vous parler avec une telle familiarité d'un propriétaire de la haute bourgeoisie d'Angleterre ? Vous rendez-vous bien compte, devant cet illustre bébé, en face de qui vous vous trouvez ? Il ne me semble pas… Eh bien dans ce cas, faisons les présentations : Mr Walter Hartright, voici l'héritier de Limmeridge House !

Ainsi parla-t-elle. Avec ces derniers mots, j'ai tout écrit. La plume me glisse de la main. Cette œuvre de plusieurs mois s'achève enfin dans le bonheur. Marian fut le bon ange de nos vies… Que lui revienne le mot de la fin.

TABLE

Achevé d'imprimer en janvier 1996
dans les ateliers de Normandie Roto Impression s.a.
61250 Lonrai
pour le compte de France Loisirs, Paris

Dépôt légal : février 1996
N° d'éditeur : 26709

Imprimé en France
N° d'imprimeur : I5-2551